LA GUERRE DE STRATTON

Souvent comparée à Ruth Rendell, Laura Wilson a su s'imposer en une demi-douzaine de livres comme l'un des auteurs majeurs du nouveau roman policier britannique. Son roman *L'Amant anglais* a reçu en 2005 le Prix du polar européen du *Point*. Elle vit actuellement à Londres.

Paru dans Le Livre de Poche :

LES RECLUS

UN MILLIER DE MENSONGES

LAURA WILSON

La Guerre de Stratton

Un détective
au cœur des ténèbres de Londres

ROMAN TRADUIT DE L'ANGLAIS PAR VALÉRIE MALFOY

ALBIN MICHEL

Titre original :

STRATTON'S WAR

ISBN : 978-2-253-15820-2 – 1re publication LGF

À Jane Wood, avec toute ma gratitude.

1

Le premier à la voir fut un enfant.

Juin 1940, Fitzrovia : cinq heures de l'après-midi, ciel gris. Le petit garçon, six ans, avait gambadé sans enthousiasme dans la rue déserte, s'imaginant être un aéroplane, mais ce n'était pas très amusant sans les autres. Il avait été bien content quand sa maman était venue le rechercher dans cette ferme – chez ce paysan au visage porcin dont les gros bestiaux dégoûtants le poursuivaient encore avec des grognements dans ses cauchemars. Mais, après s'être contenue les premiers jours, elle s'était vite lassée de l'avoir dans ses jambes et l'avait envoyé jouer dans la rue. Voilà trois mois que cela durait et, la plupart de ses camarades ayant été évacués et son ancienne école réquisitionnée par la défense passive, il s'ennuyait.

Ramassant un bâton, il en racla les grilles en fer forgé devant les hautes maisons, puis tourna au coin et, poussant un soupir, s'assit sur le trottoir et tira très fort sur ses chaussettes.

En relevant la tête, il vit une sorte de grand sac de jute qui pendait le long de la grille, un peu plus loin. C'était nouveau, ça ! Sans se presser, il alla voir. Ce n'était pas un sac, mais une femme, empalée sur les pointes noires et acérées. Il la contempla sans comprendre. Elle avait la tête en bas, sa robe était retroussée jusqu'à la taille et on pouvait voir sa culotte. Du bout du doigt, il lui toucha l'épaule. Sous l'étoffe fluide, c'était une chose décharnée, osseuse, comme la viande qu'il allait chercher pour sa mère chez le boucher. Elle semblait avoir deux chevelures : l'une courte, brune et raide, à l'arrière de la tête ; l'autre, plus longue et jaune. La jaune avait glissé et pendait de part et d'autre de son visage, dissimulant ses traits. Il considéra ce mystère pendant un moment, puis regarda le trottoir, où un certain nombre de petites choses rondes et blanches s'étaient éparpillées. Il en ramassa une et la roula entre ses doigts – dure et brillante. Bonbon ? Il le mit dans sa bouche, le suça d'abord, puis l'éprouva sous la dent. Un peu rugueux, mais sans aucun goût. Le recrachant dans sa paume, il s'accroupit pour scruter la figure entre les longues boucles jaunes.

Dans la pénombre, à l'envers, un œil unique le dévisageait. L'autre était fermé – une longue fente dépourvue de cils, pareille à une plaie, au bord extérieur retroussé comme par un fil invisible. Puis, sur un râle, la bouche s'ouvrit – un O noir et caverneux –, pour l'avaler tout entier.

Il hurla. Quelqu'un d'autre en fit autant, et sur le moment il crut que c'était cette femme, bien décidée à le dévorer tout cru. Puis il entendit une galopade et, au milieu des cris et des coups de sifflets, une main inconnue pressa sa tête contre un buste féminin. Hurlant et se débattant de terreur, il fut emporté, criblant de coups son sauveur, la perle serrée dans son poing gauche.

2

Les ballons captifs brillaient sous les feux du soleil couchant. L'inspecteur Ted Stratton les observa en clignant des yeux. Ces grosses sphères argentées avaient quelque chose de réconfortant. Malgré tout, il songea – d'abord la Norvège, puis le Danemark, la Hollande, la Belgique et à présent la France, tels des dominos – que c'était une image assez peu éloquente d'un pays en guerre. Pour lui, ce mot évoquait des épouvantails criblés de balles, accrochés à des barbelés dans un no man's land, même si la Grande Guerre s'était terminée trop tôt pour qu'il y participe, le laissant incapable de dire s'il en était heureux ou navré. C'était la guerre de ses frères ; l'aîné y était mort. Quel choc quand il avait réalisé que, à trente-cinq ans, en sa qualité de réserviste, il serait maintenant trop vieux pour celle-ci – pour le moment, du moins. Il était plutôt en forme, solide et musclé, mais accusait son âge ; son nez cassé et pas mal de permanences de nuit lui avaient donné un aspect buriné, usé. Enfin, d'une certaine façon, tout le monde serait concerné cette fois, même les gosses. C'était terrible mais palpitant, cette sensation d'un drame imminent, d'être exposé sur la scène de l'Histoire, seul, à l'heure où le monde était en train de basculer : serons-nous les prochains ?

Passant devant les sacs de sable à l'entrée de l'hôpital, il songea à la rumeur selon laquelle les autorités locales stockaient des milliers de cercueils en papier mâché, et se dit : bientôt.

L'hôpital Middlesex, vidé en septembre de la plupart de ses patients afin de faire de la place aux futures victimes des raids aériens, était encore calme. L'écho de ses pas sur les marches en pierre accompagna sa descente au royaume souterrain du Dr Byrne – la morgue et son carrelage de pissotière, son éclairage cru, ses odeurs de chair décomposée et de produits chimiques. Assis à son bureau, le légiste était en train d'écrire.

– Visite officielle ?

Stratton secoua la tête.

– Simple curiosité.

– Ça sera long ?

– Quelques minutes.

Stratton ne s'attendait pas à être invité à s'asseoir, et il ne le fut pas. Il connaissait le Dr Byrne et ses manières aussi glaciales que les corps qu'il disséquait. Le bonhomme avait même l'air d'un macchabée – son teint livide était celui des cadavres tout juste lavés.

– C'est au sujet de Mlle Morgan.

– La suicidée ? Le corps est à la morgue de la police.

Le Dr Byrne prit le temps de curer sa pipe avant de remuer une liasse de papiers.

– Que voulez-vous savoir ? ajouta-t-il avec agressivité.

– Ce n'est pas exceptionnel, une femme qui se jette par la fenêtre ?

– Non. Typiquement féminin. Elle n'a pas laissé un mot ?

– Non, rien.

– La crainte de l'invasion. J'ai eu quelques autres cas, le mois dernier. Le type névrosé.

– Je m'interroge sur le point de chute. C'était du quatrième étage, et l'espace n'est pas si large… Il me semble qu'elle aurait dû atterrir plus loin, dans la rue.

Le médecin haussa les épaules.

– Tout dépend de la façon dont elle a sauté.

– Et ses dessous ?

– Quoi, ses dessous ?

Byrne le considéra avec dégoût.

– Ils étaient propres ?

– Je n'en sais rien ! Elle n'avait pas fait dans sa culotte, si c'est ce que vous voulez savoir.

– Diriez-vous que c'était une femme soignée ?

– Elle était raisonnablement propre. (Byrne jeta un coup d'œil à ses notes.) Beaucoup de cicatrices à la face… brûlures. Elle avait eu une greffe de peau. Pas très réussie. (Il releva la tête.) Très fardée. C'était une prostituée ?

Stratton essaya de masquer son irritation.

– Elle devait espérer cacher ses cicatrices sous ce maquillage. En fait, c'était une ancienne actrice de cinéma.

– Ah ! Le type artiste. Les nerfs à fleur de peau. Comme je vous l'ai dit, les blessures correspondent au mode de suicide. Et maintenant, si vous avez fini…

Stratton remonta au rez-de-chaussée, agacé par cette manière de réduire chacun à un « type ». Heureusement qu'il n'avait pas affaire à des patients vivants. Stratton se demanda si le Dr Byrne était marié et, refoulant l'image de ce dernier en train de besogner une épouse tout aussi cadavérique, sortit dans la rue.

Repartant par Savile Row d'un pas tranquille – même s'il avait quitté l'uniforme de gardien de la paix depuis des années, son régulateur de vitesse interne restait fixé sur du 3 km/heure –, il songea à son premier suicidé, un jeune homme qui, pointant le canon d'une arme sous son menton, s'était fait sauter le caisson dans ses chiottes. Il se rappelait le sang tombant du plafond, goutte à goutte, sur son dos et sa nuque alors qu'il se tenait penché au-dessus du malheureux, et cette goutte plus grosse sur sa main – en fait, un bout de cervelle. Des fragments de crâne s'étaient incrustés dans les planches des W-C, roses et blancs, telles des dragées sur un gâteau d'anniversaire. À cette époque, Stratton avait vingt-cinq ans, l'âge de ce pauvre bougre. On avait retrouvé une lettre où il disait souffrir d'une maladie incurable. En fait, il était homosexuel – avait suivi un traitement, mais sans résultat. Stratton se rappela qu'un flic plus âgé lui avait dit que, en général, les pédés n'ont pas recours aux armes. « En général, c'est comme les bonnes femmes : le gaz ou les somnifères, et ils mettent un slip propre. » Le même lui avait dit que le procédé le plus violent chez les femmes, c'était d'avaler de l'eau de Javel – « salement douloureux, ça te brûle les entrailles ». Tout ce que Stratton avait vu depuis lors avait confirmé ces règles, jusqu'à hier. Visiblement, sauter dans le vide n'était pas aussi insolite pour une femme qu'il l'avait cru, et l'état de la culotte n'était pas concluant… Néanmoins, une impression bizarre continuait à le turlupiner. Il ne pouvait pas faire grand-chose, ce n'était pas son enquête. Ni celle de personne, d'ailleurs. Pour ses supérieurs, il s'agissait d'un dossier à classer.

Stratton huma la familière odeur de savon, de désinfectant et de rubans de machine à écrire, si caractéristique des commissariats. Ballard, le jeune agent qui s'était occupé de Mlle Morgan, était à son bureau, en train de sermonner Freddie l'exhibitionniste. « J'ai la vessie fragile, je le fais pas exprès, je le jure... » Stratton sourit : il y en avait un dans chaque district. Des femmes aussi – à ses débuts, il y avait une exhibitionniste qui ne fermait jamais ses rideaux quand elle se déshabillait. Tous les soirs, à onze heures trente. Jolie, en plus. Il l'avait reluquée à plusieurs reprises, comme bien d'autres. Il n'en était pas fier, mais...

Ayant attendu que Ballard ait fini, il désigna Freddie qui battait en retraite.

– Pauvre diable... Il ne doit pas avoir souvent l'occasion de s'amuser, avec le couvre-feu !

– Non, chef.

Ballard réprima un sourire.

– C'est vous qui avez trouvé Mlle Morgan, n'est-ce pas ?

– Oui, chef. (Ballard fit la grimace.) J'oublierai pas de sitôt, je vous le garantis.

– Qui était avec vous ?

– Arliss.

– Je vois.

Fred Arliss, un vieux de la vieille, si incompétent qu'on disait couramment au commissariat : « Arliss est passé par là » pour signifier une bavure. Stratton se demanda si Ballard était déjà au courant, mais décida de ne pas le renseigner.

– Vous avez noté quelque chose de curieux ?

Ballard fronça les sourcils.

– Je ne sais pas si c'est « curieux », mais un point m'a frappé quand on l'a bougée : elle n'avait pas son dentier.

– Ah ?

– Oui. Du coup, je me suis demandé si ce n'était pas un accident. La fenêtre était grande ouverte, le rebord peu saillant, et si jamais elle s'est penchée… Ce n'est qu'une idée, chef. Mais ce serait dommage que le coroner ait dit que c'était un suicide, si c'en est pas un.

– Et dur pour la famille…

– Elle n'avait pas de famille, et son mari est mort. Dans un incendie. D'où ses cicatrices au visage. C'est le jeune qui partageait sa vie qui nous l'a appris.

– Un jeune ?

Stratton sourcilla.

– C'est pas ce que vous croyez, chef ! (Ballard rougit.) Il n'est pas… euh… il n'est pas normal.

– Efféminé ?

Ballard parut reconnaissant.

– Voilà, chef ! C'était comme parler à une fille.

– Ah…

Stratton haussa les épaules.

– Il faut de tout pour faire un monde. Vous vous plaisez à Beak Street ?

Ballard, comme la plupart des jeunes policiers, logeait au foyer. Stratton y avait dormi lui-même autrefois, quand il avait eu son premier poste, dans Vine Street. Les alcôves étaient minuscules et il n'y avait jamais assez de couvertures en hiver.

– Ça n'a pas dû beaucoup changer, j'imagine.

– Sûrement, chef. Vous vous souvenez l'avoir vue, au cinéma ?

– Ma foi, non…

L'ayant remercié, Stratton regagna son bureau, accablé d'avance à l'idée du monceau de paperasse relatif aux Italiens qu'ils étaient censés aider à arrêter. Ridicule, se dit-il en considérant la liste. Elle provenait des services secrets, qui n'avaient pas fait le tri. Donc, en gros, tous les Gino, Maria et Mario immigrés après 1919 étaient bons pour le camp d'internement, même si leurs fils ou leurs frères se battaient pour la Grande-Bretagne. Sans parler des agressions contre les commerçants italiens… Certes, c'était un moyen facile de se débarrasser de certains gangs, bien que, une fois les frères Sabini mis à l'ombre, Juifs et Maltais allaient se répandre dans Soho, ce qui signifierait des changements d'alliance – accompagnés d'une bonne dose de violence – jusqu'au retour au calme. Certes, les Juifs n'étaient pas à la fête, eux non plus. Stratton soupira. Ce n'était pas les truands qu'il plaignait, mais les pauvres types qui s'efforçaient de gagner honnêtement leur vie et dont on démolissait les vitrines. Et tous ces articles dans la presse sur ces Juifs qui magouillaient pour se soustraire à la mobilisation…

Il tenta de se concentrer, mais ce dentier l'embêtait. Byrne n'avait pas jugé utile d'en parler ; mais puisque Mabel Morgan s'était maquillée, pourquoi n'avoir pas mis son dentier ? Stratton avait encore toutes ses dents, et il n'avait jamais essayé de mettre du rouge à lèvres, mais c'était sûrement plus facile avec… Il s'efforça d'oublier ce problème, mais ça revenait sans cesse. En rentrant chez lui, il songea qu'il faudrait demander à son épouse si elle se souvenait de Mabel Morgan. En ce domaine, les femmes ont plus de mémoire que les hommes.

3

Posté à sa fenêtre, Joe Vincent récurait le dentier de Mabel à l'aide d'une brosse à ongles. Il avait essayé avec la brosse à dents de cette dernière, mais sur ce dépôt grisâtre, genre tartre, des poils souples n'accrochaient pas. Rien d'étonnant. Ce dentier n'avait jamais trempé que dans de l'eau – ou de la salive – et elle avait toujours eu la flemme de le nettoyer. Un tel travail ne le dégoûtait pas ; c'était bien de pouvoir faire une dernière petite chose pour elle. Il avait passé le plus clair de sa journée à contempler fixement ses affaires, sans parvenir à réaliser qu'elle ne reviendrait pas.

L'ayant agité une dernière fois dans la cuvette, il le mit à sécher sur du papier journal. Pourquoi ne le portait-elle pas ? Et sa veste en renard ? Un jour, elle avait déclaré vouloir être enterrée avec – « À moins que tu n'aies mis la main sur un vison, chéri ! ». À l'hôpital, on lui avait dit que c'était un suicide, ce qui était impensable. Il ne l'avait guère vue ce matin-là – elle aimait faire la grasse matinée – mais la veille, il était allé la chercher au pub, après son travail au cinéma, pour la raccompagner à la maison en plein couvre-feu, et elle allait bien. Ivre, comme d'habitude, mais gaie, évoquant l'époque où elle se retrouvait sur un plateau avec Gertie et Bertie, les enfants stars surnommés les Jumeaux Terribles (« Je les aurais bien étranglés, ces petits monstres. Et je n'étais pas la seule ! »). Il savait qu'elle avait l'habitude de se pencher par la fenêtre pour lancer ses clés à ses rares visiteurs et se dispenser de descendre les quatre volées de marches, mais si elle avait basculé, on l'aurait vue – sauf si elle avait juste cru entendre quelqu'un et s'était trop penchée en cherchant à voir qui c'était… La fenêtre était grande ouverte quand il était rentré, et comme il n'y avait pas de garde-corps, c'était possible. Mais alors, pourquoi ses clés étaient-elles toujours dans son sac à main ? Enfin, ça devait quand même être un accident. Elle n'était pas du genre suicidaire. Il y aurait une enquête… L'idée qu'on conclue au suicide était insupportable ; on allait sûrement le faire parler ? Après tout, c'était lui qui l'avait le mieux connue.

Au moins, elle portait sa perruque. Ses vrais cheveux avaient été si souvent arrosés de produits chimiques qu'ils s'étaient mis à tomber et avaient dû être coupés court. À l'hôpital, on n'avait pas pensé à la lui remettre correctement – Mabel était étendue là, avec ce truc rabattu sur un œil. Il avait fait de son mieux pour la rajuster sans aggraver ses souffrances, et était resté là, à lui tenir la main, en état de choc. Puis il l'avait entendue murmurer : « Joe… » Et elle était morte. Il avait demandé aux infirmières si elle avait prononcé d'autres paroles, mais personne n'avait rien entendu.

Il regarda la grille en contrebas, puis se retira, pris de nausée, tâchant d'effacer l'image du ventre de Mabel s'empalant sur les pointes fatales qui avaient transpercé sa chair et perforé des organes vitaux.

Il retourna dans la chambre de Mabel, prit une photo encadrée sur la cheminée et souffla pour en chasser la poussière. De grands yeux pensifs, des cheveux blonds et ondulés (les siens, à l'époque), un visage en cœur et une bouche en bouton de rose : quelle beauté ! Cette photo avait été prise en 1920, un sondage du *Picturegoer* l'ayant proclamée « Troisième plus grande actrice britannique », avant l'incendie qui devait la défigurer et la fin prématurée de sa carrière qui l'avait réduite, à l'époque de leur rencontre, en 1937, à une quasi-misère. Joe n'avait que six ans en 1920, mais sa tante Edna, qui l'avait élevé, adorait le cinéma et les emmenait, lui et sa sœur Beryl, voir tous les films. Beryl aurait voulu être actrice, mais n'avait pas le physique. Joe, si ; des cils de fille, comme disait tante Edna, et mignon comme tout. Elle avait été contente qu'il devienne projectionniste – il lui avait obtenu la gratuité hebdomadaire au Tivoli, où il travaillait – même si elle avait rêvé de le voir à l'écran.

Il s'assit sur le lit défait, serrant la photo contre lui. Pour ses cicatrices, il n'avait rien su avant de faire sa connaissance. Sa carrière était terminée depuis plusieurs années quand cet incendie avait marqué son visage et tué son mari, un réalisateur, et déjà on l'avait oubliée. Il avait lu qu'elle avait été découverte à l'âge de dix-huit ans, en 1911, mais il avait eu un choc en l'entendant parler avec un accent cockney assez proche du sien. « On n'a pas voulu de moi dans les "parlants", chéri. C'était pas dans mes cordes. Ils voulaient des comédiens de théâtre sachant causer. »

Ils s'étaient connus dans un café. Il sirotait sa tasse de thé sans s'occuper de personne, quand il l'avait repérée. Elle s'était placée – exprès, avait-il compris par la suite – contre le mur, sous une publicité proclamant : « Mangez ici et gardez votre épouse comme animal de compagnie », et la pureté de son profil droit lui avait semblé familière, même s'il n'aurait su dire pourquoi. Elle regardait droit devant elle, dans le vide, et il y avait quelque chose d'indomptable dans sa personne, dans le chic désuet de sa toilette et son bibi crânement incliné sur le front. Il ne croyait pas avoir été remarqué par elle, quand la gérante, qui la regardait de travers depuis un quart d'heure, s'était approchée d'elle pour lui ordonner, d'une voix assez forte pour que tout le monde entende, de payer et de s'en aller. Il croyait qu'elle allait déguerpir, mais au lieu de gagner directement la sortie, elle était venue lui dire, sans cérémonie : « Je peux te taper une clope, chéri ? » La voyant de face pour la première fois, il avait été pris au dépourvu, gêné par sa propre réaction embarrassée devant cette joue abîmée et ce rond de peau rose, à vif, autour de l'œil définitivement fermé. Poussant hâtivement le paquet sur la table – qui ne contenait plus que trois cigarettes pour finir la journée – il avait craqué une allumette à son intention. Il pensait qu'elle partirait ensuite, mais elle s'était attardée en le dévisageant, sans se soucier apparemment de la fulminante gérante, jusqu'au moment où il s'était senti obligé de lui offrir une tasse de thé.

– Merci, chéri. Maintenant, cette vieille garce va devoir me supporter, que ça lui plaise ou non. Moi, c'est Mabel…

Elle lui avait tendu la main comme pour un baisemain, et Joe, rougissant, s'était exécuté. La patronne avait flanqué la tasse de thé entre eux, en en renversant dans la soucoupe. « Pas de ça ici ! » avait-elle lancé, et elle était repartie d'un pas martial monter la garde auprès de sa fontaine à thé. Quand elle avait été hors de portée de voix, la nouvelle amie de Joe s'était penchée au-dessus de la table et lui avait dit :

– C'est quoi, ton nom ?

– Joe.

– T'es bien gentil. Tu ne dois pas te souvenir de moi, hein ?

Désorienté, il avait lâché :

– Vous connaissez ma tante Edna ?

– J'crois pas, chéri. Je voulais dire : au cinéma. Enfin, sûrement pas… (Elle désigna sa tempe.) C'est à cause d'un incendie. On m'a donné de nouvelles paupières, mais ça fonctionne pas.

– Vous avez fait du cinéma ?

– Tout juste, chéri. Mabel Morgan.

Il la dévisagea ouvertement. Évidemment qu'il la connaissait ! À force de la voir, des milliers d'après-midi durant, fondre dans les bras d'insignifiantes vedettes masculines, il avait gravé son image dans son esprit. C'était seulement plus tard qu'il avait commencé à regarder les acteurs masculins ; tout jeune, il n'avait d'yeux que pour les actrices (« On cherche des tuyaux ! » comme avait dit plus tard un copain compatissant). Et maintenant elle était en face de lui, fantôme en chair et en os.

– J'existe, tu sais ! Certains diraient que c'est un tort, et pourtant…

Elle tendit son bras.

– Vas-y, pince-moi si tu me crois pas !

– Mais… que faites-vous ici ?

– J'ai nulle part où aller, chéri.

Elle désigna une grosse valise cabossée, que Joe remarqua pour la première fois.

– J'ai plus ma chambre.

– Vous étiez à l'hôtel ?

– Non, chéri. Pas à l'hôtel…

– Mais…

Il s'était tu, pour ne pas l'offenser. C'était déjà assez dur de réconcilier la beauté radieuse du grand écran avec cette réalité prolétaire peu reluisante, même s'il était clair que c'était bien la même, mais il avait toujours cru que les vedettes – même à la retraite – habitaient des palaces semblables à ceux qu'on voyait aux actualités. Gêné, il changea de sujet.

– Le tout premier film que j'aie jamais vu, vous étiez dedans. *David Copperfield*.

– Je mourais à la fin. Je n'ai pas arrêté de me pâmer et de mourir. J'aimais bien, surtout les suicides. J'étais douée pour les suicides.

– Comme dans *Le Pèlerin ardent*.

– Ah, oui ! Aubrey Manning devait me coucher sur une tombe. On a tourné cette scène après avoir déjeuné, son haleine puait la sardine. C'était pire que le chien.

– Quel chien ?

– Oh, tu ne dois pas t'en souvenir. *Fidèle à jamais*. Mon tout premier film. Je devais embrasser sans cesse ce gros toutou. Eh bien, je m'y suis faite, malgré… (Elle mit la main devant son visage.) C'était le metteur en scène, le plus insupportable. Henry Thurston. À un moment donné… (Elle se pencha au-dessus de la table.) Je devais avoir l'air effrayé, et comme il n'était pas satisfait de mon jeu, il a dit : « Bon, je vais te faire peur. » Alors il a défait son pantalon et sorti sa chose. Ça m'a fait un choc. J'avais que dix-huit ans. J'en avais jamais vu !

Joe était captivé. Il avait dépensé ses quelques sous en tasses de thé tandis qu'elle parlait, après quoi il l'avait emmenée chez sa logeuse. Mme Cope, qui appréciait ce locataire sans histoire, avait bien voulu croire – moyennant un léger ajustement du loyer – que Mabel était une parente à lui dans une mauvaise passe, et il avait pu l'héberger dans son petit appartement.

Et voilà qu'elle n'était plus là. Elle ne serait plus jamais là. Joe posa la photo sur l'oreiller et alla à la commode, où il ouvrit sa boîte à bijoux et effleura ceux qu'elle n'avait pas eu la force de mettre en gage, puis il baisa la tête à perruque et, se détournant, passa les mains sur les quatre robes suspendues à une corde tendue depuis un coin de la pièce. Il fit glisser du cintre sa préférée, en fine laine rouge, et huma son parfum avant de quitter son propre peignoir pour l'enfiler et tirer sur le zip. Il était assez mince pour ça, même si l'étoffe au niveau de la poitrine, faute d'être soutenue par des seins, pochait. Curieusement, ce fut ce détail, vu dans la glace, qui le fit pleurer.

4

– Pourquoi mets-tu des culottes ?

Stratton et Jenny étaient seuls dans la cuisine de la petite maison jumelée, de style pseudo-élisabéthain, qu'ils habitaient à Tottenham, dans la banlieue nord de Londres. Le déjeuner dominical était terminé, les deux sœurs de Jenny avaient regagné leurs pénates au bout de la rue avec leurs époux, et la vaisselle était faite. Stratton avait basculé sa chaise en arrière, chose autrefois interdite aux enfants, car cela abîmait les pieds. Jenny se tenait entre ses jambes, ses fesses rebondies posées au bord de la table. Elle croisa les bras sous ses seins et sourcilla légèrement, considérant la question.

– Comment ça, pourquoi ?

Stratton tira sur sa cigarette, exhala et cligna des yeux à travers la fumée. Avec sa peau douce et son visage rond creusé de fossettes, on lui aurait donné plutôt vingt que trente ans. Elle avait de grands yeux verts, les cheveux châtains et un corps bien roulé. Après onze ans de mariage, Stratton la voyait toujours avec les yeux des autres hommes – beaux-frères compris – et il ressentit une secrète pointe de fierté.

– Ce n'est pas une plaisanterie, dit-il. Je voudrais savoir…

– Eh bien, dit Jenny, dont le creux entre les sourcils

s'accentua. J'en mets, parce que ça me tient chaud, que c'est confortable – je me sentirais bizarre, sinon. Et ça m'aide à me sentir respectable.

– Tu n'as pas besoin d'être respectable pour le moment. Il n'y a plus personne.

– Sauf toi !

– Sauf moi. Donc, si tu montes à l'étage, je pourrai te tenir chaud et t'aider à te sentir confortable...

Jenny haussa les sourcils.

– Quoi, maintenant ? On vient de manger...

– Ce n'est pas comme aller nager. Et quand bien même, il y a une bonne heure que...

Jenny regarda dans la cuisine, comme si une quelconque objection pouvait se dissimuler parmi les cruches et les boîtes de conserve, puis elle se leva et défit son tablier.

– Après tout, pourquoi pas ? dit-elle.

Jenny reposa sa tête contre la poitrine de son époux.

– Tu es bien ? fit ce dernier, en l'entourant de son bras.

– Oh, oui. Seulement...

Il comprit ce qui allait venir. La pensée l'effleura qu'elle n'avait accepté d'aller au lit que pour l'amadouer en vue d'un nouvel assaut concernant les enfants.

– Je sais qu'on en a déjà discuté, dit-elle, mais...

– On ne les fera pas revenir, ma chérie. Ils ne seraient pas à l'abri.

Jenny se tordit le cou pour le regarder.

– Nulle part, on n'est à l'abri, n'est-ce pas ? Si jamais les Allemands arrivent...

– On ne sait pas si ça se produira. Et quand bien même, Pete et Monica seront plus à l'abri dans le Norfolk.

– Les Allemands iront bien là-bas, non ? Ce n'est pas loin de la côte, cet endroit. J'imagine sans cesse… Et s'il y a une invasion et que je ne les revois plus jamais ? Et s'ils sont tués, ou… J'y pense sans cesse, Ted. Au moins, s'ils étaient avec nous, on saurait… On serait ensemble, et même si… si…

– Arrête, Jenny…

Stratton lui caressa les cheveux.

– Il faut leur laisser une chance.

– Une chance de quoi ?

Jenny se tortilla pour se libérer et se redressa sur son séant, sa voix montant d'un cran.

– De se faire tuer ? D'aller en prison, de devenir des esclaves ?

– Ça n'arrivera pas.

– Qu'en sais-tu ? Tu t'en fiches, de ce qui pourrait leur arriver ?

Stratton se redressa.

– Bien sûr que non. Et c'est pourquoi ils vont rester là-bas.

– Les fils Lever sont rentrés, les Bell…

– Et ils courent les rues toute la journée, à faire des bêtises. Pete et Monica doivent aller à l'école.

– Doris veut aller chercher Madeleine.

Stratton soupira. Doris était la sœur préférée de Jenny.

– Et Donald, qu'en dit-il ?

– Il est aussi buté que toi.

– Nous, on est raisonnables. Je sais que tu t'inquiètes, ma chérie, mais honnêtement, il vaut mieux qu'ils soient là-bas. On continue à évacuer plein de gosses, en ce moment.

Jenny se leva et, lui tournant le dos, remit son peignoir.

– Nous savons qu'on s'occupe correctement d'eux, là-bas, dit-il. Je sais que ce n'était pas terrible, la première fois…

– Oh, Ted ! Jamais je n'oublierai le moment où on les a revus… Cette horrible femme ! Je m'en suis tellement voulu de les avoir laissés partir…

– Mais ça s'est arrangé, non ? Et cette fois, tout va bien. Toi-même, tu l'as reconnu.

– Cette Mme Chetwynd m'a l'air bien trop chic pour nous.

Se tournant vers le miroir, Jenny entreprit de remettre en place ses pinces à cheveux.

– Cette grande maison… Elle va en faire de petits snobs. On ne sera plus assez bien pour eux.

– C'est vraiment ce qui t'inquiète ?

Elle fit volte-face, heurtant le rebord de la coiffeuse avec sa brosse.

– Elle a un château dans son jardin !

– Un donjon.

– Quelle différence ? Elle a des domestiques, et… tout.

Ce dernier mot fut étouffé par des larmes. Comme Jenny ouvrait la porte d'un mouvement violent, Stratton sortit du lit et la prit dans ses bras.

– Allons, chérie… Ça ne te ressemble pas.

– Laisse-moi !

Les coudes immobilisés – Stratton avait vingt bons centimètres de plus qu'elle, une poitrine large et des épaules carrées –, Jenny tenta sans succès de le frapper avec sa brosse.

– Non. Calme-toi d'abord.

– Ils ont tout, Ted, tout ce qu'on ne peut pas leur donner. Un chien, des chevaux.

– C'est vrai que Pete a toujours désiré un chien…

– Tu vois bien !

Stratton lui caressa le dos un moment, avant d'essayer une autre tactique.

– Des chevaux, on en a…

– Première nouvelle !

– Le cheval du marchand de charbon.

Jenny le regarda, puis eut un rire qui tenait du sanglot et du glapissement.

– Idiot ! Je voulais dire de vrais chevaux. Des chevaux chic.

– À la bonne heure ! Tu sais, chérie, si tu es tellement inquiète, tu pourrais aller les rejoindre là-bas. Je suis certain que Mme Chetwynd connaît des chambres d'hôte.

– Et toi, que deviendrais-tu ? Tu mourrais de faim !

– Je me débrouillerais.

– Que tu dis ! Non, je ne te laisserai pas, Ted…

Elle lui donna un coup de brosse, pour rire cette fois.

– Je ne veux plus en entendre parler…

– Bon, entendu. Et maintenant, pourquoi ne pas te recoucher, pendant que je nous prépare une tasse de thé ?

Les yeux de Jenny s'écarquillèrent.

– Il est cinq heures et demie, Ted. C'est impossible !

– Et pourquoi donc ?

– Et si quelqu'un venait ?

– On fera le mort…

– Et si c'était Doris ? Ou Lilian ?

Les deux sœurs de Jenny avaient chacune une clé.

– Elles viennent de partir.

– Il y a deux heures.

– Voyons…

Stratton l'embrassa sur le front.

– Ne discute plus.

Gloussant, Jenny se dressa sur la pointe des pieds pour l'embrasser à son tour.

– Ted Stratton, vous n'êtes qu'un débauché.

– Ça, c'est vrai. Ma moralité est déplorable. Je suis un salo…

– Ted !

Jenny lui mit la main sur la bouche. C'était un jeu auquel ils se livraient souvent dans l'intimité. Elle aimait paraître choquée par sa façon de parler, et il parsemait sa conversation de petites grossièretés rien que pour la scandaliser. Elle aurait été sincèrement épouvantée si elle avait pu entendre les mots crus qui avaient cours au commissariat, et il prenait soin de ne jamais les prononcer en sa présence.

– Franchement ! s'écria Jenny. Avec tes gros mots, et tes envies de… au milieu de l'après-midi, je ne…

Elle se raidit et s'écarta de lui.

– Il y a quelqu'un. J'entends la clé. L'une d'elles a dû oublier quelque chose. Laisse-moi m'habiller. Pour l'amour du ciel…

Elle ôta son peignoir et ramassa son corsage qui était par terre.

– Rhabille-toi. Tu seras plus rapide que moi.

Stratton râla en entendant monter du vestibule la voix de stentor de celui de ses beaux-frères qu'il aimait le moins.

– Hello, hello, hello ! Y a personne ?

Reg Booth avait l'habitude de réduire chacun à une seule caractéristique, comme si ce n'était qu'un personnage secondaire dans le film de sa vie. Stratton, en sa qualité de policier, était « le bras armé de la loi » et ses visites à contrecœur au domicile de Reg étaient toujours saluées par un : « T'as un mandat ? »

– Qu'est-ce qu'il fait ici ? chuchota Jenny.

Stratton fourra les pans de sa chemise dans son pantalon et ses pieds dans ses pantoufles.

– Qui sait ? Il a dû emprunter sa clé à Lilian. Je vais tâcher de m'en débarrasser...

Reg, un costaud dont les traits semblaient avoir été grossièrement arrangés autour d'un gros nez aux pores dilatés, rappelait toujours à Stratton un artiste de music-hall. En secret, il l'imaginait sur scène, vêtu d'un costume voyant et rentrant la tête dans les épaules, bombardé d'œufs et de tomates pourris par un public furieux. Ses blagues – si ça pouvait s'appeler des blagues – auraient mérité un tel traitement – et pire encore.

Campé dans le vestibule, jambes bien écartées, il brandissait un énorme sabre rouillé.

– T'as vu ce joujou ?

– Qu'est-ce que c'est ? demanda Stratton.

– Touareg.

De sa main libre, Reg désigna la garde.

– Vise un peu ce travail artisanal. Ça servait à charger dans les batailles, sur des chameaux. Comme ça...

Il porta un coup en avant avec un cri de guerre – Reg le Touareg – et manqua de peu l'oreille de Stratton.

– Pour l'amour du ciel, repose ça ! Tu vas me coller le tétanos !

Jenny descendit l'escalier en faisant claquer ses mules, les joues un peu rouges et se tâtant les cheveux. Stratton remarqua qu'elle avait les jambes nues, et il se demanda si Reg allait s'en apercevoir et tirer ses conclusions. Peu probable. Reg n'avait jamais été très observateur, et même si le débraillé de Jenny lui avait mis la puce à l'oreille, il ne l'aurait sans doute pas attribué à ce qu'il appelait d'un air paillard (faisant frémir Stratton intérieurement) les « trucs conjugaux ».

– Que se passe-t-il ? demanda-t-elle.

– Reg a trouvé un sabre arabe. Il ne lui manque plus que le chameau.

– Pourquoi amènes-tu ça ici ? dit Jenny. C'est dégoûtant.

Reg la gratifia d'un sourire condescendant.

– Qu'importe les pourquoi et les comment, ma chère. Quelqu'un – il jeta un coup d'œil entendu à Stratton – devra bien vous protéger des Boches, mesdames, même si ce n'est que ce vieux Reg. L'expérience compte pour quelque chose, tu sais…

Voilà neuf mois qu'il ne cessait de leur rappeler qu'il avait participé à la Première Guerre mondiale, même si, en l'absence de médailles ou de preuve quelconque, Stratton se demandait si sa carrière militaire avait été aussi glorieuse qu'il le prétendait.

D'une voix lénifiante, lui-même déclara :

– Je suis sûr que l'expérience compte, Reg, mais tu devrais peut-être nettoyer un peu ce sabre avant de parader avec. D'où ça sort, au fait ?

– Donald. Je suis allé le chercher. Ça appartenait à l'un de ses oncles, apparemment – c'était au grenier depuis des lustres. Il en a parlé quand je lui ai demandé s'il avait un truc qu'on pourrait utiliser, nous les miliciens. Je ne comprends pas pourquoi il ne l'a pas fait plus tôt. Enfin, voilà ce qui m'amène – tu n'as rien, je suppose ?

Stratton fit non de la tête. « Dieu nous vienne en aide, se dit-il, s'il n'y a plus que Reg et son sabre pour défendre le pays. » Il avait entendu des gens – parmi lesquels Reg lui-même – dire : « Si jamais je tombe, j'en zigouillerai au moins un », mais ne savait pas si c'était la vérité ou de la vantardise. Il ignorait d'ailleurs ce que – mis au pied du mur – lui-même ferait.

– Bon, c'est pas grave. Si tu penses à quelque chose, ajouta Reg d'un air confidentiel, tu n'auras qu'à me le donner. Il ne faudrait pas que des armes de valeur tombent dans de mauvaises mains…

Comme il se retournait pour s'en aller, Jenny demanda :

– Comment va Johnny ?

Stratton se demanda pourquoi elle posait cette question. Le fils de Reg, maussade jeune homme de dix-neuf ans, récemment réformé pour cause de pieds plats, n'était pas un sujet facile pour le moment. Même Lilian, qui raffolait de son fils et à qui on pouvait d'ordinaire faire confiance pour le citer à tout bout de champ, n'avait fait aucune allusion à lui au cours du repas.

– Très bien ! On ne peut mieux.

Son enjouement n'était pas convaincant.

– Il a quitté son boulot au garage ? demanda Jenny.

Reg haussa les sourcils.

– Quelle idée ? Ça se passe très bien, là-bas. On le tient en haute estime, figure-toi…

– Non, c'est juste que…

Jenny haussa les épaules.

– … je l'ai vu vendredi avec une bande de jeunes. Ils traînaient. C'était l'après-midi, et j'ai cru… Eh bien, j'ai été étonnée de voir qu'il ne travaillait pas, c'est tout…

– Il a dû profiter d'une course pour aller voir des copains. C'est ainsi, à leur âge. On pète le feu. Rappelle-toi ce que je te dis : ton Pete en fera autant…

À l'entendre, Stratton se demanda si Reg, ne pouvant faire jouer à son fils le rôle du brave petit soldat, du combattant modèle, ne lui avait pas attribué celui du « galopin ». Soudain, il ressentit une pointe d'anxiété : si Johnny avait de mauvaises fréquentations (et c'était bien son genre) et si son imbécile de père ne pouvait, ou ne voulait, admettre que c'était plus que d'innocents amusements, ce gosse pouvait facilement s'écarter du droit chemin et finir en prison.

– Veux-tu que je lui parle ? dit-il.

– Seigneur, non ! Qu'il s'amuse. Dieu sait qu'on a tous besoin de rigoler un peu, pas vrai ? Surtout en ces temps troublés…

Il lui donna une bourrade entre les omoplates avec un punch trahissant plutôt l'agressivité que la jovialité, et ajouta :

– Tu es trop collet monté, vieux frère, c'est ton problème. Boulot-boulot. Il se tiendra à carreau, vous bilez pas. Et maintenant, je me sauve. Le devoir m'appelle, et cetera. Excellent repas, ma chère, si je puis me permettre – Jenny, à qui il tapotait la joue, en frissonna –, un véritable festin.

Il ouvrit la porte d'entrée, exécuta deux flexions sur le perron et s'éloigna dans l'allée, sabre à l'épaule. Tout en le regardant s'en aller, Stratton songea qu'il aurait dû prévoir qu'on refuserait son offre. Même si Reg se faisait du souci pour son fils – et sans doute, malgré tous ses défauts, cet homme avait-il des sentiments –, Stratton restait un policier d'opérette pour lui, pas un vrai. Souvent, il avait imaginé Reg, dans l'atmosphère avinée d'un bar, avec ses collègues VRP, plaisantant sur le fait d'avoir un flic dans la famille – « C'est qu'il faut faire gaffe avec ce vieux Ted ! ». Tous les policiers étaient des bouffons laborieux, de même que tous les Écossais étaient pingres et toutes les logeuses des viragos : la vie comme sur une carte postale de station balnéaire.

– Tu sais, dit Jenny en refermant la porte, il me fait pitié.

– Pourquoi ?

– Parce qu'il ne se rend compte de rien ! Un jour, Monica m'a demandé : « Pourquoi Tonton Reg continue à raconter des blagues puisque personne ne rit ? » Je n'ai pas su quoi répondre. Je pouvais difficilement dire : « Parce qu'il est si vaniteux qu'il croit qu'on ne comprend pas combien c'est drôle. »

Stratton jeta un coup d'œil à sa femme pour s'assurer qu'évoquer Monica n'allait pas ramener les larmes, mais elle semblait apaisée. Néanmoins, il jugea préférable de changer de sujet.

– Tu crois que Johnny a des ennuis ?

– Je me le demande, mais ça m'a paru curieux. Enfin, le voir traîner au lieu d'être au travail… J'ai reconnu l'un des garçons, le fils Dawnson. Tu sais, celui qui a eu des histoires…

– Pourquoi ne pas me l'avoir dit ?

– Eh bien… (Jenny s'affairait avec la bouilloire.) Quand tu es rentré du boulot hier, tu es allé directement au potager, et je n'en ai donc pas eu l'occasion.

– Tu aurais pu m'en parler vendredi.

– Oui, mais… Tu semblais plutôt préoccupé.

Mabel Morgan et ce satané dentier, songea Stratton.

– Effectivement, admit-il. Le boulot. Tu crois que Reg lui parlera ?

– Non. Et quand bien même il le ferait, Johnny n'écouterait pas. Il méprise son père, et maintenant Reg a un avantage sur lui, parce qu'il a fait la guerre, lui. Sincèrement, Ted, je ne vois pas comment ça pourrait s'arranger.

« Bon sang, songea Stratton. J'espère qu'on ne deviendra pas pareils, moi et Pete. »

– Tu en as parlé à Lilian ?

– Pas la peine… (Jenny haussa les épaules.) Tu sais comment elle est… Elle trouve son fils formidable.

Stratton soupira. Jenny avait raison. Depuis que son fils savait marcher, Lilian n'avait cessé de lui trouver des excuses.

– Il y a quelque chose, dit-elle en mettant le thé dans la théière. Je le sens.

Stratton aurait voulu dire une chose rassurante, pas seulement sur Johnny, mais sur l'invasion, les enfants – tout – mais il ne trouva rien. Soudain, il avait besoin d'être seul un moment, pour bricoler et éventuellement réfléchir. Quand Jenny lui tendit son thé, il déclara :

– Je vais le boire dans la remise, mon amour. Dieu sait qu'il faut la ranger, et j'ai été trop occupé au potager.

– Comme tu veux. Je crois que je vais flemmarder dix minutes. Lire le journal…

Straton savait que c'était là sa façon de dire que tout – pour le moment – allait bien. Il aurait voulu l'embrasser mais, craignant de se montrer trop sentimental, se contenta de se retourner sur le seuil pour dire : « Il avait la touche avec ce sabre, hein ? », s'attirant un sourire en retour.

5

Diana Calthrop émergea du métro à la station South Kensington et se tint sur le trottoir, à regarder autour d'elle. Elle consulta sa montre – seize heures moins trois – puis vérifia son allure dans une vitrine. Une grande blonde élégante lui renvoya son regard avec une expression un peu hautaine ; visiblement, elle ne paraissait pas aussi tendue qu'elle l'était intérieurement. Elle tenta de respirer lentement et profondément, et, tournant toujours le dos à la rue, ôta son gant gauche, retira son alliance et la glissa dans son sac à main.

– Par ici…

Diana sursauta. Lally Markham, sa collègue, tout aussi grande et blonde, se tenait derrière elle. Elle regarda dans la direction indiquée par Lally et vit un salon de thé d'apparence banale.

– Tout est bien clair dans ton esprit ?

Diana acquiesça.

– Prête ?

– Aussi prête qu'on peut l'être.

– Souviens-toi, aborde les sujets habituels – le couvre-feu, la météo – et si jamais tu arrives à glisser que tu travailles au ministère de la Guerre, tant mieux. L'essentiel, c'est de lui inspirer confiance.

– Je ferai mon possible.

– Bon, alors, allons-y…

Tandis qu'elles traversaient la rue, Diana se prépara en faisant mentalement l'inventaire de ce qu'elle savait sur le Right Club : une organisation d'extrême droite antisémite, fondée par Peverell Montague, député unioniste depuis 1931, ami de lord Redesdale, du duc de Wellington, de lord Londonderry et de sir Barry Domville, tous membres de la Fraternité Anglo-Allemande pro-nazie. Rien ne le connectait à Mosley – du moins, jusqu'à présent – mais il connaissait personnellement William Joyce. Avait accusé la presse d'être infestée de Juifs et distribué des pamphlets antisémites, mais depuis l'arrestation de Mosley, l'organisation était dirigée par l'épouse de Montague…

La clochette tinta quand elles entrèrent dans le salon de thé. Diana fut surprise par le décor ; elle s'attendait à quelque chose de plus raffiné – enfin, de moins ordinaire. C'était propre, mais sans prétention aucune : meubles cirés, nappes blanches, fleurs en papier dans des coupelles, tableaux paysagers, et puis quelques clients à des tables, seuls ou en tête à tête. Diana et Lally s'installèrent au milieu de la salle et commandèrent du thé.

Elles avaient passé dix minutes à siroter, fumer et bavarder, quand la clochette tinta de nouveau. Lally, qui était face à la porte, marmonna : « C'est elle. » Spontanément, Diana écarquilla les yeux et son amie ajouta : « Tout ira bien. Ne sois pas nerveuse. Reste naturelle. » Sa voix et son expression – gentille et légèrement anxieuse – lui rappelèrent tellement sa mère le jour du bal des débutantes que, sur le coup, Diana eut envie de rire. Elle entendit des pas et vit le visage de Lally s'animer, ses sourcils s'arquer dans une expression d'étonnement ravi.

– Madame Montague !

La véritable Mme Montague semblait vaguement plus grosse que sur les photos, mais ses yeux bruns, doux et son grand sourire avaient autant d'éclat que lorsqu'ils s'étaient tournés vers l'objectif du photographe. Son tailleur gris clair, porté sur un corsage à l'imprimé discret, avait l'austérité de rigueur et un élégant bibi complétait sa toilette. « Ce pourrait être ma belle-mère, ou l'une de mes connaissances », songea Diana, qui se demanda pourquoi cela l'étonnait.

– Venez donc à notre table ! s'écria Lally. Enfin, si vous n'avez pas rendez-vous avec quelqu'un…

– Merci.

Tandis que Mme Montague se dégantait et avançait une chaise, Lally continuait à babiller. Diana, qui l'observait, ne put s'empêcher d'en être amusée.

– Quelle coïncidence ! disait Lally. Moi qui voulais justement vous présenter ma chère amie, Diana Calthrop. On se connaît depuis des lustres, n'est-ce pas, ma chère ?

Diana sourit.

– C'est vrai, depuis très longtemps. Enchantée de faire votre connaissance.

Elle lui tendit la main.

Le contact fut distant – du bout des doigts – mais les yeux conservaient leur douceur. Lally offrit des cigarettes, commanda encore du thé et se récria plusieurs fois sur les hasards de la vie, avant d'ajouter :

– On était en train de se dire, Diana et moi, combien nos chiens nous manquent, maintenant que nous passons presque tout notre temps à Londres.

– Oui, dit Mme Montague, c'est affreux, mais qu'y faire ? Je dois rester ici, dans l'intérêt de Peverell – c'est mon mari, mademoiselle Calthrop, et mon petit Dash ne se plairait guère.

Diana faillit corriger le « mademoiselle », mais se rappela in extremis qu'elle n'était pas censée, pour le Right Club en tout cas, être mariée.

– Dash ? dit-elle. Quel nom délicieusement désuet ! Le chien de la reine Victoria s'appelait ainsi, n'est-ce pas ?

– Ah bon ?

– Je l'ai lu quelque part. Un épagneul, je crois.

– Des amours de chien… Vous vous intéressez à l'histoire, mademoiselle Calthrop ?

– Oh, oui ! Je ne suis pas très calée, bien sûr, mais j'aime bien lire sur ces sujets-là.

– Diana est très intelligente, dit Lally. On a fait nos études ensemble. Moi, j'ai toujours été l'idiote, mais elle, elle avait une mémoire fabuleuse.

– Seulement quand le sujet m'intéressait, s'empressa de préciser Diana. Avec les chiffres, j'étais d'une ignorance crasse. Certes, ça n'a pas d'importance dans mon travail, mais…

– Voyez comme elle fait la modeste, madame Montague ! Elle travaille au ministère de la Guerre.

– Ce doit être intéressant.

– Pas tellement. (Diana fit la grimace.) Je suis au service classement. Cernée par les papiers.

Après une petite pause, la conversation porta sur les problèmes de pénurie dans les magasins et un quart d'heure de bavardage sans importance s'ensuivit, jusqu'au moment où Diana regarda sa montre et dit qu'elle n'avait pas réalisé qu'il était aussi tard, qu'elle devait partir tout de suite mais espérait la revoir. Mme Montague répondit, avec affabilité, qu'elle l'espérait aussi, et cinq minutes plus tard Diana se retrouva dans la rue, où elle héla un taxi.

– Dolphin Square, s'il vous plaît.

– Oui, mademoiselle.

Une fois dans le taxi, elle respira à fond, puis repêcha son poudrier et se repoudra le nez. Elle ressentait une allégresse, un curieux frémissement intérieur, qui était une nouveauté pour elle – une gaieté extrême alliée au soulagement. Voyant par la vitre la foule qui sortait des bureaux et se pressait sur le trottoir, elle songea : « Vous l'ignorez tous… Je joue un rôle dans cette guerre – un rôle actif – et aucun de vous ne s'en doute… »

Depuis qu'elle avait quitté la demeure de sa belle-mère à la campagne (elle et Guy avaient fermé leur propre maison quand son régiment avait été envoyé à l'étranger), elle ne s'était jamais autant amusée. Habiter chez la mère de Guy avait été affreux. Les deux femmes ne s'étaient jamais bien entendues et, libérée par l'absence de Guy, Evie n'avait cessé de critiquer sa bru qui avait d'abord eu tant de mal à être enceinte, et s'était ensuite « arrangée pour perdre le bébé », comme elle disait. Quand la guerre avait éclaté, Diana, se sentant à la fois inutile et nulle, avait rêvé d'un emploi, mais sans savoir comment s'y prendre. Même ses amies londoniennes avaient échoué dans leurs tentatives, et elle s'était presque résignée à la monotonie étouffante de sa vie dans le Hampshire quand le miracle se produisit : Lally Markham, une ancienne camarade d'école qui avait réussi à trouver un travail au ministère de la Guerre, lui proposait de la pistonner. Evie, naturellement, s'y était opposée, mais Diana avait saisi l'occasion, même si elle ignorait tout du boulot de Lally. Ce n'était pas seulement pour s'évader, mais pour sentir qu'elle pouvait éventuellement, pour la première fois de sa vie, se rendre utile. Ses références (et sa position sociale) étant excellentes, la responsable du personnel féminin l'avait envoyée travailler à la section transport des services secrets.

Diana appliqua une couche fraîche de rouge à lèvres, puis s'abandonna contre la banquette et ferma les yeux. Dès le premier jour, quand elle s'était présentée au nouveau siège du Service de la sécurité, dans la prison de Wormwood Scrubs, elle avait adoré son travail, même si cela consistait seulement à envoyer des estafettes et à délivrer des bons d'essence.

Le jour où elle avait rencontré le colonel Forbes-James – avec Lally, à la cantine – elle était sûre d'avoir fait bonne impression. « Il aime les blondes, lui avait dit Lally par la suite. Surtout les blondes de bonne famille. » Diana savait qu'il faisait partie de la Division B – le contre-espionnage – mais quand elle avait demandé des précisions, son amie était devenue vague et mystérieuse, évoquant des opérations spéciales mais refusant de fournir quelque information concrète que ce soit, sinon que Forbes-James connaissait son père, le général de brigade Markham, et qu'il l'avait recrutée pour qu'elle travaille sous ses ordres.

Diana l'avait aussitôt apprécié. Ses yeux bruns, tout ronds, ourlés de longs cils, et son nez un rien retroussé, lui donnaient le charme un peu grognon d'un carlin. Si elle n'avait pas été autant intimidée par sa réputation dans le service, elle aurait été tentée de le caresser.

Il devait s'être renseigné sur elle, car, la semaine suivante, il l'avait invitée à déjeuner pour l'interroger sur sa vie. Quand elle avait dit avoir eu une gouvernante française et avoir passé neuf mois en Bavière pour apprendre l'allemand auprès d'une vieille comtesse qui avait désespérément besoin de devises, il avait été impressionné. À la grande surprise de Diana, elle s'était mise à tout lui raconter : comment ses parents étaient morts à trois mois d'intervalle, alors qu'elle avait dix-neuf ans ; comment elle s'était mariée avec Guy six mois plus tard, un coup de folie, pour découvrir pendant la lune de miel, à travers ses lettres à Evie (*Très chère maman, Tu auras toujours la première place dans mon cœur… Ton petit garçon*) combien il était inféodé à sa mère. Puis elle lui avait raconté comment, cinq ans plus tard, sachant très bien que son mariage était une bêtise et atterrée par son manque de jugement, elle s'était retrouvée dans la maison d'Evie, solitaire et malheureuse, et ne rêvant que de s'échapper. Quand elle avait connu un peu mieux Forbes-James et ses méthodes, elle avait compris que sa loquacité devait tout au talent d'interrogateur de ce dernier, mais elle ne lui en avait jamais voulu. Elle ne lui avait pas raconté sa fausse couche, bien sûr, ni que, loin d'être triste, elle avait éprouvé d'abord du soulagement, puis un sentiment de culpabilité si extrême et si féroce qu'elle avait fini par en vouloir à Guy, la cause de tout. Ce n'était pas tant qu'elle ne désirait pas cet enfant, mais plutôt qu'elle ne voulait pas d'un bébé de lui, ce qui était déjà dur à s'avouer à soi-même, alors en parler à un tiers…

Le souvenir de ses propos sur Guy et Evie lui rappela que son alliance était toujours dans son sac. Elle regarda ses mains gantées et songea que, pour le moment du moins, elle pouvait y rester. Elle n'était pas bien sûre de ce qui lui avait inspiré cette décision, et ne voulut pas y penser. Au lieu de quoi, elle laissa son esprit revenir à Forbes-James. Quelques jours après cette première conversation, il l'avait emmenée dîner au Savoy et lui avait demandé de travailler pour lui. Quand il avait expliqué que sa division, B5 (b) s'occupait surtout de surveiller la subversion politique en Grande-Bretagne, elle avait dû se mordre les lèvres pour retenir un cri de joie. Aussitôt, elle s'était vue pénétrer dans un monde d'intrigues et d'encre invisible, sauf que, trois jours plus tard, quand elle avait été mutée dans son bureau, il lui avait simplement remis une pile de livres et de brochures en lui demandant d'en apprendre le plus possible sur le fascisme. Ce n'était qu'une fois parfaitement satisfait de ses connaissances qu'il avait annoncé qu'elle allait devoir se faire passer pour une sympathisante, afin de pouvoir, chaperonnée par Lally, infiltrer le Right Club. Quoique connaissant tout de cette organisation à ce moment-là, elle s'était vaguement étonnée que, malgré l'arrestation de Mosley, cela puisse encore exister. « L'Hydre a plusieurs têtes, lui avait-il dit. Il y a encore bien des gens influents qui n'apprécient pas la tournure des événements. Notre mission est de veiller à ce qu'ils ne nuisent pas. »

À présent, le contact était établi. La réunion semblait s'être très bien passée, même s'il faudrait attendre le verdict de Lally pour en être certaine. Sans doute Forbes-James serait-il content ? C'était le plus important… Le taxi s'arrêta devant Dolphin Square. Diana descendit, régla la course et, résistant à grand-peine à l'envie de piquer un sprint, elle franchit le portail et traversa les jardins pour se rendre à l'appartement de Forbes-James, dans Nelson House.

6

Il faisait une chaleur brûlante, accablante. Joe Vincent se percha au sommet de l'escalier de secours du Tivoli Cinema, derrière le Strand, alluma une cigarette et jeta un regard en biais, à travers les barreaux en fer forgé, sur la ruelle en contrebas. Un homme à long tablier poussait des détritus sur les pavés du bout de son balai, tandis que des serveurs italiens, venus des restaurants sur Villiers Street, flemmardaient en manches de chemise et fumaient à la sortie des cuisines. Parmi eux, un jeune leva les yeux et lui fit un signe de la main, puis rentra la tête dans les épaules quand un homme plus âgé – son père, peut-être, ou un oncle – lui donna un coup sur la tête. Joe n'avait pas entendu les paroles justifiant cette réaction mais les imaginait sans peine.

Il avait passé sa matinée comme il passait tous les lundis matin, à fabriquer le programme de la semaine, c'est-à-dire solidariser des bobines de film avec de la colle acétone qui sentait le bonbon chimique et lui donnait la migraine. À ses débuts comme assistant, il avait été étonné d'apprendre qu'il fallait plus de deux kilomètres sept cents de pellicule pour un film de quatre-vingt-dix minutes, et cela sans compter le second métrage, les actualités, les réclames ou les films-annonces : aujourd'hui, neuf ans plus tard, devenu chef projectionniste, il aurait pu accomplir son travail en dormant – ce qui était un peu le cas, ce matin-là. Le chagrin l'anesthésiait. Sans Mabel, son appartement semblait affreusement vide, surtout le dimanche, quand les heures s'étiraient à l'infini, et il avait tourné en rond dans sa chambre à elle, effleurant ses affaires, sans savoir que faire de lui-même. Il ne voulait voir personne, ni parler, ni manger, pas même se soûler, et les souvenirs – partout où se portait son regard – étaient insupportables. À la fin, il s'était abandonné à sa douleur, couché sur le lit de Mabel, et avait sangloté avant de finir par s'endormir.

Il vit celui qui lui avait fait signe être poussé à l'intérieur par les autres et agita sa main dans leurs dos, sans conviction. Quelle importance, s'ils s'élançaient dans l'escalier de secours pour lui casser la gueule ? Avant, il aurait rejoué l'incident pour Mabel, exagérant la beauté du jeune homme et ajoutant peut-être un baiser, soufflé sur la paume de la main. Ils auraient savouré cela ensemble, dotant ce garçon d'un nom et d'un passé, et se seraient amusés à inventer une idylle, mais aujourd'hui… Ce souvenir ne méritait pas d'être conservé, puisque Mabel n'était plus là.

– Monsieur Vincent ?

Joe se tordit le cou et vit les chaussures lacées de Jim Wilson, près de la porte-incendie. Wilson, jeune homme poupin de vingt-deux ans, avait remplacé son précédent assistant, mobilisé en avril. Les projectionnistes étaient réservistes jusqu'à l'âge de vingt-cinq ans : Wilson avait le cœur fragile, ce qui le rendait inapte, mais Joe, qui s'était inscrit un mois plus tôt, s'attendait à être mobilisé à tout instant.

– C'est l'heure, déclara Wilson.

– OK.

Joe se leva et jeta son mégot d'une pichenette par-dessus les marches.

– Mets en route. J'arrive dans une minute.

– D'accord. Une tasse de thé vous attend à l'intérieur...

Joe s'attarda quelques minutes dans l'escalier, à penser à Mabel, avant de suivre Wilson dans l'étouffante boîte à projection. Un faible ronron émis par le moteur de la machine sonore non synchronisée précéda une montée orchestrale qui se déversa par les haut-parleurs sur l'auditorium. Cinéma de seconde classe, montrant des films au moins un mois après les Odéon ou les Gaumont, le Tivoli n'avait pas d'orgue et il fallait se débrouiller avec des disques.

Joe vérifia le ventilateur du projecteur, puis, scrutant par le hublot le public qui arrivait, il repéra quelques habitués : la jolie rousse ressemblant à sa sœur, Beryl, le claudiquant vieillard à l'allure respectable qui, comme de juste, fut rejoint quelques minutes plus tard, à l'endroit habituel, par une vieille dame tout aussi respectable – qui, à en juger par ce qu'ils faisaient quand ils croyaient qu'on ne pouvait pas les voir, n'était pas son épouse. Cela, favorisé par le fait qu'aucune des ouvreuses ne les avait jamais vus arriver ou repartir ensemble, avait été à la base d'un des romans favoris de Mabel : selon elle, la femme était une ancienne missionnaire qui, en Afrique, avait succombé aux cajoleries bestiales d'un chef de tribu avant d'être renvoyée en Angleterre, déshonorée, et l'homme avait un pied en bois et une épouse possessive. Machinalement, Joe se dit qu'il faudrait penser à lui signaler leur présence, puis il se rappela... Ce n'était que le début, songea-t-il tristement. Ce que faisait Mabel, ce qu'elle disait, ce qu'elle aimait entendre... Il contempla fixement la salle et regretta de ne pas lui avoir parlé de sa seule et unique rencontre sexuelle dans un cinéma, trois jours après son quinzième anniversaire, quand il était allé, seul, voir Garbo dans *Anna Christie* et qu'un inconnu l'avait touché. Brûlant de honte et dur comme une pierre, souhaitant que ça cesse mais désirant désespérément que cela continue, il avait été horrifié et électrisé à la fois. C'était la première fois, et les jours suivants, il n'avait plus pensé qu'à ça. Même quand, par la suite, il avait rencontré d'autres hommes dont il savait – sans savoir comment – qu'ils étaient comme lui, il n'en avait jamais parlé. Des gens normaux, bien entendu, auraient trouvé cela répugnant, mais pas Mabel. Elle, elle aurait compris. Pourquoi ne s'était-il pas confié à elle ?

– Salle comble, monsieur Vincent ?

La question de Wilson trancha le fil de sa rêverie.

– Pas trop. Comme la semaine dernière.

– M. Jackson dit que c'est pareil partout.

M. Jackson, vieux beau mité et tripoteur sournois (uniquement des ouvreuses, heureusement), était le directeur.

– Il dit que c'est la guerre.

– Sûrement. Bon, en selle...

Comme les lumières de la salle s'éteignaient, Joe passa derrière le premier projecteur et mit en marche le moteur, qui crachota, puis s'éveilla à la vie en couinant. Cette semaine, c'était un film anglais, *Espionne à bord*, avec Conrad Veidt et Valerie Hobson. D'habitude, Joe aurait eu hâte de le voir, mais aujourd'hui c'était différent.

– Rideau...

La musique se tut, les rideaux s'écartèrent et la séance commença. Joe resta derrière le projecteur pendant un moment, le regard dans le vague, et ne revint à lui que lorsque Wilson lui demanda pour la seconde fois – ou troisième, peut-être –, à en juger par son ton : « Ça va, monsieur Vincent ? »

Si ça allait ? Bien sûr que non ! Comment aurait-il pu en être autrement ? Mais ni Wilson, ni personne d'autre au Tivoli, ne savait rien de Mabel. On aurait été fasciné d'apprendre qu'il avait vécu avec une ancienne star du muet, mais il n'avait jamais rien dit. Beryl, sa sœur, était au courant, bien sûr – ils s'entendaient bien – et il faudrait lui annoncer la nouvelle. Hier, il n'en avait pas eu la force, donc il devrait l'appeler à son travail. Ce serait mal vu – Beryl était couturière pour une prétentieuse styliste de Bond Street – mais tant pis.

– Ça va, répondit-il.

Wilson semblait peu convaincu.

– Je crois que vous avez besoin de prendre l'air, dit-il. Je peux faire les changements.

Il tapota le second projecteur.

– C'est déjà calé…

Joe se rappela qu'il n'avait pas songé à regarder. Mieux valait laisser faire Wilson, qui de toute façon était tout à fait compétent. Vu le cours de ses pensées, l'impardonnable pouvait arriver et le public rester en rade devant un écran blanc.

– Merci, dit-il. Je serai dehors.

Revenu sur l'échelle incendie, Joe songea à fumer une autre cigarette, mais comme il n'en restait plus que quatre pour finir la journée, il décida d'attendre. À la place, il resta assis, les coudes sur les genoux et le menton sur les poings, à se demander pourquoi il n'avait jamais parlé à Mabel de l'homme dans le cinéma.

Mabel, qui écoutait aussi bien qu'elle racontait, l'avait invité à se confier et il lui avait beaucoup parlé de lui-même, mais pas de cette première initiation dans la pénombre enfumée, anonyme. Mabel ne l'aurait pas mal jugé pour autant. L'idée de jugement lui fit se demander si elle-même n'était pas en train d'être pesée à l'aune d'un quelconque idéal céleste. Que dirait-elle ? Il savait certaines choses sur son compte : son mariage avec Cecil Duke, qui l'avait dirigée dans *La Duchesse qui danse* et *Soyons gais !*, sa fuite dramatique de la maison en flammes où Duke avait péri, et les opérations pour tenter de reconstituer les paupières de son œil gauche. Mais d'autres demeuraient un mystère : la façon dont elle regardait toujours par la fenêtre avant de sortir, les nuits blanches à tourner en rond dans l'appartement, cette façon de se cloîtrer pendant des heures dans sa chambre, parfois (« Je réfléchis, c'est tout »). Il ne s'en était pas mêlé, se contentant d'accepter. Mais cette mort ? Ça, il ne pouvait l'accepter. Sans prévenir, sans un mot. Morte. Enterrée. Finie. Plus personne. Sans aucune explication. C'était absurde.

Il passa le reste de la journée dans une sorte de transe et rentra à la maison par Conway Street après la fermeture du cinéma. Le sol du vestibule et l'escalier étaient tapissés de papier journal et la maison baignait dans la vapeur des lessives de la propriétaire et les relents de son ragoût – enrichi, rebouilli et réchauffé tout au long de la semaine – qui évoquaient, dixit Mabel, un « pet perpétuel ». Le sourire involontaire de Joe au souvenir de cette expression le fit frémir tandis qu'il s'avançait sur la pointe des pieds dans le couloir, pour ne pas alerter Mme Cope, qui vivait au rez-de-chaussée. C'était, dans l'ensemble, une brave femme, mais ce week-end il avait fait les frais de son appétit à peine déguisé pour ce qu'elle appelait « la tragédie », et il n'en pouvait plus. Il posa délicatement le pied sur la première marche, pour l'empêcher de grincer, ayant hâte de finir cette journée.

Mais la journée n'était pas finie. Une fois en haut, Joe constata que la porte de son appartement était entrebâillée. Figé sur le palier, il se demanda s'il avait oublié de fermer à clé avant d'aller travailler, puis, percevant du bruit à l'intérieur, il était sur le point de battre en retraite quand la porte s'ouvrit en grand. En un éclair, Joe embrassa du regard la carrure de la brute sanglée dans son complet de serge bleu, l'ombre de barbe sous le chapeau incliné, menaçant, la cicatrice mal recousue en travers de la joue et l'écœurante odeur de transpiration. Pivotant sur lui-même, il s'élança vers l'escalier, mais l'homme l'attrapa par le bras et ne le lâcha plus. Toute l'attention de Joe était rivée sur sa figure – les narines dilatées pleines de poils noirs, les lèvres gercées et l'haleine fétide – qui n'était qu'à quelques centimètres de la sienne.

– Tiens, tiens, tiens ! fit l'autre, d'une voix lourde de menace joviale. Enfin chez soi ! Sois pas timide, entre…

Comme il désignait la porte, Joe aperçut un autre homme, plus petit, plus jeune – un jeune gangster – derrière lui.

– On a à te parler. Vous voyez, monsieur Vincent – le balèze posa un doigt jauni par la nicotine sur sa poitrine. Vous avez un truc qui nous intéresse…

7

Campé devant l'un des urinoirs du commissariat, Stratton contemplait vaguement les carreaux blancs en s'interrogeant sur le dentier de Mabel Morgan. L'enquête préliminaire allait s'ouvrir dans quelques heures. Ballard exposerait le dossier, et à supposer qu'on conclue au suicide, chose plus que probable, ça s'arrêterait là. Jenny s'était souvenue de Mabel : « L'une des idoles de maman. Très belle – de grands yeux, un peu comme Greta Garbo. Quelle fin tragique… » On n'avait pas grand-chose, c'était bien là le problème – à part des supputations – et il avait déjà assez de pain sur la planche : un passant qui avait tenté d'intervenir lors du cambriolage d'une bijouterie était à l'hôpital, dans un état critique, et une rixe entre deux bandes rivales s'était soldée par un coup de poignard fatal, les huit participants affirmant qu'ils ne savaient pas qui l'avait donné, puisqu'ils regardaient ailleurs à ce moment-là. En tout cas, il était presque impossible de réfléchir correctement, avec Arliss qui avait des flatulences spectaculaires et pétaradait derrière sa petite porte.

Stratton finit, se reboutonna, et se lavait les mains quand Arliss réapparut, l'air satisfait, ayant visiblement triomphé de ses intestins. Stratton le salua du menton, et l'autre, lissant son uniforme, le rejoignit d'un pas lent au lavabo.

– Ce jeune type, dit-il de but en blanc. Le pédé qui vivait avec cette bonne femme, il s'est fait ramasser lundi soir. Ou plutôt, mardi matin. À Soho.

– Ah, qu'est-ce qu'il avait fait ?

– Rien. Il était salement amoché. Il marchait en zigzag. On l'avait pas raté.

Stratton se recula du lavabo pour s'essuyer les mains avec la serviette, tandis que Arliss, qui apparemment n'avait pas l'intention de s'en servir lui-même, continuait.

– Pour moi, il a été tabassé par des types qu'aiment pas les tapettes...

– C'est ce qu'il vous a dit ?

Arliss secoua la tête.

– Comme s'il avait avoué ! Ces types-là n'avouent jamais. Bel œil au beurre noir, poursuivit-il avec un plaisir qui mit Stratton mal à l'aise. Et ils lui ont refait le portrait... (Il eut un petit rire.) Il est plus aussi mignon qu'avant...

– Parce qu'il était mignon ? demanda Stratton, naïvement.

Arliss rougit.

– Vous voyez ce que je veux dire. Pour ceux qui ont cette tendance-là...

– Vous dites « ils », au pluriel... Ils étaient plusieurs ?

– J'en sais rien, en fait. Il nous a rien dit.

« Et toi, tu n'as pas fait trop d'efforts pour savoir », songea Stratton.

– Pensez-vous que c'est en rapport avec Mlle Morgan ?

Arliss eut l'air surpris.

– Pourquoi ? Étant donné ce qu'il est... (Il haussa les épaules.) Ça s'explique, non ?

Stratton passa une longue journée étouffante dans la salle des interrogatoires, à parler aux divers truands qui avaient mystérieusement oublié avec qui ils étaient la veille et qui juraient sur leur propre tête, celle de leur mère et de leurs mioches qu'ils n'avaient rien vu, vrai de vrai, promis juré. À dix-huit heures il était plus que prêt à jeter l'éponge et à rentrer chez lui.

Il trouva Ballard au bureau des enquêteurs, en train de parler à une secrétaire.

– Alors, c'est quoi ?

– Suicide, inspecteur.

– Comme on le pensait…

– Oui, inspecteur.

– Avez-vous vu son colocataire ?

– Oui. Joseph Vincent. Il avait l'air d'être passé sous un camion depuis la dernière fois…

– Il a été tabassé, selon Arliss.

– Je suppose que c'est banal…

Stratton soupira.

– Oui, dit-il, j'imagine…

S'étant procuré l'adresse de Vincent, il sortit du commissariat et marcha vers Fitzrovia.

La logeuse de ce dernier, Mme Cope, fut si prompte à lui ouvrir sa porte que Stratton se demanda si elle ne l'avait pas attendu dans des starting-blocks, comme ces coureurs olympiques, aux actualités. Quand il se présenta et expliqua qu'il cherchait M. Vincent, elle le fit entrer dans son salon.

– Parti, monsieur l'inspecteur ! Il est allé vivre chez sa sœur. C'est pour Mlle Morgan ? Quelle horreur… J'en suis encore toute chamboulée. Ça m'a mis la tête à l'env…

Sentant qu'elle pouvait continuer encore longtemps dans cette veine-là, et ne souhaitant pas s'attarder, Stratton lui coupa la parole.

– Lui avez-vous parlé ?

Mme Cope secoua la tête avec regret.

– Je ne l'ai pas revu depuis dimanche. Il m'a laissé une lettre – pour quelques jours seulement, disait-il. Il était si bouleversé. Notez bien, j'aurais deux ou trois choses à lui dire – il m'avait affirmé que c'était sa tante, alors que pas du tout ! Je ne voudrais pas critiquer une défunte, inspecteur, surtout qu'elle avait fait du cinéma, mais moi, je crois qu'il faut mener une vie propre…

Une suite de coups de menton éloquents qui firent trembloter son double menton vinrent appuyer ces deux derniers mots.

Stratton ne la contraria pas – elle aurait sans doute viré ce pauvre bougre dès qu'elle aurait su la vérité – mais il dit, sur un ton lénifiant, qu'il comprenait. Avait-elle l'adresse de cette sœur ?

– Vous ne le trouverez pas là-bas en ce moment, inspecteur. Il doit être à son travail. Au cinéma Tivoli. Qu'y a-t-il ? J'ai entendu dire – par un voisin – que l'enquête…

– Visite de routine, c'est tout, l'interrompit Stratton avec un sourire rassurant. Inutile de vous inquiéter.

– C'est que, comme je vous l'ai dit, je ne voudrais pas critiquer une défunte, mais…

Comme elle désirait visiblement le faire, et était sur le point de se lancer, Stratton la coupa une fois de plus.

– Comme vous dites, madame Cope ! Et maintenant, si vous voulez bien me donner cette adresse, je ne vais pas vous importuner plus longtemps.

À contrecœur, elle sortit un morceau de papier, qu'il recopia dans son carnet. À la porte, après encore quelques propos sur les gens qui ne se comportaient pas toujours comme il faut, et sous son toit, par-dessus le marché, Stratton prit la fuite.

Au bout de la rue, il consulta sa montre et décida de remettre sa course au lendemain. Il ne voulait pas faire jaser en allant voir Vincent à son travail – après tout, son enquête n'était pas officielle. En rentrant chez lui, il s'arrêta devant le Tivoli et découvrit que c'était fermé le dimanche. Dimanche prochain, se rappela-t-il, ce serait au tour de Doris de préparer le repas (les sœurs observaient un roulement strict en ce domaine). Il ne serait pas chargé d'écosser les petits pois, l'unique corvée domestique, en plus de cirer les chaussures, à laquelle il était astreint et prenait d'ailleurs secrètement plaisir. Donc, il serait en mesure de voir Vincent ce matin-là, chez la sœur de ce dernier. Ouvrant son carnet, il le feuilleta – cette Beryl habitait Clerkenwell Road. Jenny ne serait pas ravie, mais au moins allait-elle être satisfaite de le voir rentrer ce soir à temps pour le dîner. Ensuite, il pourrait passer deux heures dans le potager communautaire, comme à son habitude les soirs d'été, pour y planter du céleri et des choux de Bruxelles, et ruminer. Ce n'était pas seulement cette intuition bizarre au sujet de Mabel Morgan, mais aussi qu'il désespérait de trouver un témoin dans l'affaire du coup de poignard. Évidemment, personne parmi les patrons de bars, employés, prostituées ou riverains, ne divulguerait la moindre information de bon gré – du moins, s'ils savaient où était leur intérêt. Stratton ne leur en voulait pas. Il avait vu ce qu'on peut faire avec un rasoir. On lui avait raconté qu'un certain type avait été maintenu à terre pendant que deux autres, d'un gang rival, jouaient au morpion sur son derrière. Soixante-quinze points de suture, disait-on, mais au moins ce n'était pas visible. Pas comme sur un visage. Stratton frémit. Et puis il y avait son satané neveu, Johnny, comme s'il n'avait pas assez de soucis comme cela avec l'invasion et Jenny qui se montait la tête à propos des enfants…

Enfin, les premières fèves devaient être sorties de terre. Il pourrait peut-être lui en rapporter. Ça lui ferait plaisir.

8

Installée devant sa coiffeuse, Diana fumait tout en considérant ses produits de beauté. L'appartement sur Tite Street, déniché par Lally et juste à deux pas de Dolphin Square, s'était révélé bien commode : chambre, kitchenette et salle de bains commune sur le palier dont le chauffe-eau, bien que dégageant une odeur inquiétante, consentait en général à fournir de l'eau chaude. C'était confortable et, avec l'aide d'une femme de ménage, assez facile à entretenir malgré son manque de pratique. Tellement plus agréable, songea-t-elle avec satisfaction, que la sinistre atmosphère de cloître de la vaste demeure d'Evie (remaniée en 1859 dans un style qu'en son for intérieur, elle avait baptisé : « Gothique non flamboyant »).

Elle cracha dans son mascara, en imprégna par petites touches le pinceau miniature qu'elle appliqua sur ses cils. En fait, Evie semblait fière de ce manque de confort : comme si chaque corridor hanté par les courants d'air, chaque tapisserie mitée, chaque canalisation bruyante représentait un triomphe personnel. Et puis il y avait l'ancienne chambre de Guy, témoignage de son adolescence – enfin, pas uniquement de son adolescence. Car Guy n'avait jamais vraiment réussi à surmonter cette période. Le contenu – scènes de combats navals en couleur punaisées aux murs lambrissés, albums de timbres, soldats de plomb, collections d'œufs d'oiseaux et un nombre excessif de photos colorisées de sa mère – reflétait son actuel âge mental : quinze ans. Tout en se poudrant, Diana se demanda si l'armée parviendrait à en « faire un homme ». À en juger par ses rarissimes lettres (sa mère en recevait quatre fois plus), ça n'en prenait pas le chemin. La guerre, pour lui, semblait être un nouveau genre de sport. Certes, ils avaient un devoir de réserve, mais tout de même…

Elle était sur le point de prendre son rouge à lèvres, quand soudain le souvenir du fiasco – il n'y avait pas d'autre mot – de leur nuit de noces la fit se détourner de son miroir, honteuse. Elle s'était entraînée à ne jamais y penser ; même ici, seule, l'humiliation était intolérable. C'était tellement inattendu. Après tout, Guy avait huit ans de plus qu'elle et son vernis d'homme du monde suggérait qu'il s'y connaissait, qu'il prendrait les devants pour… l'initier. Elle était si amoureuse, si désireuse de s'offrir – comme ça paraissait ridiculement romantique, aujourd'hui ! Elle, allongée là, à attendre, et…

Se penchant en avant, elle se massa énergiquement les tempes, tâchant de chasser cette image de son esprit. « Le vrai problème, songea-t-elle, c'est que je n'ai jamais rien compris à l'amour. » Il n'y en avait guère eu dans son enfance. Son père réservait toute son affection à ses chiens et à ses chevaux ; quant à sa mère, distante et réservée, elle ne l'avait jamais ni dorlotée ni louangée. À leur mort, Diana avait eu l'impression de les avoir à peine connus. Dans son enfance, elle avait soupiré après le genre d'amour dont on parle dans les livres, la grande famille chaleureuse, pleine de rires, de jeux et de bons conseils. Plus tard, elle avait aspiré à l'amour comme au cinéma, le désir, la passion et le baiser final qui fait de vous un être à part entière, intégré à ce monde. Lorsque le beau, le sémillant homme du monde qu'était Guy s'était présenté, elle avait cru à la réalité de ses propres sentiments : c'était seulement après qu'elle avait compris, horrifiée, qu'il aurait pu s'agir de n'importe qui. Dans son besoin d'amour, elle avait fabriqué ses émotions par un procédé guère éloigné de l'hypnose et les avait cristallisées sur lui. D'ailleurs, Guy n'avait-il pas besoin d'une épouse ? Evie, avait-elle appris ensuite, le pressait de se marier, et Diana, la jeune orpheline malléable, était – aux yeux de cette dernière – parfaite.

Plus maintenant. Diana s'adressa une grimace dans le miroir, puis se tira la langue, mais la vision de cette première, affreuse nuit, refusa d'être tournée en dérision et d'ailleurs elle n'y mettait pas beaucoup de conviction. Sa mère étant morte, une tante mariée s'était dévouée pour l'entretenir vaguement des pulsions masculines et des devoirs d'une bonne épouse. Certes, c'était forcément un peu douloureux au début, mais on s'y faisait vite et ça pouvait même être pas trop désagréable, voire, quand on avait la chance d'avoir un époux attentionné, plutôt réconfortant. « Il aurait été plus utile, songea amèrement Diana, de me dire tout simplement comment… » Là, elle avança exagérément les lèvres comme pour projeter le mot défendu à travers la pièce. Ainsi, au moins, elle aurait su à quoi s'attendre. Lorsque le grand moment était arrivé, la dernière nuit de leur lune de miel, après une semaine à s'éviter mutuellement du regard et à n'en pas parler, elle s'était allongée sur le dos, tâchant de se détendre mais n'osant pas bouger de peur de le troubler. En regardant son visage, ou ce qu'on pouvait en voir dans l'obscurité, elle avait compris que sa grimace et ses râles avaient moins à voir avec la passion qu'avec la volonté toute simple d'expédier cette corvée.

Diana s'apprêtait à peaufiner son maquillage, quand elle remarqua que sa main gauche était toujours dépourvue d'alliance. Elle alla la chercher dans son sac. L'ayant considérée un moment, elle ouvrit son coffret à bijoux, l'y laissa tomber et referma le couvercle. Puis, dans un enchaînement de gestes rapides, calculés, elle appliqua le rouge à lèvres, absorba l'excédent avec un mouchoir en papier, appliqua un dernier nuage de poudre sur son nez et ajusta le col de sa robe du soir. Ramassant son sac, ses gants et son manteau, elle ferma la porte de son appartement et descendit dans la rue.

La soirée se déroulait dans Mayfair, au domicile de Jock Anderson, un admirateur de Lally pour qui Diana avait travaillé à Wormwood Scrubs. Elle demanda au taxi de la déposer à Piccadilly Circus. Le temps était clément, ses souliers neufs ne la faisaient pas trop souffrir, et elle voulait se calmer un peu avant d'entrer dans une pièce bondée – curieusement, le trajet en taxi n'avait pas suffi. Petit à petit, elle avait pris l'habitude d'arriver quelque part sans cavalier, mais sa timidité persistait. Les soirées auxquelles elle allait avec Guy étaient pleines de gens qui avaient son âge à lui, pas le sien, et en général elle s'y ennuyait. Celles d'aujourd'hui étaient bien plus gaies. Il y avait toujours quelqu'un pour vous emmener dans une boîte de nuit ensuite et l'âge des invités n'était curieusement plus un problème. C'était sans doute la guerre : le sentiment qu'on avait tout intérêt à s'amuser tant que c'était encore possible. L'idée de l'invasion l'effrayait, comme elle devait effrayer la plupart des gens, mais ça ne se faisait pas d'en parler.

Elle se demanda qui serait là. Lally sans doute et, elle l'espérait, le colonel Forbes-James. Il avait été si gentil, dimanche, quand elle était allée lui raconter sa rencontre avec Mme Montague. Elle se rappela avec une certaine complaisance qu'il avait acquiescé, souri, avant de lui remettre un cadeau au moment où elle s'en allait. Des sels de bains dans un pot de verre. Comment s'était-il procuré cela ? Impossible de l'imaginer en train de faire une chose aussi frivole que se balader dans Selfridges pour choisir un cadeau, mais comment aurait-il fait autrement ?

C'est à ce moment-là, passant devant l'entrée de la Royal Academy, qu'elle sentit, sans savoir comment, qu'on la suivait et ce « on », à en juger par ses pas, était un homme. Elle tenta de se convaincre que ça ne pouvait être le cas, et n'y parvenant pas, décida de procéder à un test. Elle ralentit. Il ralentit. Elle pressa le pas. Il pressa le pas. Quand elle tourna dans Old Bond Street, lui aussi tourna. Repoussant de son esprit toute idée de traite des Blanches, si pareille horreur existait (il y avait toujours des gens pour connaître des gens, qui connaissaient des gens…), elle traversa et tourna à gauche dans Stafford Street. Il la suivit, et quand elle tourna de nouveau à gauche, dans Albemarle Street, il en fit autant. Son but désormais en vue, elle n'était plus inquiète. Elle monta les marches du perron avec assurance, sonna et attendit. Là, forcément, il allait abandonner.

Mais non ! Quelques secondes plus tard, il se tenait juste derrière elle. Un frisson lui parcourut l'échine. Que voulait-il ? « Je ne me retourne pas, se dit-elle. Qu'il fasse ce qu'il veut, je ne ferai pas attention. De toute façon, il aura l'air joliment idiot quand Jock apparaîtra – si seulement il pouvait se presser, celui-là – et qu'on l'enverra paître. »

Elle vit la porte s'ouvrir, reconnut le sourire de Jock, et là, regardant aussitôt par-dessus sa tête, sans lui laisser le temps de placer un mot, ce dernier s'écria :

– Ventriss ! C'est vraiment gentil d'être venu. Entre !

Se tournant vers Diana, il ajouta :

– J'ignorais que vous vous connaissiez !

– Mais on ne se connaît pas…, dit Diana, qui, pour cacher son trouble, tendit son manteau au vieux serviteur et batailla, sans nécessité, avec son aumônière.

Quand elle releva les yeux – ce qui représenta un effort, car cet homme était très grand par rapport à son mètre soixante-cinq, malgré ses hauts talons – elle se surprit à plonger dans de pétillants yeux bruns. Il était plus vieux qu'elle, la trentaine environ, si ridiculement beau garçon – et manifestement conscient de l'être – et si impeccable dans son costume qu'elle sentit son menton se redresser machinalement.

– Mme Calthrop… (Jock semblait amusé.) Claude Ventriss…

Diana se déganta, tendit une main volontairement inerte, et, marmonnant une vague formule de politesse, s'éloigna dans le hall d'un pas majestueux sans attendre de réponse. Repérant Lally dans la cohue du salon, qui était enfumé et, à cause du couvre-feu, d'une chaleur à crever, elle saisit un verre au passage et, prenant son amie à part, lui dit :

– On vient de me présenter un type étrange.

– Comment s'appelle-t-il ?

– Ventriss. Je n'ai pas saisi son prénom.

C'était un mensonge, mais c'était bien son droit de mentir. Après tout, cet homme l'avait suivie exprès

– il devait bien savoir où se trouvait la maison de Jock – et il était bien trop beau. Lally éclata de rire.

– C'est Claude, son prénom ! Il travaille pour nous. Ça m'étonne que tu ne l'aies jamais rencontré, mais maintenant que c'est fait… (Elle se pencha avec des mines de conspiratrice.) Quoi qu'il arrive, ne tombe pas amoureuse de lui…

– Il y a peu de chances, dit Diana, avec tout le dédain dont elle était capable.

– Ah oui ? fit Lally, en toute innocence. Il a pourtant beaucoup de succès auprès des femmes.

– Peut-être, mais pas auprès de moi.

Comme repartie, ce n'était pas précisément foudroyant, mais elle n'avait pas trouvé mieux.

Lally parut sceptique.

– Eh bien, tu ne pourras pas dire que je ne t'avais pas prévenue…

Avant que Diana ne trouve une réplique, elles furent rejointes par Forbes-James et plusieurs autres personnes ; et la conversation, heureusement, prit un nouveau tour.

Au bout de quelques heures, alors qu'elle avait cessé de se sentir vexée et qu'elle s'amusait, Diana sentit qu'on lui caressait le bras. Une voix grave dit : « Pardon », et comme elle se tournait vivement dans cette direction, une lueur dans le regard de son interlocuteur – étrangement analogue à celle de Jock, tout à l'heure – l'informa de l'identité du caresseur.

– Maintenant, je sais tout de vous, dit-il.

– Ah oui ?

Ventriss acquiesça.

– Oui. Je suis très impressionné.

– À la bonne heure, dit-elle, sarcastique.

– Vous êtes la femme en vue.

– Ah bon ?

– Hé oui…

Diana ne savait que dire à présent. Elle aurait préféré ne pas être dévisagée avec cette sorte de concupiscence rêveuse. Cela lui était déjà arrivé, mais les autres hommes, au moins, faisaient semblant de regarder ailleurs pendant quelques secondes de temps en temps. Le regard de Ventriss, fixe et soutenu, la mettait mal à l'aise et elle savait que de la simple froideur ne suffirait pas à le désarçonner.

– Oui, répéta-t-il, pensif, en jetant un coup d'œil à sa main sans alliance. Ce vieux Forbes-James ne jure que par vous, madame Calthrop…

Se rappelant l'enchaînement de circonstances qui l'avait amenée à déposer son alliance dans son coffret à bijoux, Diana rougit. Se haïssant pour cela, et tentant de reconquérir du terrain, elle dit :

– Vous connaissez le colonel Forbes-James ?

– Bien sûr, répondit-il d'un air absent, tout en continuant à la dévorer du regard.

Diana se ressaisit.

– Pourquoi me suiviez-vous ? lança-t-elle sur le ton du défi. Vous aviez forcément compris que je prenais des détours…

– C'était pour vous regarder…

– Vous ne pouviez pas me voir.

– Votre visage, non. Mais je m'étais promis que si vous étiez une poule, je vous paierais, et dans le cas contraire, je vous inviterais à dîner.

– On ne m'achète pas avec un repas.

Résolue à ne pas montrer combien elle était déroutée, elle demanda :

– Qu'est-ce qui vous a fait penser que je pouvais être une « poule » ?

Ventriss haussa les épaules.

– De dos, ce n'est pas évident. Une poule de luxe, bien sûr, ajouta-t-il après coup.

Diana essaya de se dominer – pourquoi se laisser entraîner dans cette discussion grotesque ? – mais les mots sortirent tout de même :

– J'aurais pu être affreuse.

Ventriss secoua la tête.

– Sûrement pas. Seules les belles marchent ainsi.

– Comment ?

– Avec assurance. Vous savez fort bien qu'on vous regarde.

Lui dire ça, à elle ! – elle qui avait été élevée dans l'idée qu'on ne doit pas se soucier du physique… « La beauté ne se mange pas en tartine », disait toujours sa nurse.

– Pas du tout ! dit-elle.

– Ah oui ? (Ventriss haussa les sourcils.) Je ne vous crois pas.

Au bout d'un moment, il ajouta :

– Je vous laisse à vos amis. Je viendrai vous chercher plus tard et nous pourrons dîner.

Se détournant brusquement, il disparut dans la foule.

Lally se matérialisa à son côté.

– Pas encore amoureuse ? dit-elle.

– Sûrement pas !

– Eh bien, dans ce cas, veux-tu venir au 400 ? Davey Tremaine est en train d'organiser ça. À moins que tu n'aies d'autres projets, bien sûr…

– Non, dit Diana, fermement.

– Alors, tu viens ?

– Pourquoi pas ?

Claude Ventriss apparut dans le hall au moment où Davey Tremaine aidait Diana et Lally à enfiler leurs manteaux.

– Vous êtes prête ? lui dit-il. Parfait. Le Sovrani n'attend plus que nous.

– Je croyais que tu n'avais pas d'autres projets, murmura Lally.

– Je n'en ai pas. Aide-moi ! fit-elle d'une voix minuscule en tournant le dos à Ventriss.

Lally haussa les épaules. Diana la fusilla du regard et pivota sur ses talons.

– Je n'ai pas envie de dîner avec vous, dit-elle.

– Mais si ! rétorqua Ventriss, très calme. Ça vous plaira, vous verrez.

– Non.

– Trêve d'enfantillages. Vous en mourez d'envie…

Diana jeta un regard à Lally, qui tapotait ses cheveux devant une glace et imitait très mal quelqu'un qui n'écoute pas.

– Escalope de veau. Suprême de volaille. Homard Thermidor. Bœuf Stroganov…

– Vous connaissez tout le menu par cœur ?

– Oui. Et tout est délicieux. Arrêtez de tergiverser et venez…

– Non, je ne viendrai pas.

– Huîtres Mornay. Coupe Jacques. Si, vous viendrez…

– Amusez-vous bien, lança Lally, sardonique.

Davey Tremaine leur adressa un clin d'œil.

– Pêche melba, dit-il. Crêpes Suzette.

– Ah non, pas vous ! s'exclama Diana.

– Vous savez bien que vous en avez envie. En tout cas, nous, on s'en va. Bonne soirée !

Prenant Lally par le bras, Tremaine l'escorta vers la sortie.

Vaincue par plus malin qu'elle et se maudissant pour sa faiblesse, Diana jugea que ce n'était pas la peine de faire un scandale – elle était affamée, après tout – et accompagna Ventriss dans la rue.

– Vous êtes toujours aussi têtu ? dit-elle.

Il fit non de la tête et descendit sur la chaussée pour chercher un taxi. En le regardant, Diana songea : « Oui, sans doute – du moins en ce qui concerne les femmes. » Humblement, elle se laissa installer à l'arrière d'un taxi, qui s'était matérialisé comme par magie. (Sûrement par magie.)

– Vous passerez un bon moment, dit Ventriss en lui offrant une cigarette. Une table excellente, et une foule de gens pour vous admirer.

– Je vous ai déjà dit que je n'ai pas envie d'être admirée !

– Non, vous avez dit que vous n'étiez pas consciente d'être regardée. Ce qui est tout aussi faux. (Il lui sourit.) À quoi bon être belle, si personne n'est là pour s'en rendre compte ? C'est du gâchis.

Diana s'apprêtait à répondre qu'on ne devait pas le rater, lui, quand elle comprit que cela impliquait un compliment et elle ne voulait pas payer ce prix-là.

– Ne faites pas la timide. Vous devez bien savoir que vous êtes ravissante.

– Vous me faites penser à ces romans idiots écrits par des hommes, où l'héroïne se regarde dans la glace pour s'admirer. Ça ne se passe pas comme ça. Quand une femme – n'importe laquelle – se regarde, elle ne voit que ses défauts. Et maintenant, peut-on changer de sujet ?

– Comme vous voudrez, madame Calthrop.

Il baissa les yeux sur sa main gauche (à présent gantée).

– Diana..., dit-elle, sentant que le reste de la soirée ne pourrait pas se dérouler dans cette ambiance-là.

Au bout d'une courte pause, durant laquelle elle se prépara à entendre une bêtise sur « Diane Chasseresse », Ventriss répondit, tout simplement :

– Claude.

– Vous êtes français ?

– Par ma mère. Mon père était anglais. Pourquoi ne portez-vous pas votre alliance ?

Elle ne répondit pas tout de suite. Impossible. Une question aussi directe, c'était sans doute préférable à un coup, mais pas tellement moins violent. Elle considéra ce beau visage et sentit, malgré ses efforts pour l'étouffer, une excitation vive et curieusement localisée. L'espace d'une seconde, elle songea à dire qu'elle était veuve, mais s'abstint. Si décevant que se fût révélé son mariage, dire que Guy était mort aurait été comme le souhaiter. L'autre raison était plus prosaïque : s'il le voulait, Ventriss vérifierait facilement que Guy était encore en vie. Elle opta pour un nouveau mensonge.

– Je l'ai perdue, hélas.

– Ah bon ?

Au moins, il aurait pu essayer de faire semblant de la croire. Se rappelant la maxime de Forbes-James au sujet des mensonges (trouvez-en un bon et tenez-vous-y), elle le regarda carrément dans les yeux.

– Oui. Dans un siphon. Mes doigts ont dû s'affiner, car elle a glissé alors que je me lavais les mains.

– Quel dommage, murmura-t-il. Enfin, je parie que M. Calthrop vous en rachètera une.

– Sûrement, dit-elle avec fermeté.

– À son retour.

– À son retour ?

– Je crois savoir qu'il est à l'étranger, avec son régiment.

– Mais vous avez enquêté sur moi ! s'exclama Diana en riant.

– Oui, je vous l'avais dit.

– Alors, à mon tour d'enquêter sur vous. Y a-t-il une Mme Ventriss ?

– Pas encore, non.

La conversation se poursuivit à bâtons rompus pendant le reste du trajet. Tout en parlant, Diana ne cessait de penser au fait qu'il n'était pas marié et se sentit – même si sa moralité se cabrait, mais de plus en plus faiblement – soulagée. Elle n'avait jamais eu l'habitude de mentir, enfin pas plus qu'une autre, en tout cas, mais là, ça devenait étrangement facile. Cela, ajouté au fait de savoir qu'il ne croyait pas à son histoire d'alliance perdue, était scandaleusement agréable. Était-ce l'alcool ? Elle n'avait bu que deux verres. Certes, assez corsés en gin, mais… tout de même, elle serait assez sobre pour le repousser si jamais il se jetait sur sa proie. Il n'avait pas fait mystère de ses intentions, donc un peu de préparation mentale s'imposait. Cela dit, un assaut ne serait pas désagréable, bien que révoltant. Et elle aurait la satisfaction de le remettre à sa place au moment où il croirait l'affaire dans le sac.

Cela étant bien clair (ou à peu près) dans son esprit, elle se mit à apprécier sa soirée pour de bon. Visiblement, le personnel du Sovrani connaissait bien Ventriss et fut aux petits soins pour eux ; le dîner fut aussi excellent que promis. Ils parlèrent de la guerre, mais avec une désinvolture rassurante, et de Forbes-James. Diana savait qu'elle ne pouvait pas l'interroger directement sur ses activités, pas plus qu'il ne pouvait l'interroger, mais le fait d'être dans le même bain tout en sachant qu'ils ne pouvaient en parler était plutôt excitant – pour elle, en tout cas ; pour lui, ça ne devait pas être nouveau. Il devait avoir invité à dîner plein d'espionnes bien plus expérimentées qu'elle, et sans doute – idée qui lui trotta dans la tête pendant tout le dîner – avait-il couché avec la plupart ensuite.

Tandis qu'il réglait la note et bavardait avec le maître d'hôtel, elle s'aperçut qu'elle n'avait pas autant ri depuis des mois. En fait, Guy, dont elle avait été – ou s'était crue – follement amoureuse, ne l'avait jamais fait rire à ce point. Se disant que la comparaison était dangereuse – elle n'était pas amoureuse de Claude et n'allait pas le devenir – elle ferma d'un geste sec son poudrier et se laissa remettre son manteau avec force courbettes et pommade française, avant d'être escortée à l'extérieur du restaurant. La fraîcheur soudaine lui fit prendre conscience des effets du vin qu'elle avait bu pendant le repas, en plus du gin, et elle ne résista pas quand Claude l'entoura d'un bras de propriétaire pour la guider vers un autre taxi. Comme le précédent, celui-ci parut, en dépit de la nuit noire, surgir de nulle part dès qu'ils atteignirent le trottoir. Une fois à bord, après avoir indiqué son adresse, elle découvrit qu'il avait la main sur la sienne (comment cela se faisait-il ?). Un contact chaud et agréable, raison pour laquelle elle la laissa reposer là pendant la durée du trajet. Elle avait cru qu'il repartirait aussitôt après l'avoir raccompagnée à sa porte, mais il régla la course. Pendant ce temps-là, elle attendait sur le trottoir, gênée. Il fallait le remercier – c'eût été une grossièreté impardonnable (et risqué, avec le couvre-feu) de s'élancer dans l'escalier, mais elle se demandait ce qui allait se passer.

Comme le taxi repartait et que Ventriss se tournait vers elle, elle fut de nouveau frappée, en dépit de l'obscurité presque totale, par son allure. Elle fit un pas en arrière, sentit ses épaules heurter la grille, après quoi, et successivement, elle sentit la main de cet homme sur sa nuque, forçant sa tête à se redresser (ça venait naturellement, d'ailleurs), cette bouche contre la sienne, cette cuisse entre les siennes, et cette autre main sous son manteau, se refermant sur son sein. L'effet de surprise passé, elle se surprit à hésiter entre l'abandon à l'excitation sexuelle – sa bouche était adorable, et son pouce, caressant en expert la pointe du sein, avec juste la pression nécessaire, la faisait fondre – et une question pressante : le laisserait-elle faire longtemps avant de le gifler ? Elle n'avait aucune envie de le gifler, mais il avait agi sans aucun préambule et, même si c'était agréable, ça n'était pas acceptable.

Elle était sur le point de réagir, quand soudain il la relâcha et, effleurant sa joue de ses lèvres, il déclara, d'une voix légère, presque moqueuse :

– Bonne nuit, ma chère. On se reverra sans doute bientôt.

Elle avait eu tout juste le temps de reprendre haleine que l'obscurité l'avait réduit à un simple bruit de pas sur le trottoir. Bonne nuit, ma chère ! Comme s'il avait affaire à une… une serveuse de bar ou autre. Pour qui se prenait-il ? Elle scruta la nuit, mais les faibles cercles de lumière émanant des réverbères voilés n'éclairaient que le sol. « Tant mieux s'il se casse la figure sur une poubelle », se dit-elle, fâchée, et elle guetta l'écho satisfaisant d'un *boum* suivi d'un juron. Comme rien ne venait, elle se retourna et, utilisant la grille pour guide, monta les marches à tâtons et, après avoir furieusement ratissé dans son sac à la recherche de ses clés, franchit la porte d'entrée. Émue et totalement humiliée, elle entreprit de se déshabiller et fit sa toilette du soir, attaquant son visage avec de la crème et évitant son regard dans le miroir.

Une fois couchée, elle constata que la colère cédait la place à l'examen de conscience. À quoi avait-elle joué ? Ne l'avait-on pas mise en garde ? Certes, ni Lally ni Jock, ni personne, ne l'avaient beaucoup aidée. Elle avait beau ne plus rien éprouver pour Guy, il se battait pour son pays et elle se conduisait comme une… comme quoi, exactement ? Elle n'avait rien fait – sinon se laisser embrasser. Et y prendre goût. Et… « Pour l'amour du ciel, se dit-elle, irritée, quelle importance ? » De toute façon, elle ne tomberait pas amoureuse. Ce serait reproduire la même erreur, avec des conséquences encore pires. « Oh, mon Dieu ! » Elle bondit hors du lit, ouvrit son coffret à bijoux, et, sortant son alliance, la glissa résolument à son doigt.

9

Stratton prit ses aises et regarda Donald, son beau-frère, siroter sa bière. Ils étaient venus au Swan, pub qu'ils fréquentaient surtout parce que Reg avait une nette préférence pour un établissement concurrent dans la rue d'à côté. Après une nouvelle dispute avec Jenny – ou plutôt, une autre conversation anormalement animée, ce qui s'apparentait le plus pour eux à une dispute – sur la question de savoir s'il fallait ou non rapatrier les enfants, Stratton avait décidé d'aller se consoler avec une bonne pinte. Vu la rapidité avec laquelle Donald avait réagi à sa suggestion d'aller prendre un verre, c'était à se demander s'il n'avait pas passé son après-midi à ressasser les mêmes arguments avec Doris. Il décida de lui poser la question, mais pas avant d'avoir épuisé le plaisant sujet des dernières idioties de Reg.

– Ils viennent de faire des manœuvres sur le terrain de football, déclara Donald. Quelle bande d'incapables ! Il y avait là un type qui titubait avec une sagaie à la main, nom d'une pipe !

Il ôta ses lunettes et se massa la racine du nez.

– J'espère qu'ils font peur à Hitler, parce que moi, ils me foutent la trouille !

– J'ai vu ce grand sabre crasseux.

– Il a insisté pour le prendre. Je me demande ce

qu'il compte en faire… J'étais aux toilettes quand il s'est pointé. (Donald secoua la tête.) Quand on peut plus chier en paix, c'est que l'heure est grave !

Stratton éclata de rire.

– Et quand j'ai dit que les affaires allaient mal – Donald tenait une boutique d'appareils photo – il m'a dit que j'allais être traîné devant les tribunaux pour propagation d'idées défaitistes ! Ce ne serait pas patriotique de se plaindre… Note bien, je ne crois pas que ça aille trop bien pour lui non plus, avec ses commandes de papier à lettres…

– Il t'a parlé de Johnny ?

– Non, mais c'est normal, non ? Je sais que Lilian est inquiète. Elle en a parlé à Doris.

– Que lui a-t-elle dit ?

– Problèmes au garage. Bien entendu, Lilian prétend que ce n'était pas lui, qu'on l'a accusé à tort. Si tu veux mon avis, elle se fiche le doigt dans l'œil…

Stratton acquiesça.

– Qu'a dit Doris ?

– Que veux-tu ? Tu connais Lilian… (Donald haussa les épaules.) Je suis surpris qu'elle n'ait rien dit à Jenny.

– Pour le moment. Mais Jenny l'a vu traîner avec d'autres jeunes au lieu d'être à son travail, alors…

Après encore quelques haussements d'épaules, des « Ma foi, qu'est-ce que tu veux », et des commentaires généraux dans le genre « Inutile de dramatiser à l'avance », ils tombèrent dans un silence agréable. Ce que Stratton appréciait chez Donald, entre autres, c'était qu'il savait se taire. Tous deux partageaient tacitement la conviction que Johnny était de la graine de voyou et Reg, un idiot, et c'était cela, en plus d'être entré par leur mariage dans une vaste famille très unie, qui avait contribué à sceller leur amitié.

Jamais ils n'avaient critiqué leur propre moitié devant l'autre – même si Stratton en aurait bien eu envie de temps en temps, et il soupçonnait Donald d'être comme lui – mais ils étaient tous deux conscients de leur statut de « pièce rapportée » : Stratton, pour avoir grandi à la campagne, dans le Devon (son accent, qui avait charmé Jenny les premiers temps, s'était peu à peu érodé au contact des dures voyelles londoniennes) et Donald en raison de ses ascendances écossaises.

– À propos des enfants, dit Stratton, Jenny n'arrête pas de dire qu'on devrait reprendre les nôtres chez nous.

– Ah oui…

Donald soupira dans son bock.

– Doris est pareille au sujet de Madeleine. Moi, je lui répète que ce ne serait pas prudent… C'est drôle. On prend l'habitude de ne pas s'embêter mutuellement avec ça, mais chaque fois qu'on n'en parle pas, je sais qu'elle voudrait le faire et qu'elle se retient.

– Je vois ce que tu veux dire.

Stratton songea à Jenny cet après-midi-là, regardant dans le jardin à travers la fenêtre consolidée avec du ruban adhésif, ses beaux yeux verts mouillés de larmes. Elle avait prétendu – d'une petite voix qui disait Je-ne-veux-pas-en-parler, mais signifiait le contraire – observer les oiseaux.

– Dieu sait qu'ils me manquent – même les chamailleries et le boucan. Figure-toi que l'autre soir, je me suis retrouvé dans la chambre de Pete, à lire l'un de ses bouquins ! *Winnie l'ourson*. Incroyable…

Donald opina.

– J'ai fait ce genre de trucs, moi aussi. On ne peut pas en vouloir aux femmes – c'est bien plus dur pour elles, et…

Soudain, son expression changea.

– Merde, qu'est-ce qu'il fiche ici ?

Stratton, qui tournait le dos à la porte, s'exclama :

– Non, ne me dis pas que…

– Si ! Et il nous a vus…

Donald leva la main dans un salut peu convaincant.

– Il a amené le Vaillant petit Fermier. Et le Major.

Stratton se retourna à demi pour voir les fesses porcines de Reg écarter les pans de sa veste au moment où il déposait solennellement par terre le sabre touareg, à présent propre et astiqué, avant de se redresser et de chercher des sous dans ses poches. Près de lui, brandissant sa fourche comme si c'était un pied de lampe, se tenait Harry Comber, l'épicier, chauve et étiolé. Derrière eux se trouvait le Major Lyons, un petit septuagénaire guindé aux sourcils broussailleux, qui se donnait des airs de gentleman-farmer et évoquait toujours un fox-terrier dans l'esprit de Stratton.

– Incroyable ! fit Donald en faisant mine de se retourner deux fois. Il leur paie à boire !

La pingrerie de Reg était légendaire. Régulièrement, il donnait à toute la famille des conseils qu'on ne lui demandait pas sur la façon de faire des économies, du genre utiliser en guise de papier hygiénique les sachets des courses et les vieux journaux – jusqu'au jour où il s'était égratigné les fesses avec un reste de pastille acidulée.

– Dommage que tu n'aies pas ton appareil photo, dit Stratton. La scène mériterait d'être immortalisée.

Donald roula des yeux.

– Il vient par ici !

Reg, pinte à la main et traînant les deux autres – à une distance respectable, car le sabre, coincé sous son bras, oscillait dangereusement derrière lui – s'approcha d'un pas tranquille.

– Vous ici ! En dehors des heures de service, hein ?

Il cligna de l'œil, comme s'il avait surpris Donald à faire une chose défendue, fit un grand geste, renversant un peu de bière sur l'épaule de Donald, puis, s'étant assuré que leurs deux verres étaient encore plus qu'à moitié pleins, déclara :

– Je vous offre quelque chose ?

– Pas la peine, merci, dit Stratton.

– Je ne comprends pas pourquoi vous venez ici, dit Reg en se laissant choir sur une chaise.

Donald ouvrit la bouche, et la referma, laissant l'évidente explication – parce que tu n'y es pas – planer dans l'atmosphère.

– On peut s'asseoir à votre table ? poursuivit Reg, tirant d'autres chaises pour ses compagnons.

– Qu'est-ce que vous faites ici ? demanda Stratton.

– C'est le coup de feu au King's Head. On revient des manœuvres, vous savez.

– On l'aurait deviné..., dit Donald.

– Nous avons reçu nos brassards, vous voyez...

Reg fit pivoter son bras droit de façon à montrer les lettres LDV (« London Defence Volunteers ») sur le tissu blanc. Comber et le Major en firent autant, ce dernier poussant un jappement d'approbation. Au bout d'un moment, voyant qu'on attendait une réaction quelconque, Stratton lança un jovial : « À la bonne heure ! » et leva sa pinte.

– Santé !

S'ensuivit une série de toasts et de lapements sonores, durant laquelle Stratton évita de regarder Donald, puis Comber, reposant son bock, déclara :

– Franchement, je crois que cette histoire d'invasion, c'est du bla-bla. Hitler est au bout du rouleau. Il doit remporter la victoire avant l'hiver. (Il baissa la voix.) C'est bientôt la famine en Europe.

Le Major parut déconcerté mais s'en accommoda.

– À présent, on sait où nous en sommes.

Stratton tenta de se rappeler combien de fois, au juste, il avait entendu cette remarque au cours de la semaine, et il en ressentit une pointe d'irritation.

– Vous en avez de la chance…, dit-il.

Il y eut une courte pause, après quoi Reg et Comber se mirent à parler en même temps, Reg abandonnant sur un petit rot parfumé avant de se concentrer de nouveau sur sa pinte, tandis que Comber se lançait dans un long laïus manifestement bien ressassé d'où il ressortait que, franchement, il n'y aurait plus rien à manger en Allemagne à la mi-octobre et que, franchement, chiens et chats étaient déjà tués en masse faute de nourriture et que, franchement, le peuple allemand en avait bien assez et que, franchement, Hitler était fichu. Stratton joua avec la plaisante idée de dire à Comber, franchement, d'aller se faire voir, mais un coup d'œil à Donald lui confirma que c'était impossible.

Après dix minutes supplémentaires de ce discours pontifiant, un coup de pied de Donald lui fit d'abord avaler le reste de sa bière – un gâchis, mais on ne pouvait pas faire autrement – puis annoncer, mensongèrement, que Jenny allait lui passer un savon s'il restait trop longtemps, et partir avec son ami, bombardé de conseils joyeux selon lesquels il ne fallait pas contrarier sa petite femme et surtout saluez bien vos dames pour nous.

– C'est nous qui sommes foutus, lâcha Donald, en marchant dans la rue.

– Je sais. Tout ce bla-bla sur la famine en Allemagne. Il oublie Dunkerque parce que ça l'arrange ! « Magnifique retraite », mon cul ! On ne gagne pas une guerre en évacuant les soldats. C'est prendre ses désirs pour la réalité. Le pire, c'est qu'il nous arrive d'en faire autant…

– Oui… mais pas comme Comber.

– Non, heureusement ! Moi, je pense aux bons moments qu'on passera quand toute la famille sera réunie – comme on disait tout à l'heure…

– Si jamais ça arrive.

– Tu n'y crois pas ?

– Je ne sais pas. (Donald regardait ailleurs.) Mieux vaut ne pas penser du tout. Note bien qu'avoir à écouter les gens débiter des conneries, ça n'aide pas.

– Enfin, si ça les amuse…

– Ça t'amuserait aussi si tu étais marié à Joan Comber.

– C'est vrai.

Mme Comber était une grande femme efflanquée dont la gueule présentait une étrange ressemblance avec celle de Stan Laurel.

– Tu saisirais n'importe quel prétexte pour sortir de chez toi…

– Tu crois qu'ils font encore… ?

Donald fit la grimace.

– Toi, tu le ferais, à sa place ?

– Non, mais je ne l'ai pas épousée pour commencer. Changeons de sujet, par pitié !

– De quoi veux-tu parler ? Tout est triste en ce moment, non ?

– Oui, dit Stratton, c'est bien vrai.

– Reg est un vieil emmerdeur, non ?

– C'est un vieil emmerdeur.

Ils se sourirent. Ils avaient toujours aimé ce juvénile et innocent passe-temps consistant à échanger des grossièretés. D'ordinaire, ils étaient plus inventifs, quitte à être plus laborieux, mais pour le moment un simple mot cru parut suffire à leur remonter le moral. Stratton avait toujours eu le sentiment que les « bordel », « merde » et les occasionnels « con » qui émaillaient leur conversation étaient la pointe émergée d'un vaste iceberg de choses auxquelles il songeait, ou qu'il ressentait, mais dont on ne pouvait parler sans se révéler méchant, misanthrope, égoïste, indifférent aux autres, arrogant, lubrique, lâche – ou une épouvantable combinaison de tout cela. Parfois, il se demandait si Donald avait la même conception de ce passe-temps, mais là encore, c'était une question impossible à formuler. Lorsqu'ils se séparèrent devant la maison de Donald et Doris, à deux pas de la sienne, Stratton éprouva un curieux réconfort. La conversation avait confirmé qu'il savait effectivement, comme le Major avait dit, « où on en était » : dans la merde, et jusqu'au cou. Il y avait, songea-t-il en rentrant chez lui, comme une sinistre satisfaction à tirer de cette certitude.

10

Jenny parut résignée quand Stratton déclara qu'il devait prendre le bus pour Londres le lendemain, mais comme il lui avait promis d'être de retour à temps pour déjeuner chez Donald et Doris, elle l'embrassa avant de le regarder s'éloigner. L'adresse de la sœur de Joe indiquée par Mme Cope était en fait celle d'un logement dans les Immeubles Peabody, sur Clerkenwell Road. En regardant les grandes entrées en briques émaillées et les rangées de lavoirs, il se demanda si Mlle Vincent avait son bail depuis longtemps et si, bien plus vieille que son frère, elle n'allait pas défendre le jeune homme bec et ongles. Il vérifia le numéro – 12 – et trouva la bonne cage d'escalier. Les marches en ciment sentaient le désinfectant et les deux serpillières propres, en plus des pots de géraniums alignés devant sa porte, lui apprirent que Beryl, qui dans son esprit avait maintenant l'irascibilité d'une vieille sorcière, était une femme d'intérieur méticuleuse.

Il ajusta son chapeau, redressa les épaules et frappa. Des froissements et murmures filtrèrent, puis la porte s'ouvrit assez pour révéler les boucles rousses et le regard effronté d'une jolie jeune femme.

– Mademoiselle Vincent ?

Les boucles dansèrent tandis qu'elle le jaugeait.

– Qui la demande ?

– L'inspecteur Stratton, police judiciaire, West End Central. Vous êtes Mlle Vincent ?

– Oui.

Tout le visage de la jeune fille, y compris son nez mutin, se fronça dans une moue.

– C'est pour Joe ?

– Oui, mademoiselle. Je peux entrer ?

– Bien sûr. Je vais le réveiller.

La porte s'ouvrit en grand, la montrant en pull et pantalon, et elle le fit entrer dans une petite pièce meublée de deux fauteuils, d'un calorifère, d'une table croulant sous des étoffes en équilibre instable, d'un mannequin de couturière et d'une machine à coudre.

– J'espère que je ne vous dérange pas… ?

– Oh, non. En fait, j'allais faire du thé. Vous en voulez ?

– Volontiers.

Elle désigna une porte et dit, baissant la voix :

– Joe est là. Vous ne serez pas… Il est encore bouleversé par ce qui s'est passé, et on ne s'attendait pas à… Enfin, avec l'enquête… Je ne sais pas ce que vous voulez, mais il n'est pas très…

La voyant patauger – même si elle savait pour Joe, elle n'allait évidemment pas dire : c'est un pédé, donc il a de bonnes raisons de ne pas se fier à la police – Stratton déclara doucement :

– Je sais que votre frère était très… attaché à Mlle Morgan. J'ai juste quelques questions à poser, ça ne sera pas long.

Beryl sourit juste assez pour laisser voir ses jolies dents d'écureuil, l'invita à s'asseoir et se retira dans la chambre de Joe. Écoutant leur échange à l'intérieur, il comprit que Joe était déjà réveillé et qu'il paniquait.

Le sifflement strident de la bouilloire fit rappliquer Beryl – « Il s'habille, le thé est prêt dans une seconde » – qui disparut dans ce qui devait être une très petite kitchenette et réapparut avec un plateau, qu'elle déposa sur le seul coin dégagé de la table.

– Je dois faire attention, dit-elle. Si jamais j'en renversais, j'en entendrais parler !

– Vous êtes couturière ?

Beryl acquiesça.

– Je travaille chez Mme Sauvin dans Bond Street, mais on est débordés en ce moment. Quand on pense qu'il y a encore des femmes pour commander des robes du soir, avec ce qui se passe… Sucre ?

– Non, merci.

Sa tasse de thé encore dans la main, Stratton demanda :

– Connaissiez-vous Mabel Morgan, mademoiselle Vincent ?

– Oui. Pas comme Joe, mais on s'entendait bien. J'ai pas voulu y croire, quand j'ai appris… Écoutez…

La jeune fille se pencha par-dessus le dossier du fauteuil inoccupé et tira un tricot rose pâle à l'air compliqué, tendu sur trois aiguilles, de derrière le coussin.

– Des chaussettes de lit. J'avais commencé ce tricot parce qu'elle se plaignait d'avoir froid aux pieds, l'hiver. Hier soir, j'étais assise ici, juste à votre place, à écouter la radio, et je devais être en train de tricoter depuis dix minutes quand je me suis dit… Ce n'est pas naturel, cette mort. À qui les donnerai-je à présent ? ajouta-t-elle avec tristesse.

– À quelqu'un de votre famille ?

– On n'a plus personne. Maman est morte quand on était petits, et tante Edna – celle qui nous a élevés – est décédée il y a quelques années.

– Et votre père ? demanda Stratton, qui ajouta aussitôt : il est vrai que ce ne sont pas des chaussettes d'homme…

– Il a été tué au cours de la dernière guerre. On ne l'a pas vraiment connu – Joe, tout du moins, parce qu'il est plus jeune que moi. Il n'y a plus que nous deux. Vous ne serez pas trop dur avec lui, n'est-ce pas ?

– C'est promis.

Stratton sourit.

– Ai-je été dur avec vous ?

– Non, mais…

De nouveau, Beryl parut troublée et Stratton changea de sujet en demandant :

– Que vouliez-vous dire quand vous avez déclaré que la mort de Mlle Morgan n'était pas naturelle ?

– Eh bien, c'est atroce. S'empaler sur une grille. Peu importe les conclusions de l'enquête, je ne crois pas au suicide, et Joe non plus.

– Pourquoi ?

– Ce n'était pas son genre.

– Quel était son genre ?

– Elle était courageuse, combative. Je ne veux pas dire par là qu'elle frappait les gens, même si elle avait assurément son franc-parler, mais elle avait du cran. Jamais elle ne pleurait sur son sort. C'est bien ce qui se passe, quand on se suicide, non ?

– Alors, c'était quoi, à votre avis ?

– Un accident ! Elle s'est trop penchée, c'est tout. Ça aurait pu arriver à n'importe qui. Et, conclut-elle triomphalement, Joe m'a dit qu'elle n'avait pas son dentier, alors qu'il ne l'avait jamais vue sans… Jamais.

– Elle n'avait pas d'ennuis ?

– Pas que je sache. Elle l'aurait dit à Joe.

– Vous croyez ?

– Bien sûr. Ils étaient comme ça…

Elle croisa deux doigts de sa main gauche, pour lui montrer.

– Bon, je vais aller voir où il en est. Glissez ça sous votre siège, voulez-vous ? Je ne veux pas qu'il le voie…

Elle lâcha le tricot et quitta la pièce.

Stratton avait tout juste eu le temps de soulever une jambe et de fourrer l'ouvrage sous le coussin, quand elle revint, tirant son frère par la main. Sa première impression fut que Joe était terrifié – tremblant. Il regarda Beryl le pousser dans le fauteuil d'en face, faire les présentations, et lui tendre une tasse de thé en lui recommandant de boire chaud. Malgré l'expression apeurée, l'œil au beurre noir et le visage tuméfié, Stratton s'aperçut que, si sa sœur était jolie, Joe Vincent était, lui (si cela pouvait se dire d'un homme), superbe. Sa tête, avec ses cheveux brillants, ses yeux ténébreux, son teint uni, sa bouche pulpeuse et son profil parfait rappelait ces statues classiques d'athlètes ou de jeunes aristocrates exposées au British Museum.

Beryl le tira de sa rêverie.

– Alors je vous laisse ?

– Merci, dit-il, et ils la regardèrent sans rien dire rassembler divers éléments de sa panoplie de couturière avant de se retirer dans ce qui devait être sa chambre.

Seul avec Joe, Straton continua à le dévisager. Le jeune homme le fixa à son tour avec une expression suggérant que Stratton était un fauve capable d'attaquer à tout moment, et il déclara de but en blanc :

– Qu'est-ce que vous voulez ? Je vous ai dit tout ce que je savais. Je veux seulement qu'on me laisse tranquille.

– Je m'en doute, mais j'ai deux ou trois points à éclaircir…

Stratton observa un silence.

– J'ai cru comprendre que vous aviez eu des ennuis, l'autre nuit ?

Joe palpa son œil au beurre noir.

– Simple malentendu… Ce n'est rien.

– On ne dirait pas…

– Ça va.

– Vous m'étonnez. Que s'est-il passé ?

– Un type que je connais… (Joe s'adressait à sa tasse.) Il m'avait prêté de l'argent.

– Et ?

– J'ai parié sur un chien.

Sa voix était morne.

– Ah ?

– Oui.

– Comment s'appelle-t-il ?

– Bonny Beryl.

– Beryl ?

– Oui, comme ma sœur. C'est pour ça que j'avais parié sur lui. Comme j'ai perdu, je n'ai pas pu le rembourser et…

– Quel cynodrome ?

– White City.

– Quand êtes-vous allé là-bas ?

– Lundi… dernier.

Joe regarda Stratton pour la première fois depuis le début de l'échange, avec comme un air de triomphe.

– Vous ne travailliez pas ?

– Pas l'après-midi.

– Donc, vous êtes allé au cynodrome de White City, lundi après-midi.

– En effet.

– Vous en êtes sûr ?

– Oui !

– Pas moi.

Le visage de Joe se marbra de rose.

– Vous me traitez de menteur ?

– Oui, dit Stratton doucement. Mais vous n'êtes pas très doué. Voyez-vous, il se trouve que les courses de chiens n'ont plus lieu qu'un après-midi par semaine et la manifestation de Londres se déroule le samedi.

Il n'était pas absolument certain du jour, mais peu importait, car il était prêt à parier que Joe n'avait jamais vu de course de chiens de sa vie et l'expression de ce dernier confirma qu'il avait vu juste.

– Et si tu recommençais de zéro, en me disant la vérité ?

Joe se trémoussa avec sa tasse pendant un moment, puis déclara :

– On s'est disputés, c'est tout.

– À quel sujet ?

– Pour de l'argent, je vous l'ai dit.

– Dis-m'en plus.

– Il n'y a rien à dire. Je devais à ce type-là de l'argent, et comme je ne pouvais pas payer, il s'est mis en rogne et… vous pouvez voir par vous-même.

– Combien ?

– Cinq livres.

– Il t'a fait ça pour cinq livres ?

– Ben… (Joe hésita.) C'était peut-être plus.

– Ah bon ?

Stratton posa sa tasse sur le foyer.

– Combien en plus ?

– Environ dix livres.

– Dix livres en plus, ou dix livres en tout ?

– En tout.

– Je vois. Et quel est le nom de ce type ?

– C'est juste un ami.

Stratton haussa les sourcils.

– Un ami ?

– Oui.

Joe prit un air provocant.

– Une connaissance.

– Et à quoi ressemble cette connaissance ?

– À… à tout le monde.

– Donc, quelqu'un ressemblant à tout le monde, qui est peut-être, ou pas, ton ami – même si, vu ta tête, je dirais que c'est plutôt un ennemi – t'a prêté une somme qui était peut-être de cinq ou dix livres, et puis il t'a dérouillé parce que tu ne pouvais pas le rembourser ?

– Oui.

– Il prenait des intérêts ?

– Des intérêts ?

– De l'argent en plus du prêt. Je crois que c'est environ trois pour cent, mais, ajouta Stratton sournoisement, normalement un usurier demande un peu plus, non ?

– Il a demandé quelques shillings, oui.

– Quelques shillings ? C'est-à-dire… quoi, trois shillings ? Quatre ?

– Cinq.

– Donc, ton ami a exigé son intérêt, hein ? Tu lui avais demandé cet argent pour quelle durée ?

– Une semaine.

– Et que lui as-tu offert ?

Joe pâlit.

– Je ne comprends pas, marmonna-t-il.

– Comme garantie ?

– Oh, rien.

– Donc, cet ami qui demande des intérêts n'exige pas de garantie. Et si tu t'étais tiré ?

– Je ne l'ai pas fait.

– Cinq shillings, dis-tu… Voyons… cinq shillings sur dix livres, ça fait du deux et demi pour cent, non ?

Pas très cher. Ça n'en valait pas la peine. Peut-être que ton ami devrait prendre des cours d'économie ? déclara Stratton, pensif.

– Je n'y connais rien, répondit Joe, maussade.

– À l'évidence. Mais lui, il a cru que ça valait la peine de s'abîmer les phalanges, hein ?

Le jeune homme haussa les épaules.

– Où l'avais-tu rencontré ?

– Au Wheatsheaf.

– Le Wheatsheaf, à Rathbone Place ?

– Oui.

– C'est pas ton pub habituel. Trop loin.

– Oui, mais j'y vais parfois... Ou plutôt, j'y allais.

Joe s'interrompit, le visage encore plus blanc, si toutefois c'était possible.

– Tu y allais... ?

– Mabel. Mlle Morgan. C'était son pub favori. Elle aimait bien la clientèle – des artistes... C'est là que je passais la prendre en rentrant du boulot.

– Mlle Morgan t'avait-elle présenté à l'homme qui t'a prêté de l'argent ?

– Elle ne le connaissait pas.

– Qui le connaissait ?

– Personne. On s'est mis à causer, et...

– Quand ?

– Il y a quelques semaines.

– À quelle heure ? Le Tivoli ferme tard. Tu avais du travail.

– J'étais parti de bonne heure.

– C'est-à-dire ?

– Une demi-heure plus tôt.

– Donc, tu as causé avec cet homme pendant, quoi, dix minutes, quelques semaines plus tôt, et il a bien voulu te prêter de l'argent sans la moindre garantie ?

– Je l'ai revu par la suite. Il savait où j'habitais.

– Il était venu te voir ?
– Plusieurs fois.
– Mlle Morgan était là ?
– Je ne me souviens pas.
– Mais c'est possible ?
– Je pense, oui.
– Donc, elle savait qui c'était ?
– Non ! Je vous l'ai dit, elle ne le connaissait pas. J'avais dû lui donner mon adresse… Je ne me souviens pas.
– Donc, en fait il n'était jamais venu chez toi ?
Joe baissa la tête, vaincu.
– Je ne sais pas…, marmonna-t-il.
– Tu viens de me dire le contraire, et maintenant tu ne sais plus. Oui ou non, est-il venu chez toi ?
– Non, fit Joe dans un souffle.
– On n'avance pas. Reprenons au début. Bon… (Il se pencha en avant.) Cette fois, plus de chiens, de prêt, d'inconnu dans un pub – ou ailleurs – sauf, bien sûr, s'ils existent. Et je parie que ceci – il désigna le visage de Joe, qui s'était durci – n'est pas le résultat d'une maladie vénérienne…
– Je ne vois pas ce que vous voulez dire.
– Oh, que si !
Stratton n'aimait pas menacer et, du reste, ce pauvre garçon ne pouvait pas plus s'empêcher d'être comme il était que lui-même ne pouvait s'empêcher d'aimer les femmes, mais il était résolu à découvrir la vérité. Il continua à dévisager Joe, qui regardait à présent avec intensité le calorifère éteint, comme s'il y cherchait l'inspiration.
– Vous ne le croirez pas, dit-il enfin.
Stratton se recula légèrement, sentant la tension baisser, sachant que Joe était sur le point de dire la vérité.
– Dis toujours, fit-il doucement.

– J'ignore pourquoi ils sont venus.

Stratton se rappela sa conversation avec Arliss.

– « Ils » ?

– Ils étaient deux. À m'attendre chez moi.

– Quand ?

– Lundi, vers onze heures et demie.

– Du soir ?

Il acquiesça.

– Donc, tu étais allé au cinéma dans la matinée, pour te balader ensuite et retourner au travail le soir… ?

Joe rougit et secoua la tête.

– Donc, lundi n'est pas ton jour de congé ?

– Non, je n'ai pas de jour de congé.

– Bon…

Stratton chercha son carnet dans sa poche.

– Donc, ils étaient deux ?

L'autre opina.

– Dans mon appartement.

– Comment sont-ils entrés ?

– Aucune idée. Mme Cope, ma logeuse, a dû leur ouvrir.

Stratton griffonna une note pour penser à interroger Mme Cope sur ce point, même si, la connaissant, à supposer que ce fût elle, elle en aurait sûrement parlé à tout le monde.

– Qui d'autre aurait pu le faire ?

– Il y a deux autres pensionnaires, M. Stockley et M. Rogers.

Stratton nota leurs noms.

– C'est sans doute l'un d'eux, si Mme Cope n'était pas là. Elle sort certains soirs pour aller voir sa fille.

– Et M. Cope ?

– Elle est veuve.

– Sais-tu comment ils se sont introduits dans ton appartement ?

– Ils ont dû crocheter la serrure. Ça ne doit pas être si difficile… Enfin, quand on s'y connaît.

– Ils t'attendaient depuis longtemps, à ton avis ?

– Aucune idée. Je sais qu'ils avaient fumé, car j'ai vu les mégots dans le cendrier quand j'ai rangé, ensuite.

– Rangé ?

– Ils avaient tout saccagé. Toutes les affaires de Mabel…

Joe se prit le visage dans les mains.

– C'était horrible.

– Toutes les affaires de Mlle Morgan ?

– Oui. Ses vêtements, ses photos… les journaux où l'on parlait d'elle à l'époque où elle était actrice, tout était par terre… La glace était brisée, il y avait du verre partout et ils avaient retiré le matelas.

– Et tes affaires à toi ?

– Dans mes affaires aussi, ils avaient fouillé, mais… C'est de voir les siennes qui m'a…

Joe déglutit et se mit à pleurer.

– J'ai pas pu supporter…

– Calme-toi…, dit Stratton doucement. Tiens…

De nouveau, il fouilla dans sa poche et en sortit ses cigarettes. Joe en prit une, avec précaution, comme si le contact du paquet eût pu provoquer une explosion.

– On pourrait demander à ta sœur de nous refaire du thé, dit Stratton en se penchant pour lui donner du feu, après quoi tu me raconteras la suite.

Il alla frapper à la porte de la chambre.

– Ho-hé ?

Assise sur son lit, Beryl était en train de coudre une chose complexe qui semblait être une encolure.

– Vous nous faites chauffer encore un peu d'eau ? Je crois que Joe a besoin d'une autre tasse de thé. Et d'un mouchoir…

La jeune fille se leva, transperçant l'étoffe d'un coup d'aiguille.

– Qu'est-ce que vous lui avez dit ?

Sans attendre de réponse, elle sortit en trombe, et, après un coup d'œil à son frère, pivota sur elle-même et lança, farouchement :

– Vous m'aviez promis !

Joe releva la tête et la considéra avec des yeux gonflés de larmes.

– Il n'y a pas de problème, Beryl…

La jeune fille continuait à le fusiller du regard.

– Bon, ça va, dit-elle enfin.

Tirant un mouchoir de sa manche, elle le tendit à son frère avant d'emporter la théière dans la cuisine. Stratton attendit en silence que Joe s'éponge la figure et se mouche, et, quand le thé fut servi et Beryl de nouveau dans sa chambre, il déclara :

– Bon, ces types… Que cherchaient-ils, à ton avis ?

– J'en sais rien, mais c'est ce qu'ils ont dit en me voyant – « Tu as quelque chose qui nous intéresse. » Je n'ai pas compris et je l'ai dit, mais rien à faire. Ils m'ont frappé, frappé… J'ai cru qu'ils allaient me tuer.

– Vraiment, tu n'as aucune idée ?

Le jeune homme secoua la tête.

– Pas la moindre.

– Et Mlle Morgan ? Tu as dit qu'ils avaient fouillé dans ses affaires…

– Oui, mais ce n'était que des habits, des babioles… Je vous le répète.

– Elle n'avait pas de cachette ?

– Non, elle pouvait être très méfiante, mais…

– C'est-à-dire ?

– Eh bien, elle regardait souvent par la fenêtre. Pour voir qui était dans la rue. Si des gens venaient la voir, elle leur lançait les clés, mais ça ne devait pas arriver souvent… Enfin, étant au cinéma la plupart du temps, je ne pouvais pas… Elle n'aimait guère le couvre-feu, mais comme la plupart d'entre nous, n'est-ce pas ?

– Tu crois qu'elle redoutait quelque chose ?

– Non, mais elle aimait savoir ce qui se passait. Je crois que c'était plutôt… Elle n'avait pas beaucoup d'argent et s'ennuyait pas mal, ici, toute seule.

– Mais le soir, elle allait bien au Wheatsheaf ?

– Oui, elle était assez connue là-bas. Si quelqu'un lui payait un verre, elle bavardait avec lui. Ça lui plaisait.

– Et elle n'allait jamais ailleurs ?

– Pas que je sache. Du moins, elle était toujours au Wheatsheaf quand j'allais la chercher et, quand le soir tombait plus tôt, l'hiver, j'avais l'habitude de m'absenter de mon travail pour l'emmener là-bas, à l'ouverture.

– Je vois. Donc, ces deux types ont dit que tu avais un truc qui les intéressait, et comme tu ne réagissais pas, ils t'ont frappé. Et ensuite ? Ont-ils dit autre chose ?

– Non. Ils répétaient que j'avais forcément ça.

– Tu ne sais vraiment pas comment ils sont entrés dans la maison ?

– Non. Comme chacun de nous a sa propre clé, quelqu'un a dû leur ouvrir.

– T'ont-ils menacé avant de partir ?

– Non… Enfin, ils ont déclaré qu'ils savaient bien que je n'irais pas me plaindre à la police. Et je ne l'aurais pas fait si je n'avais pas rencontré ce flic.

– Ne t'inquiète pas. Ils ne savent pas où tu te trouves à présent, n'est-ce pas ?

– Non, mais ils savent où je travaille et…

– Ils l'ont dit ?

– Non, mais ils ont dû se renseigner, non ?

– Sur ce point, je pourrai peut-être faire quelque chose. Si tu m'en dis un peu plus sur eux.

Joe parut en douter, mais ne protesta pas.

– As-tu découvert qu'il manquait quelque chose après leur départ ?

– Pas tout de suite. Je suis sorti. Je ne voulais pas rester chez moi, de peur qu'ils reviennent… Je ne savais plus ce que je faisais. Je crois que j'avais l'intention de venir ici, mais j'étais dans le cirage.

– Et c'est là que tu as croisé mon collègue ?

– Oui. Sincèrement, je ne m'en souviens pas vraiment…

– Il a dit que tu étais dans un sale état. Et après ?

– Après avoir quitté le commissariat, vous voulez dire ?

Stratton acquiesça.

– Je suis venu ici.

– Quand es-tu rentré chez toi ?

– Mardi. Après le travail.

– Ils ont dû être surpris, au boulot…

– Le patron n'était pas très content, mais le public ne me voit pas, donc… (Joe haussa les épaules.) J'appréhendais de rentrer chez moi – même si je savais bien qu'ils ne seraient plus là… J'ai rangé un peu, pris quelques affaires, et je suis venu ici.

– Il ne manquait rien ?

– Si, un truc – ça semblait plutôt bizarre, et au début j'ai cru que j'avais mal regardé, que ça devait être sous le lit, mais… C'était une photo de Mabel, à l'époque de sa splendeur. Elle se trouvait dans un cadre, sur la cheminée.

– C'était peut-être des admirateurs. Mais ça ne peut pas être ce qu'ils cherchaient, n'est-ce pas ?

– Non. Je ne sais pas ce qu'ils voulaient. Juré.

– Je te crois. Et maintenant, si te me disais à quoi ressemblaient ces mignons ?

– L'un était grand, avec une grande balafre, là… (Il passa son doigt sur sa joue droite.) Comme il avait un chapeau, je n'ai pas pu voir ses cheveux, mais il devait être très brun, balèze. Gros. Il avait un complet bleu nuit, une cravate sombre, des souliers noirs, des gants. Tous les deux, ils avaient des gants.

– Quel âge lui donnes-tu ?

– La trentaine. L'autre était plus jeune – un gamin. Dix-sept ou dix-huit ans. Lui aussi portait un costume, même genre… cheveux bruns, visage pâle avec des taches de rousseur. J'ai bien vu pendant qu'il était penché sur moi.

– Un accent ?

– Ordinaire. Cockney – comme moi, j'imagine. Ils ne criaient pas, non. Ils se contentaient de me frapper. Surtout le gros. L'autre, il regardait…

– Le gros dont tu parles, le balafré, qu'est-ce qu'il sentait ?

– Eh bien… Il sentait pas très bon, justement.

– Il aurait eu besoin d'une savonnette ?

Le visage de Joe se fendit d'un sourire.

– Et comment ! Pourquoi, vous le connaissez ?

– Oui…

Stratton remit son carnet dans sa poche.

– Pour le connaître, je le connais.

11

George Wallace. Un gros gorille à la joue barrée d'une estafilade au rasoir, et qui schlinguait à mort. Pas une pute de Soho n'aurait voulu le toucher, même avec une prime à la clé, et ça se comprenait. Mais que voulait un type pareil à Joe ? Wallace était l'homme de main d'Abie Marks, le chef du gang juif, mais pour quelle raison Abie... D'accord, il pouvait devenir assez sentimental avec quelques verres dans le nez, c'était connu, mais Stratton le voyait mal piquer une vieille photo d'une star oubliée, si belle fût-elle. Il était pratiquement certain que Joe ne mentait pas en disant ignorer pourquoi on l'avait tabassé, et de toute évidence ce n'était pas à cause de son homosexualité, sinon ils l'auraient dit. Stratton avait déjà eu l'occasion de se demander si Abie n'était pas lui-même de la jaquette. Certes, on ne le voyait jamais sans une fille bien sapée au bras, mais il y avait aussi plein de garçons autour de lui : des petits durs arrogants qui sortaient du ring ou des salles de sport, et de jolis garçons à l'air farouche, issus des quartiers pauvres et prêts à tout pour un peu de fric. Joe ne correspondait à aucun de ces deux styles. Et même s'il avait été ébloui par le faste apparent du monde de Marks, Beryl l'aurait certainement chapitré sur ses fréquentations. Se rappelant comment le frère et la sœur l'avaient regardé partir, du haut des marches, Beryl enlaçant son frère par la taille, Stratton se dit : « Elle veillera sur lui… »

Bizarrement, ni l'un ni l'autre ne s'était étonné de sa visite – à croire qu'ils s'y attendaient. Ou s'attendaient à quelque chose, en tout cas. Il était excusable, ce pauvre garçon, de ne pas vouloir parler aux flics. Dans la mesure où l'avancement d'un jeune agent dépendait du nombre de condamnations obtenues et où il était dans l'ensemble bien plus facile d'arrêter un pédéraste qu'un cambrioleur, un garçon comme Joe savait très bien que sa liberté comme sa réputation dépendaient de sa discrétion. Remontant Theobald's Road, Stratton consulta sa montre et jugea que c'était pile le bon moment pour passer voir Mme Cope avant de rentrer chez lui en bus. Si elle ne pouvait l'aider, il aurait peut-être l'occasion de parler aux autres pensionnaires, mais il faudrait faire vite…

Stratton s'arrêta devant la bouche de métro pour parcourir son calepin – Stockley et Rogers – avant de tourner dans Howland Street, puis à droite, s'aventurant dans l'écheveau de rues plus étroites autour de Fitzroy Square. En ce dimanche matin, c'était calme – pas d'hommes d'affaires, de fonctionnaires, d'hommes en complet de flanelle employés à la BBC, ni de pseudo-artistes bohèmes – juste quelques vieux riverains. Malgré le soleil de juin, les hautes maisons en brique, les boutiques fermées et les pubs au rideau de fer tiré avaient un air morne et abandonné. Une vague odeur d'urine et de friture stagnait dans l'air ; journaux, mégots et quelques affiches de la défense passive étaient remués par la brise. À un coin de rue, un béret noir était accroché à une grille, comme si son propriétaire, dans les brumes de l'alcool, l'avait prise pour un portemanteau. Tout cela donnait l'impression sinistre d'une orgie brusquement interrompue par un cataclysme, et il crut voir les habitants de ces maisons mal entretenues effondrés, sans vie, sur leurs assiettes ou leur table de toilette, victimes d'une mort foudroyante, le visage violacé, les yeux et la bouche grands ouverts, du vomi sur le menton… Serait-ce ainsi ? Stratton considéra sa boîte à masque à gaz. En tant que policier, il la baladait pour donner l'exemple, mais beaucoup de gens ne s'en souciaient pas. « Dieu nous vienne en aide », se dit-il.

Bientôt, il s'avéra que Mme Cope n'avait pas fait entrer ces hommes.

– Je ne me le serais pas permis, sauf si M. Vincent m'avait prévenue de leur visite, et il ne l'avait pas fait, mais de toute façon, sait-on jamais à qui on a affaire ? Par exemple, si c'était la Cinquième Colonne… (elle baissa la voix) espionnant pour les Allemands. Que lui voulait-on, à M. Vincent ? Comment va-t-il ? Je ne me le pardonnerais jamais, s'il lui était arrivé malheur.

Stratton lui ayant assuré que tout allait bien et qu'elle pouvait se pardonner à elle-même – ce qu'elle parut faire avec une remarquable promptitude – Mme Cope réagit à sa suggestion de commencer par le commencement et elle l'accompagna dans la cage d'escalier défraîchie jusqu'au logement de M. Rogers. Stratton fut surpris de la voir redescendre en se dandinant dès qu'on eut répondu à ses coups à la porte, mais il regretta bientôt de ne pas l'avoir suivie. Rogers était un petit homme replet et suffisant qui déclara avoir été absent le lundi soir et entreprit de déballer en long et en large ses opinions sur le crime et les délinquants, les émaillant de phrases comme « Ce n'est pas à moi de vous expliquer comment faire votre boulot » (« Je ne te le fais pas dire », songeait Stratton).

Au bout de cinq minutes, il jugea avoir entendu assez d'âneries comme ça, et il ne voulait pas contrarier Jenny en arrivant en retard au déjeuner. Abrégeant la conversation, il descendit à l'étage inférieur pour aller voir M. Stockley qui, en contraste saisissant avec son voisin, était un homme grand, mince et excessivement triste. Il était en bras de chemise et répondit aux questions par monosyllabes. Non, il n'avait pas vu de types lundi, ni ouvert à personne et, non, il n'avait rien entendu.

– Que faisiez-vous ?

– J'écoutais des disques…

Il jeta un regard vers son gramophone, avant d'ajouter à mi-voix, comme avouant un lourd secret :

– Mahler.

– Oh…

Stockley le regardait d'un air anxieux, et sentant qu'une réaction supplémentaire s'imposait, Stratton se tapota l'aile du nez et lâcha :

– Je le dirai à personne.

Sur le chemin du bus, il songea que, même si ces deux hommes avaient répondu à ses questions, ni l'un ni l'autre n'avait montré le moindre intérêt pour la raison de sa visite. Visiblement, ils ne connaissaient guère Joe. Si Rogers avait su les inclinations de son voisin, nul doute qu'il y aurait fait des allusions appuyées, mais le bonhomme devait être trop imbu de lui-même pour être titillé par la curiosité. Stockley, lui, s'était contenté de prononcer le nom de Mahler – qui devait être allemand, ou autrichien – pour soulager sa conscience.

Il ne fallait pas compter sur des empreintes digitales – Joe avait dit que Wallace et son complice avaient mis des gants. Et, de toute façon, avec l'affaire du coup de poignard et celle de la bijouterie qui absorbaient l'essentiel de son temps, son supérieur, le commissaire Lamb, l'étrillerait jusqu'à la fin des temps si jamais il apprenait que de précieuses heures de travail étaient gaspillées sur une autre affaire. Surtout si cette autre affaire était – et Stratton croyait presque l'entendre – un suicide avéré et un minet malmené. Enfin, il irait dire deux mots à George Wallace demain. La salle de billard dans Wardour Street, ou peut-être le débit de boissons à l'angle… Wallace ne pouvait pas être loin.

Stratton rentra juste à temps pour le déjeuner.

– Dieu merci, te voilà ! marmonna Donald en lui ouvrant la porte, avec une grimace. Il n'a pas arrêté…

Reg était dans la cuisine, lancé dans l'un de ses numéros dominicaux, mettant les femmes à la torture et ne manquant pas une occasion de faire l'imbécile, jusqu'au moment où, les pommes cuites étant servies, il se mit à interpréter une chanson avec ce qu'il s'imaginait être l'accent de Stratton dans son enfance, s'accompagnant avec force coups de cuillère et fourchette sur la table.

Pudding ! Pudding ! Pudding !
Donne-moi plein de pudding
Passe-moi l'assiette
Tu peux faire la tête
J'en laisserai pas une miette !

Comme d'habitude, chacun l'ignora et se concentra

sur la tâche de passer les bols et de racler le fond de crème anglaise passablement aqueuse au fond de la jatte. Jusque-là, Stratton avait été trop distrait par les propos de Joe Vincent pour avoir eu envie de frapper Reg plus de trois fois – soit moins que la moyenne. Là, il regarda Johnny et vit, sur le visage du jeune homme, comme un sourire haineux à l'adresse de son père.

Plus d'une fois, Stratton s'était dit que, pour avoir joué les bouffons si souvent, le véritable moi de Reg était maintenant enseveli sous un monceau de chansons comiques, d'histoires interminables et de discours condescendants. Devant le visage de Johnny, il songea que, même si les ridicules de Reg n'avaient rien de grave, les conséquences pour son fils pouvaient l'être. Et même si cette pensée n'était guère rassurante, cela l'aida à oublier sa prochaine entrevue avec George Wallace, dont il se serait bien passé.

12

Ce n'était que la troisième fois que Diana pénétrait dans l'appartement de Forbes-James. En dehors du fonctionnel – et fantastiquement bordélique – bureau où ils se trouvaient, c'était un parfait exemple du style Belle Époque dans sa version masculine. Partout, il y avait de robustes objets en ivoire, laiton doré et bois précieux, des reliures en peau de porc, des dorures, des frontons, et pourtant, ce n'était pas tout à fait la garçonnière typique. Ce franc caractère viril était tempéré par un tableau qui représentait un bouquet et un autre – plus surprenant, celui-ci –, un jeune baigneur, ainsi que par la toile de Jouy, les coussins brodés et une petite collection de porcelaines de Sèvres. Ce devait être la contribution de son épouse, une dame de la haute société, devenue presque légendaire, qui était censée résider à la campagne. Forbes-James n'en parlait jamais, n'exposait pas de photos d'elle et personne dans l'entourage de Diana ne l'avait jamais vue.

Elle fut tirée brusquement de sa rêverie par la question de ce dernier.

– Que savez-vous de lord Redesdale ?

Sortant une cigarette de son étui, il donna des petits coups dessus, dans l'attente de sa réponse.

Diana rassembla ses pensées. Heureusement, elle avait bien révisé avant de rencontrer Mme Montague.

– Lord Redesdale est lié à Montague. C'est un membre de la Fraternité Anglo-Allemande comme Domvile, le duc de Wellington, et lord Londonderry. Sa fille, Unity Mitford, était une amie d'Hitler, que Redesdale et son épouse ont rencontré à plusieurs reprises. À la déclaration de guerre, Unity a fait une tentative de suicide et sa famille l'a rapatriée…

– Bien, bien, fit Forbes-James d'une voix distraite en remuant des choses sur son bureau.

– Là, colonel…

Diana retira le gros briquet en argent caché sous une liasse de papiers et le lui tendit.

– Merci. Je me demande pourquoi elle le déplace tout le temps…

Il alluma sa cigarette et son regard furieux se braqua sur le mur derrière lequel Margot Mentmore, la téléphoniste, était assise dans son cagibi.

– Et… ? dit-il.

– Eh bien, pour moi il n'est pas dangereux, seulement mal avisé comme beaucoup de gens, mais Montague l'est, lui, et je ne comprends pas pourquoi il n'est pas en prison.

– Les raisons habituelles.

– Mais Mosley…

– Je sais. On les aurait bien tous pincés, mais les élus du peuple… (Il soupira.) Impossible de les envoyer tous à Brixton. Ça ferait mauvaise impression.

– Quelle importance ? Maintenant qu'on a changé la loi…

Forbes-James leva la main.

– L'ordonnance 18B (IA) stipule que des membres d'organisations hostiles peuvent désormais être arrêtés s'ils représentent une menace pour la sûreté des personnes, la conduite de la guerre ou la défense du royaume, oui. Cependant, comme je crois vous l'avoir déjà dit, cela a soulevé un tollé quand on a essayé de l'appliquer au début de la guerre, raison pour laquelle on l'a modifiée : aujourd'hui, on peut emprisonner des personnes pour leurs origines ou leur appartenance à des organisations hostiles, ou pour leur implication dans des actions préjudiciables à la sûreté des personnes, et cetera. Il a fallu beaucoup de temps et d'efforts de notre part pour convaincre le gouvernement qu'une augmentation de nos moyens était nécessaire. Arrêter Mosley et une brochette de pro-fascistes des quartiers populaires, c'est une chose, mais on ne peut pas incarcérer des gens juste parce que leur bobine ne nous revient pas.

– Surtout s'ils sont haut placés…

– Voilà ! Ça ferait mauvais effet. Frayeur, découragement… Il ne faut pas démoraliser la population, surtout maintenant… Bref, et cet après-midi ? Comment ça s'est passé ?

– Il me semble avoir fait quelques progrès. J'ai revu Mme Montague – Lally pense que je lui plais, elle a tenu à nous offrir le thé – et on doit se revoir vendredi soir, dans son appartement. Elle me présentera à certaines de ses amies.

– Bien. De quoi avez-vous parlé ?

– Elle voulait savoir où j'avais grandi, ce genre de choses ; c'était facile. Ensuite, elle m'a parlé de sa maison à Fakenham et on a évoqué la campagne, les balades… J'ai dit combien cela me manquait et que c'était désolant de travailler dans un bureau quand on a l'habitude du grand air. Là, sentant que je pourrais pousser le bouchon un peu plus loin, j'ai déclaré que la guerre avait tout gâché. Comme elle compatissait, j'ai ajouté que c'était idiot de ne pas avoir continué à apaiser l'Allemagne, car cela nous menait au désastre, et que même si on pouvait estimer que la guerre était moralement défendable, ce n'était pas mon cas – vous voyez le genre… Lally a été merveilleuse. Elle a dit que j'avais beaucoup de bon sens en politique, sans entrer dans le détail, conformément à vos instructions…

– Excellent. Quoi d'autre ?

– Elle a cité sir Neville Apse.

– Apse ?

Forbes-James parut surpris.

– Mlle Markham, vous voulez dire ?

– Non, pas Lally. Mme Montague.

– À quel sujet ?

– Quand j'ai dit m'ennuyer au ministère de la Guerre, elle m'a conseillé de demander ma mutation dans un service plus intéressant, et comme je lui répondais que je ne connaissais pas très bien la procédure et que ce serait toujours du pareil au même – du classement –, elle a lâché ce nom.

– Montague le connaît ?

– Elle n'a pas dit. C'était très vague, et j'ai cru préférable de ne pas poser trop de questions, mais elle a déclaré qu'elle avait entendu dire qu'il était « au cœur des choses » – selon son expression.

– Qu'a-t-elle dit d'autre ?

– Pas grand-chose. Juste que, à présent qu'on était en guerre, chacun devait faire sa part. Le laïus habituel…

– Oui…

Forbes-James remua encore quelques papiers.

– Puis-je vous demander ce que fait sir Neville ?

– C'est ce qui est curieux. Il fait partie de ce service, mais est chargé d'examiner les rapports sur la

Cinquième Colonne. Les espions ennemis, et cetera. Un tas de foutaises, en général, mais il faut vérifier. Espions sous le lit des vieilles dames, parachutistes déguisés en bonnes sœurs...

– Pourquoi en bonnes sœurs ?

– Qui sait ? La cornette, j'imagine... (Il eut un geste vague de la main.) Ça flotte... Je ne vois pas pourquoi cette femme croit que vous pourrez leur servir là-bas, mais puisqu'elle en a parlé, je vais vous faire muter. Réflexion faite, Apse aurait bien besoin d'une femme dans ce service... Vous continuerez à me faire vos rapports, bien sûr. Ça ne devrait pas poser problème. Apse a un appartement côté jardin, dans Frobisher House. Il y travaille et y dort dans la semaine. Je lui parlerai ce soir, disant que j'ai trop de personnel...

– Comment est-il ?

– Pas mal. Un peu guindé.

– Vous le croyez pro-nazi ?

– Mon Dieu, non ! Mais si c'est ce qu'elle souhaite... quand vous la verrez vendredi, dites-lui que vous y avez réfléchi et que vous avez demandé votre mutation. Vous viendrez me voir ensuite pour me dire comment ça s'est passé.

– Entendu, colonel.

– Bon. Parfait. Scotch ?

– Volontiers, colonel.

Forbes-James se leva, chassa la cendre de son complet et s'approcha du meuble-classeur où était posé un plateau avec des verres et une carafe.

– Eau de Seltz ?

– Non, merci.

– À la bonne heure. Venez sur le divan.

– Je crois qu'il faut d'abord débarrasser...

– Bonne idée. Vous n'avez qu'à mettre tout ceci sur le bureau – il indiqua un tas de dossiers ventrus, dont le contenu s'était partiellement déversé sur les coussins.

– Je ne crois pas qu'il y ait de la place…

– Alors, par terre…

Il soupira en la voyant prendre les paperasses et les flanquer près de la cheminée.

– Elle est censée ranger, mais elle ne le fait pas.

Diana devina que c'était une allusion à Margot, la téléphoniste, et dit :

– Lui en laissez-vous jamais la possibilité ?

– Non, j'imagine…

Il s'installa sur le divan et lui tendit son verre. Diana alla s'asseoir à l'autre bout.

– Non, non, dit-il avec agacement, tapotant le coussin près du sien. Je ne mords pas !

– Non, colonel…

Diana se rapprocha.

– C'est mieux.

Elle sursauta quand il lui mit la main sur le genou.

– Inutile de vous conduire comme une vierge sur un navire de transport de troupes. Avec moi, vous ne risquez rien.

– Non, colonel.

Diana lissa sa jupe.

– Évidemment, pardonnez-moi.

– Ainsi, vous avez rencontré Claude Ventriss au cours de la soirée chez Jock ?

Il la dévisageait.

– En effet.

Diana espérait que sa voix rendait un son neutre.

– Il vous a invitée à dîner ?

– Oui.

– Vous vous êtes amusée ?

– Je…

Pendant un moment, Diana envisagea de lui raconter sa soirée, mais réalisant l'effet que cela pourrait produire, elle déclara simplement que cela avait été très agréable.

– Agréable ?

– Oui.

– Que savez-vous de lui ?

– Il travaille pour vous.

– En effet. Mais méfiez-vous. Il n'est pas sûr.

– Ah ?

– Vous êtes très belle, ma chère, fit Forbes-James d'un ton bourru. Vous n'avez pas besoin de moi pour le savoir. Ventriss a une sacrée réputation…

Il paraissait désapprouver.

– C'est ce que j'ai entendu dire.

– Ça vous regarde, bien sûr… c'est la vie… naturellement… Seulement, je ne veux pas que vous y laissiez des plumes…

Il regarda dans son verre.

– Votre mari vous a écrit ?

– Pas récemment, non. Ça ne devrait plus tarder.

– Et l'appartement ? Ça va ? Satisfaite ?

– Oui. Je m'y plais beaucoup.

– Parfait.

De nouveau, il regarda dans son verre et déclara :

– Déjà vide ! Je vous ressers ?

Interprétant cela comme le signal du départ, Diana refusa.

– Je crois qu'il est temps pour moi de partir.

– Ah oui…

Forbes-James se leva et, à sa grande surprise, l'embrassa sur la joue.

– Faites attention à vous.

– Oui, colonel. Bonsoir.

Dans le couloir, Margot se détourna de sa batterie de téléphones, étira ses longues jambes et dit :
– Fini ?
– Oui.
– Tu n'as pas soif ?
Elle chercha son poudrier dans son sac à main et examina sa figure.
– On va chez Leo.
– Qui est-ce ?
– Leo Birkin. Tu sais…, ajouta-t-elle sur le ton de l'impatience. La section A. Jock y va. Lally aussi.
– Non, merci. Je vais me coucher tôt, pour une fois.
– Jock a dit que Claude passerait peut-être, plus tard.
– Claude ?
– Ventriss.
Margot lui adressa un sourire entendu par-dessus son miroir.
– Celui avec qui tu as dîné…
– Oh, lui…
– Oui, lui.
– Je ne crois pas, Margot. Il est charmant, bien sûr, et très drôle, mais j'ai vraiment besoin de récupérer.
Diana songea qu'elle avait, dans l'ensemble, réussi à dire cela d'une voix naturelle, détachée. Margot, qui se montrait très attentive tout en se repoudrant le nez, eut un grand sourire.
– Bon, si tu en es absolument sûre.
– Sûre et certaine. Merci quand même…
Elle retourna chez elle dans la fraîcheur du crépuscule avec le sentiment désagréable que Margot, tout comme Forbes-James, en avait compris bien plus long qu'elle n'en avait dit. Pourquoi s'obstinaient-ils tous à faire comme si l'affaire était entendue ? Elle était allée au restaurant avec cet homme, voilà

tout, et la prochaine fois, s'il y avait une prochaine fois, elle… quoi ? Eh bien, elle ne lui tomberait pas dans les bras. « J'ai quand même de la jugeote, marmonna-t-elle, furieuse. Je ne suis pas complètement idiote ! » Consciente que ses paroles ne concordaient pas tout à fait avec ses pensées et que cette irritation était dans une certaine mesure fabriquée, elle se sentit soudain stupide et honteuse, et heureuse d'être seule. Elle pouvait mentir comme un arracheur de dents, l'attirance était bel et bien là. Résolue à étouffer dans l'œuf toutes pensées concernant Ventriss, elle pressa le pas, comme si, en accélérant, elle avait pu les semer.

En ouvrant la porte, elle aperçut une lettre de Guy par terre, dans le vestibule. « J'aime mieux ça », songea-t-elle, glissant aussitôt un ongle sous le rabat afin de pouvoir commencer à lire dans l'escalier, sachant que c'était moins le geste d'une femme amoureuse de son mari qu'un simple mécanisme de défense.

Ma chérie. Nous attendons toujours les ordres – très ennuyeux. On a bu tout le vin, fumé tous les cigares, et mangé presque toutes nos victuailles. Les soldats en ont assez d'assister à tous ces cours, mais se comportent plutôt bien dans l'ensemble, même si hier soir il y a eu une bagarre terrible, parce que…

Au niveau du palier, elle vit, calé contre sa porte, un énorme bouquet de roses rouges. Fourrant la lettre dans son sac à main, elle se pencha pour lire la carte.

Merci pour cette merveilleuse soirée. Affectueusement, Claude.

C'est seulement plus tard, sur le point de s'endormir, qu'elle se rappela qu'elle n'avait pas fini de lire la lettre de Guy.

13

Stratton pénétra dans la salle et resta sur le seuil, le temps de s'habituer à la pénombre. C'était une vaste salle rectangulaire aux murs écaillés avec, au fond, une demi-douzaine de tables de billard et, plus près de l'entrée, quelques tables bistrot, chacune flanquée d'un cendrier et d'un assortiment hétéroclite de chaises cabossées. À ce moment-là, le silence se fit et, sous le faux plafond de fumée, tous se retournèrent pour le dévisager, raidis et sur le qui-vive comme des chiens flairant une menace – Alfie Swan, Danny Distleman, Mickey Horsfall, Johnny Mount. Stratton les connaissait tous. Il savait aussi ce qu'il y avait dans leurs poches – des morceaux de liège incrustés de lames de rasoir qu'on fixait dans sa paume : tandis que la victime était rassurée par une amicale bourrade à l'épaule, l'autre main venait lui labourer la gueule. Du vitriol aussi – l'un d'eux, Tommy White, avait ainsi défiguré sa fiancée, ce qui lui avait valu cinq ans de taule. Lui aussi était là, à le dévisager comme les autres, sa queue de billard à son côté. Stratton se demanda s'il avait interrompu beaucoup de tractations. L'endroit était bien plus bondé que d'habitude – mais si les truands ne pouvaient plus gagner autant aux courses, ils devaient s'être mis à voler pour alimenter le marché noir. Victuailles, alcool, cigarettes, fausses cartes d'identité – le choix était vaste – et ce n'était qu'un début.

La foula se scinda, en silence, quand Abie Marks sortit par une porte du fond et s'avança vers lui. On aurait dit un gangster de cinéma : balèze et avenant dans le genre mauvais garçon avec son complet pimpant et ses souliers vernis. Ses cheveux d'un noir bleuté brillaient comme des prunes après l'averse et son sourire était d'une blancheur étincelante.

– Un verre, inspecteur ?

– Vous n'avez pas la licence…

– C'est seulement pour les amis, comme vous-même, inspecteur !

– Non, merci.

– Cigare ?

– Non, merci.

– Vous n'avez pas une petite faim ? Dites ce que vous voulez et j'envoie quelqu'un…

Stratton secoua la tête.

– J'ai deux mots à dire à George Wallace.

– Wallace ?

Le sourire d'Abie s'évanouit ; son regard se fit glacé, vigilant. Sans le détacher de Stratton, il dit :

– Va le chercher.

Le jeune type près de lui – faciès de petite frappe à l'expression butée – se détourna pour se fondre dans la foule.

– Vous venez dans mon bureau, inspecteur ?

Stratton réfléchit. Jamais il n'avait rien accepté d'Abie, et jamais il n'accepterait rien, mais un peu de discrétion pouvait faciliter les choses.

– Merci, dit-il.

– Par ici.

De nouveau, la foule se scinda, reculant davantage cette fois comme par crainte d'une contamination tandis qu'il traversait la pièce à la suite du gangster. Abie le fit entrer dans son bureau avec un moulinet du bras et referma la porte.

– Faites comme chez vous…

Stratton regarda autour de lui. La petite pièce était un curieux mélange de raffinement et de laisser-aller avec le lino et la cheminée condamnée, le grand bureau et son imposant fauteuil en cuir. Le seul autre siège était une chaise bancale – un contraste voulu, sans doute pour souligner l'infériorité du vis-à-vis. Sur un vieux meuble-classeur, on voyait un régiment de bouteilles miroitantes et, derrière, une grande poupée aux boucles blondes et aux yeux bleus vitreux. Suivant la direction de son regard, Abie demanda :

– C'est sûr, vous ne voulez rien ?

– Non, merci, répéta Stratton, qui alla s'installer dans le grand fauteuil. Cadeau ? dit-il en indiquant la poupée du menton.

– Ma petite fille – c'est demain son anniversaire. Tout est légal, vous savez.

Abie sourit – ou plutôt, il montra les dents.

– J'ai rien à cacher.

– J'en suis sûr, dit Stratton, songeant : « Pas ici, en tout cas. »

On frappa à la porte et le petit voyou passa la tête.

– Il est là, monsieur Marks.

– Fais-le entrer. Ne faisons pas attendre M. l'inspecteur…

George Wallace, dans l'embrasure de la porte, semblait encore plus énorme que dans son souvenir. Et il puait encore plus – Stratton huma d'âcres relents quand l'homme s'avança pour s'asseoir en face de lui.

– Qu'est-ce qu'il y a pour votre service, inspecteur ? demanda-t-il.

Sa voix était d'une neutralité étudiée, mais ses yeux étaient aussi froids que ceux d'Abie.

– J'ai quelques questions à te poser, répondit Stratton avec affabilité. (Se tournant vers Abie, il ajouta :) Est-ce qu'on ne pourrait pas être seuls un moment… ?

Abie s'inclina.

– Mais bien sûr, inspecteur ! Si vous avez besoin de quoi que ce soit, appelez…

– Merci.

Marks referma la porte derrière lui. Stratton, se penchant en avant, les coudes sur le bureau, dit :

– Découvre-toi.

Le regard impassible de Wallace reflétait celui de l'innocente poupée derrière lui.

– Tu n'es plus dehors, reprit Stratton. Autant te mettre à ton aise.

À contrecœur, Wallace ôta son chapeau mou et le posa sur ses genoux, révélant une nappe de cheveux brillantinés.

– C'est mieux, dit Stratton, d'un ton volontairement bienveillant. Alors, il paraît que t'es un mordu de cinéma, George ?

– Quoi ?

– Le cinéma. Les films.

– Quoi, les films ?

– À toi de me le dire. Où étais-tu lundi soir ?

– Ici.

L'homme indiqua la porte.

– Tout le monde vous le dira.

– Je n'en doute pas. Mais tu n'y as pas passé toute la soirée, n'est-ce pas ?

– Qui a dit ça ?

– Tu as rendu visite à quelqu'un, pas vrai ?

– Je ne sais pas de quoi vous parlez.

– Je crois que si, fit Stratton doucement. Tu es allé voir un dénommé Vincent avec un copain.

– Non ! fit Wallace, catégorique. On était ici.

– « On » qui ?

– Les gars. Mickey, Danny, Johnny... Pourquoi vous leur demandez pas ?

– Et ton copain ? Tu veux que j'aille lui poser la question ?

Wallace haussa les épaules. Sachant qu'il était bien meilleur menteur que Joe, et que tous les types à côté jureraient que Wallace et son comparse n'avaient pas bougé de la soirée, Stratton déclara :

– On vous a vus.

– Qui ça ?

– M. Vincent, pour commencer, et des passants. Ils vous ont très bien décrits, d'ailleurs. Tous les deux.

– Ils mentent.

– Pourquoi feraient-ils ça ?

– On n'était pas là-bas. On était ici.

– Par « nous », tu veux dire, je pense, toi et ton nouveau pote. Pourquoi ne pas me dire son nom, George ? Mais c'est peut-être un grand copain à toi...

– J'ai pas de grand copain.

Stratton vit que, sous la dureté imperturbable, Wallace était agacé d'entendre insinuer qu'il pouvait être un pédéraste.

– Que tu dis ! Tu préfères garder le secret, hein ?

– Non. Je vois pas de quoi vous causez. Et je vous ai déjà dit que j'étais ici. Et maintenant, je peux m'en aller ?

– Pas encore. Ces gens dont j'ai parlé, ces témoins, ils t'ont vu dans la rue avec ton « assistant », devant chez Vincent.

– Personne ne...

Wallace s'interrompit. « Zut ! » se dit Stratton. Le piège était trop grossier – maladroit – et même si ce type était en colère, il ne l'était pas au point de se trahir. Le truand dévisagea Stratton et secoua lentement la tête comme pour dire : « Toi, tu m'auras pas. »

– Je sais que toi et ton ami, vous êtes allés voir M. Vincent lundi soir, que vous l'avez menacé et avez saccagé son appartement. Que cherchiez-vous ?

– Rien. J'y étais pas.

– Tu as piqué une photo.

– N'importe quoi. Je vous le répète…

Conscient d'être dans la dernière ligne droite, Wallace avait un ton presque ennuyé.

– … j'y étais pas.

– D'une actrice du muet, Mabel Morgan. Ta préférée ?

– Connais pas.

Wallace enfonça de nouveau son chapeau sur sa tête et le défia du regard, bras croisés.

– C'est tout ?

– Non.

Stratton se leva, contourna le bureau, s'y appuya et alluma une cigarette. Il jeta l'allumette consumée aux pieds de Wallace et lui souffla la fumée à la figure.

– Écoute, dit-il doucement. Si vous voulez vous étriper mutuellement, pas de problème. Ce que vous vous faites entre vous, ça m'est égal. Mais si vous commencez à vous en prendre à des braves gens, ça change tout. Si jamais toi, ou l'une des ordures d'à côté, touchez à un seul cheveu de la tête de Vincent, je t'amocherai à tel point que ceci – voyant la cigarette se pointer sur sa joue balafrée, Wallace se rejeta en arrière – n'aura été qu'un cadeau d'anniversaire. Et quand j'en aurai fini avec toi, tu sauras plus de quel côté on chie… Compris ?

Wallace opina. Se penchant en avant, Stratton lui arracha son chapeau.

– J'ai dit : « C'est compris ? »

– Oui.

Le malfrat fixait sur lui un regard haineux.

– Bien.

Stratton lui jeta le couvre-chef sur les genoux.

– Et maintenant, barre-toi !

14

Ce n'était pas tout à fait un fiasco, songea Stratton tout en se redressant pour se masser les reins et contempler les rangées bien nettes de semences, mais pas non plus une réussite spectaculaire. Il était venu jardiner pour tenter d'oublier son irritation après l'échec de son face-à-face avec Wallace. Abie Marks, qui était revenu dans le bureau quelques instants plus tard, s'était abstenu de pavoiser mais ce saligaud n'avait pu résister à l'envie de reprendre ses simagrées et cela, ajouté à son absence de résultats sur les autres affaires, l'avait mis de très mauvaise humeur. Sur le chemin de la maison, il avait jugé que prendre un peu l'air et semer le reste des épinards pourrait améliorer son état d'esprit, mais pour le moment ce n'était pas vraiment ça.

Ramassant son déplantoir pour recouvrir les semences avec de la terre, il crut revoir son père en train de biner le potager de la petite ferme humide où lui et ses frères avaient grandi. Souvent, il s'était demandé ce que son paternel aurait fait dans sa situation, comment il se serait comporté avec la faune à qui il avait affaire au quotidien. Le fait de travailler sur sa parcelle du potager communautaire – ce qui lui tenait lieu de campagne, à présent – faisait toujours ressurgir son image – un homme fort comme un cheval, qui avait légué sa carrure massive à ses trois fils ; un homme aux mains chaudes, tannées, qui portait une casquette au contour noirci par la crasse et la sueur, et qui avait une patience infinie.

Lui-même avait toujours cru mener une vie meilleure que celle de son père, rythmée par les travaux routiniers, aussi prévisibles que les saisons – soulever, tracter, porter, trimer, jour après jour, avant de s'assoupir près de la cheminée pour se réveiller juste le temps de se traîner jusqu'à son lit. Celui de ses frères qui avait survécu, Dick, était retourné dans le Devon en 1919, heureux de rentrer au pays où il avait fini par reprendre la modeste exploitation ; mais pour sa part, Stratton avait toujours rêvé de s'arracher à la glaise gluante pour se trouver un autre genre d'existence. Non qu'il eût été malheureux. Là-bas, bien des choses lui plaisaient – sa famille, les chats, l'odeur des chevaux en sueur, la tiédeur des vaches revenant des prés pour la traite, les rectangles de lumière poudreuse dans la grange, la fête quand on tuait le cochon – mais il n'avait pas voulu y rester. Son rêve, enfant, n'avait jamais été d'être policier. Assez curieusement, cette idée était venue de Dick, qui avait déclaré que c'était une vie en plein air avec une retraite à la clé. À l'époque, l'idée lui avait semblé bonne. La décision de monter à Londres avait été mûrement réfléchie et, une fois surmonté le choc initial devant les bâtiments bondés, la circulation trépidante et les foules grouillantes, il avait découvert qu'il s'y plaisait.

Il enfonça des repères dans la terre aux extrémités des rangées, déterra deux oignons à rapporter à la maison, puis se pencha pour examiner les courges. La première semblait à peu près mûre. Il fit la grimace. C'était insipide, et les gosses n'étaient même plus là pour aider à en manger – eux non plus n'aimaient pas ça, mais maintenant qu'ils n'étaient même plus là pour qu'on leur montre l'exemple... Stratton secoua la tête, mécontent de la tournure de ses pensées. La cuisine, c'était l'affaire de Jenny, qui estimait que les courges étaient bonnes pour la santé, le transit intestinal. Il n'avait pas à s'en mêler.

Il cueillit la courge, la coinça sous son bras et se dirigea vers la maison. Quel dommage que Pete et Monica n'aient pu aller vivre chez Dick, dans le Devon, mais mal fichue comme l'était sa femme, on ne pouvait lui demander de veiller sur deux gosses en plus. Dommage, car autrefois, ils allaient tous là-bas pour les vacances – et c'était sympa, d'aider à la ferme...

Songeant aux larmes de Monica au moment de rentrer à la maison, Stratton se rappela combien son père avait pleuré sans vergogne sur l'épaule de leur belle-mère après avoir reçu le télégramme au sujet de son fils aîné, Tom, en 1917. Il se revoyait, sur le seuil de la cuisine, regardant tante Nellie ouvrir les bras à ce rude paysan qui s'était s'effondré contre elle, en larmes. C'était la seule fois qu'il les avait vus se toucher. La mère de Stratton était morte alors qu'il n'avait que six ans et Nellie, la sœur de cette dernière, une vieille fille, s'était installée chez eux comme gouvernante, épousant leur père – au grand dam du curé qui avait refusé un mariage à l'église – quelques années plus tard. Aujourd'hui, avec le recul, Stratton s'interrogeait de temps en temps sur la nature de leur union. Ils couchaient dans le même lit, bien sûr, un gros meuble affaissé, rembourré avec des noyaux de pêche, qui roulait comme la mer quand on se mettait dessus, mais comparée à lui et Jenny, leur relation semblait... Quoi ? Fonctionnelle ? Programmée. Son père avait toujours été taciturne, ne parlant que lorsque toutes les autres formes de communication – grognements, haussements d'épaules, coups de menton – avaient été épuisées. Ce souvenir le fit sourire, puis il fronça les sourcils en apercevant, à la vitrine d'un café, une publicité pour Coca-Cola qui lui rappela une fois de plus sa conversation avec George Wallace.

Trouver Lilian assise dans la cuisine en arrivant à la maison n'arrangea rien. Il déposa la courge et les oignons près de ses seins au volume impressionnant – ce qu'elle avait de mieux, à son avis – qui reposaient avec assurance sur la table, et monta se laver les mains avant le dîner, non sans saisir une expression particulière sur le visage des deux femmes. C'était un genre de sérénité délibérée qui signifiait qu'elles avaient parlé du fait que leurs maris respectifs étaient, chacun à sa manière, « difficiles » à propos des enfants, et que la seule réaction possible à cela était d'opposer un impénétrable front de résignation conjugale. Cela voulait dire que tous leurs propos seraient pleins de sous-entendus, mais que, à moins d'être poussées à bout (et Stratton serait alors le salaud, la brute, le type ayant tous les torts), elles ne l'admettraient jamais.

Il s'essuya les mains avec une violence superflue et décida d'aller s'allonger quelques instants. Lilian n'allait sûrement pas tarder à partir et Jenny, une fois seule, pourrait être tentée de lâcher le morceau. Il ne se sentait pas de taille à supporter une nouvelle querelle au sujet des gosses, pas ce soir. Par la fenêtre de la chambre, il vit, dans la sente séparant leur parcelle de celle d'en face, la mince silhouette d'un jeune qui rebondissait sur ses talons tel un boxeur s'échauffant avant le combat. Un nouveau coup d'œil lui apprit que c'était Johnny, le fils de Reg et Lilian, qui esquivait et feintait, circonvenant un adversaire imaginaire par un savant jeu de jambes, après quoi une volée de coups au menton repoussa ce dernier avant le K-O final. Stratton, qui avait un peu boxé dans sa jeunesse, jugea que l'homme invisible devait avoir une mâchoire en verre. Il vit Johnny lever les poings en signe de victoire et disparaître en se dandinant derrière un lilas touffu, puis il se détourna de la fenêtre pour se déchausser et s'étendre, les mains derrière la tête. Après avoir entendu pendant quelques minutes les rumeurs de conversation dans la cuisine et révisé ses arguments contre le retour de Pete et Monica, il sentit ses paupières tomber ; peu après, il roulait sur le côté et s'endormait.

15

Tout en suivant Mme Montague dans le vestibule, Diana, malgré ses palpitations, nota que son hôtesse avait les chevilles épaisses. Pour une raison triviale et bassement féminine, cela la rassura un peu. Un autre coup d'œil à ces chevilles – vraiment très moches – l'apaisa au point qu'elle se sentit, sinon pleine d'assurance, du moins capable d'exécuter un numéro passable devant l'aréopage des dames du Right Club qui attendaient au salon. Ce regain de confiance en soi fut renforcé quand elle entra et qu'elle songea – réflexion peu charitable – que rarement on avait vu une telle concentration de laideur. Guidée par Mme Montague qui lui faisait serrer des mains, elle se rappela toutefois que laideur ne rimait pas forcément avec stupidité. Cette pensée, a contrario, lui rappela Claude Ventriss. Elle s'efforça de se concentrer. Lady Calne, Mme Mountstewart, Mme Chapman, Mlle Taylor, Mlle Blackett. Comment retenir tous ces noms ?

Aucun homme – la plupart ayant sans doute été arrêtés en vertu de la loi 18B (IA), et à juste titre, d'ailleurs – et toutes ces femmes étaient bien plus âgées qu'elle. Leur expression était aimable, mais curieuse. Diana souriait et hochait la tête, soucieuse de ne pas sembler trop enthousiaste ni flagorneuse, et, ayant été présentée à chacune, elle accepta un verre et s'affala dans un sofa moelleux entre la robuste Mme Chapman et l'anguleuse Mlle Blackett qui dégageait une forte impression – presque une odeur – de virginité maniérée mais tenace. Mme Chapman l'entreprit vivement, d'abord sur le jardinage, puis sur la longueur des jupes, les vitamines et le tennis. Mlle Blackett opinait pour exprimer son approbation chaleureuse à toutes les déclarations de Mme Chapman et, au soulagement de Diana, à la plupart des siennes. Elles furent rejointes peu après par Mlle Taylor, petite femme au regard inquiet qui s'agitait beaucoup et ne cessait de répéter : « Affreux, affreux », après quoi elle s'empressa d'aller aider la domestique de Mme Montague à servir les rafraîchissements.

À ce moment-là, Mme Chapman fut convoquée par Mme Montague. Mlle Blackett se leva en même temps, et leurs places furent aussitôt prises par Mme Mountstewart et lady Calne. Cette fois, la conversation porta sur le rationnement de carburant, le spiritualisme et l'inestimable collection de jades de Lord Calne, et Diana eut l'impression qu'elle ne s'en était pas trop mal tirée. Vers la fin, lady Calne déclara :

– D'après Mme Montague, vous vous ennuyez au ministère de la Guerre ?

– C'est vrai, admit Diana en espérant avoir l'air embarrassé qui s'imposait. Je sais que ce n'est pas une chose à dire, bien sûr…

– Eh bien, dit Mme Mountstewart, on est déjà contente de se sentir utile, surtout à notre époque.

Devinant que c'était une façon de la pousser à se confier sans avoir à donner quelque chose en échange, Diana jugea préférable de rester sur le terrain le plus neutre possible.

– Il se peut, dit-elle en baissant la voix, que je trouve autre chose de plus intéressant.

– C'est vrai ?

– Ce n'est pas certain, mais je suis censée passer un entretien avec sir Neville Apse. Je ne le connais pas, bien entendu, et en fait c'est à Mme Montague que je dois cette idée. Elle m'a dit si grand bien de lui que, quand l'opportunité s'est présentée, j'ai sauté dessus !

– Naturellement, dit lady Calne avec affabilité. Sir Neville jouit d'une excellente réputation. Je suis certaine que vous pourriez mieux exploiter vos talents à son contact.

Diana crut déceler un zeste de sarcasme, mais lady Calne lui adressa un sourire engageant, lui tapota le bras et déclara :

– Mme Montague vous tient en haute estime, mademoiselle Calthrop. Elle dit que vous avez un très bon jugement en politique.

Diana décida de foncer.

– Eh bien, dit-elle, je dois avouer que je ne suis pas très emballée par cette guerre.

– Pourquoi cela, ma chère ? demanda Mme Mountstewart.

« Nous y voilà », songea Diana.

– Je ne peux m'empêcher de penser que le gouvernement s'y est mal pris. Chamberlain aurait pu tout simplement dissoudre le Parlement et organiser un référendum. Personne n'aurait voté pour l'entrée en guerre, n'est-ce pas ? (Elle sourit.) Quand on a un peu de bon sens, on préfère la paix, non ?

Il y eut des acquiescements encourageants et des murmures de sympathie.

– On aurait pu résoudre la question juive en mettant ces gens-là ailleurs. Quant à dire qu'on se bat contre les mauvais Allemands – et la Russie soviétique ? Les communistes sont bien pires et on ne les combat pas, non ? Enfin, ce n'est que mon opinion, bien entendu, ajouta-t-elle modestement, mais pour moi ce fut une grave erreur de diviser l'Allemagne comme on l'a fait à Versailles, en mettant des millions d'Allemands à l'intérieur des frontières polonaises. Les troubles étaient inévitables. Ensuite, déclarer qu'on aiderait la Pologne, c'était pratiquement dire aux Allemands que la guerre était une fatalité, qu'on les combattrait tôt ou tard. Et maintenant… (Diana soupira.) Quelle horreur. Des Britanniques se font tuer et on se sent si démunis…

Elle s'interrompit, de peur d'en avoir trop fait.

– Je sais…

Lady Calne lui tapota de nouveau le bras.

– Mais peut-être trouverez-vous un moyen de vous rendre utile…

– Vous croyez ?

– Oh, oui, ma chère, dit Mme Mountstewart. Ce serait dommage de gaspiller un esprit comme le vôtre. Je crois que ce serait formidable si vous pouviez décrocher ce travail dont vous parliez…

Debout sur le seuil de Nelson House, Diana remettait ses gants. Forbes-James s'était montré enchanté de ses progrès et il lui avait fixé un entretien avec Sir Neville Apse pour le lendemain, à midi. Se convainquant qu'elle avait bien travaillé cet après-midi et refoulant son émotion à l'idée de ce qui l'attendait, elle traversa le jardin de Dolphin Square en direction de la Tamise. Dans l'allée, à mi-chemin, elle repéra une haute silhouette à la grille et s'arrêta. Ça ne pouvait pas être… ? Un autre coup d'œil lui apprit que si… Claude ! Par la suite, elle devait se dire qu'il l'avait hélée avant qu'elle n'ait eu le temps de faire demi-tour pour aller dans l'autre sens, mais ce n'était pas vrai car elle s'était retrouvée clouée sur place, le cœur battant la chamade, à l'attendre. Comme il se précipitait vers elle, son chapeau à la main, elle avait été incapable de détacher les yeux de lui.

– J'espérais vous trouver ici, dit-il. On dîne ensemble, ce soir ? Je peux passer vous prendre à huit heures.

Elle avait été aussitôt d'accord, sans même penser à faire mine de réfléchir. Elle retourna chez elle sur un petit nuage, étourdie de bonheur. Même voir la lettre de Guy sur sa table de toilette n'altéra pas sa joie. Après tout, pourquoi ne pas s'amuser ? Elle l'avait bien mérité, non ? Et passer une bonne soirée ne lui ferait pas de mal… Repliant la lettre, elle la glissa dans son coffret à bijoux, à côté de l'alliance. Celle-ci avait été mise là par nécessité, Forbes-James croyant préférable qu'on ignore, au Right Club, qu'elle avait un mari combattant même si elle avait protesté, disant que ce serait facile à vérifier. Impossible de la remettre – Claude croyait qu'elle l'avait perdue. Repoussant l'idée qu'elle aurait très bien pu lui dire que c'était à cause du travail, elle rassembla son linge sale et alla dans la salle de bains. Étendue dans la vénérable baignoire à pattes de lion, elle s'abandonna au plaisir d'imaginer la soirée et réussit, ou à peu près, à ignorer le courant d'air dans son cou causé par une fenêtre qui fermait mal.

Claude passa la prendre en taxi et l'emmena dîner au Café Royal, où il prit des huîtres et du bœuf Stroganov, tandis qu'elle-même, trop émue pour avoir faim, optait pour une omelette, au grand dam de son compagnon. Le repas s'acheva sur des crêpes au citron, du café et des digestifs. Elle était loin de s'amuser autant qu'escompté, car il avait passé une bonne partie du repas penché à la balustrade, à faire signe à des connaissances, dont certaines vinrent bavarder à leur table. Leur gaieté forcée – cette obstination à « prendre du bon temps » – lui rappela l'imminence de l'invasion. La façon dont les hommes, et surtout les femmes, s'obstinaient à la détailler du regard était irritante. Elle avait beau se dire que c'était pour son travail, la peur qu'une de ces personnes connaisse Evie ou Forbes-James et la dénonce finissait par devenir paralysante. Et puis – même si c'était contradictoire, car Ventriss n'était qu'un collègue, après tout –, son manque d'attention à son égard était si agaçant que la colère finit par déborder au point qu'elle écarta sa tasse de café et lui lança, vertement :

– Je ne suis pas à l'essai, vous savez !

Une nuance chagrine, où entrait aussi de la moquerie, passa dans ses yeux bruns.

– Bien sûr que non.

– Et pourtant, c'est ce qu'on dirait ! Tous ces gens… Vous devriez peut-être distribuer mon curriculum vitæ ?

– Vous dites des sottises, ma chère. De toute façon, ils ont une bonne opinion de vous, et moi aussi. On va ailleurs ?

S'étant attendue à une plaisanterie sur son désir à elle d'être admirée, elle se trouva prise de court.

– Où ? dit-elle.

– Dans une boîte de nuit ? On peut aussi marcher. Il ne fait pas froid et c'est la pleine lune, ce soir.

Il regarda ses hauts talons, sous la table.

– Si vos pieds le supportent…

– Oui, dit-elle. Un peu d'air frais. Ça me fera du bien.

Ils traversèrent Piccadilly, passant devant les planches tout autour d'Eros et les imposants immeubles protégés par des sacs de sable, et se dirigèrent vers Trafalgar Square où ils s'arrêtèrent, côte à côte, devant la National Gallery. Ils étaient proches l'un de l'autre, mais pas en contact, et elle pouvait sentir sa chaleur, presque comme une faible vibration ou… une onde. C'était comme être branchée sur un genre de radio. Les bâtiments, avec leurs hautes colonnes, étaient pâles et purs à la lueur du clair de lune, et tout semblait mieux dessiné, grandi. Tout cela, elle le voyait, le vivait, et pourtant, en même temps, elle n'était consciente que de cet homme, comme si seule sa présence rendait ce décor réel et considérable.

– Curieusement, Nelson ne paraît plus à sa place, maintenant que toutes les statues sont protégées, dit-elle.

– Oui. Il aurait besoin d'un casque.

– Pauvre Nelson…

– Pourquoi, « pauvre » ? Il a eu sa victoire.

– Aurons-nous la nôtre ?

– Qui sait ? Trop tôt pour le dire.

– Oui, c'est vrai…

Elle se tourna pour le regarder.

– Je ne vous ai pas remercié pour le bouquet. Il était superbe.

– C'est vous qui êtes superbe.

La prenant par les bras, il l'attira contre lui. S'attendant à un baiser, elle se prépara en fermant les yeux, mais au bout d'un moment elle sentit qu'on la relâchait et, rouvrant les yeux, elle vit qu'il la dévisageait avec une expression solennelle. Se sentant idiote, et espérant qu'elle n'avait pas eu l'air trop pâmée dans son désir d'être embrassée, elle dit :

– Qu'y a-t-il ?

– Pourquoi avoir épousé Guy Calthrop ?
– Je l'aimais.
– Et maintenant… ?
– Je ne sais pas.
Elle n'avait vraiment pas envie d'en parler – cet homme la perturbait bien assez comme cela.
– J'étais très jeune, et tout s'est précipité… Je me suis peut-être seulement crue amoureuse de lui, mais à cette époque, ça me semblait réel, et puis…
– Et puis quoi ?
– Qui sait ? J'ai dû penser – non, j'ai pensé – que le mariage serait merveilleux, mais…
– Non… ?
– C'est dur à expliquer. Ce n'était pas le grand bonheur, mais j'y ai cru. C'est seulement quand la guerre a éclaté et que Guy est parti, me laissant cohabiter avec sa peau de vache de mère, que j'ai compris que je n'étais pas obligée d'en passer par là, et…
Diana s'interrompit, se sentant déloyale. Ce n'était pas juste de rendre Guy – qui n'était pas là pour se défendre, avec qui elle avait passé de bons moments et pour qui elle avait encore de l'affection – responsable de sa mauvaise conduite.
– Je ne devrais pas vous dire tout ceci, fit-elle, tendue. Je crois que je vais rentrer chez moi…
– Si vous voulez, répondit-il avec calme. Je vous raccompagne à la station de métro, à moins que vous ne préfériez un taxi ?
C'était le comble ! Pas de protestation, rien.
– Un taxi, dit-elle en regardant dans la direction de Whitehall. Il me semble en voir un…
– Je vais l'arrêter.
Ventriss descendit les marches.
– Venez !

Elle se sentait toujours aussi humiliée quand le taxi stoppa dans sa rue. Comment pouvait-il la… délaisser ainsi ? Et toutes ces questions sur Guy – pure impertinence, et de mauvais goût. Et feindre d'être sur le point de l'embrasser… Le pire, c'était qu'elle était la seule fautive. On l'avait assez mise en garde, n'est-ce pas ? Mais non, Diana Calthrop se croyait toujours plus maligne que les autres.

Sa mauvaise humeur était toujours là quand elle se dévêtit, puis, allongée dans le noir, le mélange de colère contre Claude et de dégoût vis-à-vis d'elle-même l'emporta et elle se mit à pleurer. Cherchant à tâtons son mouchoir sous l'oreiller, elle se redressa sur son séant et se moucha bruyamment. Ce n'était pas tolérable – tout ça, c'était à cause du clair de lune, de l'alcool… rien que des bêtises.

Elle alluma sa lampe de chevet et alla chercher une cigarette sur sa coiffeuse. Face à son reflet dans la glace, elle songea : « Et si Claude me voyait dans cet état-là ? », mais transforma rapidement cette pensée en « Et si Guy me voyait dans cet état-là ? » – ou n'importe qui, en général – car les femmes qui pleurnichent, c'était mauvais pour le moral, et cetera.

– Ridicule, marmonna-t-elle. Personne n'est là pour me voir.

Voilà qui était mieux. Elle ne pouvait se permettre de se laisser submerger comme ça. Prenant une cigarette et se disant qu'elle avait intérêt à dénicher un cendrier, elle alla en chercher un dans la cuisine. Pas la peine de contrarier la femme de ménage, ou celle-ci pourrait rendre son tablier. Elle alluma sa cigarette, puis, décidant qu'un peu de thé ne ferait pas de mal, elle remplit la bouilloire et alluma le gaz. Se cuisiner des plats tout simples restait une nouveauté et le résultat était souvent déplorable, mais au moins maîtrisaitelle l'art de faire du thé. Absurde, d'avoir à apprendre cela à l'âge de vingt-quatre ans. Pourquoi ne lui avait-on pas enseigné ce genre de choses ? Le moindre contact avec la cuisine lui rappelait cruellement qu'elle avait été élevée pour mener une existence frivole, comme sa mère : essayages chez la couturière, déjeuners, coiffeur, shopping et réceptions… Et telle aurait été sa vie sans la guerre. Comme elle regardait les flammes bleues lécher la base de la bouilloire, elle se souvint soudain que Guy, au tout début de leur mariage, lui avait appris à faire des œufs brouillés quand c'était le jour de repos de la cuisinière. Il avait appris à Eton et elle le revoyait campé derrière elle, la tenant par la taille et lui donnant ses indications tandis qu'elle remuait la mixture. La première fois, tout avait cramé parce qu'il n'arrêtait pas de l'embrasser. Elle l'aimait alors, en dépit de la dévotion qu'il portait à sa mère. Ce soir-là, ils avaient ri, heureux…

Le sifflement de la bouilloire retint son attention. Comme elle coupait le gaz et ébouillantait la théière, elle songea, soudain honteuse : « Guy est mon mari et je vois un autre homme derrière son dos. » Au lieu de fulminer contre Claude, elle aurait mieux fait d'examiner sa propre conduite. « Il faut que ça cesse, se dit-elle en vidant la théière. Quoi qu'il arrive, je ne dois plus le revoir. » Raffermie dans ses résolutions, elle mit les brins de thé, ajouta l'eau et remua. « Je vais boire ça, et ensuite j'irai au lit pour être au mieux de ma forme devant sir Neville Apse, demain. Et, quoi qu'il arrive, je m'interdirai de penser à Claude. »

16

Considérant sir Neville Apse par-dessus les reliefs d'un excellent déjeuner au Claridge, Diana jugea qu'il devait avoir environ le même âge que Forbes-James – la cinquantaine – mais elle n'avait pas prévu qu'il serait aussi beau. Des traits fins, ciselés, une épaisse chevelure noire avec une mèche blanche au milieu – signe de noblesse – et une haute, élégante stature. Même si, à la différence, par exemple, de Claude, il ne donnait pas l'impression d'être conscient de son charme, ce devait être quand même le cas. Il y avait une légère affectation dans ses gestes gracieux et une touche d'arrogance dans ses façons, légèrement supérieure à celle qui va de pair avec une bonne éducation, des études dans le privé et les relations idoines. Plus généralement, il donnait l'impression de regarder le monde – et elle-même ? – avec ironie. Était-ce à cause de son sexe ? Peut-être était-il différent avec Forbes-James… Elle se demanda, tout à coup, ce qu'il faudrait pour ébranler cette pose.

– Le problème, disait-il, c'est que la guerre tend à être considérée de façon manichéenne, alors qu'en réalité… la « palette morale », si vous voulez, présente plutôt un dégradé de gris : compromis, choix difficile, et cetera. C'est inévitable, j'en ai peur, et à une époque comme la nôtre, on doit traiter avec toutes sortes de gens peu recommandables. Sans se fier pour autant à eux, bien sûr. Mais c'est pour la bonne cause – il ne faut pas avoir trop de scrupules.

Diana, qui avait l'impression qu'il avait délivré ce petit laïus plusieurs fois – même l'hésitation paraissait voulue – acquiesça pour montrer qu'elle était attentive.

– En ce qui concerne le réseau d'espions – celui de l'ennemi –, la vérité est que nous en ignorons l'ampleur. L'Abwehr va sûrement tenter de recruter des sympathisants de l'IRA, des Gallois rancuniers, des déserteurs, des criminels et ainsi de suite. Mais nous ne savons pas ce que cela donnera.

Il marqua une pause et la dévisagea, avant d'ajouter :

– Les intérêts de l'espion et du voleur ne sont guère différents. C'est toujours du trafic de biens volés.

Il sourit, et Diana lui sourit aussi.

– Mais au moins la moitié de ceux que vous rencontrerez seront des excentriques ou des mythomanes, parmi lesquels une bonne moitié de vieilles dames croyant avoir vu des Allemands sous leur lit, mais chaque déclaration, si fantaisiste soit-elle, doit donner lieu à une enquête. Vous verrez que, dans la plupart des cas, le « patriotisme » n'est en fait que le désir, bien naturel, de se mettre en valeur. Bon…

Ses doigts effleurèrent le pied de son verre vide, qu'il poussa d'un centimètre vers elle, comme si c'était une pièce sur un échiquier.

– Vous croyez-vous faite pour ce boulot ?

– Je ferai de mon mieux.

– Je n'en doute pas.

Diana soutint son regard – encore cette ironie à peine voilée – puis, baissant les yeux, elle remarqua que ses propres doigts étaient sur le pied de son propre verre et qu'elle avait spontanément singé son geste de joueur d'échecs. « Moi non plus, je ne crois pas que ce soit un pro-fasciste », songea-t-elle. Ni, contrairement à ce que Forbes-James avait dit, un « pisse-froid ». En fait, il lui inspirait une certaine sympathie.

17

– Que se passe-t-il, bon sang ?

Stratton se fraya un chemin à travers le petit groupe qui vociférait et gesticulait à l'intérieur du commissariat et se dirigea vers Ballard, qui, debout au milieu de la mêlée, son casque de travers, s'efforçait vainement de calmer quatre types basanés à moustaches et longs tabliers. L'un avait une lèvre fendue, un autre, un torchon sanglant enroulé autour de la main, et tous hurlaient des imprécations à pleins poumons dans une langue étrangère. Une vieille bique enveloppée d'un châle noir se lamentait dans les bras d'une femme policier qui lui tapotait l'épaule sans résultat et Arliss, tout rouge, réclamait le silence à grands cris. Au lieu d'être à son poste, au guichet, le vieux Cudlipp s'était volatilisé, mais Stratton crut déceler des gémissements à travers la cloison de bois.

Il se retourna juste à temps pour voir deux des hommes échapper à Ballard et se précipiter sur Arliss, qui disparut aussitôt sous une masse confuse de membres moulinant. Stratton plongea, les saisit au collet et les remit de force sur leurs pieds.

– Ça suffit, messieurs. C'est quoi, ce bazar ?

Arliss battit promptement en retraite derrière le guichet et un silence soudain tomba, tandis que les deux hommes, à présent tenus à bout de bras – Stratton mesurait une bonne tête de plus qu'eux –, le regardaient d'un sale œil, pantelants.

– Essayons de nous expliquer…

Il lâcha les types, qui s'ébrouèrent furieusement. Le plus âgé cracha par terre.

– Pas de ça ici, dit Stratton. Vous êtes dans un commissariat, pas à un match de boxe. C'est quoi, le problème ?

– Je crois, dit Ballard avec gêne, qu'il vaudrait mieux que je vous l'explique en privé.

– Très bien. Ils sont ensemble ?

– Oui, c'est la même famille.

– Bon…

Stratton se tourna vers la femme policier.

– Mademoiselle Harris, je vous invite à emmener cette dame prendre un thé dans la pièce du fond. Tâchez de comprendre ce qui s'est passé.

– Je crois qu'elle ne parle pas anglais, inspecteur.

– Tant pis. Faites de votre mieux.

Prenant la vieille dame par les épaules, Harris était sur le point de l'entraîner, quand l'homme qui avait craché s'interposa.

– Stop ! hurla-t-il. Vous pas arrêter ma mère.

– Je n'arrête personne, dit Stratton, doucement. Mais je vais le faire, si vous ne la mettez pas en veilleuse. Et maintenant, l'agent Arliss que voici va vous conduire dans une agréable pièce bien au calme où vous pourrez attendre gentiment l'issue de ma petite conversation avec l'agent Ballard.

Arliss ayant fait sortir les quatre hommes, Stratton se tourna vers Ballard.

– Alors ?

– Merci, dit Ballard. Je sais que ce n'est pas votre…

– Peu importe. Des étrangers indésirables ?

– Non. Des Grecs.

– Que font-ils ici ? Je vous conseille de commencer par le commencement.

– On était dans Frith Street, à patrouiller, quand on a entendu une bagarre chez le coiffeur, alors on est allés enquêter et… c'était bien ça – la vieille frappait un client avec une brosse tout en le traitant de… en fait, j'en sais trop rien, car c'était pas en anglais, mais ça ne ressemblait pas à des amabilités. Il essayait de parer ses coups, puis les autres s'en sont mêlés, un miroir a été cassé, le monsieur a été blessé et s'est pris un œil au beurre noir. Il veut porter plainte, et comme Arliss les prenait pour des Ritals, il a jugé bon de les coffrer et a envoyé chercher le panier à salade. On a réussi à les conduire jusqu'ici, mais qu'est-ce qu'ils gueulaient…

Ballard hocha la tête.

– Quelle histoire…

– Vous avez compris ce qui s'est passé ?

– Je crois que le client se faisait couper les cheveux, et il dit qu'il astiquait ses lunettes sous le drap…

Ballard indiqua sa braguette.

– Tandis que la femme semble avoir cru qu'il faisait autre chose, à cause du…

D'une main, il mima.

– Du geste, et bien sûr, faute de voir ce qu'il faisait, elle lui a flanqué un bon coup de brosse sur le… (Ballard grimaça)… vous voyez quoi, cassant ses lunettes, et ensuite tout a dégénéré…

– C'est ce qu'il vous a dit ?

Ballard fit non de la tête.

– Lui, il a juste dit qu'il astiquait ses lunettes et qu'elle l'a agressé sans crier gare. Les autres, ses fils, ont forcément entendu ce qu'elle criait, mais ils n'ont pas voulu me le dire, parce que…

– … ils ne veulent pas qu'on sache que leur mère connaît ces choses-là.

Ballard opina.

– Il en va de l'honneur de la famille. C'est ce que m'a dit un autre client. Il a tout vu.

– Et où est-il, actuellement ?

– J'ai pris ses coordonnées. Au cas où il nous faudrait un témoin.

– Je vois. Et l'homme astiquait bien ses lunettes, alors ? Selon votre témoin ?

– Oui. Elles étaient sur ses genoux quand elles ont été cassées, sous le drap. Mais il a dit que ça ressemblait vraiment à ce que… ce que la femme a cru voir. Le coiffeur veut porter plainte contre le client pour les dégâts. Et eux, ils sont furieux contre Arliss parce qu'il les a traités de Ritals.

– Formidable. Où est le type aux lunettes ?

– Avec Cudlipp. J'ai cru préférable de le mettre à l'abri, des fois qu'ils le démolissent encore plus…

– Bon, je vais le voir et essayer d'arranger les choses. En attendant, retournez auprès de ces quatre lascars et dites-leur qu'on va régler ça, mais que, si jamais j'en entends un, je les colle au trou !

– Très bien, merci.

– Et rectifiez votre tenue. On dirait que vous êtes passé sous un camion. Au fait, c'est quoi, leur nom ?

– Polychronopolos.

– Nom de Dieu !

– Oui. Je vous le fais pas dire…

Stratton trouva Cudlipp dans un cagibi, à côté de la Salle d'information. Près de lui, les cheveux en partie coupés et un œil tuméfié, était assis le voisin de Joe Vincent, M. Rogers. Voyant Stratton, il bondit sur ses pieds.

– C'est vous le responsable ? Cette femme m'a agressé et je veux savoir ce que vous comptez faire.

Il lui montra ses lunettes massacrées.

– Regardez ! dit-il en lui agitant la paire sous le nez. Il faut faire quelque chose.

– Vu les circonstances, déclara Stratton, ce n'est peut-être pas une très bonne idée.

– Comment ça ? Quelles circonstances ?

– Pourquoi ne pas vous rasseoir, qu'on discute…

M. Rogers chercha d'un air égaré autour de lui, comme si toutes les chaises avaient été subtilisées par magie.

– J'ai été agressé ! dit-il. Sans provocation de ma part – cette femme est visiblement dérangée, un danger public, et si vous… si vous…

Sa phrase resta en suspens et il dévisagea son interlocuteur qui crut déceler un zeste de frayeur hâtivement dissimulé.

– On s'est déjà vus, dit Stratton.

L'homme hésita.

– Oui. Dans mon meublé, je crois.

Stratton songea que le mot « meublé » était un peu pompeux pour la pension miteuse de Mme Cope, mais il répondit simplement :

– En effet. Inspecteur Stratton.

– Rogers.

L'homme fourra ses lunettes dans sa poche et lui tendit la main.

– Quelles « circonstances » ?

Voyant qu'il n'avait aucune idée de la situation, Stratton déclara :

– C'est plutôt délicat, monsieur.

– Délicat ? Regardez-moi !

Rogers, son indignation refaisant surface, pointa un doigt tremblant vers son œil.

– C'est vrai, cette femme vous a frappé. Voulez-vous vous asseoir ? Je vais vous expliquer.

– Il n'y a rien à expliquer. Elle est folle.

Sentant manifestement qu'il avait eu le dernier mot, il se rassit.

– Vous avez besoin de moi, inspecteur ? demanda Cudlipp. Je devrais être au guichet.

– Bien entendu. Allez-y.

Quand il eut quitté la pièce, Stratton demanda :

– Savez-vous pourquoi Mme Polychronopolos vous a agressé ?

– Pour rien ! J'étais tranquille, dans mon coin, à me faire couper les cheveux…

– Vous étiez en train de polir vos lunettes, non ?

– Oui, et cette sale bonne femme les a pulvérisées. Ils devront me dédommager.

– Mme Polychronopolos était contrariée. Elle a cru que vous étiez en train de commettre un attentat à la pudeur. Vos mains étaient sous le drap, dans votre giron. Elle a vu un mouvement saccadé et en a hélas conclu que vous vous masturbiez.

– Quoi ?

– Que vous vous masturbiez, monsieur.

Stratton réussit à conserver son impassibilité, mais à grand-peine.

– Vous voulez dire qu'elle a cru que je faisais – sous le…

Rogers gesticula en silence.

– Oui, répondit Stratton, qui ajouta mielleusement : Ce n'est pas l'endroit idéal pour cela, vous en conviendrez.

– Non, mais… enfin… enfin…

Il en postillonna, puis s'écria :

– C'est de la diffamation ! Je pourrais la poursuivre en justice ! En fait, j'ai bien envie de…

– Dois-je comprendre, l'interrompit Stratton, que vous étiez bien en train d'astiquer vos lunettes, et seulement vos lunettes ?

– Évidemment ! C'est un scandale ! Ce que je veux savoir, c'est : qu'allez-vous faire ?

– Moi, à votre place, je laisserais tomber.

– Quoi ? On m'a agressé !

– Et moi je me demande de quoi vous aurez l'air au tribunal.

Pendant un instant, Rogers se tut. À en juger par les expressions se succédant sur son visage, Stratton pouvait presque suivre ses pensées : visions de magistrats le scrutant par-dessus leurs demi-lunes, ricanements et coups de coude dans le public quand les accusations seraient formulées sous couvert d'euphémismes – plaisir solitaire, onanisme, autoérotisme. Il serait tourné en dérision, ou, à supposer qu'on ne le croie pas, passerait pour un pauvre maniaque, et la honte et le chagrin de sa mère seraient insupportables… Enfin, il parla :

– Ah, dit-il.

– Je vous laisse y réfléchir…, dit Stratton.

Partant aussi vite que possible, il courut jusqu'aux toilettes pour y rire sans être entendu. Ballard arriva au moment où il s'aspergeait la figure.

– Alors ?

– Il ne va pas porter plainte. Et vos zouaves, ils sont calmés ?

– Ils protestent toujours, mais à voix basse.

– Bien. Et la mère ?

– Ça va. Toute droite sur sa chaise comme si elle était à l'église.

– Vous devriez les réunir et expliquer que, si on peut tout à fait comprendre qu'il y ait eu malentendu, ce n'était qu'un malentendu et qu'il vaudrait mieux rentrer à la maison et tout oublier. Oh, et montrez-leur bien qu'on ne doute pas qu'ils soient en règle et cetera.

Ballard opina.

– Merci beaucoup, inspecteur.

– De rien. Il y avait longtemps que je ne m'étais autant marré. Je vais dire à Rogers qu'il peut partir et ensuite je donnerai à Arliss quelques notions de géographie.

La bouche de Ballard se crispa légèrement :

– Oui, inspecteur. Mais les hordes orientales étant à Calais, vous allez avoir du mal…

– Je sais, dit Stratton avec une grimace. Mais je peux toujours essayer.

Rogers se leva, tout pâle, quand Stratton reparut. Celui-ci avait pris soin en revenant d'arborer une expression qui se voulait à la fois grave mais affable et d'effacer de son esprit toute vision de branlette ou de magistrat. Rogers, lui, ne semblait pas y être parvenu. Il était bouleversé par le spectre d'une inculpation et d'une humiliation publique. C'était un homme abattu, avec un seul désir : retrouver sa dignité de bon citoyen respectueux de la loi, pour qui tout ce qui se trouvait sous la ceinture était tabou.

– Eh bien ? dit Stratton.

Le front de Rogers touchait presque sa poitrine et, quand il se redressa, Stratton crut voir un petit garçon pris avec une pomme dépassant de sa poche.

– Je vois ce que vous voulez dire, inspecteur, dit-il, passant un doigt nerveux dans son col. Ce pourrait être très gênant. Mais en réalité, je ne…

– Je comprends, fit Stratton, paternel. Mieux vaut sans doute ne plus en parler.

– Tout à fait d'accord !

Rogers hocha la tête avec enthousiasme.

– Vous avez mille fois raison.

– Mon collègue s'entretient avec ces messieurs du salon de coiffure et je suis certain qu'après cette conversation, tout sera aplani et vous serez libre de vaquer à vos occupations.

– Ah, bonne nouvelle. Je vous suis très reconnaissant, inspecteur, d'avoir réglé ça.

Notant l'« inspecteur », Stratton se dit qu'il pouvait aussi bien lancer un ballon d'essai.

– À propos, vous n'avez rien à me dire en attendant ? Je suis sûr que ces messieurs vont être compréhensifs, mais il se peut quand même qu'ils portent plainte et je ne serai peut-être pas en mesure de les en dissuader…

Il regarda fixement Rogers, qui déglutit à plusieurs reprises.

– Eh bien, dit-il. Justement, je me suis souvenu effectivement de quelque chose après votre visite.

– C'est-à-dire ?

– Ces types dont vous parliez, ceux qui sont venus voir Joe Vincent… Je les ai bien vus. Je me suis, euh… (il se racla la gorge) trompé en disant que j'étais absent. C'était un autre soir. Ça m'est revenu seulement après votre départ.

Stratton sourcilla.

– J'y ai repensé deux jours plus tard. C'est drôle, la mémoire.

– Oui, n'est-ce pas ? C'est vous qui les avez fait entrer ?

Rogers opina.

– Ils étaient deux. Je ne peux pas dire que je les ai bien regardés, mais l'un d'eux était un grand, en complet, si je me souviens bien, et un jeune l'accompagnait.

– C'est tout ?

– Le jeune était plus petit. Brun. Pas de chapeau – l'autre en avait un. Je suis quasi sûr que le jeune portait un complet, lui aussi, mais je n'en jurerais pas. Un truc sombre, en tout cas.

– Quelle heure était-il ?

– Environ vingt et une heures.

Donc, ces hommes étaient restés sur place pendant plus de deux heures.

– Avez-vous entendu du bruit à l'étage, ensuite ?

– Je ne me souviens de rien. Des coups sourds, peut-être. J'ai dû penser que c'était eux redescendant l'escalier. J'aurais pu leur dire que Joe n'était pas là.

– Pourquoi ne pas l'avoir fait ?

Rogers parut dérouté.

– Je ne sais pas. J'ai dû croire qu'ils souhaitaient laisser un mot.

« Ou tu n'aimais pas leur dégaine », songea Stratton.

– Vous ne les aviez jamais vus ?

– Non, jamais.

– Eh bien, dit Stratton, c'est mieux que rien. Mais, poursuivit-il sévèrement, il aurait été plus utile de nous le dire quand on est venus.

Rogers paraissait déconfit.

– Je suis navré, ça m'était sorti de la tête. Enfin, ça ne paraissait pas très important, et je n'ai pas réfléchi… J'ai dû croire que c'était des amis de Joe, et je n'y ai plus pensé.

« Tu parles », songea Stratton.

– Enfin, peu importe, dit-il d'une voix rassurante. Mais ces petites choses… La police doit pouvoir compter sur le concours des citoyens pour mener à bien ses enquêtes, vous savez…

Rogers s'illumina – il était de nouveau du bon côté de la barrière, aidant la police, retrouvant sa position sociale.

– Bien entendu, dit-il et là, s'enhardissant : Cela a un rapport avec Mlle Morgan ?

Stratton contre-attaqua avec une autre question :

– Vous la connaissiez ?

Rogers, de nouveau replacé en position moralement dominante, consolida sa position par une moue réprobatrice.

– De vue, bien sûr, dit-il. Et pour l'entendre, je l'entendais ! Chanter, donner des coups… Joe est un garçon discret, inspecteur, très aimable, mais franchement, j'ai été plusieurs fois sur le point de me plaindre à Mme Cope du raffut qu'elle faisait. Bien entendu, elle passait la plupart de ses soirées au pub…

Ce dernier mot était chargé d'une énorme réprobation.

– Vous êtes certain de n'avoir rien entendu ?

– Non, j'écoutais la radio.

– Donc, rien de rien… ?

Rogers fit non de la tête.

– Avez-vous entendu le gramophone de M. Stockley ?

– Je ne crois pas. Je ne me rappelle pas. M. Vincent se porte bien ? Je ne l'ai pas revu depuis… Ce n'est pas que je guette les gens, mais… il ne lui est rien arrivé, j'espère ?

– Non, dit Stratton, qui ajouta, d'une voix excluant toute autre question : Il s'est absenté pour quelques jours.

– Oh, dit Rogers, avec l'air de celui qui vient de recevoir une information confidentielle. Pour être honnête, j'ai toujours pensé que Mlle Morgan n'avait pas une bonne influence sur lui. Certes, sa fin est regrettable… J'ai été étonné d'apprendre qu'elle avait fait du cinéma, mais c'est vrai que ce n'est pas une chose qui m'intéresse.

Sentant qu'il n'y avait plus rien à en tirer, Stratton parvint à s'en débarrasser après force poignées de main et expressions de sa gratitude, plus pas mal de réflexions à bâtons rompus sur les malentendus fâcheux et autres aléas de l'existence. En allant retrouver Arliss, il songea que la matinée n'avait pas été complètement fichue, en fin de compte.

18

Diana contempla la cage vide derrière la tête de Mme Wright et espéra qu'elle n'allait pas s'assoupir avant d'avoir recueilli les confidences de la vieille dame. La veille, ayant dîné avec des membres du Right Club, elle s'était couchée tard et se sentait étouffer dans le petit salon au plafond bas de ce cottage. Partout il y avait des photos du défunt mari et de leur fils unique, tué au combat pendant la Grande Guerre.

Diana sirota son thé et patienta. Elle avait fait le trajet en train afin d'enquêter sur une rumeur selon laquelle le clocher de l'église servait à cacher un émetteur ennemi. Ayant inspecté ce clocher et reçu l'assurance du curé que c'était impossible, elle était venue tranquilliser la personne qui avait signalé l'affaire. Comme Apse l'avait prédit, cela devenait la routine : la première semaine, elle s'était rendue à Barnet, Woking et Aylesbury pour convaincre de vieilles dames effrayées (ou, dans un cas, tout bonnement toquées) que leurs voisins ne consultaient pas des cartes avec de mauvaises intentions, pas plus qu'ils ne faisaient des signaux aux Allemands avec le bout de leurs cigarettes, ou que leurs domestiques d'origine étrangère (un couple de Portugais effarés) ne complotaient dans le but de détruire le pays.

– C'est le clocher de la vieille église, déclara Mme Wright. Il est désaffecté depuis des années et plus personne n'y va, voyez-vous…

– J'ai parlé au curé, madame Wright, et il m'a assuré que personne n'est monté là-haut. Ce ne serait pas prudent.

– Mais j'ai vu quelqu'un ! Avec une échelle.

– C'était le bedeau, madame Wright. Il réparait. Le clocher est vide. C'est bien d'ouvrir l'œil, mais là il n'y a vraiment pas de quoi s'inquiéter.

Mme Wright se pencha et lui saisit la main.

– Si, ma chère ! Pas étonnant que vous n'ayez rien trouvé – leurs émetteurs sont gros comme des paquets de cigarettes, et ils les cachent entre les briques. J'ai une preuve.

– Laquelle ?

– Topsy.

– Topsy ?

Mme Wright tourna la tête vers la cage vide.

– Mon canari. Il est mort.

– J'en suis désolée. Mais je ne vois pas…

La vieille dame lui caressa la main.

– Naturellement, ma chère. Je vais vous montrer.

Elle se leva de son fauteuil, alla à la commode et sortit d'un tiroir un petit paquet enveloppé d'une serviette de table, qu'elle lui déposa sur les genoux. Devinant de quoi il s'agissait, Diana essaya de ne pas avoir un recul.

– Ils l'ont tué.

– Qui ça, madame Wright ?

– Avec l'émetteur.

La vieille dame parut s'impatienter.

– Les rayons. Ils traversent le cottage depuis cette machine dans le clocher. Les canaris sont sensibles à ces choses-là – voilà pourquoi on s'en sert dans les mines de charbon, pauvres petits…

– Mais c'est pour détecter du gaz. Monoxyde de carbone, méthane, ce genre-là…

– Justement !

Mme Wright s'illumina telle une enseignante devant une élève pas trop bête.

– Voilà de quoi il est mort ! Regardez !

Diana, qui s'était efforcée d'éviter la vue du paquet sur ses genoux, eut une moue discrète. L'odeur n'était pas trop nauséabonde… Espérant que Topsy n'était pas mort depuis très longtemps, elle saisit un coin du tissu entre le pouce et l'index et tira, avec précaution. L'étoffe se déroula assez pour révéler une petite boule de plumes jaunes aux pattes tragiquement raidies.

– Vous voyez ? Ce sont ces rayons qui l'ont tué.

– J'en doute, dit Diana, avec douceur. Était-il très âgé ?

Mme Wright secoua la tête.

– Il était au mieux de sa forme quand, la semaine dernière, il a cessé de chanter et j'ai bien vu qu'il n'était pas dans son assiette. Amorphe, les yeux vitreux… Il ne mangeait plus… et puis il est mort.

– Et si c'était une maladie ?

De nouveau, la dame secoua la tête.

– Il allait bien.

– Il fait très chaud ici, non ? Il n'appréciait peut-être pas…

– Les canaris ont besoin de chaleur. Ils sont originaires des pays chauds, vous savez.

– Oui, mais…

Diana commençait à se décourager.

– Topsy était un canari anglais, n'est-ce pas ? Il était né ici. Peut-être…

– Hélas, il n'y a qu'une seule explication, affirma Mme Wright avec fermeté.

– Et ses graines ? Avec la pénurie, les grainetiers ont du mal à se procurer les bons ingrédients pour leur mélange. Cela a pu l'affecter.

Mme Wright cessa de secouer la tête et parut songeuse.

– C'est possible, reconnut-elle. Le commerçant m'a dit avoir eu quelques difficultés…

– Pour moi, c'est ça, dit Diana, tout en s'efforçant de ne pas trahir son soulagement. C'est le plus plausible. Vous lui avez parlé de Topsy ?

– Non. Je devrais peut-être le faire…

– Je crois que ce serait une excellente idée, déclara Diana.

Après avoir réussi à persuader la vieille dame qu'il n'était pas nécessaire de ramener le canari à Londres pour une autopsie, Diana retourna à pied à la gare. Ayant très peu mangé ce matin-là, et jeûné à midi, elle se sentait affaiblie et se restaura de son mieux au buffet avec un thé à la bergamote et une tarte infecte, tout en attendant le train.

Elle trouva une place dans une voiture de seconde classe pleine de jeunes estafettes du service féminin de la Royal Navy qui parlaient de leurs soupirants. Cela lui fit penser à Claude – terrain dangereux, tout autant qu'une plage minée – mais elle se laissa tout de même aller à rêvasser agréablement. En dépit de ses résolutions, elle avait été dans tous ses états quand il ne l'avait pas contactée pendant les trois jours succédant à la « débâcle » à Trafalgar Square, puis pitoyablement soulagée (quoique veillant à ne pas le montrer) quand il l'avait appelée au bureau d'Apse – preuve qu'il ne l'avait pas perdue de vue – pour l'inviter au restaurant. Ensuite, ils étaient allés danser au Kit-Kat Club dans Regent Street. Une découverte pour elle, qui avait trouvé ce lieu assez louche, mais très amusant. Leur baiser d'adieu lui avait donné des fourmis partout et elle était rentrée chez elle grisée de bonheur, une joie quelque peu gâtée par un horrible sentiment de culpabilité vis-à-vis de Guy. Comment pouvait-on être à la fois très heureux et malheureux ? C'était absurde.

Les gloussements des jeunes filles interrompirent ses rêveries. Admirant leur uniforme, bien plus flatteur que celui des auxiliaires territoriales, elle écouta leurs conversations. Quoique célibataires, elles semblaient en savoir bien plus long sur les hommes qu'elle-même ! C'était franchement injuste, mais là encore, il ne tenait qu'à elle de combler cette lacune – si elle choisissait cette voie. Sinon, l'idée de rester mariée – et fidèle – à Guy, et de ne partager que son lit, était déprimante. Ce n'était pas sa faute – après tout, il n'était pas méchant – mais cette monotonie, cette tâche assommante, année après année, de devoir se rendre insensible, sans désir, ni sentiments… « On aurait dû me prévenir, songea-t-elle. Empêcher ce mariage. Me dire que j'étais trop jeune. Mais qui… ? » Sa tante avait cru qu'il s'agissait d'un bon parti, ce qui, vu de loin, était le cas, et beaucoup de ses amies s'étaient mariées à dix-neuf ans. C'était pour cela qu'on « faisait la saison » : pour être lancée dans la société, rencontrer le mari adéquat. D'ailleurs, elle était si sûre de son amour que, même mise en garde, elle n'aurait pas écouté… Un soudain et très intense souvenir physique du pouce de Claude lui caressant le sein à travers l'étoffe de sa robe la fit se tourner vers la vitre, de peur d'être surprise à rougir. « À quoi bon m'appesantir ? J'ai une mission à remplir. Je dois, je dois, je dois – elle ferma les yeux très fort pour repousser la main du Claude imaginaire – me concentrer sur les choses importantes. »

Elle entra dans Dolphin Square en venant de la Tamise et tourna à droite pour se diriger vers l'appartement d'Apse dans Frobisher House, face au bâtiment de Forbes-James. Comme ce dernier, Apse travaillait en partie chez lui, mais son appartement était au dernier étage et avait la forme d'un E moins la barre du milieu. La porte d'entrée ouvrait sur un vaste bureau-salon et toutes les autres pièces – la cuisine avec son issue de secours ; la chambre, le dressing et ainsi de suite – étaient distribuées par un sombre corridor en L. En son for intérieur, elle trouvait que l'appartement de Forbes-James, avec son balcon sur la Tamise, était bien plus agréable et aéré. Celui d'Apse était un peu comme lui-même, ténébreux, avec des pièces cachées dans les recoins. Non que Forbes-James fût transparent – ces mystères au sujet de sa femme, par exemple – mais Apse était… Elle fronça les sourcils, cherchant le mot juste. « Distant », voilà. C'était comme parler à quelqu'un à travers un mur. Pas parce qu'il aurait eu le regard fuyant, et il n'était pas du tout cachottier, mais il ne semblait jamais être tout à fait là. Enfin, il avait l'air d'un type bien ; donc elle exagérait peut-être cette impression parce qu'elle était censée le suspecter. S'il était pro-fasciste, alors il était logique qu'il se surveille – et Mme Montague et ses amies semblaient penser qu'il était, ou pourrait être, dans leur camp. Plusieurs fois, elle avait prononcé son nom en leur présence, mais sans obtenir de véritables réactions, sinon de vagues murmures sur sa fiabilité et son utilité, et elle n'avait pas osé creuser de peur d'éveiller les soupçons. Mais il devait bien mijoter quelque chose, sinon pourquoi aurait-on voulu qu'elle travaille pour lui ?

Dame Apse, qui était là à son arrivée, se révéla surprenante. Diana ne savait pas à quoi elle s'attendait – en tout cas, pas à la femme svelte aux manières timides, presque enfantines, qui lui ouvrit. La fine silhouette, les yeux de chatte bleu clair et la souple chevelure brun clair démentaient son âge, sans doute la quarantaine. Son impression première fut qu'il s'agissait d'un être candide, pour qui la plus grosse blague au monde aurait été de se gaver de bonbons dans le dortoir, à minuit.

Au bout de cinq minutes de conversation à bâtons rompus, durant lesquelles Apse sourit à son épouse avec cet air légèrement supérieur de celui qui s'amuse vaguement à entendre, sans vraiment écouter, le babil féminin, Dame Apse déclara qu'elle devait se sauver, de peur de rater le train.

– Je vous laisse à Mlle Calthrop, chéri, ajouta-t-elle, avant d'éclater d'un petit rire terrifié, comme si elle avait lâché une énormité.

– Mais oui, dit Apse. Ne va pas louper ton train. J'appelle le chauffeur.

Se tournant vers Diana, il déclara :

– J'ai réussi à mettre la main sur une FANY.

– Quoi, chéri ? Quelle Fanny ?

Dame Apse semblait perplexe.

Diana, qui avait une gorgée de sherry dans la bouche, réussit de justesse à ne pas s'étouffer.

– Une FANY... Une auxiliaire. Ce sont presque toutes des conductrices, actuellement. On la partagera avec Forbes-James, ajouta-t-il à l'adresse de Diana. J'ai dû faire jouer mes relations, bien entendu.

– Vous devriez peut-être changer de marque, mademoiselle, déclara dame Apse avec sollicitude en lui tendant son étui à cigarettes. Essayez celles-ci.

– Merci, répondit Diana, juste au moment où la conductrice s'annonçait.

– À la gare Victoria, dit Apse à la jeune femme, qui semblait déborder d'enthousiasme.

Elle salua vivement et se retira. Apse étreignit sa femme et lui dit :

– Tu embrasseras Pammy et Pimmy pour moi ?

En se retournant par discrétion, Diana crut voir sa main lui effleurer la joue.

– C'était une joie de te revoir, chérie. J'espère que le retour ne sera pas trop pénible.

Diana avait été frappée par la douceur de sa voix quand il avait prononcé les prénoms de ses enfants – mais peut-être étaient-ce ses chiens… ?

– Vous avez passé une bonne journée ? dit-il, une fois sa femme partie.

– Assez bizarre. En fait, j'ai bien failli vous rapporter un canari mort. La dame incrimine les rayons émis par un transmetteur ennemi.

– Mon Dieu, dit Apse d'une voix mourante en s'asseyant à son bureau. Vous voulez bien nous resservir du sherry ?

Tandis que Diana s'exécutait, il déclara :

– J'ai peur d'avoir un autre maboul pour vous, demain – un habitant d'Epsom qui croit que les hippodromes vont servir de terrains d'atterrissage à l'aviation ennemie. La lettre est quelque part…

Il fouilla dans une masse de documents et lui tendit une lettre écrite sur un papier très fin, couvert d'une écriture petite, en pattes de mouche, avec plusieurs mots lourdement soulignés.

– Je suis sûr que vous saurez régler ça. Voici une autre perle. Écoutez :

Cher monsieur, je vous écris car je m'inquiète beaucoup depuis quelque temps des effets de l'eau sur mon mari. Depuis l'an dernier, j'ai noté un déclin de sa nature virile, à mon avis dû à une contamination chimique provoquée par des espions ennemis. Tout a commencé l'an dernier, quand l'eau a été momentanément coupée, que les canalisations ont été déterrées et trafiquées par des ouvriers d'origine étrangère. Je prends toujours soin de faire bouillir l'eau qu'on boit. Or, le goût n'est plus le même et j'ai l'impression très nette que les hommes de la région ont l'air mal en train et pas comme il faudrait. Je ne me confierais pas sur un sujet aussi scabreux si les intérêts du pays n'étaient en jeu, car si ça continue les femmes n'auront plus d'enfants. Devenues égoïstes, elles dépenseront leur argent en produits de beauté et autres frivolités, ce qui affaiblira la nation, et comment alors pourrons-nous résister...

– Ça continue encore longuement dans la même veine. À l'en croire, ils sont mariés depuis trente ans, ce qui doit lui faire la cinquantaine...

Diana, qui peinait à contenir son hilarité, demanda :

– Où habite-t-elle ?

Apse examina la lettre.

– Fulham. Vous pourriez y aller demain, après Epsom. Si le Dieu des transports est d'accord, évidemment.

Il renifla le papier et fit la grimace.

– *Devonshire Violets*. Elle devrait peut-être changer de parfum. Tenez, emportez-la.

Trois heures plus tard, Diana s'installait avec Jock et Lally à La Coquille et, ayant fini son sabayon et profitant d'une pause dans la conversation, elle tripota le pied de son verre comme si elle réfléchissait et déclara :

– Vous savez, je me sens affreusement inutile.

Jock reposa sa cuillère.

– Comment ça ?

– Je sais qu'il faut suivre les pistes, les lettres nous signalant des espions, bien sûr, c'est important de rassurer l'opinion publique, mais quid des véritables factieux ?

– Qui ça ?

Lally haussait un élégant sourcil.

– Les gens haut placés. Pas Mosley et compagnie, mais les sympathisants qui ne sont pas encore sortis du bois, qui seraient en mesure d'aider les Allemands en cas d'invasion.

– Mais c'est justement ce qu'on fait ! dit Lally. Du moins s'y efforce-t-on…

– La plupart d'entre eux sont derrière les barreaux, déclara Jock avec assurance. Quant aux autres…

Il haussa les épaules.

– Tout le monde se connaissant, ça ne devrait pas être trop difficile, du moins en théorie.

– Tu veux dire : parce que vous avez fréquenté les mêmes écoles, les mêmes universités ?

– Bien sûr. Ou celles de leurs frères, oncles ou cousins.

– Ce n'est pas pour ça que vous les connaissez…

– On connaît leur passé et leur… pedigree, si tu veux. C'est dangereux de voir des espions partout, à chaque coin de rue. Ça se sait, quand quelqu'un est respectable – naturellement, cette respectabilité peut masquer tout et n'importe quoi, mais en général rien de très méchant…

– Hitler n'est pas méchant ?

– Si, répondit Lally. Mais il n'est pas respectable.

– Alors, parce qu'une personne n'a pas reçu une bonne éducation, elle ne vaudrait rien ?

– Bien sûr que non, dit Jock. Pour l'amour du ciel, Diana, il y a des procédures pour ce genre de choses, on enquête sur les gens…

– Oui, mais ça semble en grande partie dépendre du milieu social.

– En effet. Pour une bonne part. Et ça ne tient pas compte du moi caché.

– Le moi caché ?

– Le moi secret, le tréfonds de notre être.

Il la dévisagea, songeur.

– La part que – dans certains cas – on n'ose pas révéler.

Diana pensa à Ventriss et ressentit un malaise : la conversation s'orientait dans un sens qui ne lui plaisait guère. Les yeux de Jock la transperçaient comme une paire de forets. Elle eut un rire forcé.

– Ça n'existe pas ! Ou sinon, cela voudrait dire que chacun abrite un effroyable et intéressant secret.

– Je n'ai pas dit que c'est intéressant. Sauf pour les concernés, évidemment. Mais là encore, certains aiment jouer les détectives. Supposition, conjecture, hypothèse… espionner, pour appeler ça d'un autre nom. C'est dans leur nature. Tu verras que c'est une « déformation professionnelle » fréquente chez les agents. Prends Claude Ventriss, par exemple…

Consciente que Jock et Lally échangeaient des regards entendus, Diana baissa les yeux et joua avec son verre. Après un long silence embarrassant, Jock ajouta :

– C'est une certaine mentalité. Creuser, chercher derrière le masque, et cetera. Bien entendu, le plus sûr est d'être exactement ce qu'on paraît être, et j'ose dire que la plupart des individus sont exactement ainsi, donc il n'y a pas de masque.

– Mais Claude Ventriss n'est pas ce qu'il semble être, c'est cela ? dit Lally. C'est un agent double, dixit la rumeur en tout cas.

– Claude ? lança Diana, estomaquée. C'est vrai, Jock ?

– Je n'en sais rien, dit-il avec affabilité. Et mieux vaut ne pas trop réfléchir là-dessus. Moins on en sait…

– C'est compter sans la curiosité féminine, intervint Lally.

– La curiosité peut être un très vilain défaut.

– Même chez un agent ? demanda Diana, qui voulait absolument en savoir davantage. Tu viens de nous dire que les agents aiment assez jouer les détectives au quotidien.

– Ça peut sembler contradictoire, mais oui, surtout chez un agent. Parfois, il faut savoir fermer les yeux. Pour se préserver. Il est des choses qu'il importe de savoir et d'autres qu'il importe d'ignorer. On s'imagine souvent que détenir une information donne du pouvoir, mais si tu sais quelque chose sur une personne qui ne souhaite pas qu'on le sache, cela peut te rendre très vulnérable. Et…

Jock la regarda droit dans les yeux.

– … il ne faut pas oublier que certains aiment le danger. Ça leur donne le sentiment d'exister. Claude a vécu en Allemagne avant la guerre, et en France.

D'après mes sources, c'était un play-boy. Il ne fait pas cela pour l'argent, car il n'en a pas besoin – ce qui, entre nous, est assez inhabituel – mais parce qu'il aime marcher sur la corde raide.

– Donc, c'est bien un agent double ! dit Lally, triomphante.

– Je n'ai pas dit cela.

– Mais, dit Diana en s'efforçant de ne pas paraître trop empressée, si c'est le cas, alors…

Jock agita un doigt à son adresse.

– N'oublie pas ce qui s'est passé, quand Pandore a ouvert la boîte ! Sur ce, je crois qu'il est grand temps de changer de sujet.

En rentrant chez elle, Diana songea, penaude : « Je suis nulle. » Elle s'était crue très maligne, à causer avec Mme Montague et ses copines du Right Club, mais Apse, c'était autre chose. Quant à Claude, si c'était un agent double… « Je devrais démissionner, se dit-elle. Je devrais aller voir Forbes-James pour lui dire que je ne peux pas couper mon cerveau en deux. » Après avoir passé quelques minutes à imaginer cette scène, elle pensa qu'on ne lui permettrait peut-être pas de démissionner – le peu qu'elle savait pouvait être jugé préjudiciable à la sécurité du pays – et elle serait peut-être condamnée à passer le reste de la guerre, voire de sa vie, confinée dans les sous-sols des services secrets à classer des papiers. Elle s'imagina en vieille dame courbée au-dessus d'un meuble-classeur…

Elle secoua la tête, déconcertée. « Tant mon moi apparent que mon moi secret sont complètement chamboulés », songea-t-elle, puis elle sourit en se rappelant la lettre de l'habitante de Fulham à propos de l'eau potable. Un déclin de la nature virile… À quoi devait donc ressembler son moi secret ? Mieux valait ne pas y penser. Elle se sourit à elle-même, leva les yeux au ciel et pressa le pas.

19

– « Le discours fleuve de Hitler au Reichstag, où il a parlé vaguement de son désir de paix, tout en admettant que si la guerre se poursuit, ou la Grande-Bretagne ou l'Allemagne sera anéantie, a été accueilli par un froid scepticisme à travers le monde, hier soir… »

Stratton s'interrompit dans sa lecture à haute voix du *Daily Express* et contempla Jenny, qui tricotait vaillamment dans son fauteuil. La lumière de la petite lampe tombait de biais sur sa joue, faisant briller ses cheveux bruns. Il se sentait agréablement repu. Jenny avait débarrassé la table après un dîner composé de jambon et salade, suivis d'un gâteau de riz avec une touche de confiture au centre, et, à sa demande, elle lui avait apporté une tasse de thé au salon. Elle avait fumé sa cigarette rituelle (il savait très bien qu'elle n'aimait pas vraiment ça, mais qu'elle avait lu quelque part que c'était chic après les repas) et progressait à présent dans l'exécution de son ouvrage, épuisant peu à peu sa pelote de laine grise. Stratton, qui éprouvait de la tendresse pour ses petites affectations, l'enveloppa du regard et songea qu'elle était vraiment très jolie.

Jenny redressa la tête, intriguée.

– Tu ne lis plus ?

– Je t'admirais.

– Oh…

Elle parut vaguement gênée.

– Arrête ton char…

– Que tricotes-tu ?

– Un passe-montagne pour Pete.

– En plein été ?

– Il en aura besoin l'hiver prochain. Et Mme Chetwynd ne pourra pas dire que je ne m'occupe pas bien d'eux.

Stratton songea que la seconde raison était sans doute la vraie, puisque Pete avait déjà un passe-montagne, mais il refusa d'entrer dans son jeu.

– Je continue ? dit-il.

Jenny lui lança un regard rebelle, mais voulut bien s'avouer temporairement vaincue.

– Oui, chéri.

– Hitler dit : « M. Churchill pense que c'est l'Allemagne qui sera anéantie. Moi, je sais que ce sera la Grande-Bretagne. »

– Ah, il en est certain ?

– Oui. « Je ne suis pas le vaincu qui implore grâce. C'est en vainqueur que je parle. Je ne vois pas pourquoi cette guerre devrait continuer. »

– Il me fatigue. Pas d'autres nouvelles ?

– La RAF s'en tire toujours pas mal. Et nous avons bombardé Krupp.

– C'est peut-être pour ça que Hitler souhaite la paix.

– Ou parce qu'ils manquent de vivres. Il y a un gros titre, ici. « Hitler se vante : Nous pouvons résister au blocus éternellement – même sur les produits alimentaires. » Tu parles – et Harry Comber affirme qu'il va y avoir la famine en Europe. Note bien que je me demande comment il peut le savoir.

– J'espère qu'on pourra se débrouiller.

Stratton haussa les sourcils.

– Tu as fait tellement de réserves qu'on se croirait chez un épicier. On croule sous les provisions.

– Oui, mais…

Jenny parut mal à l'aise.

– Ça ne provient pas du marché noir, au moins ?

– Non ! Enfin, pas tout. Tout le monde en fait autant, Ted.

– Il ne faut pas. Je sais que c'est tentant, mais…

– Tentant ! Il ne s'agit pas d'une paire de gants neufs, on parle de nourriture !

– Je sais, chérie, mais tout de même…

Il secoua la tête.

– Comment les gosses apprendront-ils à être honnêtes, si nous, on enfreint la loi ?

Jenny cessa de tricoter pour lui lancer un regard noir.

– Ils ne sont pas là, dit-elle. Au cas où tu n'aurais pas remarqué.

« Et c'est reparti ! » songea Stratton. Qu'avait dit Donald au pub ? Même quand on n'en discute pas, je sais qu'elle voudrait le faire et qu'elle se retient… Et maintenant, les hostilités étaient rouvertes. Il se demanda ce qu'il fallait dire, puis pensa à ce que Donald avait ajouté, avant que cet imbécile de Reg ne se ramène comme un lourdaud à leur table : On ne peut pas en vouloir aux femmes, c'est encore plus dur pour elles.

– Je ne m'en réjouis pas plus que toi, dit-il doucement, mais on n'y peut rien, tu le sais…

Il s'interrompit pour voir comment cette phrase était reçue – pas trop mal, puisque le regard furieux avait été remplacé par un air renfrogné sans signification particulière – et se replongea dans le journal.

– Bonnes nouvelles du côté de Roosevelt. Il va nous aider de son mieux. « Franklin Roosevelt, le seul homme dans l'histoire des États-Unis à briguer la présidence pour la troisième fois, a déclaré dans son allocution historique à la radio : "Je ne regrette pas mes efforts constants pour faire prendre conscience à ce pays de la menace qui le guette. Tant que je serai président, je ferai tout ce qui est en mon pouvoir pour que cela demeure notre politique extérieure… Nous voici à un tournant de l'Histoire. Il ne s'agit pas seulement de choisir la démocratie contre la dictature. Il ne s'agit pas seulement de choisir la démocratie contre l'esclavage. Il ne s'agit pas seulement de choisir la civilisation contre la barbarie. C'est tout cela à la fois." » Ben, mon vieux…

Jenny approuva de la tête.

– C'est un brave homme.

– Donc, il y a encore de l'espoir…

Jenny leva les yeux au ciel et dit :

– Tu crois qu'il faut en déduire que l'Amérique va entrer en guerre ?

– Je ne sais pas. Roosevelt semble pour, mais plein d'Américains sont contre. Ils préfèrent ne pas se mouiller.

– C'est compréhensible. Nous aussi, on aurait bien aimé pouvoir rester en dehors, du moins au début.

– S'ils restent neutres, on va avoir des soucis, dit Stratton, morose. J'espère qu'ils vont se décider.

Jenny reposa son tricot et vint l'embrasser sur la joue avant de rapporter les tasses à la cuisine. Il ne savait pas si c'était pour s'excuser de lui avoir parlé hargneusement ou pour le dérider – ou encore les deux – mais en tout cas, c'était bien agréable.

Se faire engueuler aurait été bien plus supportable si le commissaire n'avait à ce point ressemblé à George Formby[1]. Comment prendre au sérieux quelqu'un qui ressemble au reflet d'un être humain dans un robinet ? Au moins, étant londonien, il ne parlait pas comme George Formby, mais la ressemblance – oreilles décollées, menton fuyant, dents protubérantes et petits yeux de bull-terrier – était à s'y méprendre.

Il était 9 h 30 du matin, un lundi, et il se tenait devant le bureau de Lamb, à essayer de se concentrer tandis que son supérieur le critiquait sévèrement, mais son attention était fixée sur l'index court et carré qui donnait des petits coups au bureau pour appuyer ses propos. Bizarrement, il ne cessait de se demander où ce doigt avait bien pu aller se fourrer ce matin-là – dans son nez ? Celui de sa femme ? « Arrête ! se dit-il. Pour l'amour du ciel. Qu'est-ce qui te prend ? »

– Qu'est-ce qui vous prend ? hurla Lamb. Moi qui vous prenais pour un bon flic, mais ceci (*pock !*) n'est pas (*pock !*) satisfaisant ! (*pock, pock !*) Il nous faut des résultats, et vite !

Il cessa de marteler son bureau le temps de ramasser un morceau de papier qu'il agita dans sa direction.

– M. Fuller est mort vendredi !

Stratton mit plusieurs secondes à se rappeler que M. Fuller était le type blessé lors du cambriolage de la bijouterie et Lamb, voyant sa perplexité passagère, s'exclama :

– Enfin, mon vieux ! La bijouterie !

– Pardon, commissaire, vous me l'apprenez.

Lamb fit la moue.

---

1. George Formby, vedette de cinéma et de music-hall britannique, comme pour ses performances au ukulélé. (*Toutes les notes sont de la traductrice.*)

– Vous deviez suivre cette affaire.
– Oui, commissaire.
– Je suppose que vous n'avez pas avancé ?
– Pas encore, commissaire.
– Eh bien, occupez-vous-en !
– Oui, commissaire.
– Et cette affaire de bandes rivales… Comment s'appelait cet homme ?
Heureusement, Stratton n'eut pas à réfléchir cette fois-ci.
– Kelland.
– Du nouveau ?
– Non, commissaire. Nous avons interrogé toutes les personnes en cause mais aucune n'admet avoir vu quelque chose.
Lamb soupira.
– Pas étonnant. Persévérez. Et cessez de gaspiller votre temps avec cette actrice morte.
– Pardon ?
– Vous savez de qui je parle… Mlle… Comment s'appelait-elle ?
– Mlle Morgan, commissaire.
– Oui, elle ! Suicide, tout simplement. Il n'y a rien de plus.
Stratton aurait bien aimé lui demander comment il pouvait être au courant de l'enquête qu'il avait menée sur la mort de Mabel Morgan et la « visite » qu'avait ensuite reçue Joe Vincent (si c'était lié), mais il garda le silence. Le Dr Byrne, le légiste ? Peut-être s'étaient-ils rencontrés dans un dîner en ville et Byrne se serait plaint de lui ? Ça ne pouvait pas être Joe, ni Wallace, et encore moins Abie Marks.
– Eh bien, dit Lamb. Vous allez me faire le plaisir de vous remettre tout de suite sur l'affaire Fuller.
– Oui, commissaire.

Sans lui laisser l'occasion d'ajouter quelque chose, Lamb avait bondi de son fauteuil pour décrocher son chapeau et sa veste du portemanteau.

– Au fait, dit-il. On a un autre macchabée sur les bras – trouvé dans Ham Yard, ce matin. Une femme étranglée, apparemment. Ne perdez pas trop de temps là-dessus – concentrez-vous sur l'autre affaire. Vous vous sentez de taille ?

– Oui, commissaire.

– Bon. Et maintenant, je me sauve. J'ai rendez-vous avec le sous-divisionnaire...

Stratton lui ouvrit la porte en grand et marmonna, une fois l'autre à bonne distance :

– Et vous pouvez vous foutre votre ukulélé dans la raie des fesses, commissaire !

Revenu dans son bureau, il ressentit les prémices d'une migraine. Il se demanda si la veuve Fuller était venue protester. Même en considérant qu'elle devait être bouleversée, c'était un peu trop tôt... Ça ne pouvait être personne au commissariat – il surpassait tout le monde au point de vue grade, sauf les autres inspecteurs... et Lamb. Donc... Lamb visait-il une promotion ou autre ? Il n'y avait pas de rumeur, mais cela ne voulait rien dire. Et maintenant, cette femme assassinée dans Ham Yard... Stratton ramassa le papier laissé sur le bureau. Au moins serait-il capable de faire à cette malheureuse la grâce de lancer l'enquête avant d'être obligé de s'enferrer dans l'affaire Fuller. Il se mit à lire : trois heures et demie du matin – L'agent 14 – victime identifiée comme Maureen Mary O'Dowd, vulgaire prostituée, vingt-huit ans, dite « la Grande Rita »...

Il était vingt-deux heures trente quand il quitta le commissariat. Il avait bien progressé sur Maureen O'Dowd, ce qui était une bonne chose – à ceci près, bien sûr, que ce n'était pas l'affaire à laquelle tenait Lamb. Ce bonhomme se fichait pas mal des meurtres de prostituées, sauf si ça faisait les gros titres des journaux. L'affaire Fuller allait être encore plus difficile à résoudre – l'absence de témoins, pour commencer, et d'empreintes digitales car les salauds avaient des gants. Cependant, l'heure tardive signifiait qu'il allait pouvoir attraper Vincent au moment où ce dernier quitterait le Tivoli sans éveiller la méfiance du directeur du cinéma. À dix-huit heures trente, il avait téléphoné à Doris pour lui demander de prévenir Jenny de son retard, donc il n'avait pas à s'inquiéter pour cela, même si Jenny – et on ne pouvait pas lui en vouloir – aurait sans aucun doute une réflexion à faire à son retour. Heureusement que quelqu'un avait le téléphone dans la famille. Si seulement il avait eu l'occasion d'être raccordé avant la guerre – maintenant, ce n'était plus possible…

Il répondit au salut du portier pakistanais devant le Veeraswamy et enfila Regent Street en direction de Piccadilly Circus. Arrivé au cinéma, il calcula que Joe en avait encore pour dix minutes de boulot et grilla donc une cigarette devant les affiches chichement éclairées. Cette semaine-là, on donnait *Strange Cargo*, avec Clark Gable et Joan Crawford, mais aussi *Arouse and Beware*, avec Wallace Beery, John Howard et Dolores Del Rio. Il admira l'affiche – enfin, surtout la plastique de Dolores Del Rio – et ignora la photo de Joan Crawford, qui le laissait froid. Quel dommage de ne plus avoir le temps d'aller au cinéma. C'était une distraction qu'il appréciait à l'époque de ses fiançailles avec Jenny.

Perdu dans ses pensées, il faillit manquer Joe, qui avait quitté le Tivoli par une petite porte, et il dut le rattraper. Ce dernier sursauta au contact de cette main sur son épaule.

– Pas de panique, Joe, c'est moi – inspecteur Stratton.

Joe se retourna pour le scruter.

– Désolé, monsieur Stratton. Le couvre-feu… ça rend nerveux.

– Je sais, répondit Stratton.

Même dans la pénombre, on pouvait voir que les ecchymoses étaient toujours là, deux semaines après l'agression.

– Tout va bien ? Plus d'ennuis ?

– Non.

– Vous habitez toujours chez votre sœur ?

– Oui. Je peux être mobilisé à tout instant et je ne voulais pas retourner là-bas. Ça ne l'ennuie pas – elle prétend que je lui tiens compagnie et on s'entend bien. D'ailleurs, je vais aller suivre l'entraînement dans une semaine ou deux.

– Alors, vous partez à la guerre… ?

Joe acquiesça.

– Vous l'avez trouvé, monsieur Stratton ? Ce type… Vous disiez le connaître…

– Je l'ai trouvé. Il ne vous embêtera plus.

Joe eut un large sourire.

– C'est un grand soulagement. Je vous suis tellement reconnaissant, monsieur Stratton. Si vous saviez à quel point ! J'avais une trouille bleue…

– Ils ne reviendront plus. Je voulais vous interroger sur Mlle Morgan, Joe. Vous n'avez rien noté de curieux dans son comportement, le jour de sa mort ?

– Vous ne croyez pas qu'elle s'est suicidée, n'est-ce pas ?

La voix de Joe était pressante.

– Beryl n'y croit pas. Moi non plus.

– Je ne sais pas. C'était peut-être un accident.

– Ça m'étonnerait. C'était un jour comme les autres. Je suis venu lui dire au revoir – comme elle aimait bien traîner au lit, je lui apportais juste une tasse de thé – et tout allait bien.

– Elle ne vous a rien dit ?

– Rien de spécial. Juste de lui rapporter des bonbons. Je me souviens de cela... C'est la dernière chose qu'elle m'ait dite. Des bonbons. Est-ce qu'on réclame des bonbons, quand on va se supprimer ?

Stratton dut admettre que c'était bizarre, mais là encore, peut-être Mlle Morgan avait-elle voulu donner le change.

– Elle vous demandait souvent de lui rapporter quelque chose ?

– Parfois. Je veux dire que ce n'était pas extraordinaire. Elle aimait les bonbons.

– Je vois. Merci, Joe. Et bonne chance !

Stratton lui donna une claque sur l'épaule. Il se sentait embarrassé et se demanda si Joe en était conscient.

– Ça ira. Portez-vous bien – et pensez à saluer votre sœur de ma part.

– Je n'y manquerai pas, monsieur Stratton. Et encore merci. J'apprécie tout le mal que vous vous êtes donné.

– C'est mon boulot, mon petit, dit Stratton qui eut l'impression d'être un peu trop jovial. Allez, vous bilez pas...

Quelle réflexion idiote, songea Stratton en se dirigeant vers le métro. Vous bilez pas. Le pauvre garçon allait sûrement se prendre une balle en pleine tête. Et qu'en savait-il, d'ailleurs, lui-même ? Il n'avait jamais été soldat. Mais on devait dire ces choses-là. Tout comme on ne pouvait admettre qu'on avait peur – car il n'y a rien de plus effrayant que la peur elle-même.

Quel dommage que Rogers n'ait pas avoué tout de suite avoir fait entrer les deux gangsters – mais c'était ainsi. Quant au commissaire Lamb… Ragoût d'agneau. Lundi, c'était jour de lessive et on avait toujours du ragoût d'agneau – l'un de ses plats favoris. L'odeur resterait à jamais associée en lui au linge mouillé et à Jenny, les joues roses, le visage encadré de petites mèches folles, frisottantes… Il sourit. Lamb pouvait attendre.

20

– Que des pattes et un bec ! déclara lady Calne en sondant la tourte au gibier avec sa fourchette.

– Hélas, marmonna Diana, mais qu'y faire ?

Elles étaient en train de déjeuner dans le salon de thé de South Kensington, avec Mme Montague et Helen Pender, la fille de lady Calne, âgée d'une vingtaine d'années, qui travaillait au siège de la Croix-Rouge dans Knightsbridge.

– Évidemment, déclara Mme Montague, pour certains, rien n'a changé. Il paraît que, partout, les Juifs accaparent les denrées et se vantent d'avoir échappé à la mobilisation. Et maintenant que les bombardements ont commencé, des hommes en parfaite condition physique bousculent femmes et enfants pour être les premiers dans les abris.

– Quelle honte ! dit lady Calne. Ils sont en train de faire main basse sur Londres. Les bombardements vont durer encore longtemps, à votre avis ?

– Trois ou quatre mois, répondit Mme Montague. Au moins jusqu'à Noël. La Luftwaffe est très bien équipée. Bien entendu, tout est de notre faute…

Diana se joignit au murmure général d'approbation et, tout en jouant avec sa tourte dans le vain espoir de trouver un morceau comestible, elle laissa vagabonder ses pensées. Partout, les conversations étaient les mêmes – les raids, ce qu'on avait vécu, ce que des connaissances avaient vécu, ou ce qu'elles avaient entendu dire – et en outre, elle était fatiguée. Depuis que les bombardements avaient commencé, le 7 septembre, elle n'avait quasiment pas dormi et se sentait apathique, épuisée. Combien de temps pouvait-on tenir ainsi ? Une semaine, c'était déjà pénible, mais si Mme Montague avait raison et que cela durait des mois ? Dans quel état serait-elle alors ?

Les propos antisémites revenaient dans toutes les conversations – elle n'apprendrait rien de nouveau aujourd'hui. Ce qu'elle ne comprenait pas, c'était pourquoi, si tous les Juifs étaient des capitalistes, des banquiers et cetera, ils pouvaient être en même temps communistes : c'était contradictoire. La seule fois où elle avait hasardé une remarque à ce sujet, c'était à l'adresse d'un des rares hommes qu'elle avait jamais vus aux réunions du Right Club. Elle l'avait fait précéder d'un tas de considérations sur le fait qu'elle n'était qu'une pauvre femme à l'intelligence limitée, et on lui avait répondu que tout cela participait du grand complot et qu'il ne fallait jamais oublier que tous les Juifs étaient très rusés. Elle se tamponna les lèvres avec sa serviette, but de l'eau et tenta, vaguement, de se rappeler le nom de l'auteur de cette remarque. Un type très beau – américain, ce qui était inhabituel – grand, et… Watson ? Non, pas Watson…

Elle sursauta légèrement quand Helen Pender, qui se trouvait à côté d'elle, lâcha ses couverts dans son assiette et recula sa chaise.

– Vous m'excusez un moment ?

Sa voix était cassante et, comme elle se faufilait derrière les chaises pour gagner la salle principale du restaurant, Diana sentit sa main lui effleurer l'épaule

– exprès. Comprenant que c'était une invitation à la suivre, elle s'éclipsa aussi.

Aux toilettes, elle fit mine de se remettre du rouge à lèvres, jusqu'au moment où Helen sortit d'un des box. Elle avait un air légèrement pincé, les yeux et le nez rougis, comme si elle avait tenté, sans succès, de ne pas pleurer.

– Qu'y a-t-il ? demanda Diana.

– Désolée. Je sais qu'on ne se connaît pas très bien, mais je n'en pouvais plus... C'est maman, voyez-vous... On s'est affreusement disputées hier soir. Au sujet de Walter.

– Oh ?

Diana, qui visiblement était censée savoir qui était Walter et pourquoi lady Calne se mettait en colère à son propos, approuva de la tête.

– C'est horrible. Je sais qu'il n'est pas de notre milieu – forcément, un Américain, mais tout de même... Franchement, c'est insupportable, vous n'avez pas idée... Mme Montague le trouve fantastique. Elle a dit à maman que c'était une recrue de choix. Elle ne sait rien pour nous, bien sûr, et maman est si affreusement méfiante qu'elle n'écoute pas...

De nouveau, elle se mit à pleurer. Pour la consoler, Diana essaya de démêler cet écheveau d'informations.

– Elle ne veut pas voir, sanglota Helen, que tout cela n'a plus aucune importance.

– Bien entendu, dit Diana d'un ton apaisant en lui tapotant l'épaule avec distraction, tandis que la vérité se faisait jour.

Walter, américain, une recrue de choix... L'homme du Right Club qui parlait du complot juif. Pas Watson, mais... Wymark. Voilà, Wymark. Qu'avait-il fabriqué exactement pour faire l'admiration de Mme Montague ? Recueillir des renseignements, peut-être – pas le genre de trucs périmés qu'elle avait transmis sur ordre de Forbes-James, mais des choses importantes. Elle ignorait son activité – journaliste, peut-être, ou bien la diplomatie… ? Elle tâcha de se concentrer sur la confession d'Helen et lâcha quelques paroles compatissantes. En sa qualité de femme mariée et plus âgée, elle aurait dû sans doute énoncer des vérités profondes sur les relations humaines et ce genre de situation – visiblement, c'était ce qui s'imposait – mais ne trouva rien à dire, sinon que c'était des choses difficiles qui demandaient du temps et que lady Calne changerait forcément d'avis quand elle constaterait combien Walter était dévoué à la cause.

– Oh, il l'est ! lança Helen avec enthousiasme. Il voit la situation très clairement, bien plus que…

Elle s'interrompit au moment où la porte des toilettes s'ouvrait et, au grand déplaisir de Diana, Mme Montague apparut.

– Mon Dieu, qu'y a-t-il ?

– Les nerfs, déclara Diana, très vite. Les raids. Je suis moi-même assez à cran.

– Naturellement. On est tous logés à la même enseigne. La population souffre énormément, et tout cela sans nécessité.

Il fallut plusieurs minutes, et pas mal de poudre de riz, pour ramener le calme chez Helen et la rendre assez présentable pour retourner à sa place. Diana, qui espérait en apprendre plus sur Walter Wymark, fut contrariée quand Mme Montague insista pour rester et superviser les opérations. Cependant, il y aurait d'autres occasions et à présent qu'un lien avec Helen était noué, il ne devrait pas être trop difficile d'évoquer le sujet une prochaine fois.

Il n'y avait pas d'arrêt en face du Ritz Hotel, mais ça n'avait pas d'importance car les bus pour Piccadilly s'arrêtaient toujours afin de laisser descendre les filles.

– Amusez-vous bien, ma petite, lança le conducteur au moment où Diana descendait de la plate-forme. Et pas trop de bêtises !

C'était le début de la soirée et elle avait rendez-vous avec Claude au bar de l'hôtel. En chemin, elle avait lu la dernière lettre d'Evie, pleine de jérémiades au sujet des domestiques qui disparaissaient. « Comment se débrouiller avec juste cinq personnes ? » « Qu'est-ce qu'elle croyait ? songea Diana. Je parie qu'ils avaient hâte de la fuir. » « Ce n'est pas tant à moi-même que je pense, mais quand ce cher Guy sera rentré... » Le sujet de la permission de Guy, qui n'allait sans doute pas tarder, était de ceux que Diana évitait délibérément. Elle devrait demander un congé pour elle-même à la même période, et si c'était accordé... Bien entendu, plus elle et Claude seraient vus en public ensemble, à danser ou autre, plus grande serait la probabilité pour qu'une relation d'Evie les voie et les dénonce ; mais même sans ce souci, l'idée de passer une semaine avec Guy dans la maison d'Evie était épouvantable. Certes, elle ferait semblant d'être ravie et jouerait le rôle de l'épouse dévouée...

Dans le bus, elle s'était soudain rappelé ce qu'avait dit Forbes-James au sujet des qualités du bon espion : « Il doit être honnête, loyal, et fiable, mais seulement envers nous. » Eh bien, elle était honnête et loyale avec Forbes-James – pour la bonne cause – mais certainement pas à l'égard de son époux. Était-ce la contrepartie du fait d'être une espionne, même si on agissait pour son pays ? Le souvenir de l'exaltation et de cette sensation de toute-puissance qu'elle avait éprouvées après sa première entrevue avec Mme Montague la mettait mal à l'aise. C'était, au fond, la satisfaction d'avoir roulé quelqu'un. Elle se rappela les paroles de Jock, en juin, sur le goût du danger qui vous donnait l'impression d'exister, et en frissonna. Était-elle en train de changer ? Ces choses-là ne semblaient guère préoccuper Lally, mais celle-ci n'était pas mariée et prenait manifestement tout à la légère. Diana l'enviait : jusqu'ici, elle avait résisté aux avances de Claude mais l'idée de devenir sa maîtresse était indéniablement séduisante ; aussi séduisante que l'idée de Guy la touchant était horrible. Ses incursions maladroites dans le domaine charnel étaient déjà assez pathétiques, mais savoir que son véritable désir était de plaire à sa mère en engendrant un héritier, c'était révoltant.

« Qu'y puis-je ? » se dit-elle. La réponse, bien entendu, était : rien. Autant s'amuser tant qu'on le pouvait plutôt que de s'appesantir sur ce qui ne pouvait être changé. En tout cas – et cette pensée n'avait jamais été loin de son esprit depuis la première nuit de raids aériens, quand, depuis le toit de Nelson House, elle avait regardé brûler l'East End avec le colonel Forbes-James – c'était peut-être sa dernière chance. Sa dernière chance de voir Guy, aussi, s'il était tué… Que ressentirait-elle alors ? Pendant un moment, le navire naufragé de ses émotions, jamais très loin de la surface, menaça de resurgir dans son intégralité, mais elle réussit – tout juste, car cela devenait de plus en plus difficile – à le neutraliser.

Le bar du Ritz était bourré d'officiers et de femmes en uniforme – des FANY, pour la plupart, et Diana chercha dans la foule la silhouette de Rosemary Legge-Brock, le chauffeur de sir Neville Apse, mais

sans la trouver. Elle était entreprise par un énorm
type à l'air féroce, doté d'une monstrueuse moustach
et d'un accent rocailleux, quand Claude vola à so
secours.

– Qui était cet individu ? demanda-t-elle, une foi
l'autre parti.

– L'un des gardes du corps du roi des Albanais
sans doute. Ils sont partout. Ne faites pas attention
lui. Alors, comment ça va, étourdissante beauté… ?

Il commanda à boire et lui proposa de dîner avan
d'aller danser ensuite au 400 Club.

– N'y pensez plus, dit-il en lui touchant la mai
sous la table.

Diana, qui n'était pas consciente de manifester d
l'anxiété, fut surprise.

– Ça va.

– Je sais, ma chère, mais vous avez une tête d
bombardée. Le genre hébété… bien que cela ne nuis
pas à votre beauté, naturellement.

Diana se mit à rire.

– C'est le style qui me sied le mieux ! En fait, c'es
le manque de sommeil.

– Vous m'étonnez ! dit Claude, lugubre. Forbes
James a la chance d'avoir ce luxueux abri à Dolphi
Square, et une échelle d'incendie au cas où ça bar
derait trop, en haut. Moi, j'ai dû mettre un matela
sous mon lit – emprunter quatre énormes bidons
cirage au concierge pour surélever le cadre, et place
une planche par-dessus. Ça devrait me protéger s
jamais le plafond s'écroule, et au moins – il lui lanç
un regard éloquent – c'est intime…

Diana décida d'ignorer cette pointe.

– Chez moi, il y a une espèce d'abri, dit-elle. A
sous-sol. Si vous saviez comme certains ronflent ! M

voisine d'en dessous – toute petite, et très délicate – eh bien, on dirait un hippopotame… !

Après le dîner, ils allèrent de Piccadilly à Leicester Square, accompagnés par de lointaines explosions et des éclairs qui semblaient déchirer le ciel. Le 400 Club, avec ses murs tendus de soie rouge, ses banquettes profondes recouvertes de peluche et ses tentures en velours, était chic et intime, doucement éclairé par des lampadaires et des petites bougies sur les tables. Claude commanda du champagne, qui fut servi par M. Rossi en personne, puis ils rejoignirent les autres danseurs. Sur la petite piste, il y avait tellement d'officiers avec leurs cavalières qu'on ne pouvait qu'osciller au gré de la musique, mais Claude étant un bon danseur, facile à suivre et sachant éviter adroitement les autres, elle ferma les yeux et se laissa porter.

Soudain, une explosion sourde, mais très forte, fit vaciller la pièce. Des lampes vibrèrent, des bougies coulèrent et les verres débordèrent. La musique flancha légèrement, puis reprit comme de si rien n'était, avec un nouvel accompagnement – le crépitement des fragments de plâtre pleuvant du plafond et le bruit des bouteilles qui tombaient par terre. Les danseurs continuèrent, machinalement, mais c'était plus difficile à présent, comme essayer d'avancer sur le pont d'un navire par temps d'orage. Au creux de son oreille, Diana sentit l'haleine de Claude – il lui parlait, mais elle ne comprit pas – puis il lui prit la main et la ramena à leur table, cernée par le verre pilé et saupoudrée de plâtre. Avec son mouchoir, il nettoya le siège de sa cavalière. De nouveau, ses lèvres remuèrent et elle mit sa main en cornet pour montrer qu'elle ne comprenait pas.

– J'ai dit… (Soudain, sa voix éclata, telle une baudruche.) Attendons la prochaine !

Diana sourit et opina – elle ne se sentait pas de taille à parler pour le moment – et reprit sa place. Une autre détonation, plus proche cette fois, fit se cabrer son siège comme un cheval et elle dut se retenir à la table pour ne pas tomber, puis Claude se matérialisa à son côté, il l'aida à se lever, et, au milieu du boucan et de la poussière de plâtre, un homme s'écria : « Tout le monde dehors. Le bâtiment flambe ! »

Claude l'entoura de son bras et ils se joignirent à la foule qui se ruait dans l'escalier pour se répandre dans la rue – clients, serveurs et musiciens étreignant leurs instruments.

Dehors, le pavé était si brûlant que la chaleur transperçait ses semelles trop fines, la forçant à clopiner. Partout, brillait à la lueur du brasier du verre pilé que des silhouettes – volontaires de la défense passive, pompiers, une infirmière – faisaient crisser sous leurs pas. De temps en temps, un visage passait, tout illuminé, tendu et maculé de suie, avant de retomber dans l'anonymat quand une ombre le masquait – c'était comme regarder les passagers d'un manège. Levant les yeux, elle vit les toits de Londres, tout noirs, se découper contre un ciel rougi par les flammes tandis que Claude l'encourageait à avancer parmi la foule. Elle avait l'impression que personne ne parlait, mais peut-être les voix étaient-elles absorbées par le rugissement et crépitement de l'incendie. Ils traversèrent Charing Cross Road pour pénétrer dans la station de métro de Leicester Square. Lally était là, avec Davey Tremaine. Leurs visages étaient noircis. En regardant Claude, Diana constata que le sien l'était également, et elle en déduisit qu'elle devait être dans le même état.

– Vous sortez du 400 ? demanda Lally.

Elle acquiesça, encore trop secouée pour parler.

– On ne vous a pas vus ! Pas étonnant – c'était la cohue. Descendons sur les quais…

Davey acheta quatre tickets à un penny et ils réussirent, après avoir enjambé une masse de corps étendus, à trouver un coin tranquille, au bas des marches de la ligne Piccadilly, où ils s'accroupirent. Il faisait chaud, ça sentait franchement mauvais et sur les quais se succédaient, à perte de vue, de sordides amas de couvertures en loques où les gens, assis ou allongés, buvaient du thé, jouaient aux cartes, tricotaient, bavardaient ou dormaient.

– Heureusement que je ne suis pas obligée de descendre ici toutes les nuits ! déclara Lally.

– Mais ils ne sont pas censés être là, dit Claude. Le *Daily Worker's* rouspète assez sur ce thème – comment les classes dirigeantes dans leurs abris de luxe refusent toute protection aux prolos et cetera…

– Eh bien, ils ont raison, non ? s'exclama Diana. C'est injuste. Surtout que l'East End est le quartier le plus touché.

– Oui, c'est injuste… mais nous, on a de la veine. Et doublement, même !

Avec un moulinet de prestidigitateur, il tira une bouteille de champagne de l'intérieur de sa veste.

Diana n'en revenait pas.

– Où avez-vous trouvé ça ?

– Je l'ai piquée en sortant. Simple tour de passe-passe.

De chaque poche, il sortit une coupe. Davey Tremaine lui flanqua une bourrade dans le dos.

– Bravo, vieux frère !

– On ne l'a pas payée…, objecta Diana.

Claude haussa les épaules et se mit à remplir l
coupes.

– Je ne voudrais pas que les secouristes s'enivre
pendant le travail. Tiens… – il tendit une coupe
Lally – partage avec Davey !

Lally leva son verre pour porter un toast.

– À l'amour, pas aux bombes !

– Absolument, dit Claude. Nous souscrivons, n'e
ce pas, Diana ?

Elle se sentit rougir et espéra que la suie sur
figure camouflerait sa gêne. Repêchant son poudri
dans son sac à main, elle se mit à réparer les dég
de son mieux. Lally se détourna des deux homm
pour lui adresser un clin d'œil.

Un responsable de la défense passive, qui desce
dait l'escalier, s'arrêta devant eux.

– Il faut soigner cela, mademoiselle, dit-il en reg
dant aux pieds de Diana.

En suivant son regard, elle s'aperçut que le bas
sa robe était ourlé de sang.

– Montre ! dit Lally en soulevant très légèreme
la robe.

Il y avait une vilaine estafilade juste au-dessus
sa cheville droite.

– Ce doit être tout ce verre, dit Claude.

– Il y a un poste de premier secours dans Totte
ham Court Road, déclara le volontaire. Vous pourr
y aller, mademoiselle ?

– Ce n'est pas grave, dit Diana. Franchement,
ne m'en étais même pas aperçue…

– C'est le choc…

Remarquant le champagne, le volontaire ajouta :

– Ce qu'il vous faudrait, c'est plutôt une bon
tasse de thé.

– Je vais m'occuper d'elle, dit Claude. Le pire doit être passé, à présent, ajouta-t-il à l'adresse de Diana. Vous pourrez marcher jusqu'à Jermyn Street ? Inutile d'espérer trouver un taxi et il vous faut un pansement.

– Ça ne fait pas mal, dit Diana en fuyant le regard de Lally.

– Pour le moment, peut-être, mais ça va venir. Vous avez peur ?

Il écarquillait les yeux, la mettant au défi de l'admettre.

– Bien sûr que non ! fit-elle sèchement.

– Alors, en route…

Il tendit la bouteille à Davey et l'aida à se relever.

– Vous deux, amusez-vous bien !

Davey eut un grand sourire et Lally leva les yeux sur son amie. « Attention, danger ! » semblaient dire ses lèvres.

Après avoir traversé Lower Regent Street, Diana boitait. Claude la porta dans l'escalier, la déposa sur le divan du salon et alla faire chauffer de l'eau. En regardant autour d'elle, Diana jugea que cet endroit ressemblait à un entrepôt. La plupart des meubles – massifs, précieux et de style victorien – étaient trop volumineux pour cet espace et elle se demanda comment ils avaient pu passer dans l'escalier. Ils semblaient occuper toute la place et pas plus les rideaux du couvre-feu que le papier peint sombre, recouvert de mornes tableaux paysagers, n'aidaient à égayer l'atmosphère. Les seuls éléments de modernité étaient la radio et le shaker électrique.

– Hideux, n'est-ce pas ?

Claude venait de réapparaître avec du thé et du cognac sur un plateau.

– C'était chez mon père.

Considérant l'endroit, il ajouta :

– Je ne m'en aperçois plus. Madame prendra-t-ell un thé avec une larme de cognac ?

– Madame consent…

– Bien. Ensuite, on regardera cette cheville de plu près, si Madame est assez aimable pour ôter son bas

Il la laissa boire son thé, qui semblait contenir plu qu'une larme de cognac, et revint quelques instant plus tard avec une bassine et une petite trousse d premier secours. À genoux sur la carpette, il soulev sa jupe et nettoya la plaie à l'eau tiède – « Je vai essayer de ne pas vous faire mal, chérie » – y plant un baiser, puis fit le pansement avec une dextérit surprenante.

– Où avez-vous appris ?

– Oh, ici ou là, dit-il avec désinvolture.

– Ça vous arrive souvent de faire l'infirmier ave des femmes ?

– Très souvent ! Mais personne n'a d'aussi jolie gambettes que vous.

– Je parie que vous dites ça à toutes.

– Non, pas du tout. Pour qui me prenez-vous ?

– Pour ce que vous êtes.

– C'est-à-dire ?

– Un séducteur et un don Juan éhonté.

– Eh bien, maintenant que vous êtes là, aimeriez vous être séduite et éhontément donjuanisée ?

– On ne peut pas « donjuaniser » quelqu'un. C n'est pas un verbe.

– Ça l'est, maintenant.

Claude glissa ses mains sous sa robe et la soulev jusqu'au niveau de ses genoux.

– Tes jambes sont vraiment superbes, tu sais.

– C'est ce qu'on m'a dit, répliqua Diana, en l rabattant.

– Ah ? Qui ça ?

– Oh, des milliers d'hommes.

– Vraiment ? Est-ce qu'ils faisaient tous… cela ?

Toujours à genoux, il repoussa de nouveau sa robe, lui écarta doucement les mains et caressa l'intérieur de ses cuisses, lui donnant la chair de poule. « Je dois l'en empêcher », songea-t-elle. Quel ennui, c'était si agréable…

– Certainement pas ! dit-elle en se trémoussant pour se libérer. Ils étaient très respectueux.

– Donc, ils ne faisaient pas… ça ?

Ses doigts s'étaient à présent insinués sous sa culotte. Involontairement, Diana se raidit, mais en vain. Cette sensation de chaleur, de douceur, qu'elle avait eue le premier soir, quand il avait touché ses seins, revint la submerger, mais plus bas, et avec bien plus d'intensité. La pression de ses doigts, et ce qu'il lui faisait, c'était… Elle se mordit la lèvre pour étouffer le soupir qui montait en elle. Jamais ils n'étaient allés aussi loin – mais jamais elle n'était venue chez lui, n'est-ce pas ?

– Allons, Diana…

– Je n'ai pas… (Sa voix était tremblante.) On ne peut pas…

– Diana…

Claude se leva et, lui mettant les mains sur les épaules, la poussa, si bien qu'elle se cogna à l'accoudoir du divan.

– Allons…, la cajola-t-il, penché au-dessus d'elle. Détends-toi. Ne résiste pas.

De nouveau, il avait passé la main sous sa robe, et ses doigts…

– Là, c'est mieux, n'est-ce pas ? Sage…

– Non !

Diana se dégagea, tâchant de retrouver la positio
assise, et, n'y parvenant pas, elle l'empoigna par le
cheveux.

– Hé !

Claude retira sa main et se remit sur son séant ave
une grimace de douleur.

– Claude, il ne faut pas. Laissez-moi m'asseoir co
rectement.

– Tu sais…

Claude eut un grand sourire et la repoussa ferme
ment en arrière.

– Je crois que je ne vais pas t'obéir. Tu ne le mérite
pas – pas après ça.

Elle sentit qu'il retroussait sa robe.

– Pitié, Claude, vous m'écrasez.

Il n'écoutait pas.

– Tu es très belle, lui murmura-t-il à l'oreille. Si…
belle…

– Claude !

– Tu vas aimer cela, chérie. Tu le sais…

– Non, Claude, c'est impossible.

– Ne t'inquiète pas, mon ange, je ferai attention.

– Quoi ?

– C'est comme un trajet en bus, dit-il en lui cares
sant la nuque de sa main libre. On connaît l'arrêt o
l'on voudrait descendre, mais en fait on descend tou
jours au précédent.

– Vous voulez dire que…

– Non, pas en toi. Et maintenant, tu vas être bie
sage, sinon…

Là, il lui attrapa les deux bras et, les clouant der
rière sa tête, lui maintint les poignets d'une seul
main avec une facilité humiliante.

– Alors… ?

Sans attendre de réponse, il l'embrassa de nouveau, cette fois sur la bouche.

– Ne me dis pas, déclara-t-il quelques instants plus tard, que ça ne t'a pas plu, car je sais bien que si. Tu es si belle ainsi, les cheveux dénoués. Et tu en meurs d'envie, Diana. Tu le sais bien.

– Oui, mais…

Bien sûr qu'elle en mourait d'envie. Ô combien. Pourquoi était-ce toujours à la femme de freiner ? Ce n'était pas juste. Même Guy s'était attendu à cela, avant leur mariage, bien que, en fait, il était plutôt comme ceux qui feignent de vouloir se battre mais sont soulagés que des copains les retiennent. Il aurait été horrifié si elle s'était carrément allongée pour le laisser faire ce qu'il était censé désirer.

– Je suis mariée…

– Peu importe, chérie. Ça ne va pas nous gâcher la vie.

– Ce n'est pas juste, vis-à-vis de Guy.

Une soudaine résolution la fit se débattre pour de bon, se tortiller de tous côtés et ruer des hanches. La réaction de Claude, en plus de l'érection qu'elle sentait contre son ventre, fut de lui serrer encore plus les poignets en lui tordant les bras, ce qui la fit grimacer de douleur.

– Vous me faites mal !

– Je sais, chérie. Mais si tu es bien sage, nous pourrons remplacer cette douleur par une sensation bien plus agréable.

– Je ne suis pas une enfant, Claude.

– Alors, cesse de te comporter ainsi.

Il lui tordit de nouveau les bras, lui arrachant un cri.

– Après tout, tu n'es pas vierge.

– Ce n'est pas la question.

– Petite hypocrite ! Je suis là, tu es là, et ceci – relâchant sa prise, il frotta son entrejambe contre elle – est l'essentiel. De toute façon, tu es bien trop joli pour qu'on n'en profite pas, et il ne faut pas gaspille la marchandise – c'est interdit par la loi.

Son expression était si sérieuse qu'elle se mit à rire

– Quelles bêtises !

– Pas du tout. Étant au service du gouvernemen de Sa Majesté, il nous appartient de donner l'exemple

– Mais personne n'est là pour voir.

– Préférerais-tu un public ?

– Non !

– Tant mieux.

D'une main experte, il tira sur le zip de sa robe e commença à libérer ses épaules, confisquant ses des sous par la même occasion.

– J'aime mieux avoir ceci...

Elle poussa un gémissement en sentant sa bouch lui taquiner le sein.

– Tout à moi. Tu vois que c'est bien plu agréable...

– Claude !

– Cesse de te trouver des excuses.

– Mais...

– Assez !

Il la fit se rasseoir.

– Tu ne ressortiras pas, Diana. Ça peut recommencer à tout instant. Ce serait dangereux.

Elle tripota maladroitement sa robe pour essayer d se couvrir.

– Ici aussi, c'est dangereux.

Claude lui prit les mains et les embrassa.

– Mais non, chérie. Ici, tu es en sécurité et c'es bien plus confortable. Tu as bien joué la comédie..

Lui prenant le menton, il appuya son front contre le sien.

– Ton numéro était très réussi, chérie, murmura-t-il. Bravo. Et maintenant, amusons-nous !

Diana s'allongea sur le dos et leva les yeux sur le dessous du lit de Claude.

– Bonté divine ! dit-elle avec un petit rire. Comme c'est étrange. Je ne savais pas… C'était… ça…

– Chut !

Penché au-dessus d'elle, il lui caressa la joue puis lui prit la main sous le drap.

– Je t'aime, dit-il.

– Moi aussi, je t'aime.

Plus tard, comme elle s'endormait dans ses bras, sa dernière pensée somnolente fut qu'elle avait brûlé ses vaisseaux, mais assez curieusement, ça ne l'inquiétait pas outre mesure. Demain matin, ce serait peut-être différent, mais pour le moment…

21

– Inspecteur ?

Stratton leva les yeux de son bureau. Debout sur le seuil, Ballard, tout couvert de poussière de brique, tenait dans ses bras un coffre cabossé.

– Bon sang ! D'où sortez-vous ?

– Conway Street, inspecteur…

Ballard posa le coffre par terre et s'épongea le visage, puis regarda d'un air dégoûté la saleté déposée sur son mouchoir.

– C'est moche, inspecteur – trois maisons écroulées. Un désastre ! Les pensionnaires étaient à l'abri, mais la logeuse…

Ballard secoua la tête, lentement.

– Morte ?

– Hélas, inspecteur. Il n'en reste plus grand-chose. Tir direct. Obus explosif à fragmentation.

– Merde… Mlle Morgan, celle qui s'est jetée de sa fenêtre, elle n'habitait pas dans cette rue ?

– C'est pourquoi je suis ici, inspecteur. C'était l'une des maisons. L'homme de la défense passive m'a donné ça…

Il toucha le coffre du pied.

– … pensant que ça pouvait être important. Quand j'ai vu le nom, je me suis rappelé que vous m'aviez interrogé sur elle, et je me suis dit que ça vous intéresserait peut-être…

Il s'accroupit et souffla dessus. Comme la poussière achevait de s'envoler, Stratton put voir le nom de « Morgan » peint en blanc.

– Il y a une étiquette sur la poignée, dit Ballard, en lui montrant le petit morceau de papier kraft attaché par un bout de ficelle.

– Voyons…

Stratton scruta l'inscription.

– Des initiales. W.B. & C. Quezaco ? Vous avez regardé à l'intérieur ?

– Non, inspecteur. Il y a un cadenas.

Un marteau et un burin en viendraient à bout, songea Stratton, qui se contenta de dire :

– Merci. Vous avez bien fait de me l'apporter.

– C'est ce que j'ai pensé, inspecteur.

Le visage de Ballard était impassible et Stratton se demanda à quoi il pouvait bien penser, mais il ne formula pas sa question.

– Allez vous nettoyer, dit-il. Cudlipp doit bien avoir une brosse à habits quelque part.

– Oui, inspecteur…

Une fois seul, Stratton fit le tour du coffre. Était-ce ce que cherchait Wallace ? Pas facile à cacher – à part sous le lit, évidemment, mais selon Joe ils avaient ôté le matelas, donc ça ne pouvait pas être là. Et, assurément, Joe avait dû emporter toutes ses affaires en partant, plus celles de Mabel aussi, s'il y tenait – donc, où se trouvait ce coffre ? Pas sous le plancher – trop gros – ni dans le réservoir de chasse d'eau… Il le souleva – pas trop lourd – et le casa sous son bureau. Il faudrait le rapporter à la maison ;

si jamais le commissaire Lamb le surprenait à fouiller dans les affaires de Mabel Morgan, il en entendrait parler ! Et il faudrait agir sans exciter la curiosité de Cudlipp... Stratton consulta sa montre. Treize heures : l'heure de déjeuner. Ou, plutôt, l'heure d'aller faire un tour – par exemple, du côté de Conway Street.

Il traversa Oxford Street et se dirigea vers Fitzrovia. Au coin d'une rue, un vendeur de journaux avait écrit à la craie sur son ardoise : SCORE : 44 À LA MI-TEMPS.

– Vous bilez pas, lui lança le bonhomme. Il leur en faudra du temps, pour tout démolir !

Dans Conway Street, trois maisons au bout d'une rangée d'immeubles de cinq étages, surtout des immeubles de rapport et des pensions, s'étaient écroulées, et plusieurs autres n'avaient plus de façade. Un goût de poussière dans la bouche, Stratton passa sa langue sur ses lèvres et grimaça. La chaussée disparaissait sous un monceau de briques, d'ardoises, d'éclats de verre, de poutres et de solives, et là où un immeuble avait été éventré, on pouvait voir au quatrième étage un manteau toujours accroché à une porte. Au-dessus, posé en équilibre précaire sur des planches déchiquetées, un petit lit d'enfant. Stratton songea à Pete et Monica, sains et saufs à la campagne, et se demanda ce qu'étaient devenus les locataires.

Dix à quinze hommes et femmes, plutôt des vieux, se tenaient dans les parages, les yeux rougis, hagards. Les habitants ? Une femme tenait une coupe en porcelaine de Chine – les vestige de sa vie, peut-être – dans ses mains tremblantes. Près d'elle, un homme âgé, coiffé d'un chapeau mou, contemplait fixement les gravats. La poussière de brique déposée sur les vêtements leur faisait comme des linceuls. En passant,

Stratton entendit l'homme au chapeau dire : « Et ça se passe en plein Londres… »

La vieille femme répondit :

– Ils vont nous trouver un endroit où dormir, ce soir ?

– Partout, dit l'homme. Dans tout Londres.

La femme l'ignora et se mit à répéter, d'une voix chevrotante :

– On n'a nulle part où aller. Ils vont nous trouver quelque chose ?

Stratton contourna les décombres et se dirigea vers le responsable de la défense passive, qui se tenait au bout de la rue et parlait à l'un des gars de l'équipe de démolition.

– Inspecteur Stratton, dit-il. C'est vous qui avez trouvé le coffre ?

– Exact.

Ce type paraissait épuisé.

– Là-bas…

Il désignait vaguement les maisons sinistrées.

– Il y avait autre chose ?

– Les trucs ordinaires. Rien qui ressemble à ça.

– Beaucoup de victimes ?

– Une vieille dame est morte au 35, et on en a envoyé trois à l'hosto.

– Il n'y a plus personne là-dessous… ?

Il fit non de la tête avec lassitude et allait se détourner quand un homme grand, décharné, se matérialisa à son côté, chargé d'un tapis miteux.

– Il me faut mon chauffe-eau, dit-il d'une voix pressante. J'ai encore deux versements à faire, et ensuite ce sera payé.

Le responsable de la défense passive le dévisagea.

– Plus que deux versements, répéta l'homme.

– Vous allez, hélas, devoir attendre que les démolisseurs aient fini. Je suis sûr que c'est quelque part.

– Vous me le direz, n'est-ce pas ? Quand j'aurai ce chauffe-eau, expliqua-t-il à Stratton, je serai satisfait.

Il effleura son chapeau en guise de salut et alla rejoindre les autres curieux. Stratton se tourna vers son interlocuteur, éberlué.

– On ne peut pas lui donner tort. Le pillage… Vous n'imaginez pas les problèmes qu'on rencontre, et c'est de pire en pire.

– Ils n'iraient pas piquer un chauffe-eau, tout de même ?

– Ces fumiers sont capables de tout. C'est une honte !

Stratton lui désigna la femme angoissée qu'il avait vue un peu plus loin, puis retourna au commissariat en s'étonnant de la rapidité avec laquelle on s'habituait aux raids – les bombardements proprement dits, la peur, le boucan, les modifications du paysage… Nouvelles perspectives à travers des brèches dans les enfilades d'immeubles et, les nuits de pleine lune, Londres semblait presque fragile – l'idée qu'on voyait peut-être pour la dernière fois un élément familier d'architecture vous rendait plus attentif. C'était l'effet produit sur la population, comme ce pauvre bougre dans Conway Street, qui le choquait, le révoltait. Tottenham n'avait pas trop souffert pour le moment, Dieu merci. Après les premiers raids où elle s'était agrippée à lui, tremblante et en pleurs, Jenny semblait s'y être faite. Stratton s'était inquiété de la savoir seule dans l'abri Anderson si l'alerte était donnée alors qu'il était au travail, mais comme Doris et Donald s'étaient proposé de la rejoindre si cela arrivait, ce n'était plus un problème. Depuis le début des bombardements, elle avait cessé de mener campagne pour le retour des enfants, allant même jusqu'à lui dire qu'il avait toujours eu raison là-dessus, mais il savait qu'il n'y avait pas de quoi pavoiser. Que trouveraient-ils à leur retour ? Et si tout était détruit ? Le vendeur de journaux avait dit que ça prendrait du temps, et c'était vrai, mais les nazis avaient toutes les ressources de l'Europe à leur disposition. Même si la défense civile travaillait jusqu'à l'épuisement – sans parler de la police, songea-t-il en bâillant – combien de temps pourrait tenir une petite île ?

Il cessa de s'abandonner à ces réflexions, et au bout d'un moment, sa mélancolie lui parut inopportune et répugnante. Il se rappela avoir lu quelque part que la sensiblerie était l'exacte mesure de l'incapacité d'un être à avoir de véritables sentiments. Il n'aurait pu mieux dire lui-même et, en tout cas, pleurer sur son propre sort n'arrangerait rien. Le commissaire Lamb s'était radouci, en juillet, quand il avait résolu l'affaire du cambriolage de la bijouterie et le meurtre de Maureen O'Dowd, la prostituée, mais on n'avait pas encore réussi à découvrir qui avait poignardé Kelland au cours de la rixe entre gangs et, franchement, il n'y comptait plus. De plus, il y avait encore eu quatre bijouteries dévalisées ce mois-ci, plus une avalanche de cambriolages chez des fourreurs de luxe et deux nuits plus tôt une « hôtesse » de dix-huit ans avait été agressée dans une boîte de nuit sur Rupert Street.

Réfléchir à ces affaires lui rappela ce que le responsable de la défense passive avait dit à propos du pillage. Juste le genre de bêtises dans lesquelles Johnny, son neveu, pouvait tremper. Il ne l'avait pas revu depuis un bon moment et ses parents n'en parlaient plus. Le problème était qu'un garçon comme lui connaissait tout en théorie mais rien en pratique.

Il avait appris – ou cru apprendre – ce qu'était un dur en voyant James Cagney ou George Raft au cinéma, et ce qu'était une femme d'après les graffitis sur les murs des latrines. Il aurait fallu le prendre à part pour le chapitrer, mais ça n'était pas son rôle. C'était à Reg de le faire, après tout. Et, de toute façon, le gamin n'écouterait pas.

Sortir en douce le coffre du commissariat à la fin de la journée fut moins difficile que prévu. Il le rapporta à la maison et le casa sous l'établi, dans la cabane du jardin, puis rentra embrasser Jenny et se laver les mains avant de prendre le thé. Il monta à l'étage en se demandant ce que le coffre pouvait bien contenir, quand la brusque vision du lit d'enfant perché dans la maison en ruine le poussa à ouvrir la porte de la chambre de sa fille. À l'intérieur, il aperçut sur une étagère, face aux deux poupées favorites du moment, un petit tricot rose pâle. Il crut revoir Jenny apprenant à Monica à tricoter, l'été précédent – leurs têtes, l'une châtaine, l'autre brune, penchées sur un fouillis de laine – et crut entendre la fière déclaration de celle-ci, une fois qu'elle avait pris le tour de main : « Je vais tricoter une écharpe pour ma poupée et la culotte assortie ! » Ils en avaient bien ri ; Jenny avait troublé Monica en soulignant qu'une culotte en tricot, c'était à la fois désagréable à porter et anti-hygiénique, et il avait dû dire que sa poupée ne s'en soucierait pas pour la rassurer. Il prit la petite écharpe et l'examina. C'était très bien fait. Monica, comme sa mère, était habile et soigneuse. Bonne en dessin, en plus, songea-t-il avec orgueil même s'il ignorait de qui elle pouvait bien tenir, car ni lui ni Jenny n'avaient la fibre artistique.

Priant pour n'être pas pris sur le fait par Jenny, il souleva les jupes des poupées pour voir si l'une d'elles portait la culotte assortie. Ce n'était pas le cas et, se sentant un peu bête, il fourra l'écharpe miniature dans sa poche et quitta la chambre.

Après le thé, il laissa Jenny écouter la radio et retourna dans l'abri. Dégageant un espace sur l'établi, il y posa le coffre et prit un marteau et un burin sur son râtelier à outils. Le cadenas céda du premier coup et Stratton, avec une lenteur délibérée, le retira, remit les outils à leur place et souleva le couvercle.

22

« Je t'aime. » Claude l'avait dit. Pas avant, ni pendant – ça ne comptait pas – mais après. Et il ne s'était pas endormi, comme Guy. Bien au contraire, ils avaient fumé et ri, s'étaient fait des confidences, et, quand les tirs de DCA les avaient réveillés à quatre heures et demie du matin et que, se redressant brutalement, elle s'était cognée au dessous du lit, il l'avait prise dans ses bras et lui avait caressé les cheveux.

Elle avait franchi le Rubicon. À présent, elle savait ce que c'était. Rentrant à la maison au petit matin, en métro, fatiguée mais heureuse, elle passa et repassa les événements de la nuit dans sa tête. « Je t'aime. » Il l'avait dit. Vraiment. Chaque fois qu'elle y repensait, ce souvenir la galvanisait et, à l'heure où elle arriva chez elle, elle bondit dans l'escalier avec allégresse.

Voyant Lally devant sa porte, elle s'arrêta soudain sur le palier et reprit son souffle.

– Qu'est-ce que tu fais ici ?

– Je suis venue voir si tu étais…

– À la maison ?

– … toujours entière.

– Que veux-tu dire ? fit Diana en ouvrant sa porte.

Lally ne répondit pas, mais la suivit et resta là, à

la regarder, tandis qu'elle commençait à se déshabiller et à retirer les épingles de ses cheveux.

– Si tu ne veux pas répondre…, dit-elle, passant un petit jupon et son peignoir en soie. Je t'ignore…

Elle alla dans la cuisine. Lally s'appuya contre le chambranle, bras croisés, et la regarda préparer le thé.

– Le problème, dit-elle, tandis qu'elles attendaient que l'eau arrive à ébullition, c'est que, la dernière fois que Claude a poursuivi une femme de ses assiduités, ça a très mal tourné et je crois que tu devrais le savoir.

– Pour l'amour du ciel, Lally ! éclata Diana. Je ne suis plus une gamine !

– Je sais. Écoute-moi, Diana. Je sais qu'on blague à son sujet, mais…

– C'est Forbes-James qui t'a demandé ça ?

Lally parut perplexe.

– Non. Pourquoi ? Il ne sait pas où tu étais la nuit dernière, n'est-ce pas ?

– Non, mais…

– Il t'a mise en garde, c'est ça ?

– Pas vraiment… Il a seulement dit… enfin, comme toi. Un homme à femmes, un Casanova, ces vieux clichés…

– Parce que c'est vrai. Cette autre femme travaillait pour Forbes-James et elle aussi était mariée.

– Ah ?

Diana, éprouvant un petit pincement au cœur, se pencha sur la théière afin de ne pas avoir à la regarder.

– C'était il y a plus d'un an et Claude voulait qu'elle divorce. Elle était folle de lui et a fini par révéler sa liaison à son mari et à lui dire qu'elle allait épouser Claude. Puis Claude a dit qu'il n'était pas sérieux, qu'ils s'étaient bien amusés et qu'elle devait retourner auprès de son époux, mais bien sûr, c'était trop tard. Elle ne pouvait plus reculer. Ça lui a valu une dépression nerveuse et… elle s'est suicidée.

– Eh bien ! dit Diana avec légèreté. Elle devait être dérangée.

– Arrête d'être aussi dure, Diana. C'est à cause de Claude qu'elle est devenue comme ça. Il perturbe les gens.

– Je me porte comme un charme.

– Vraiment ?

– Oui ! Tu ne comprends pas.

– Ma chère, j'ai parfaitement compris. Voilà pourquoi tu m'inquiètes – j'ai déjà vu ça.

– Tu la connaissais bien ?

– Pas très bien, mais ce n'est pas…

– Donc, tu ne peux pas savoir le motif de son acte.

– Je sais que Claude ne prend pas les femmes au sérieux. Il faut te méfier.

– Si tu es tellement inquiète, pourquoi ne pas m'en avoir parlé plus tôt ?

– J'aurais dû. Je n'avais pas réalisé combien… Et hier soir, quand vous êtes partis ensemble, j'aurais dû dire quelque chose, mais je n'ai pas voulu…

– Parler devant lui ? Au cas où ça n'aurait pas été vrai ?

– Je sais que c'est vrai, Diana. Je suppose… Eh bien, Claude m'effraie. C'est sa personnalité. Ça doit te paraître idiot et pourtant…

– Je ne te le fais pas dire…

Diana servit le thé.

– Et si tu buvais ça ? Dis-toi que tu m'as bien mise en garde, que je puisse m'habiller et aller au boulot.

Lally prit la tasse.

– Ça t'est bien égal, non ? Tu es amoureuse.

– Qui dit cela ? demanda Diana, en s'installant devant sa coiffeuse.

– Ta figure…

Lally se tourna et saisit son regard dans la glace. Rougissante, Diana baissa les yeux.

– Et ta façon de te comporter. Et le fait que tu n'as pas écouté un traître mot de ce que j'ai dit.

– Mais si !

– Bon, je l'espère. Diana, je suis ton amie. Pour être honnête, je pense que ça ne devait pas être au beau fixe avec Guy, sinon tu n'aurais pas été si désireuse de trouver un travail.

Diana, surprise, releva brusquement la tête.

– Comment as-tu deviné ?

– Eh bien…

Lally haussa les épaules.

– Pour commencer, vous auriez fondé une famille, non ?

– Nous…

Diana se mordit les lèvres. Elle ne pouvait se résoudre à parler de sa fausse couche.

– Tu peux me faire la leçon, protesta-t-elle, sur la défensive. Avec tous tes petits amis qui défilent…

Lally, l'air blessé, rétorqua :

– C'est triste pour Guy.

– Guy s'amuse comme un petit fou.

– Si tu le dis. Je ne veux pas me disputer avec toi, Diana.

Elle déposa sa tasse et sa soucoupe sur la cheminée.

– Je me sauve. Je suis contente de voir que tu…

Elle laissa sa phrase en suspens, fronçant les sourcils.

– J'espère seulement que tu sais ce que tu fais, c'est tout.

Une fois seule, Diana soupira. « Pourquoi faut-il que tout soit difficile ? » marmonna-t-elle en fixant de nouveau sa coiffure à l'aide d'épingles. Pourquoi fallait-il que Lally vienne tout gâcher ? À la suite de cette pensée, vint l'ennuyeuse réflexion que Lally, loin d'essayer de tout gâcher, s'était montrée serviable et méritait qu'on l'écoute. Tout en passant sa jupe, Diana s'interrogea sur cette jeune suicidée. Elle n'avait pas demandé son nom – exprès. En tout cas – elle consulta sa montre – ce n'était pas le moment d'y penser. Si ça continuait, elle allait être en retard au travail. Elle finit de s'habiller, ramassa son sac et son masque à gaz, et se précipita dehors.

Elle arriva juste à temps pour voir son chef déchirer une lettre et la jeter à la corbeille. Tant de hâte éveilla ses soupçons. Jusqu'à présent, elle n'avait pas réussi à trouver la moindre chose louche à son sujet, et elle commençait à croire que c'était sans espoir, mais il avait bel et bien le regard fuyant. Un individu moins maître de ses nerfs aurait sursauté.

– Pardon pour ce retard, dit-elle. J'ai été prise dans un raid, la nuit dernière. Je suis un peu dans le cirage ce matin.

– Aucune importance.

Apse s'était ressaisi très vite.

– Vous avez l'air…

Il sourcilla, cherchant le mot juste.

– … fatiguée mais contente.

Il la considérait avec curiosité, tel un zoologue qui étudie un spécimen nouveau et intéressant.

– Ah bon ?

Diana feignit la surprise et espéra qu'elle ne rougissait pas.

– Vous devez avoir raison.

« Bon sang, songea-t-elle, il m'a encore déstabilisée. »

– Je suis soulagée d'être ici, dit-elle. Il y a eu de l'action, hier soir.

– Oui, répondit-il, songeur. C'est ce que j'ai cru comprendre.

Il était difficile de dire, d'après son ton, s'il faisait allusion au raid aérien ou à un renseignement qu'on lui aurait communiqué sur la conduite de son assistante.

– Mon Dieu, dit-elle avec une désinvolture calculée. Ne me dites pas que vous avez dormi pendant toute la durée du bombardement !

– Chloral. Et bromure. Peut-être devriez-vous essayer ? dit-il en la regardant carrément dans les yeux.

– Peut-être.

Incapable de le regarder une seconde de plus, elle alla ôter son chapeau. À son retour du vestiaire, elle remarqua que la lettre déchirée n'était plus sur le dessus de la corbeille et décida d'en repêcher les morceaux dès qu'il aurait quitté la pièce.

À onze heures et demie, Apse annonça qu'il avait une réunion avec Forbes-James et s'absenta. Diana, qui avait un train à prendre pour Aldershot, où elle devrait enquêter sur des rumeurs d'espionnage, renversa la corbeille à papier, rassembla tous les fragments qui semblaient appartenir à la même lettre, et les fourra dans son sac.

Le train était bondé, toutes les places étaient occupées et les couloirs pleins de soldats qui, assis sur leurs paquetages, jouaient aux cartes en se plaignant haut et fort d'être trimballés à droite et à gauche. Diana les enjambait, à la recherche des toilettes, quand elle se retrouva au milieu d'une bande de jeunes chahuteurs. L'un d'eux, son paquetage fourré dans la veste de son uniforme, brailla : « J'ai un polichinelle dans le tiroir ! »

– T'as surtout de l'eau de Javel dans le ciboulot, bougonna le sergent, qui ajouta à l'adresse de Diana : Excusez-nous, mademoiselle.

Elle baissa les yeux, gênée, sentant sur elle ces regards masculins. « Savent-ils que j'ai un amant ? se dit-elle. Peuvent-ils le deviner ? » Elle se sentait différente, donc cela se voyait peut-être. Après ce qui lui parut être une éternité, et n'avait sans doute duré que quelques secondes, elle dit :

– Excusez-moi.

Comme ils s'écartaient pour la laisser passer, elle aperçut la porte qu'elle cherchait et se fraya un chemin jusqu'aux W-C. Une fois à l'intérieur, elle sortit les fragments de papier et se mit à reconstituer la lettre. L'écriture semblait féminine et son émotion grandit quand elle vit les mots « allemand » et « secret ». Peut-être était-ce une lettre de Mme Montague, mais pourquoi prendre le risque de la jeter à la corbeille ? Elle retourna un autre bout de papier et vit les mots « un terrain appartenant à… ». Plans d'invasion ? Oui, il était question de « pénétration », « défense »… Apse devait avoir été sur le point de brûler cela quand elle l'avait dérangé. Elle s'agenouilla par terre et, fiévreusement, se mit à disposer les morceaux sur l'abattant de la cuvette. Il y avait une adresse dans le Shropshire, un nom – Lavinia Driffield – ou était-ce Duffield ? et les mots « sympathisants nazis » et « fermier local avec accès à » – puis quelque chose sur un cheval… un code ? C'était sérieux, et sans doute urgent. Il faudrait descendre à la prochaine station et téléphoner à Forbes-James ou, si c'était impossible, envoyer un télégramme.

Les morceaux étaient encore trop mélangés pour en extraire une signification cohérente – il faudrait les agencer correctement, avec noms, dates et plans, afin de pouvoir lire la lettre à Forbes-James si elle réussissait à lui parler. Tandis qu'elle remuait ce puzzle, ses yeux s'écarquillèrent. Ça ne pouvait être… et pourtant, c'était la seule façon dont les bords déchiquetés pouvaient correspondre. Mais… « Mon Dieu ! » Elle plaqua sa main sur sa bouche. Son regard embrassa l'assemblage de phrases, elle n'en croyait pas ses yeux :

Forcée à me soumettre… séance avec un étalon… satisfaire les désirs dépravés du nazi… haletant… immense au-dessus de moi… Prostrée comme je l'étais… ses coups de… m'empêcher d'être envahie… presque inanimée… si complètement à sa merci que je n'existais que pour recevoir…

Après quoi, apparemment, l'amant étalon recevait du foin et de l'eau, tandis que la femme était raccompagnée dans sa fermette, sans doute escortée par le nazi dépravé. Comment pouvait-on imaginer de telles choses, et en plus les écrire ? Elle était effarée d'avoir pu lire de telles saletés et – Dieu merci, elle était seule – d'en avoir été troublée et émoustillée. Pas par le côté cheval – c'était ignoble. Impossible, en plus. Diana se demanda quelle sorte de cheval cette femme avait eu en tête. Cheval de trait ? Pur-sang arabe ? Poney Shetland ?

C'était absurde, mais c'était les mots eux-mêmes qui l'avaient remuée, comme jamais Elinor Glyn ne l'avait fait. Si cette lettre avait parlé d'un homme…

Pas étonnant qu'Apse l'eût déchirée. Et sa gêne s'expliquait. Elle avait interprété tout de travers : ce n'était pas l'air coupable qu'il avait eu, mais l'air gêné.

Elle rassembla les morceaux, en fit une boulette qu'elle remit dans son sac. Une part d'elle-même avait envie d'en rire, mais l'autre… Elle s'assit sur la cuvette, genoux serrés, en proie à une excitation mêlée de honte. Cela, et le souvenir des propos de Lally sur Claude, et sa propre réaction, déchaîna un tel maelström intérieur qu'elle faillit en vomir. Elle aurait bien aimé passer tout le trajet aux cabinets, mais on tambourinait à la porte et elle entendit des trépignement et les geignements aigus d'un enfant.

Pendant le reste de l'après-midi, tandis que Diana, assise au milieu du bric-à-brac poussiéreux d'un mausolée victorien – paravents de soie, oiseaux empaillés dans des vitrines, candélabres en cuivre et pléthore de médiocres peintures à l'huile –, s'efforçait de rassurer un vieux gentleman tout de tweed vêtu qui se confondait presque avec son divan tapissé de la même étoffe laineuse, les paroles de Lally… Claude avait dit qu'il n'avait jamais eu l'intention de l'épouser, qu'ils en avaient bien profité… suicidée… et les mots de Lavinia Machin-chose… dominée et totalement… les coups de reins… incapable de résister… alternaient dans son esprit. Revoir Apse allait être une véritable torture. Elle soupira, en sorte que le vieux gentleman se tut pendant un moment avant de recommencer à se plaindre, d'une voix légèrement plus grinçante, en réaction à cette interruption.

Il était déjà neuf heures du soir quand le train entra en gare de Victoria. Contournant les paquetages amoncelés sur le quai, Diana jugea que l'heure tardive la dispensait de retourner à Dolphin Square.

Elle prit un bus pour rentrer chez elle et y trouva une lettre de sa belle-mère l'informant, plutôt sèchement, que Guy revenait dans deux semaines et que sa présence était par conséquent indispensable – « Si toutefois tu peux t'arracher à tes *activités* londoniennes ». Elle soupira. Evie restait visiblement persuadée que sa contribution à l'effort de guerre était superflue, et comme on pouvait difficilement lui prouver le contraire, il en serait toujours ainsi. S'imaginer en train de parler à sa belle-mère, à table, de la femme à l'étalon, la fit ricaner. La pauvre s'en évanouirait sans doute ; elle piquerait du nez dans sa soupe, et ce serait bien fait. Elle n'avait qu'à ne pas l'imaginer en train de s'amuser avec des dactylos ou de passer son temps dans les bars. Même si, sur ce dernier point, elle n'avait pas tout à fait tort… Elle sortit son papier à lettres et s'installa afin de rédiger une réponse ad hoc, mais réalisa que c'était prématuré puisqu'il faudrait au préalable en parler à Apse.

« Guy aurait pu m'en informer lui-même », songea-t-elle avec aigreur. Constater qu'elle n'en était même pas fâchée réveilla ses remords, comme ce matin, quand Lally avait dit que « c'était triste pour Guy ». « Au moins, songea-t-elle, je me rends utile. » Certes, elle n'avait pas encore eu l'occasion d'interroger Helen Pender sur le rôle de Walter Wymark au sein du Right Club, mais ça ne tarderait pas. Et Mme Montague l'avait à la bonne : à la dernière réunion, elle lui avait offert une affreuse broche en argent, avec un aigle et un serpent gravés et les lettres PJ : « Périsse Judas ». Son premier réflexe avait été de l'envelopper dans un mouchoir en papier pour la mettre au fond de sa boîte à bijoux dans l'idée de ne plus jamais la regarder, mais elle avait compris qu'il serait plus malin d'arborer cette horreur lors des prochaines réunions. Jusque-là, tout allait bien, sauf qu'elle n'avait rien trouvé sur la nature et l'importance de l'implication d'Apse dans les agissements du Right Club.

Elle se carra sans son fauteuil, ébouriffa ses cheveux et laissa vagabonder ses pensées. En somme, encore un après-midi gâché – le gentleman en tweed n'était qu'un inoffensif toqué comme tous les autres, mais cette lettre...

Et Claude. Claude. Oh, mon Dieu... Elle croisa les jambes. *Les plaisirs solitaires*, comme disaient les Français. Impossible de formuler ça en anglais, même intérieurement. C'était trop cru et gênant. Une langue étrangère mettait la chose à distance, lui donnait de la sophistication... Qu'avait-elle ? L'intensité des sensations entre ses cuisses devenait réellement douloureuse.

C'était effrayant : perversité, morbidité, autoapitoiement. Rien que des sentiments déplorables. « Tu es la femme de Guy, se dit-elle. Arrête ! » Puis l'excuse : « C'est sans doute la fatigue. Tout s'arrangera après une bonne nuit de sommeil – si je peux dormir. » Elle décida de prendre un bain. Le chauffeeau malodorant n'était plus très fiable, dernièrement, mais elle pourrait peut-être le convaincre de délivrer juste assez d'eau chaude pour un petit bain rapide avant le début des bombardements.

Tout en répandant les sels de bain de Forbes-James dans l'eau tiède, Diana se rappela ses avertissements – les choses de la vie, et cetera... Je ne veux pas que vous y laissiez des plumes... Comme elle quittait son peignoir, elle se demanda, de façon objective, si elle n'allait pas droit dans le mur. « Si c'est cela, songea-t-elle en se glissant dans l'eau parfumée, je n'y peux rien – quoi qu'en pensent Forbes-James et Lally – rien du tout. » Elle s'allongea dans son bain et ferma les yeux.

23

Stratton considéra le contenu du coffre. La couche supérieure se composait de publicités pour des films, de coupures de magazines qui s'intitulaient par exemple *Kinematograph Weekly* – quand là, au milieu du tas, deux yeux immenses dans un visage à la beauté éthérée, aux traits délicats et au petit menton pointu, le regardèrent. Voilà donc à quoi ressemblait Mlle Mabel Morgan, et elle était – ou avait été – sublime.

Les coupures de presse étaient surtout des commentaires sirupeux sur sa carrière, sa beauté, ses loisirs. En les sortant, Stratton vit une liasse de lettres ficelées par un ruban rouge et plusieurs piles de boîtes rondes sans étiquettes. Il dévissa un couvercle et constata qu'il y avait bien, à l'intérieur, un rouleau de celluloïd.

Il se gratta la tête. Comment visionner ces films ? Donald connaîtrait-il un possesseur de matériel de projection ? Vendre des appareils photo devait le mettre en contact avec ce genre de personnes. Mais cela attendrait. Pour le moment, il devait se concentrer sur ces lettres. Il dénoua le ruban, s'installa sur la chaise bancale et commença à lire.

Les lettres, sans adresse ni date, avaient été envoyées à un certain « Bunny » et signées seulement du sobriquet de Binkie. Comme si ça ne suffisait pas, elles étaient pleines de ce langage affecté des gens à la mode dans les années vingt – tout était « divin », « ébouriffant » ou « sensationnel ». Cela lui rappela le roman d'Evelyn Waugh qu'il avait un jour tenté de lire – c'était de toute évidence bien écrit et des passages l'avaient fait rire, mais les personnages étaient si crétins qu'on avait envie d'en prendre un pour taper sur l'autre.

L'un des correspondants devait être Mabel Morgan – pourquoi les aurait-elle gardées, sinon ? L'autre, peut-être son mari – celui qui avait péri, dixit Ballard, dans un incendie – ou bien un amant. Il découvrit dans le tas de coupures de presse qu'elle avait été mariée à un réalisateur du nom de Cecil Duke. Peut-être était-ce ainsi que ces gens-là parlaient – Stratton, qui n'avait jamais fréquenté ce milieu, n'en savait rien. Mais c'était comme l'équivalent écrit d'un léger zézaiement… Curieusement, cela ne correspondait pas au portrait par Joe Vincent d'une femme ayant un faible pour les pubs et les bonbons. Quelle était l'origine sociale de Mabel Morgan ? Il aurait dû poser plus de questions à Joe à ce sujet, quand il en avait eu l'occasion.

Il remit les lettres dans le coffre et alla trouver Jenny, qui était en train de repriser.

– Tu te souviens que je t'ai parlé de Mabel Morgan ?

– Oui…

Elle redressa la tête d'un air distrait, puis retourna à ses chaussettes.

– Tu as d'autres souvenirs à son propos ?

– Seulement ce que maman disait d'elle… Il y en avait une autre, Lilian Hall-Davis. J'y ai repensé cet été, après ce que tu m'avais dit – elle aussi s'est suicidée. En se mettant la tête dans le four. C'était il y a pas mal d'années, avant la mort de maman. Il faut être bien malheureux pour en arriver là…

– Tu te souviens si elle a fait des films parlants ?

– Je ne crois pas. C'était peut-être son problème.

Il retourna dans la cabane et se remit à lire :

Bunny, m'en voudras-tu horriblement si je ne viens pas ce week-end ? On a eu une soirée fantastique au Plumstead. Le décor est outrancier, partout des petites chaises dorées, des orchidées et des fresques aux murs, mais les chambres sont atroces et le type a refusé tout net de faire du feu quand j'ai demandé. Clement n'a pas été sport. Je ne peux pas le souffrir quand il n'est pas amusant. Il nous a parlé de la guerre, une histoire assommante sur le fait qu'il avait perdu son peloton – à mourir d'ennui. On s'est tous soûlés. Constance, complètement beurrée et débordant d'amour maternel, a absolument tenu à tirer ses petits monstres du lit à deux heures du matin pour qu'ils nous chantent des madrigaux. Le résultat, comme tu l'imagines, c'est que je suis dans un état épouvantable ce matin et que je n'ai aucune envie d'aller où que ce soit, même pour te voir, mon chou. Mon pauvre agneau, je sais que c'est atroce pour toi, mais on trouvera un moyen de rattraper le temps perdu…

Dégoûté par le ton de cette lettre, Stratton interrompit sa lecture et alluma une cigarette. La référence à la beuverie indiquait que l'auteur était un homme, même si ce n'était visiblement pas une réunion exclusivement masculine puisqu'il y avait cette femme, Constance, qui de toute évidence n'était pas une mère modèle. Pauvres gosses, être réveillés au cœur de la nuit pour se produire comme des singes savants devant une assemblée d'inconnus avinés, à l'œil paillard... Il regarda la lettre suivante. Le contenu ne valait guère mieux : un tas de trucs sur un vieux type évoquant ses souvenirs d'actrices qui avaient été la coqueluche de sa jeunesse, une procession de femmes qui étaient éméchées ou névrosées, voire les deux et quelqu'un qui attrapait la syphilis, ce qui était « tout bonnement mortifiant ». Vraiment, on pouvait s'étonner que ces deux-là aient réussi à faire des films, s'ils passaient leur temps à se cuiter et à attraper des maladies.

Il prit une troisième lettre, lut les mots « Mon petit Sucre d'orge » et décida que ça suffisait pour la soirée. En retournant chez lui, il tenta d'imaginer Jenny en train de l'appeler son petit Sucre d'orge, sans succès. Tant mieux – pour sa part, il y aurait vu un motif de divorce.

Jenny avait mis de côté son ouvrage et relisait la lettre de Pete datée de la semaine précédente.

– Je n'aime pas ce qu'il dit de cette école, déclara-t-elle. Ils m'ont l'air d'un guindé...

– Forcément, dit Stratton. Une école privée...

– Tu crois qu'on est méchant avec lui et ses amis ? Les enfants peuvent être si cruels...

– On ne doit pas les laisser trop se mélanger... Des fois que la classe ouvrière aurait des idées de grandeur...

Jenny ricana.

– Eh bien, ils doivent quand même s'être mélangés un peu, puisque Pete nous a dit qu'ils avaient rebaptisé les dortoirs, tu te souviens ? En leur donnant les noms de membres de l'expédition du Capitaine Scott.

– Pas très bon signe, à mon avis – Scott, Evans, Wilson, Oates – ils y sont tous restés, non ?

– Stop, Ted !

Jenny paraissait épouvantée.

– Tu sais combien je m'inquiète.

– Pardon, ma chérie.

Stratton lui tapota le genou.

– Je suis sûr qu'ils vont bien, ajouta-t-il avec plus de conviction qu'il n'en avait. On pourra le constater par nous-mêmes dans deux semaines, n'est-ce pas ?

– Oui. Je me demande à quoi va ressembler ce voyage… Pete dit ici : « Vous devrez changer et prendre le train local parce qu'il n'y a plus de carburant et Jack est allé à la ferme.

– Jack, c'est le chauffeur ?

– Le cheval. Le chauffeur a été mobilisé. C'était dans la dernière lettre de Mme Chetwynd. Je dois dire qu'elle est bien bonne de nous écrire aussi souvent.

Comme la sirène n'avait pas retenti vers les dix heures et demie, ils décidèrent de prendre le risque de dormir dans leur chambre. Appréciant ce confort après l'humidité et l'exiguïté de l'abri Anderson, Stratton décida que ce serait tout de même mieux si on ne laissait pas Pete et ses copains passer trop de temps avec les garçons de cette école privée. Il ne fallait pas que ses enfants deviennent en grandissant des gens susceptibles de s'appeler mutuellement « Mon Sucre d'orge ».

Jenny lui donna un coup de coude dans les côtes.

– Pourquoi tu ris ?

– Oh, pour rien.

Il tourna la tête et la regarda, si jolie et plantureuse dans sa chemise de nuit.

– Viens par ici, toi…

Juste avant de s'endormir, il se rappela ce que Jenny avait dit à propos de cette Lilian qui avait mis sa tête dans le four. « Avant la mort de maman... » Donc, c'était avant... quoi ? 1934. Il y avait des films parlants depuis plusieurs années, et si Mabel Morgan s'était suicidée parce qu'on ne lui donnait plus de rôles, elle devait être au chômage depuis un certain temps. Mais pourquoi ne lui proposait-on plus de rôles ? Si c'était à cause de sa façon de parler, alors c'était son accent, pas assez distingué. Et alors, ces lettres... Les gens écrivant ainsi, si infâmes fussent-ils, étaient instruits, non ? « À quoi bon ? songea-t-il. Tout ça, c'est de la spéculation. Il me faut en apprendre plus à son sujet. »

24

Stratton prit une longue rasade du thé infect de Cudlipp et survola du regard le foutoir sur son bureau. Quelle journée ! Lui et Jenny avaient été réveillés par les bombardiers à trois heures du matin. Sortant en catastrophe de la maison pour se réfugier dans l'abri Anderson, ils étaient restés éveillés, à écouter les bombardements, jusqu'aux environs de cinq heures, où il s'était assoupi pour être réveillé par le gazouillis du signal de fin d'alerte. Là, il avait renoncé à dormir et, toujours en pyjama et robe de chambre, il s'était traîné jusqu'à la cabane pour poursuivre sa lecture des lettres de Mabel Morgan.

Il était arrivé au commissariat épuisé et découvrir que la jeune violée dans la boîte de nuit n'avait pas dix-huit mais quinze ans, et qu'elle s'était enfuie d'un centre d'éducation surveillée, n'avait rien arrangé. Les protestations du patron, qui clamait son innocence, étaient risibles, et ses tentatives de corruption d'une maladresse insultante – par comparaison, des gangsters comme Abie Marks étaient la subtilité même.

Ayant passé une heure et demie à éplucher des papiers sans aboutir à rien, il consulta sa montre, s'aperçut qu'il était presque dix-huit heures, et, se rappelant qu'il voulait passer chez Beryl Vincent en rentrant chez lui, se hâta de quitter les lieux.

Mais Beryl n'était pas à son domicile, dans Clerkenwell Road. Stratton hésita à glisser un mot dans sa boîte aux lettres, puis y renonça. Cette visite n'était pas officielle, et il ne souhaitait pas qu'elle tente de le contacter à Savile Row.

Jenny l'accueillit à la porte avec un visage grave et, croyant que c'était à cause de son retard, il s'empressa de se justifier, mais elle secoua la tête d'un air distrait et réintégra sa cuisine.

Mieux valait ne pas la questionner au cours du repas – elle viderait son sac quand elle serait prête – et la conversation porta donc sur son nouvel emploi au Centre d'Accueil où elle aidait des familles privées de logis par les bombardements et sur l'opportunité d'acheter des boules de cire pour les oreilles afin d'atténuer le bruit des raids. Quand elle eut nettoyé les assiettes et préparé le thé, il demanda :

– Qu'est-ce qu'il y a, ma chérie ?

Jenny tripota le couvre-théière en laine, puis lâcha simplement :

– Johnny.

– Ah !

Au moins, ce n'était pas les enfants.

– Il a de gros ennuis, Ted. Il a été renvoyé du garage pour trafic de bons d'essence. Il y a des semaines. C'est M. Hartree qui me l'a dit.

– Ah, M. Hartree…

M. Hartree, le patron du garage, était maigrichon, lubrique comme un singe et presque aussi impudent.

– Ne fais pas cette tête, Ted. Il n'était pas… enfin, ce n'était pas pour causer…

Une légère rougeur apparut sur ses joues.

– Il se fait du souci pour lui, c'est tout. D'après lui, Johnny aurait de mauvaises fréquentations. Je ne crois pas que Lilian et Reg s'en doutent…

– Ils doivent savoir qu'il a été viré !

Jenny secoua la tête.

– Lilian me l'aurait dit. Il faut que tu lui parles, Ted.

– C'est à Reg de le faire.

Jenny leva les yeux au ciel.

– Tu parles comme ça donnera un résultat, à supposer qu'il le fasse !

– Je ne ferai sans doute pas mieux, chérie, mais c'est vrai que je peux toujours essayer, dit Stratton, résigné, avant d'ajouter : À l'occasion.

– Pour l'amour du ciel, ne dis rien en face de Reg. Prends-le à part…

– Je ne suis pas complètement idiot, tu sais !

Il finit son thé et alla chez Donald et Doris pour leur demander où trouver un projecteur à emprunter. Après réflexion, Donald déclara qu'il connaissait quelqu'un qui connaissait quelqu'un, mais que cela pouvait demander quelques jours de délai, et Stratton dut s'en contenter. Il refusa une tasse de thé et rentra chez lui, où il s'installa dans son fauteuil préféré et s'endormit. La sirène le réveilla à neuf heures et demie et il gagna l'abri Anderson avec Jenny. Installant sa grosse carcasse de son mieux sur l'un des étroits matelas durs comme du fer, il se rendormit sans prendre la peine de se déshabiller.

Le lendemain matin, à cause des fuites de gaz et des ruptures de conduites d'eau, conséquences des bombardements nocturnes, de nombreux bus du nord-est de Londres furent détournés sur plusieurs kilomètres de leur itinéraire habituel. Lorsque Stratton demanda au poinçonneur où ils allaient, l'homme répliqua gaiement :

– Aucune idée, mon vieux !

Il jugea plus simple de marcher. Des nuages de fumée âcre flottant depuis Regent Street l'alertèrent sur une possible catastrophe et, tournant au pas de course à l'angle de Vigo Street, hors d'haleine et très en retard, il découvrit une scène de désolation. Le commissariat était plus ou moins éventré : la structure en béton armé était toujours debout, mais tout le reste – installations, cloisons, mobilier – n'était plus que décombres fumants. Des pans du plafond de la salle des communications pendaient, au-dessus de monticules de plâtre trempé et de poussière de briques, au milieu desquels Arliss et Ballard, déguenillés, des téléphones de campagne sur les genoux, tentaient de s'acquitter des messages urgents. Plusieurs autres gardiens de la paix ratissaient les vestiges du bureau des enquêteurs, à la recherche de pièces à conviction, sous le regard d'une foule qui bavardait, se les montrait du doigt et, dans la plupart des cas, ne cherchait même pas à masquer son hilarité. Une équipe de démolisseurs, censés déblayer, étaient assis par terre, absorbés par la lecture des restes des dossiers carbonisés et désignant les détails les plus intéressants et confidentiels à un groupe de pompiers auxiliaires.

Cudlipp, tenant une bouilloire cabossée, se déplaçait à travers ce chaos d'un air désolé, sondant çà et là les gravats. Stratton alla le rejoindre.

– Que s'est-il passé ?

– Mine parachute, inspecteur. En plein sur les marches.

– Des victimes ?

– Pas de morts. Harris a une jambe cassée – on l'a transportée à l'hôpital – et le commissaire a reçu une plaque de contreplaqué sur le crâne. Heureusement que toutes les fenêtres avaient déjà été soufflées, sinon il aurait été décapité. Lui aussi est à l'hôpital. On ne le reverra pas de sitôt.

– Quel dommage…

Stratton, assailli par un vif sentiment de culpabilité, essaya de paraître plus navré qu'il ne l'était en réalité. Enfin, tout indiquait qu'on n'aurait plus Lamb sur le dos pendant un bon moment, et c'était tant mieux.

– Les procédures d'urgence, ça marche ? dit-il.

– À peu près. On nous envoie dans Great Marlborough Street. Je ne sais pas quand la situation redeviendra normale, ajouta-t-il, morose.

En regardant autour de lui, Stratton se demanda sérieusement si quoi que ce soit redeviendrait normal un jour, mais préféra se taire.

Un serveur indien du Veeraswamy se matérialisa à son côté.

– Excuse-moi, monsieur. Très mauvaise affaire, ça. Patron dire vous utiliser cuisine si vouloir, monsieur. Faire thé pour hommes.

– C'est très aimable de sa part, dit Stratton. Merci.

Se tournant vers Cudlipp, qui semblait regimber, il déclara :

– Vous avez entendu ? Suivez ce gentleman et rapportez-nous du thé.

– Mais, inspecteur…

– Mais, rien ! fit Stratton avec fermeté. En l'absence du commissaire Lamb – il regarda vivement autour de lui pour s'assurer qu'il n'y avait pas d'autres supérieurs sur place – je prends la direction de ce commissariat, ou ce qu'il en reste, et je viens de vous donner un ordre.

Cudlipp le regarda avec rancune et se mit à marmonner quelque chose sur les « indigènes » et leur « hygiène douteuse ».

– Pour l'amour du ciel, dit Stratton, exaspéré. Ils nous offrent leur aide. Allez, en route…

Songeant qu'il faudrait se rappeler de remercier le restaurateur en personne pour avoir prêté sa cuisine, Stratton s'avança vers l'équipe des démolisseurs dans le but de confisquer les dossiers, mais Ballard l'intercepta en agitant son calepin.

– Appel urgent, inspecteur ! L'église d'Eastcastle Street a eu son paquet, cette nuit, et on a retrouvé un cadavre.

– Rien d'étonnant, dit Stratton doucement.

– Ce n'est pas une victime de la bombe, inspecteur. Le corps était enterré.

– C'est le cas, en général.

– Pas comme ça, inspecteur. Le corps ne devrait pas se trouver là et le responsable de la défense passive dit que c'est bizarre.

– Bizarre ?

– Il dit que la tête a été défoncée.

– Je vois. Comment s'appelle cette église ?

– Notre-Dame-et-Saint-Pierre…

Il fit la moue.

– Des papistes…

– Ah… Bon, je suppose que c'est normal, avec un nom pareil.

Stratton voyait à quoi elle ressemblait – il était passé devant des centaines de fois, mais sans jamais entrer. Un bâtiment victorien, sombre, sinistre, qui semblait avoir été construit en briques multicolores, mais avec la couche de suie déposée par le smog londonien depuis des lustres, il ne pouvait en être certain.

– Vous n'avez pas retrouvé notre trousse à macchabée ?

– Hélas, non, inspecteur.

– Peu importe. Tâchez de les prévenir que j'arrive – si la communication passe, évidemment – et envoyez-moi le photographe. Demandez un coursier, si vous ne pouvez pas le faire par téléphone, et dites à Bainbridge et Ricketts d'empêcher ces individus de lire nos dossiers. Puis faites établir un périmètre de sécurité autour du commissariat avant que ça tourne au cirque. Des nouvelles du QG ?

– Non, inspecteur.

Ce n'était pas tellement surprenant, songea Stratton en remontant Regent Street. Scotland Yard avait sans doute sa part d'ennuis. En tout cas, il était inutile que des tas d'huiles traînent dans le coin et se mettent dans leurs jambes.

La dernière fois qu'il était entré dans une église, c'était pour les obsèques de la mère de Jenny. Il ne se rappelait pas grand-chose de la cérémonie, sinon qu'il y avait eu un orage. Ils étaient sortis ensuite pour se regrouper autour de la fosse sous une pluie diluvienne contre laquelle les parapluies étaient inutiles, tandis que le pasteur bredouillait que « L'Homme né de la femme n'a qu'un temps bref à vivre… » à la façon d'un commentateur de courses hippiques.

C'était terrible, la destruction d'un lieu de culte, songea-t-il devant les énormes monceaux de briques, piliers et vitraux brisés qui avaient été l'église Notre-Dame-et-Saint-Pierre. Avec la révérence gauche d'un non-pratiquant, il négocia son chemin, passant devant un fatras de bancs cassés, de garnitures en cuivre et de tableaux démolis de saints larmoyants, martyrisés pour la seconde fois, et alla jusqu'au fond de ce qui subsistait du bâtiment. Un responsable de la défense passive, accompagné d'un prêtre âgé, sa soutane mal boutonnée par-dessus son pyjama et un casque trop grand vissé sur la tête, vint au-devant de lui. Il lui tendit la main.

– Inspecteur Stratton. West End Central.

– George Crosbie… Et voici le père Lampton.

Le curé, qui contemplait ses pantoufles, ne semblait pas plus disposé à parler qu'à lui serrer la main. Au bout d'un moment, il s'éloigna lentement, se penchant de temps en temps pour scruter les décombres. Le responsable de la défense passive le regarda s'en aller, puis se tourna vers Stratton.

– Vous n'êtes pas catholique, n'est-ce pas, inspecteur ?

Stratton fit non de la tête.

– Il est dans tous ses états à cause du reliquaire.

– Du… quoi ?

– La boîte où l'on conserve les saints trucs. Elle contient le prépuce de saint Gilles ou le sein gauche de sainte Gertrude… et il est décidé à la retrouver. Je lui ai dit de ne pas fouiller – une bombe à retardement pourrait être cachée dans le tas – mais il ne veut rien entendre.

– Sainte Gertrude, ça existe ?

– Qu'est-ce que j'en sais ? Franchement, on a d'autres soucis en ce moment, non ?

Sans attendre de réponse, Crosbie ajouta :

– Bon, ce cadavre… Si vous voulez bien me suivre, je vais vous montrer.

Sur un dernier coup d'œil à la lugubre silhouette du père Lampton, qui soufflait à présent sur un morceau de planche éclatée pour en chasser la poussière, Stratton accompagna l'homme en prenant bien soin de ne pas marcher sur un éventuel objet de culte. Passant devant les fonts baptismaux qui, bien qu'ébréchés et abîmés, étaient toujours debout, il remarqua, dépassant d'un tas de gravats qui remplissait la cuve, un autre bout de planche semblable à une gaufrette coiffant une crème glacée. Tirant dessus, il lut les mots «… st chute » et se demanda, fugitivement, ce que cela pouvait bien signifier.

L'autre le précéda dans un escalier branlant qui menait à ce qui avait dû être la crypte, à présent en partie à ciel ouvert. Neuf ou dix tombes – dalle défoncée et barreaux en fer forgé dispersés telles des baguettes de mikado – s'alignaient contre le mur de droite. La résurrection des corps, songea Stratton. Il ignorait à quoi ressemblerait le son des trompettes du Jugement dernier, mais les anges musiciens avaient intérêt à avoir du coffre s'ils voulaient concurrencer une escadrille de bombardiers. Il suivit son guide jusqu'au bout de la rangée, où un grand trou dans le sol, causé par la chute d'un ouvrage de maçonnerie, avait révélé une fosse sous les gros pavés. À l'intérieur, Stratton distingua un enchevêtrement de membres terreux, culminant dans une boule cabossée, couleur chamois, qui ressemblait à première vue à celles qui ornent le départ des rampes d'escalier. En se penchant, il s'aperçut que la face – la tête était de profil – avait été écrabouillée.

– Ce n'est pas le bombardement, déclara Crosbie. Il était déjà comme ça…

– Il ?

– Le… (Crosbie se reprit.) Oh, je vois ce que vous voulez dire. Façon de parler. Ça ne peut être qu'un homme, n'est-ce pas ?

– Aucune idée. Vous avez déplacé quelque chose ?

– Non. J'ai préféré vous laisser faire.

Stratton s'accroupit et ramassa une poignée de terre, notant les dépôts jaunâtres. Ce serait à vérifier, mais ce devait être de la chaux – de la chaux blanche. Celle-ci retardait la putréfaction, tandis que la chaux vive détruisait les corps. Il se demanda si celui qui avait enterré ce cadavre le savait. Il regarda son compagnon, qui contemplait le cadavre sans s'émouvoir.

– Savez-vous si on a fait des travaux ici, récemment ?

– Je ne sais pas… Je pourrais demander au père Lampton, si vous voulez, mais je n'ai pas réussi à en tirer grand-chose jusqu'à présent.

– Je m'en occuperai plus tard. Pour le moment, nous avons besoin d'un légiste ; ensuite, on pourra faire emporter le corps. Où est le téléphone le plus proche ?

– Il y en a un dans le pub, au bout de la rue, mais je ne sais pas s'il marche.

– Dans ce cas, envoyons plutôt quelqu'un…

– Il n'y a personne, ici. Ils sont tous dans Berners Street. Toute l'enfilade d'immeubles s'est effondrée – un désastre.

– Dans ce cas, pouvez-vous vous charger d'un message pour l'hôpital Middlesex ?

Stratton raccompagna Crosbie au pied des marches, puis trouva une place où s'asseoir aussi éloignée que possible du corps sans s'exposer directement sous un mur branlant. Il espérait qu'un autre que le Dr Byrne était de permanence, puis leva les yeux vers ce qui subsistait du plafond voûté en se demandant si cette partie-là était plus ancienne que le reste. Tout ce qu'il savait des architectures d'églises, c'était qu'il y avait un tas d'éléments bizarroïdes, comme des architraves ou des pierres angulaires, qu'on ne retrouvait pas, à sa connaissance, dans d'autres types de bâtiments. Il se rappela le morceau de bois fiché dans les fonts baptismaux : « … st chute ». Sans doute : le Christ chute. Il se rappela vaguement avoir lu cela, une fois, sur le mur d'une église catholique… quand ? Pourquoi était-il allé là-bas ? Des obsèques, peut-être, ou un mariage ? Les Stations de la Croix, voilà ce que c'était. Il alluma une cigarette, content d'avoir deviné, mais cette satisfaction fut de courte durée car il réalisa que les dossiers des personnes disparues, au commissariat, avaient été en partie ou complètement détruits, et qu'identifier cet inconnu serait d'autant plus difficile… Sans compter que les gens circulaient beaucoup ces temps-ci à cause de la guerre, et si c'était un étranger… Stratton gémit. Comme si la vie n'était pas déjà assez compliquée !

Entendant des frous-frous au-dessus de lui, il éteignit sa cigarette et se leva en s'époussetant. Ce n'était pas le légiste, comme il l'avait espéré, mais le père Lampton qui descendait les marches d'un pas chancelant avec un gobelet d'argent. Ignorant Stratton, il se mit à projeter de l'eau bénite vers les tombes tout en marmonnant des incantations à mi-voix. Stratton le rejoignit et lui toucha le bras.

Le prêtre secoua la tête et projeta un peu d'eau dans sa direction. Quelques gouttes tombèrent sur sa manche et Stratton, sans réfléchir, s'essuya. Ce geste attira l'attention du prêtre, qui le considéra pour la première fois.

– Quoi ? fit-il d'un ton chagrin. Qu'est-ce que c'est ?

– Inspecteur Stratton, mon père, West End Central. J'ai quelques questions à vous poser.

– Des questions ? répéta le père Lampton, l'œil vague. Maintenant ? Je suis occupé.

– Je sais, mon père, mais ce ne sera pas long. C'est au sujet de ce corps…

Le prêtre le toisa avec répugnance.

– Il y aura d'autres questions une fois qu'on en saura plus, mais pour le moment je voudrais savoir si l'un de vos paroissiens n'aurait pas disparu – quelqu'un fréquentant régulièrement l'église, mais que vous n'auriez pas vu récemment.

– Eh bien... il y a les évacués, bien sûr, une ou deux mères de famille, et les hommes mobilisés... L'un de mes plus anciens paroissiens est mort dernièrement et un malheureux a péri dans les bombardements, mais sinon je ne vois personne...

– Bon. A-t-on fait des travaux ici, cette année ? Réparations, et cetera...

– Oui. On a consolidé le toit.

Survolant les ruines du regard, il ajouta tristement :

– L'Homme propose...

– Quand ce travail a-t-il été effectué ?

– En février ou mars. Cela a de l'importance ?

– Éventuellement. Vous rappelez-vous le nom de l'entreprise ?

– McIntosh, McInnes... (Le père Lampton secoua la tête.) Non... McIntyre. Oui, McIntyre...

– Merci.

– C'est tout ?

– Oui, mon père. Pour le moment.

Le prêtre le salua et repartit, traînant les pieds, en direction de l'escalier. Livré à lui-même, Stratton s'accroupit de nouveau. L'attitude de cet homme était probablement due au choc – c'était son église, après tout – et asperger l'endroit d'eau bénite n'était pas une réaction plus mauvaise qu'une autre.

Au bout d'une demi-heure, temps pendant lequel il fuma deux autres cigarettes, griffonna « McIntyre – Entreprise de bâtiment » dans son calepin et espéra que Cudlipp était parvenu à ne pas vexer à mort le personnel du Veeraswamy, le photographe arriva. Il était en train d'installer son matériel quand Crosbie revint, accompagné du Dr Byrne. Merde, alors ! C'était vraiment pas de chance…

– Alors, où est-il ? demanda Byrne, comme si c'était lui qu'on avait fait poireauter.

– Par ici.

Stratton le précéda devant les tombes. Byrne jeta au corps un bref regard – ce qui était plus, songea Stratton, que ce à quoi il avait eu droit lui-même en guise de salut – puis s'effaça pour laisser le photographe finir.

– Vous avez touché à quelque chose ? demanda-t-il à Stratton.

– Je ne suis pas complètement idiot, vous savez !

Byrne lui lança un regard suggérant qu'il en doutait fort, mais ne répondit pas.

Stratton envoya Crosbie chercher un réserviste au commissariat pour garder l'endroit jusqu'à l'heure où le fourgon mortuaire serait disponible pour emporter le corps, et regarda Byrne travailler. Cet homme était efficace, songea-t-il, en admirant la précision avec laquelle les mesures étaient prises et les croquis réalisés. Il fallait le reconnaître.

Vingt minutes plus tard, il se redressa et Stratton crut pouvoir hasarder une question.

– Depuis combien de temps était-il là, à votre avis ?

– Quelques mois…

Le légiste déroula ses manches.

– Il faudra un examen complet. Je dois dire, ajouta-t-il, que je me sens presque dans la peau d'un archéologue.

Stratton fut surpris de constater que ses traits figuraient une sorte de rictus, et, réalisant avec un temps de retard que c'était censé être un sourire, il y réagit par un petit rire cordial.

– Cheveux courts, poursuivit Byrne. Et vêtements masculins, à ce que je vois, mais on ne sait jamais…

Cela, à en juger par son regard plein d'attente, était censé être une autre blague, et Stratton s'esclaffa pour lui faire plaisir. « Bon sang, se dit-il, si ça continue, on va se taper sur les cuisses et se donner de grandes claques dans le dos. »

– Il a été assassiné, hein ?

– On dirait…

– Le coup à la tête ?

– Plusieurs coups. Il y a une fracture du crâne – en creux, ce qui n'a pas dû lui faire beaucoup de bien.

– Et la terre ? Ces dépôts jaunâtres – je me suis demandé si ça ne pouvait pas être de la chaux.

– Ça expliquerait l'absence d'insectes. C'est à analyser, bien sûr.

À l'entendre, il était clair qu'il avait le sentiment d'avoir assez rigolé et Stratton savait qu'il valait mieux ne pas le bousculer.

– Bien, dit le légiste, fourrant le reste de ses affaires dans sa sacoche. Je m'en vais. Quand j'aurai fini l'examen, je vous préviendrai. Dans des circonstances normales, j'aurais dit vendredi, mais…

– Bien sûr, dit Stratton hâtivement. (L'accumulation de preuves indiquant que Byrne était bel et bien un être humain commençait à lui porter sur les nerfs.) Je vous contacterai.

Ayant donné ses instructions au réserviste qui venait d'arriver, il retourna au commissariat et trouva Cudlipp à l'angle de Vigo Street, en train de se disputer avec l'un des cuisiniers du Veeraswamy. L'homme brandissait une grosse louche tandis que

Cudlipp, les mains aux hanches et l'air plus buté que jamais, lui tenait tête.

– Toi croire moi pauvre ignorant ! hurlait le cuisinier, furieux. Moi pas ignorant !

Jugeant visiblement qu'il avait eu le dernier mot, il tourna les talons et rentra dans le restaurant d'un pas martial.

Stratton parvint à transformer son rire en toussotement. Il n'allait pas se donner la peine de s'informer des faits – Cudlipp devait avoir entamé les hostilités – mais ce dernier semblait résolu à s'expliquer de toute façon.

– Il essayait de me piquer ma bouilloire, inspecteur. Ce sale Paki…

– Où est-elle, à présent ?

– Là…

Il indiqua l'ustensile cabossé, par terre, derrière lui.

– Saine et sauve.

– Bien.

Il chassa Cudlipp vers ce qui restait du commissariat et alla dire deux mots au patron du restaurant.

Quand il en sortit, une demi-heure plus tard, la première chose qu'il vit fut la silhouette massive du sous-divisionnaire Roper, qui arrivait de Scotland Yard et s'offrait une visite guidée du désastre sous la conduite de Ballard. Laborieusement, Stratton se fraya un chemin jusqu'à eux et attendit que Roper eut fini de parler. Plusieurs minutes passèrent, durant lesquelles son œil fut captivé par le filet de salive raccordant la pipe de Roper – qu'il avait ôtée de sa bouche pour l'agiter dans les airs et donner ainsi plus de poids à ses paroles – à sa lèvre inférieure. Comme il bougeait la main, ce filet argenté s'allongea, s'allongea, pour finir par se rompre, laissant un résidu brillant sur son menton. Enfin, Roper se tut et se tourna vers lui.

– Vous me cherchiez ?

« Non, songea Stratton, je reste planté là pour le plaisir. »

– Oui, monsieur, dit-il tout haut. Inspecteur Stratton.

– Ah, bien.

Roper revissa sa pipe entre ses lèvres et marmonna :

– Quelle pagaille…

– Oui, monsieur le sous-divisionnaire.

– Des nouvelles du commissaire Lamb ?

– Pas encore, dit Stratton, en espérant que c'était vrai.

– Bon, continuez à bien travailler. L'affaire du coup de poignard, ça avance ?

– La rixe entre bandes rivales ? Non. C'est difficile d'amener les témoins à parler.

« Et tu le sais bien », ajouta-t-il *in petto*.

– Bon, continuez. Pendant quelque temps, ça ne va pas être facile, mais on se débrouillera. Et cette église dans Eastcastle Street, vous y êtes allé ?

– Oui, monsieur.

Sentant qu'on attendait de lui davantage, il ajouta :

– Le corps se trouvait là depuis un certain temps. On en saura plus quand le Dr Byrne l'aura examiné.

– Bien. L'important, c'est de persévérer. Vous serez dans Great Marlborough Street dans un jour ou deux.

– À ce qu'on m'a dit.

– Ça va cafouiller un peu au début, mais je suis sûr que ça s'arrangera très vite.

Après plusieurs autres platitudes de ce genre, accompagnées par des moulinets de pipe, il s'en alla.

Au bout d'une pause respectueuse, Ballard demanda :

– Comment ça s'est passé à l'église, inspecteur ?

– Le Dr Byrne est devenu un vrai boute-en-train.

– Ça doit être « l'esprit du Blitz » dont on nous rebat les oreilles, remarqua Ballard, sardonique.

Stratton eut un grand sourire.

– Du nouveau en mon absence ?

– Deux ou trois trucs, inspecteur. Si vous voulez bien me suivre…

Après avoir réglé quelques problèmes mineurs, Stratton alla trouver l'agent Ricketts, qui montait la garde au-dessus de plusieurs monceaux de dossiers miteux.

– Que reste-t-il des Personnes disparues ?

– C'est là, inspecteur.

Ricketts désigna un petit tas de papiers, diversement brûlés, trempés ou déchirés.

– C'est tout ?

– Hélas, inspecteur. J'allais les porter à Great Marlborough Street. M. le sous-divisionnaire nous a dit d'utiliser la charrette ambulance, inspecteur.

Sur ces entrefaites, Arliss surgit d'un amas de décombres, poussant une brouette améliorée devant lui.

– Où avez-vous déniché ça ?

– À la cave, inspecteur.

– Juste ciel… Bon, faites donc ce qu'on vous a dit, ajouta-t-il, maussade. Mais tâchez seulement de mettre les dossiers des Personnes disparues quelque part où je pourrai les trouver, d'accord ?

– Oui, inspecteur.

Stratton les regarda s'éloigner, Ricketts poussant sa brouette, Arliss marchant à côté. Celui-ci s'efforçait de maintenir les dossiers en équilibre et s'arrêtait régulièrement de manière à rattraper des pages déchirées, noircies, qui s'étaient échappées de la pile pour voleter jusque sur la chaussée.

– Seigneur ! grommela-t-il, et il partit à la recherche des vestiges de son bureau.

L'agent Bainbridge, aidé d'une collègue, avait réussi à rassembler quelques affaires intactes dans un tiroir. En y jetant un coup d'œil, Stratton constata avec plaisir que la photo de Jenny et des gosses qu'il gardait par-devers lui avait été miraculeusement préservée. Bon présage… Ses notes sur la jeune violée de la boîte de nuit n'avaient pas souffert non plus. Heureusement, songea-t-il en les secouant pour se débarrasser de la poussière.

Assis sur deux caisses de livraison fournies par le Veeraswamy, il se mit à dresser la liste des fêtards à interroger. À un moment donné, il s'interrompit pour allumer une cigarette et considéra le chaos ambiant. M. le sous-divisionnaire avait beau jeu de faire des remarques idiotes sur l'importance de persévérer et se débrouiller, mais ce n'était pas lui qui était dans le bain. Quant au cadavre de l'église… Stratton tira une apaisante bouffée de nicotine et poussa un profond soupir. « Moi, pauvre ignorant, se dit-il. Moi, pauvre, pauvre ignorant ! »

25

Trois jours plus tard, Stratton était « installé » – si l'on pouvait dire – dans le bureau de la brigade criminelle dans Great Marlborough Street. L'inspecteur Jones, un brave type, s'était résigné bon gré mal gré au fait que la pièce n'était pas vraiment assez vaste pour contenir deux bureaux, et qu'il devait exécuter une sorte de rotation du bassin pour accéder à son fauteuil. Stratton, côté porte, avait juste la place de s'asseoir et jouissait d'un confort passable, à condition de ne pas vouloir repousser son fauteuil pour se détendre. Le commissaire Lamb passant chez lui sa convalescence, il n'y avait pas de problème de ce côté-là, mais Cudlipp avait beaucoup contrarié le chef de poste de Marlborough Street en s'imposant comme le grand maître du thé et tous deux avaient tendance à surgir sans y avoir été invités pour exprimer leurs doléances.

Jamais le thé n'avait été aussi infect et, la ration de sucre ayant encore diminué, impossible d'en masquer le goût. De plus, faussée par les explosions à proximité, la fenêtre refusait de s'ouvrir, si bien que chacun d'eux devait scruter son travail, et éventuellement son collègue, à travers un nuage dense de fumée de tabac. Le service technique, composé de deux individus déprimés, était actuellement occupé à passer des tringles dans les W-C bouchés au sous-sol. Jusque-là, de leurs efforts n'avait résulté qu'une flaque brunâtre et malodorante au pied de la cuvette. Il leur avait fallu trois semaines, avait expliqué Jones, pour arriver à ce résultat ; donc il ne fallait pas espérer avoir de l'air frais avant longtemps.

Enfin, au moins faisait-il des progrès dans l'affaire de la boîte de nuit. Comme il feuilletait ses notes, comparant les dépositions de divers témoins, le téléphone sonna. Raflant le récepteur, il fut surpris de voir qu'en dépit du chaos, ça fonctionnait encore.

– Stratton…

– Byrne à l'appareil.

– Bonjour, docteur…

– Désolé d'avoir mis autant de temps pour revenir vers vous. On ne chôme pas, avec ces bombardements. L'essentiel est fait par les garçons de salle, c'est vrai, mais c'est assez compliqué – de vrais puzzles humains.

Byrne gloussa. Mon Dieu, songea Stratton, encore une blague. Ça n'en finissait plus.

– Bref, j'ai des infos pour vous. Le cadavre était un homme, un mètre soixante-dix-sept, la cinquantaine, bien nourri, a eu une prothèse dentaire – qui n'est plus là, mais on en voit la trace – des plombages… Oh, et vous aviez raison à propos de la chaux, au fait. C'est de la chaux blanche, ce qui explique la bonne conservation relative du corps.

– Depuis combien de temps était-il là-bas ?

– L'estimation est difficile, mais je dirais entre quatre et six mois. La cause du décès est un coup sévère à la tête. Blessures triangulaires au sommet et à l'occiput… voyons… sept bouts d'os, mesurant entre un centimètre deux et sept centimètres cinq, enfoncés, et il y a une autre blessure triangulaire au-dessus du sourcil gauche, nez cassé… gros dégâts. Causés, dirait-on, par un instrument contondant.

– Une matraque ?

– Non. Les marques suggèrent quelque chose de plus large, avec un bord tranchant, droit – une pelle, peut-être… quoi d'autre ?

Il y eut un silence – Byrne parcourait de nouveau ses notes.

– Oh, oui ! Rien à dire sur son identité, et pas de marques caractéristiques sur les lambeaux de vêtements. Cheveux bruns – le peu qu'il en reste.

– Comment étaient-ils ?

– Ses vêtements ? Eh bien, je ne suis pas expert mais, à en juger par les fragments qu'on possède, je dirais que c'est de la mauvaise qualité. De la camelote. Pas de montre, mais nous avons trouvé un bout de mouchoir avec une marque de teinturier.

– C'est mieux que rien. Quelle marque ?

– Attendez une minute… voilà. CV89.

– CV – comme Charlie Victor ?

– Voilà.

– Bon, au moins on peut commencer…

Stratton demanda à l'inspecteur Jones s'il pouvait emprunter pour quelques jours quelqu'un, qui serait chargé d'aller interroger les teinturiers locaux. Gaines, la jeune femme agent, était une fille bien faite qui avait les joues roses et de la jugeote.

– Remontez jusqu'à il y a huit mois, lui dit Stratton. Ça ne devrait pas vous demander beaucoup de temps.

Il trouva l'adresse et le numéro de téléphone de l'entreprise des Frères McIntyre dans le bottin, et le patron, M. Patterson, confirma que oui, ils avaient réalisé des réparations dans l'enceinte de l'église. Stratton expliqua que le site avait été bombardé et qu'il s'agissait de vérifications de routine avant de demander des détails. Il apparut que le travail avait été effectué au début du mois de mars, ce qui cadrait avec les propos du père Lampton, et les feuilles de présence attestaient qu'un charpentier, Peter Eddowes, avait été sur place du 4 au 12 mars, sauf le 10, qui était un dimanche. Thomas Curran, Paddy Connelly et Jock McPherson, des ouvriers, avaient aussi été là jusqu'au 14, et le plâtrier, Albert Drake, ainsi que son copain Jim Phillips s'étaient joints à eux le 11 et avaient travaillé jusqu'à l'achèvement des travaux, le 15.

– Ces hommes travaillent toujours pour vous ?

– Oui, sauf McPherson et Phillips. Ils nous ont quittés en juin. Mobilisés.

– Auraient-ils laissé leurs outils sur place, pendant la durée des travaux ?

– C'est l'usage en général, oui. Quand il y a un endroit où les déposer, bien entendu.

– Je vois. J'aurai besoin de leur parler, monsieur Patterson, dans les jours qui viennent.

– Il n'y a pas de problème, j'espère ?

Le patron semblait inquiet.

– Mais non. Simple formalité.

Il prit rendez-vous avec lui dans les locaux de l'entreprise, qui étaient dans Cleveland Street près d'Euston Road, à cinq heures du soir, et le remercia pour son aide. Après quoi, il contempla fixement le vide pendant un moment, songeur, puis demanda à l'inspecteur Jones s'il s'y connaissait en badigeon.

– Non. Il m'est arrivé de badigeonner le mur des cabinets dans le jardin, quand j'étais gosse… mais c'est tout. Pourquoi ?

– Qu'est-ce qu'on utilise ?

– De la chaux vive.

– Merci.

– À ton service !

Souriant de toutes ses dents, Jones se remit au travail.

Donc, ça ne pouvait être cela, songea Stratton. Assez curieusement, il y avait plein de bâtiments chaulés dans la ferme où il avait grandi, et pourtant il ne se rappelait pas avoir jamais vu personne les repeindre… Mais la chaux blanche, on en mêlait à du mortier pour agencer des briques, donc les ouvriers s'en étaient peut-être servi. Stratton se demanda ce que cet homme était venu faire dans cette église, pour commencer – si c'était bien là qu'il était mort. Le visage écrabouillé donnait à penser qu'on ne voulait pas qu'il soit identifié. Ce devait être plus qu'un simple vol, sinon pourquoi le tuer ? Et même si on n'avait pas voulu le tuer, pourquoi prendre la peine de l'enterrer ensuite ? Ça n'avait pas dû être une mince affaire de desceller ces dalles – tâche ardue pour un homme seul, et qui demandait du temps. Une femme n'aurait pas pu, même une belle fille saine comme Gaines. Là, Stratton fut momentanément distrait par la vision de celle-ci en jupette, assénant un smash terrible avec sa crosse de hockey, galopant dans l'herbe de ses jambes solides, ses seins rebondissant…

Rassemblant ses pensées de peur de perdre la tête, Stratton revint à ses notes sur l'agression dans la boîte de nuit. Gaines fit une apparition à quatre heures un quart, l'air contente d'elle.

– Bonne nouvelle, inspecteur. J'ai retrouvé cette teinturerie.

– Bravo.

– Venner's Steam Laundry, dans Mayfair. La marque correspond à un certain sir Neville Apse.

– Ah ?

– Oui. J'ai son adresse.

Elle lui tendit un morceau de papier.

Dolphin Square. Stratton se demanda si Apse était un parlementaire et, si oui, pourquoi sa disparition n'avait pas été signalée dans la presse.

– Merci, Gaines.

– C'est tout, inspecteur ?

– Pour le moment. Mais j'aurai peut-être encore besoin de vous dans quelques jours – si l'inspecteur Jones est d'accord, bien sûr.

Sir Neville Apse. Un nom qui commandait le respect. Et si c'était lui, le cadavre, il était prêt à parier son dernier dollar que les choses allaient beaucoup se compliquer. C'était toujours le cas, quand des gens en haut lieu étaient en cause. Mais là encore, Byrne avait décrit les vêtements comme étant de qualité médiocre – pas chic. Enfin, au moins le commissaire Lamb n'était-il pas là pour s'en mêler – pas encore.

La visite aux frères McIntyre ne servit pas à grand-chose, sinon à confirmer que les outils des ouvriers, notamment deux pelles, avaient été entreposés dans l'église la nuit et que de la chaux blanche avait servi à préparer le mortier. L'un des ouvriers, Curran, Irlandais de la seconde génération à la trogne impossible et aux cheveux carotte, lui avait paru assez fuyant et mal à l'aise, mais ce pouvait être pour toutes sortes de raisons – parce qu'il revendait des matériaux de construction en douce, ou à cause d'un différend avec la police… Oui, toutes sortes de raisons. Moi être pauvre ignorant. Il faudrait raconter celle-là à Donald et voir s'il avait avancé dans sa quête d'un projecteur par la même occasion. Pressant le pas, et espérant que les bus auraient repris leurs itinéraires habituels – ou du moins rouleraient à peu près dans la bonne direction –, il rentra chez lui.

26

Stratton prit place sur le divan, dans l'appartement de sir Neville Apse, à Dolphin Square, et attendit que le maître des lieux daignât le recevoir. Au terme d'une vive conversation téléphonique, sir Neville, qui était manifestement bien vivant, avait accepté de lui consacrer dix minutes, mais ça n'avait pas été facile. Ce bref échange l'avait laissé sur l'impression que c'était le genre d'aristocrate qui croit avoir le don de se rendre sympathique auprès des masses laborieuses en leur parlant avec condescendance d'une voix joviale. Tout en se tournant les pouces, il espéra que cette entrevue n'allait pas être aussi exaspérante et stérile que les circonstances semblaient l'annoncer. Il avait cru comprendre, même si on ne lui avait rien dit de tel, que ce gentleman était lié au ministère de la Guerre et les indices (la femme chauffeur, dehors, et la blonde glaciale aux manières sèches et distinguées qui l'avait fait entrer) indiquaient quelqu'un de joliment important. Peut-être l'un de ces types à relations qui avaient été recrutés dans quelque club privé par un ancien condisciple pour une mission ultra-secrète – une affaire trop importante pour les oreilles d'un simple flic.

Percevant des murmures masculins dans le couloir, il tendit l'oreille. « Lettre des négociants en vins…

stock détruit par l'ennemi expliquant qu'on n'a pu honorer la commande. »

– J'espère que ce n'est pas le Barolo.

– Ils essayeront de nous dédommager. Quel ennui… enfin, on ne devrait pas se plaindre…

Non, songea Stratton, « on » n'avait pas à se plaindre, en effet. Vu les privations endurées par la population, la perte de quelques caisses ne méritait pas d'être déplorée, mais c'était un autre monde. Il n'aurait pas été étonné de découvrir que les choses n'avaient pas le même goût dans des endroits pareils – les pommes ayant le goût des bananes, par exemple ; ou l'eau, celui du vin. Du Barolo, par exemple, si c'était bien du vin.

Lorsque sir Neville parut vingt minutes plus tard, sans même lui proposer une tasse de thé, Stratton se leva et lui tendit la main. Sir Neville l'ignora et esquissa un geste très vague dans sa direction.

– Bien, bien, asseyez-vous…

« Merde, songea Stratton, même pas d'excuse pour m'avoir fait lanterner, alors que j'étais pile à l'heure. Pour bien me montrer que je suis de la crotte… » De nouveau, il se tassa sur le divan. « Arrête », se dit-il. Montrer les dents serait une attitude aussi mauvaise que s'écraser – dans les deux cas, son jugement en serait faussé. Il considéra le beau visage patricien, le costume bien coupé, la silhouette élancée, et se demanda si son épouse l'appelait jamais son Sucre d'orge dans l'intimité.

Le voyant froncer les sourcils, et réalisant qu'il devait être en train de sourire, Stratton reprit son sérieux.

– J'enquête sur un meurtre, dit-il fermement, sans lui laisser le temps de dire de nouveau combien il était occupé et, par conséquent, tellement plus important que lui.

Sir Neville sourcilla.

– Et alors… ?

– Connaissez-vous l'église Notre-Dame-et-Saint-Pierre dans Eastcastle Street ?

– Je suis anglican.

– Avez-vous jamais visité cette église ?

– Non. Si j'ai bonne mémoire, je n'ai assisté à la messe qu'une seule fois : à l'occasion d'un mariage, à l'église de l'Immaculée-Conception dans Farm Street, à Mayfair.

– Vous faites blanchir votre linge à Mayfair, n'est-ce pas ?

– Je n'en sais rien. Je ne suis pas responsable du linge. La gouvernante doit savoir cela, ou bien mon épouse.

– Néanmoins, nous avons un mouchoir qui porte votre marque de teinturier.

Derechef, sir Neville sourcilla.

– Tiens !

– Oui. Il a été trouvé sur un cadavre découvert dans cette église. L'origine de cette marque a été confirmée par Venner's Steam Laundry. Savez-vous comment cela a pu arriver là ?

– Absolument pas. J'ai dû le laisser tomber, et ce… cette personne… l'aura ramassé.

– Vous rappelez-vous avoir perdu un mouchoir ?

Souriant, sir Neville fit non de la tête.

– Non, mais ça n'a guère d'importance, n'est-ce pas ?

– Maintenant, si.

– Oui, évidemment, mais je crains de ne pas pouvoir vous aider, inspecteur.

– Je vois.

Stratton considéra l'expression narquoise et songea combien il aurait été satisfaisant de lui flanquer son poing dans la figure. Il se levait pour partir, quand la porte s'ouvrit et un homme plus jeune, d'une beauté presque choquante, apparut, la blonde glaciale dans son sillage.

– J'espère que ça ne te dérange pas, mon vieux, dit-il, mais j'emmène ton esclave déjeuner.

– Pas du tout, fit sir Neville, tout miel. Du moment qu'elle est de retour à deux heures et demie. Amusez-vous bien, Diana.

– Merci, monsieur !

Sur ce, le couple s'en alla, sans avoir jeté ne fût-ce qu'un regard à Stratton. La jeune fille était belle, ça oui, dans le genre hautain, et très svelte, avec des jolies jambes. Ces deux-là devaient être amants, ou le seraient bientôt. Bonne chance au beau garçon – la fille était jolie, mais assez réfrigérante pour vous couper l'envie de…

Prenant congé presque aussitôt après, il repartit en longeant la Tamise. Cet homme n'avait pas manifesté la moindre curiosité à l'égard de l'identité du cadavre – il n'avait même pas demandé si c'était un homme ou une femme. En fait, il avait employé le terme neutre de « personne » – alors que la plupart des gens auraient sans doute supposé que c'était un homme. Il se demanda si c'était significatif ou montrait seulement que sir Neville ne s'intéressait qu'à ce qui le concernait directement.

Il retourna dans Great Marlborough Street et demanda à Gaines de fouiller dans ce qui restait des dossiers concernant les Personnes disparues, pour voir si on pouvait trouver quelqu'un correspondant au descriptif du corps. Le reste de la journée fut consacré à démêler les éléments de l'affaire de la boîte de nuit

– il y avait plusieurs contradictions flagrantes dans les dépositions, mais la plupart des témoins ayant été, de leur propre aveu, complètement ivres, ce n'était pas vraiment surprenant. Quand Stratton eut vérifié la plupart des points, tout semblait indiquer que le type qui avait tenté de violer la jeune hôtesse était le fils d'un évêque anglican – encore un type de la haute.

À cinq heures et demie, il avait réussi à dénicher la mère de la jeune fille et avait bon espoir d'opérer un rapprochement, ce qui serait au moins quelque chose. Il réfléchissait à la prochaine étape, quand Gaines frappa à la porte.

– Je peux entrer, inspecteur ?

– Si vous y arrivez ! Et si vous vous asseyiez, en fait ? Je peux me percher sur le bureau.

– Merci, inspecteur. Malheureusement, beaucoup de dossiers ont été détruits, mais j'ai deux noms pour vous.

– Excellent ! Je vous écoute.

– Gannon et Vaisey. Tous deux avaient la cinquantaine et ont disparu au cours des six derniers mois.

– Avant le début des raids ?

– Oui, mais ce n'est pas concluant, n'est-ce pas ? Je veux dire, s'empressa-t-elle d'ajouter, ils ont pu être tués depuis, non ?

– Absolument.

– Le premier, Peter Gannon, a quarante-huit ans. Un mètre soixante-dix-sept, cheveux bruns, yeux bleus, tendance à loucher. Laitier, il travaillait à Rathbone Place – son épouse a signalé sa disparition le 9 mars, ne l'ayant pas vu depuis une semaine... Le dernier à l'avoir vu est son employeur, M. Smithson. C'était le 5. Il portait son uniforme. Il avait des problèmes à la maison, ce qui pourrait expliquer son départ.

– Vous avez appelé les hôpitaux ?

– Oui, pour les deux. Rien.

– Qui est l'autre ?

– Emmanuel Vaisey. Quarante-six ans. Sa disparition a été signalée par sa femme le 8 mars. Il souffrait de troubles mentaux depuis la dernière guerre, apparemment ; donc, sa disparition est peut-être liée à cela. Domicilié à Lexington Street. Sa femme y tient un débit de tabac. Vaisey ne travaillait pas.

– Bon. Bravo ! J'aurai besoin d'une copie de tout cela sur mon bureau, demain matin.

Gaines rayonna.

– Comptez sur moi, inspecteur !

Pour rentrer à la maison, il dut emprunter quatre bus, tous bondés de gens à qui on avait conseillé de ne pas prendre le métro, une inondation causée par les bombardements ayant interrompu le trafic sur une large portion de la Northern Line. Quand enfin il trouva une place assise, à cinq arrêts de chez lui, il ferma les yeux et laissa ses pensées vagabonder, d'abord du côté de Gaines, puis, comme par contraste, vers la réfrigérante « esclave » de sir Neville.

Diana, l'avait-il appelée. Diana… Il passa le reste du trajet à se demander de quoi elle avait l'air, toute nue.

27

Diana entra dans l'appartement de Forbes-James. Margot Mentmore n'étant pas à son poste, elle alla directement jusqu'à la porte du bureau, frappa et poussait le battant, quand la voix de Forbes-James lui lança sèchement : « Un instant, je vous prie ! » et elle la referma hâtivement. Curieusement, il n'était pas à son bureau, sa place en général quand il interrogeait quelqu'un. Ce devait être une entrevue moins officielle… Ou bien Mme Forbes-James était-elle là ? Elle espéra que oui – elle mourait d'envie de voir la tête de son épouse. Mais, dans ce cas, il lui aurait dit d'entrer et aurait fait les présentations, non ? Enfin, bien entendu, il ne pouvait pas savoir qui se trouvait derrière la porte. Sa visite n'était pas prévue – la permission de Guy signifiait que Forbes-James ne s'attendait pas à la voir avant au moins une semaine. Diana s'affala dans le fauteuil de Margot en soupirant. Elle s'était efforcée d'éviter de penser à cela depuis l'arrivée de la lettre d'Evie.

De là où elle était, elle entendait des voix, mais impossible de distinguer ce qui se disait. Lorsque la porte s'ouvrit, elle se leva et Forbes-James apparut, reboutonnant sa manchette, en compagnie d'un homme distingué aux cheveux gris.

– Dr Pyke… Mme Calthrop.

Comme ils se serraient la main, il ajouta :

– Le Dr Pyke est un voisin, Diana. Il a eu l'obligeance de bien vouloir prendre ma tension.

– J'ignorais que vous étiez souffrant, dit Diana. Je ne serais pas venue vous ennuyer, si…

– Tout va bien. Simple précaution.

Le médecin opina.

– On n'est jamais trop prudent. Votre chef est un homme occupé, madame Calthrop.

Quand il fut parti, Diana déclara :

– Je regrette infiniment de vous avoir dérangé.

– Aucune importance. Ne vous excusez pas. Et maintenant… (Il la fit entrer dans son bureau.) Qu'aviez-vous à me dire ?

Forbes-James fronça les sourcils.

– Un policier ?

– Oui. Ce matin. L'inspecteur Stratton.

En parlant, Diana remarqua que deux boutons de chemise, jusqu'ici camouflés par sa cravate, étaient défaits.

– Et vous ignorez de quoi il était venu parler ?

– Oui. Mais j'ai cru devoir vous prévenir.

– Je vois. Vous n'avez rien entendu ?

– Non.

Diana détourna les yeux.

– J'ai dû m'absenter…

– Je suis tombé par hasard sur Ventriss, en sortant à l'heure du déjeuner. Il semblait se diriger vers Frobisher House.

– Oui. Nous avons déjeuné ensemble.

Diana crut avoir réussi à dire cela sur le ton le plus neutre, mais Forbes-James secoua la tête avec une expression chagrine qui la mit dans l'embarras. Ça n'avait pas été seulement « pour déjeuner » – ils étaient allés chez elle ensuite – et Forbes-James semblait le savoir ou l'avoir deviné.

– Cet après-midi, Apse m'a semblé très préoccupé, dit-elle hâtivement. J'avais un tas de paperasses à expédier, mais il m'a dit que je pouvais disposer – j'ai eu l'impression qu'il ne voulait pas de moi là-bas.

– Il a cru sans doute préférable de vous libérer plus tôt – vous avez bien une semaine de congé, n'est-ce pas ?

– Oui, je vais rejoindre ma belle-mère dans le Hampshire, mais il avait oublié – j'ai dû le lui rappeler.

– Eh bien…

Forbes-James recula son siège, signe que l'entretien prenait fin.

– C'était sans doute sans importance – quelqu'un qu'on aura arrêté – mais merci de m'avoir averti.

– Bien, monsieur… Vos boutons, monsieur.

– Mes boutons…

L'air interloqué, Forbes-James baissa les yeux sur son ventre. Diana rougit.

– Pas là, monsieur. Votre chemise.

– Ah, oui ! Oui, bien sûr. Bonté divine…

Rectifiant sa tenue, il la raccompagna à la porte.

– Tout bien considéré, dit-il, je crois que ces quelques jours de congé vous seront profitables. Votre époux a une permission, n'est-ce pas ?

– Oui, monsieur.

– C'est bien que vous puissiez passer un peu de temps ensemble. (Il sourit et lui tapota le bras.) Pour refaire connaissance. Vous êtes sur le départ, n'est-ce pas ?

– Ce soir, je dîne avec Mme Mountstewart.

– Madame… ?

– Le Right Club…

– Parfait. Alors, bonsoir…

– Bonsoir, monsieur.

Diana dévala l'escalier, soulagée d'échapper au regard inquisiteur de son patron. Quelle expérience pénible ! Pour lui aussi, du reste. Il devait avoir été horriblement gêné, sinon il n'aurait jamais oublié qui était Mme Mountstewart. Il n'oubliait jamais un nom – jamais.

De toute évidence, la visite du policier était anodine, et elle avait débarqué au mauvais moment. Il faudrait apprendre à distinguer entre les choses dignes d'être signalées et les autres. Mais, songea-t-elle avec colère, comment savoir ce qui était normal ? Rien ne l'était plus, en particulier dans sa vie… « Refaire connaissance… » Au souvenir de ces paroles, Diana poussa un gémissement intérieur. « Pour commencer, je n'ai jamais vraiment su qui est Guy, songea-t-elle. Et je ne me connais plus moi-même ; c'est bien le problème ! » Comment regarder Guy en face après ce qui était arrivé avec Claude ? Quant à Evie… Quel enfer ! Et elle était la seule fautive…

28

Diana regarda subrepticement sa belle-mère en se cachant derrière son livre. Evie, nota-t-elle avec une pointe de remords, avait bien vieilli au cours des derniers mois. Sa peau était sèche, fatiguée, de grosses veines saillaient sur ses mains, elle avait des bajoues et le visage marqué de rides profondes. Certes, ce n'était pas très visible dans la pénombre de la vaste salle d'apparat, avec ses fenêtres à petits carreaux voilées par les épais rideaux noirs du black-out et le lustre suspendu au plafond voûté, au centre des quatre colonnes de granit poli. Peut-être valait-il mieux ne pas y voir trop clair – le temps d'octobre, qui desséchait Evie, semblait produire l'effet inverse sur la maison : un peu partout, il y avait des boiseries gondolées et d'étranges taches d'humidité.

Elle examina Guy, qui cherchait à déchiffrer un genre de manuel sur les blindés, absorbé par sa lecture. Chose étonnante, il avait pris du poids depuis son départ. Son visage était non seulement bien plus rose, mais plus rebondi, et sa nuque s'ornait d'un coussinet de chair. Dans un effort pour compenser la légère – en vérité, plus que « légère » – répulsion qu'elle ressentait pour ces choses-là, Diana se força à se rappeler combien il avait fière allure à son arrivée. Objectivement, avec ses yeux bleus et ses épais cheveux blonds comme les blés, il était toujours très beau, et, bien qu'un peu juste, son uniforme lui allait bien… Sentant que sa belle-mère la regardait regarder Guy (ou, plutôt, regarder dans la direction de Guy, qui s'était à présent, inexplicablement, changé en Claude), elle reporta son attention sur l'énorme cheminée de pierre.

En dépit de ses efforts, elle se revoyait au lit avec Claude après leur dernier déjeuner au restaurant et espéra que Evie, dont le regard la sondait désormais, n'avait pas le pouvoir de lire dans ses pensées. Elle aurait tant voulu interroger Claude sur cette femme qui s'était suicidée, mais ne l'avait pas fait. « C'est que j'ai peur, songea-t-elle. Peur de sa réponse. Je sais qu'il est dangereux, et pourtant je ne peux m'empêcher de le comparer à Guy, et c'est mal. » Elle se demanda dans combien de temps elle pourrait prendre congé sous un prétexte quelconque pour aller se coucher, mais le problème était que Guy, obéissant à un presque imperceptible signe de tête de sa mère, lui emboîterait aussitôt le pas. La veille, elle s'en était tirée en prétextant une migraine, mais comme cette excuse avait sans aucun doute été signalée à Evie, et abondamment discutée à en juger par l'expression de cette dernière le lendemain, au petit déjeuner, il ne serait pas prudent de recommencer. Elle se consola avec l'idée que, au moins, elle ne risquait pas de tomber enceinte. Des chuchotements entre deux auxiliaires territoriales, entendus dans l'hôtel où elle avait passé la nuit après avoir vu une vieille toquée à Bournemouth, lui avaient appris l'existence d'une certaine « pâte Volpar », qu'elle avait obtenue du médecin. Il fallait recourir à un bidule pas pratique en caoutchouc, un « pessaire » qu'on mettait une éternité à placer dans la bonne position. Du moment que ça marchait…

Car si Guy réussissait à lui faire un enfant, elle devrait rentrer dans le Hampshire et passer le reste de la guerre cloîtrée avec Evie… Perspective insupportable. Plus que cinq jours, se dit-elle. Quatre jours et quatre nuits avant la quille.

Elle se demanda si Guy était aussi malheureux qu'elle. Pas d'être avec sa mère, bien entendu – il en était ravi, à l'évidence –, mais avec elle. Il avait paru sincèrement content de la revoir et elle-même avait été contente aussi, bien sûr – du moins de le voir sain et sauf, plutôt qu'à l'idée de passer du temps avec lui… C'était étrange, comme s'ils venaient d'être présentés à une soirée et n'avaient déjà plus rien à se dire. Autrefois, elle aurait bavardé avec lui pendant des heures… Evie avait invité des gens – des amis à elle, pour l'essentiel – à déjeuner et à dîner, ce qui était une bonne chose, mais Diana avait tristement conscience d'éviter autant que possible de se retrouver seule avec son mari.

L'avait-il remarqué ? Jusque-là, elle avait réussi à faire de longues balades en solitaire sous prétexte de prendre l'air, alors qu'elle désirait simplement quitter la maison pour pouvoir penser à Claude. Plus que quatre jours et quatre nuits… Elle consulta sa montre. Seulement neuf heures un quart, mais si Evie continuait à la fixer ainsi du regard, elle allait devenir folle… Elle se leva et prit son petit sac. Marmonnant un : « Je vous prie de m'excuser », elle entreprit la longue traversée en direction de la porte, ses talons sonnant sur le parquet, sachant qu'Evie ne la quittait pas des yeux.

Ayant fermé la porte, elle poussa un soupir de soulagement et dégringola l'escalier principal, traversa le hall, le petit salon obscur et le jardin d'hiver barricadé, débouchant sur la terrasse où elle chercha ses cigarettes dans son sac.

Face au jardin enveloppé de ténèbres, elle réfléchit que Guy n'avait pas l'air plus enchanté de coucher avec elle qu'avant son départ. Sans enthousiasme, il avait tenté de lui faire l'amour avant le dîner et, comme elle le repoussait, disant que ce n'était pas le moment, il n'avait pas insisté. « Peut-être s'y attendait-il, ou bien il a une liaison, ou encore il couche avec un tas de prostituées étrangères... » Elle s'émerveilla de constater à quel point elle avait à présent les idées larges, puis se demanda si Guy avait jamais songé à une autre femme quand il lui faisait l'amour. Cette idée n'était guère agréable, mais, le moment venu, pourrait-elle éviter de penser à Claude ? Ce serait terrible. Enfin, tout de même, les autres couples ne fonctionnaient pas tous ainsi ? Peut-être que si. Y compris celui que formaient ses parents. Elle secoua la tête, effarée.

La porte s'ouvrit derrière elle, et Guy apparut.

– Je ne te dérange pas... ? dit-il timidement.

– Bien sûr que non.

Elle avait répondu machinalement. L'espace d'un instant, elle se demanda ce qu'il aurait fait si elle avait dit oui, que ça la dérangeait et qu'il n'avait qu'à partir. Cette pensée lui fit honte et elle s'efforçait de trouver une gentillesse à dire pour se racheter, quand il déclara :

– Qu'est-ce qu'il fait noir, hein ?

– Oui.

Il sortit une cigarette de son étui et ils fumèrent en silence, tandis qu'elle se creusait les méninges, à la recherche d'un sujet de conversation anodin.

– On n'a guère eu l'occasion de bavarder, hein ?

– Non.

– J'ai l'impression que tu t'amuses bien à Londres.

Il y eut un bref silence, durant lequel l'esprit de Diana se remplit d'horribles pensées : Evie avait-elle entendu quelque chose ? Lui avait-elle parlé ? Qu'allait-il dire ensuite ?

– À en juger par tes lettres.

– Oh…

Dieu merci, il ne pouvait voir son visage, à cause de l'obscurité.

– Mes lettres. Oui, je m'amuse bien.

– Je n'aurais jamais cru qu'on puisse autant s'amuser à classer des papiers.

– Ça me plaît.

– Ah bon ?

– Oui.

Qu'avait-il ? se demanda Diana, irritée. Puisqu'elle venait de lui dire que cela lui plaisait.

– J'aimerais que tu penses à revenir vivre ici. Maman s'ennuie beaucoup, toute seule.

– Elle a plein d'amies.

– Je sais, mais ce n'est pas pareil. Et c'est dangereux, Londres…

– Je m'y suis habituée. De toute façon, je ne peux pas abandonner mon travail.

– Je ne doute pas de tes compétences, ma chérie, mais je suis sûr qu'ils pourront trouver une autre employée de bureau.

« Je ne peux pas lui dire, songea Diana, misérablement. Je ne peux rien lui dire. »

– Je veux participer, Guy. Si j'étais… ici… (elle avait failli dire « coincée ici »), je n'aurais pas l'impression d'effectuer ma part.

– Mais il y a beaucoup à faire ici : les évacués, par exemple.

– Ils sont retournés chez eux.

– D'autres vont venir, maintenant que les bombardements ont commencé. Et il y a les services volontaires féminins, et la clinique. Maman ne se plaint jamais, mais je sais qu'elle trouve terriblement difficile de se débrouiller toute seule.

– Elle n'est pas toute seule. Elle a Mme Birkett, Ellen, et Reynolds, et…

– Tu sais bien ce que je veux dire. Bref, ajouta-t-il sournoisement, si tu as un enfant, tu devras revenir.

– Je ne veux pas d'enfant, Guy.

– Mais si ! fit-il gaiement.

Ce ton la mit en colère.

– Non, je n'en veux pas !

– Ne dis pas de bêtises, chérie.

– Je ne dis pas de bêtises. Je ne veux pas d'enfant.

– Pourquoi ?

– Parce que c'est ainsi. Pas maintenant.

– Oh, chérie ! Je sais que tout est chamboulé à cause de la guerre, mais si tu avais un enfant, tu en serais très heureuse.

– Qu'en sais-tu ?

– Ne sois pas si puérile, Diana. C'est comme ça. Et maman serait ravie.

– Ça, je n'en doute pas !

Diana lâcha sa cigarette et l'écrasa.

– Mais je n'en aurai pas.

– Je sais que tu en as bavé la première fois, chérie, mais je suis sûr que tu réussiras mieux, la prochaine fois, à…

– À garder l'enfant, tu veux dire ? Je n'ai pas fait exprès de le perdre, tu sais !

Guy parut embarrassé.

– Je sais, je sais… Tu es fatiguée, ma chérie.

Il lui tapota l'épaule, maladroitement, dans le noir.

– Une fois bien reposée, tu verras les choses autrement.

– Non. Mais je vais aller me coucher. Tu peux aller tout raconter à ta mère, si tu veux. Je suis sûre que vous avez un tas de choses à vous dire…

Elle se précipita à l'intérieur, claqua derrière elle la porte du jardin d'hiver dont les vitres tremblèrent sous les tentures noires.

Couchée dans son lit, le regard braqué sur le faux plafond à caissons, elle songea : « Là, j'ai vraiment aggravé mon cas ! » Rébellion caractérisée – ils devaient être en train d'en discuter au rez-de-chaussée. Elle se représentait Evie sur le divan, auprès de Guy, lui caressant la tête et lui disant de ne pas s'inquiéter, elle allait tout arranger… Oh, Seigneur, pourquoi n'avait-elle pu se taire ?

Elle éteignit et roula sur le côté. La culpabilité qu'elle ressentait, tant au sujet de Claude que de ce pauvre bébé non désiré qu'elle avait perdu sans regret, et qui l'avait rendue si dure envers Guy, était soudain remplacée par de la tristesse. L'idée que cette fichue baraque lui tenait lieu de foyer la mettait au désespoir. L'appartement de Londres était sympathique, certes, mais ne comptait pas vraiment et d'ailleurs elle ne pourrait pas y rester éternellement… Elle aspirait à l'oubli, mais le sommeil la fuyait. L'idée qu'au matin, Evie la prendrait à part pour une « petite conversation » la remplissait d'horreur.

Un peu plus tard, elle entendit marcher dans le couloir : Guy. Elle sonda les ténèbres, pétrifiée sous les draps. Enfin, pas ce soir… ? Cela se rapprocha, et parut s'arrêter juste derrière sa porte. Non, de grâce, non… Elle retint sa respiration. Le marcheur reprit sa route et le bruit de ses pas s'estompa dans le couloir. Merci, mon Dieu… Il avait dû décider de dormir sur le lit de repos, dans son dressing. Elle se retourna et ferma les yeux.

Elle ne descendit pas prendre son petit déjeuner, et jeûna donc jusqu'à midi car Evie était contre le fait de manger au lit, et de toute façon la sonnette ne marchait pas. Elle resta dans sa chambre jusqu'à onze heures et demie – heure où Guy passa la tête pour annoncer que lui-même et sa mère déjeunaient avec des gens au village – il savait qu'elle préférerait rester ici, au calme, en attendant d'aller mieux.

De sa fenêtre, elle vit le cabriolet les emporter, puis s'habilla et descendit en tapinois l'escalier, guettant le pas de Mme Birkett ou d'Ellen, après quoi elle s'élança dans le jardin. Ayant marché au hasard assez longuement, elle se retrouva au bord du lac où, deux ans plus tôt, son teckel bien-aimé s'était noyé. Elle pleura, sachant que c'était plutôt sur elle-même que sur ce pauvre petit Clarence, et s'en fit le reproche.

Remontant d'un pas lourd vers la maison, elle se morigéna. Il arrivait bien pire aux êtres humains, surtout en ce moment – époux tués à l'étranger, épouses tuées dans leurs maisons, adultes et enfants blessés, mutilés, leurs foyers et biens détruits. Quelle raison avait-elle de pleurer ?

On lui avait laissé son déjeuner dans la salle à manger – jambon, quelques bouts de laitue flapie, une demi-tomate et une rondelle de betterave qui avait déteint sur tout le reste. Même Mme Birkett, la cuisinière, semblait la détester. Elle se força à manger un peu et mit les morceaux qu'elle n'était pas parvenue à avaler dans son mouchoir. Il serait bon à jeter, mais c'était plus fort qu'elle. Furieuse d'être traitée en écolière – et consciente de se conduire comme telle –, elle remonta dans sa chambre et resta là, étendue dans son lit et essayant de lire, mais fixant surtout le plafond, jusqu'à quatre heures de l'après-midi.

À l'heure du thé, servi dans la salle de réception, Guy et Evie la traitèrent avec une politesse marquée mais ne parlèrent pratiquement qu'entre eux, discutant des personnes avec lesquelles ils avaient déjeuné et qu'elle ne connaissait pas. Au bout d'une demi-heure, Guy, sur un signe de sa mère, se leva et prit congé en prétextant des instructions à donner à Reynolds à propos du jardin. Diana se levait du divan pour le suivre, quand la main de sa belle-mère lui saisit prestement le poignet. Elle tenta de se dégager, mais la poigne d'Evie, toujours assise dans son fauteuil, était d'une vigueur étonnante.

– Je crois qu'il est temps de bavarder, n'est-ce pas ?

Dans son dos, Diana entendit le déclic de la porte se refermant.

– Lâchez-moi. Vous me faites mal…

Sa belle-mère la contempla pendant un moment avant de la libérer.

– Assieds-toi.

Vaincue, Diana obéit en se massant le bras.

– J'ai beaucoup d'amis à Londres, et j'ai entendu certaines rumeurs. Je ne leur ai pas accordé un grand crédit – les gens parlent à tort et à travers, surtout en ce moment, et tu sais que je me suis toujours efforcée de voir le meilleur en toi.

Elle lui adressa un petit sourire venimeux.

– J'ai pensé que ce n'était qu'une toquade idiote – après tout, tu es encore jeune et tu n'as plus ta mère pour te conseiller, mais j'avais espéré qu'aujourd'hui, mariée, âgée de vingt-quatre ans, tu aurais mûri. J'étais sûre que ça ne durerait pas – ça ne dure jamais – et comme l'homme en question a une réputation de coureur de jupons, je me rassurais en me disant que tu ne pouvais pas être assez bête pour en tomber amoureuse. J'étais résolue à ne rien dire, mais ce que Guy m'a raconté hier soir sur ta froideur à son égard éclaire cette liaison d'un jour différent. Naturellement, je ne lui ai pas ouvert les yeux sur cette sordide aventure – après tout, il est déjà assez occupé par la guerre et ce n'est pas le moment de l'ennuyer avec des futilités. En particulier, dans la mesure où…

Evie baissa les yeux.

« Dans la mesure où il pourrait ne pas en revenir », songea Diana avec un sentiment de culpabilité si violent qu'elle eut envie de vomir.

– Toutefois, continua Evie, je constate que c'est allé plus loin que je ne le croyais. Enfin, Diana, tu veux tout de même le bonheur de Guy ?

Incapable de parler, Diana contempla ses pieds.

– Tu crois qu'il n'a pas mérité d'être heureux ?

Il n'y avait qu'une seule réponse à cela, et Diana la donna.

– Bien sûr que si.

– Un enfant le rendrait heureux, Diana. Un fils. Et c'est ton devoir, tout comme le devoir de Guy est de combattre pour la patrie. Cela, tu le sais, n'est-ce pas ?

Diana acquiesça.

– Oui ou non ? Je veux une réponse.

– Oui.

– En ce cas, cessons ces enfantillages. Si tu me promets – solennellement – de ne plus revoir cet homme, on en restera là. Sinon, je devrai en parler à Guy, et le fait d'apprendre que sa femme se ridiculise en compagnie d'un… d'un débauché, tandis qu'il risque sa vie pour sa patrie, le fera souffrir énormément. Tu me comprends ?

– Oui. Je comprends.

– Bien. Je sais que ce qui s'est passé – cette fausse couche – a dû te bouleverser, mais ce n'est pas une raison pour ne pas réessayer. Je crois comprendre que tu ne t'es pas compromise avec cet homme…

Evie s'interrompit, attendant une réponse. Comme rien ne venait, elle dit :

– Tu sais de quoi je parle ?

– Non, mentit Diana. Je ne me suis pas compromise.

– J'aime mon fils. Je ne peux pas le protéger dans les combats, mais je ferai tout ce qui est en mon pouvoir pour le protéger dans son foyer. Comprends-tu ?

Diana la dévisagea – la bouche souriait, mais les yeux étaient éclairés d'une terrifiante ferveur qui lui donna de douloureuses palpitations.

– Ai-je ta parole que tu ne reverras plus cet homme ?

– Oui.

C'était sorti dans un murmure.

– Dans ce cas, nous en resterons là. Pour le moment, j'imagine que tu as envie d'être un peu seule ? Va donc te promener. Comme M. Reynolds a emmené Guy voir les serres, tu préféreras sans doute éviter cette partie du parc.

Une fois à l'extérieur, Diana s'adossa au mur du jardin d'hiver et alluma une cigarette de ses mains tremblantes. Quand la cigarette eut fini de se consumer, le souvenir de la lueur fanatique dans le regard d'Evie s'était estompé quelque peu, et elle commença à se reprocher sa faiblesse et de ne pas s'être rebiffée au lieu d'accepter, humblement, de ne plus revoir Claude. Mais comment aurait-elle pu faire autrement ? L'expression d'Evie… Elle en frémit. Ce n'était pas son imagination : Evie serait prête à tout pour protéger Guy, songea-t-elle, en évitant soigneusement d'imaginer ce que ce « tout » pouvait bien impliquer. Dire qu'un homme adulte laissait sa mère le défendre ! Enfin ce n'était pas tout à fait juste, car Guy ignorait jusqu'à l'existence de Claude. Et bien sûr, elle ne voulait pas lui faire de mal, mais…

Guy avait en effet voulu un enfant, mais c'était surtout pour contenter sa mère qui désirait un héritier. Et si c'était une fille ? Alors, il faudrait en faire un autre, et si ce n'était pas non plus un garçon… Sauf qu'elle n'avait pas explicitement accepté d'avoir un enfant, n'est-ce pas ? Evie avait entendu ce qu'elle voulait entendre. Mais l'idée de ne plus jamais revoir Claude, de ne plus jamais l'embrasser, de ne plus…

Cela seul lui avait donné la force de continuer, cette semaine : s'imaginer dans ses bras, à Londres, et à présent qu'on l'en privait, plus rien… En quelques courtes semaines, Claude était devenu la pierre angulaire de sa vie ; désormais, il faudrait apprendre à se débrouiller sans lui. Se résigner. La vie pouvait – et devrait – continuer, et puis il y avait son travail. Eh bien, elle tiendrait sa promesse, mais ce serait tout. Une grossesse était impensable.

Dans un accès de démence, elle imagina demander à Guy le divorce, mais cela aussi était impensable. Dans quatre jours il aurait rejoint son régiment en attendant d'être envoyé Dieu savait où. Elle ne pouvait pas faire cela. De toute façon, il refuserait et si par miracle il était d'accord, qu'en penserait Forbes-James ? Il serait peut-être forcé de la congédier, ou, à défaut, de la rétrograder. Et comment Claude réagirait-il ? Il disait l'aimer, mais il y avait cette histoire de Lally à propos de cette femme qui s'était suicidée – elle avait cru à l'amour de Claude, n'est-ce pas ? Quant à Evie… *Je ferai tout ce qui est en mon pouvoir pour le protéger dans son foyer.*

Jetant sa cigarette, elle descendit en courant les marches de la terrasse et traversa la pelouse, franchit les versants abrupts du fossé qui délimitait la propriété, sanglotant, s'étranglant, se tordant les chevilles sur les touffes d'herbe du pré, surveillée par une vingtaine de regards bovins mélancoliques. Une fois dans les bois, elle s'assit au pied d'un arbre imposant et sortit son mouchoir, pour découvrir qu'il était plein de petits bouts de jambon et de taches roses, à cause du jus de betterave. Curieusement, cette vision redoubla ses pleurs et, submergée par une vague de pitié pour elle-même, sans plus penser aux problèmes des autres, elle se lamenta sur son sort.

À sept heures moins le quart, elle réalisa qu'il fallait rentrer et se changer pour le dîner. Adossée au tronc rugueux, réconfortée par la saine odeur d'humus, elle se demanda tout à coup ce qui l'y forçait. Elle aurait voulu rester là et s'endormir dans la forêt comme Hänsel et Gretel, mais ça ne se faisait pas dans la vraie vie. De plus, si la milice passait par là, elle serait sans doute prise pour un parachutiste allemand et abattue. « Peu m'importe », se dit-elle. Au moins, une fois morte, elle serait délivrée de cette mascarade, des vœux de Guy et d'Evie, de son amour pour Claude. Elle se remit péniblement debout et sortit du bois. Les vaches étaient rentrées pour la traite et le manoir, dressé au sommet de sa pelouse pentue, avec ses pignons et tourelles si sombres dans les faibles rayons du soleil couchant qui l'éclairaient à contre-jour, avait l'air menaçant et hostile, comme une prison. « Que vais-je faire ? » se dit-elle à haute voix.

Diana contempla son reflet dans le miroir de la salle de bains. Sans trop savoir comment, elle avait réussi à ôter la terre incrustée dans sa robe, sous ses ongles, dans ses cheveux. À croire qu'elle s'était roulée par terre. Ses yeux étaient bordés de rouge et enflés, son nez rouge. S'aspergeant la figure, elle se demanda s'il y aurait assez d'eau chaude pour un bain. Par orgueil, elle ne voulait pas aller dîner avec cette tête de clocharde.

Après avoir beaucoup grondé et gémi, la tuyauterie produisit huit centimètres d'eau tiède et beaucoup de condensation. Diana fit une rapide toilette et revint se changer dans sa chambre. Elle enfila sa robe préférée, se recoiffa et appliqua sur son visage une bonne couche de poudre. Tout en atténuant son rouge à lèvres, elle pensa à remplacer son mouchoir abîmé. Ouvrant le tiroir où la bonne, Ellen, avait rangé sa lingerie, elle en sortit un propre de l'étui brodé que sa mère lui avait offert pour ses dix-sept ans, mais au moment de refermer le tiroir, elle s'aperçut que le contenu n'avait plus tout à fait l'air comme avant. Ellen n'aurait eu aucune raison de fouiller dans ses affaires – on n'attendait pas de livraison du teinturier, il n'y avait rien à repriser, donc…

Agenouillée devant la commode, elle rassembla soutiens-gorge, bas, culottes et les jeta à terre. Jupons et camisoles subirent le même sort, jusqu'à ce que le tiroir fût vide. Diana contempla le fond. Le tube de Volpar et la boîte ronde contenant son pessaire, soigneusement cachés par elle-même sous son linge fin, avaient disparu.

29

Mlle Gaines l'attendait quand il arriva, à huit heures et demie.

– Bonjour, inspecteur. On m'a chargée de vous dire que le commissaire Matchin veut vous voir.

– Matchin ?

Sur le coup, Stratton fut dérouté.

– Notre grand patron, inspecteur.

– Ah oui, bien sûr. Maintenant ?

– Oui, inspecteur. Il a dit : tout de suite.

– Bien. Montrez-moi le chemin.

Suivant la jeune femme dans le couloir, Stratton s'interrogea sur cette soudaine urgence. Il n'avait jamais vu le commissaire Matchin, sinon pour un rapide bienvenue-au-commissariat et on-est-plutôt-à-l'étroit-ici, et il avait imaginé, ou plutôt espéré, qu'on le laisserait travailler en paix.

– L'inspecteur Stratton, monsieur le commissaire…

Gaines se retira et Matchin, qui était à son bureau, se leva à demi, l'air mal à l'aise.

– Stratton, asseyez-vous…

– Merci, commissaire…

Matchin se rassit, se racla la gorge plusieurs fois, et dit :

– Vous êtes bien installé ?

– Oui, merci.

« Pour l'amour du ciel, songea Stratton. Accouche ! Tu ne m'as pas convoqué pour ça. » L'autre toussota et s'éclaircit encore la voix, comme celui qui ne sait pas comment annoncer une mauvaise nouvelle. Aussitôt, l'imagination de Stratton s'emballa et il lança d'une voix pressante :

– Ce n'est pas ma femme, au moins ? Elle n'a pas été…

– Non, non ! Rien de tel.

« Dieu merci », pensa Stratton. Le soulagement lui fit rater la première partie de ce que Matchin déclara ensuite.

– … par Scotland Yard. J'ai appris que vous étiez allé voir… (il jeta un coup d'œil à ses notes) sir Neville Apse, hier matin.

– Oui.

– Eh bien…

Matchin parut encore plus mal à l'aise.

– Il n'a guère apprécié.

– Sir Neville… ?

– Oui. Le sous-divisionnaire Roper non plus, auprès de qui sir Neville s'est plaint.

– Je ne comprends pas. Son mouchoir a été trouvé sur une personne assassinée. Le corps n'a pas encore été identifié, et…

Matchin l'interrompit d'un geste.

– Quoi qu'il en soit…

Quoi qu'il en soit ? « Je n'en crois pas mes oreilles ! » pensa Stratton.

– … on m'a ordonné de ne plus le déranger.

Ne plus le déranger ?

– C'est d'un meurtre qu'il s'agit. Je dois…

– Le sous-divisionnaire a été très clair. Vous n'aborderez plus sir Neville à moins d'en avoir reçu l'autorisation.

– Puis-je demander pourquoi ?

Matchin le considéra avec l'air de dire : « C'est-déjà-assez-difficile-comme-ça-alors-n'en-rajoute-pas. »

– Sir Neville est impliqué dans une mission d'intérêt national.

Il avait prononcé ces deux derniers mots comme s'ils étaient écrits en lettres capitales.

« Tu veux dire que c'est un agent secret », songea Stratton. Un espion, avec une belle surface sociale.

– La prochaine fois, je demanderai la permission.

– Il serait préférable qu'il n'y ait pas de prochaine fois, déclara Matchin d'un air entendu, et il ajouta : Je suis d'ailleurs certain que ce ne sera pas nécessaire.

« Et merde ! » se dit Stratton.

– Oui, monsieur, répondit-il sur le plus neutre des tons. J'y veillerai.

Il fut soulagé de retrouver son bureau vide ; il avait besoin d'être un peu seul. Une chance que le commissaire Lamb n'eût pas reçu l'appel, ou il l'aurait senti passer. « Le sous-divisionnaire a été très clair » signifiait que Matchin s'était fait tirer les oreilles, ce qui, dans la mesure où Stratton ne travaillait même pas pour lui, était sacrément injuste. Vraiment, Matchin avait été plutôt correct, à bien y réfléchir… Tout de même, la vie était assez difficile sans que ces deux-là se comportent comme s'il venait de péter à l'église.

Gaines passa la tête par la porte.

– Une petite tasse de thé ?

– Merci.

Stratton prit une gorgée grisâtre et grimaça.

– Désolée… C'est tout ce qu'on a !

– Au moins, c'est tiède et liquide…

– Oui. J'ai reçu un message pour vous, de l'hôpital.

– Lequel ?

– Le Middlesex. C'est au sujet d'Emmanuel Vaisey. On a amené son cadavre hier soir. Crise cardiaque. Sa femme l'a identifié. Apparemment, il s'était clochardisé…

– Celui qui souffrait de troubles mentaux ?

– Oui. Je pense que ceci explique cela…

– C'est aussi mon avis. Eh bien, en voilà au moins un qui ne nous donnera plus de soucis !

En arrivant à l'Express Dairy dans Rathbone Place, lieu où avait travaillé Peter Gannon, l'autre disparu, Stratton nota que le bâtiment était juste à côté du Wheatsheaf, le pub où Mabel Morgan avait passé beaucoup de ses soirées, sinon la plupart. Il irait enquêter sur elle après avoir parlé à l'employeur de Gannon, M. Smithson. Au moins, le barman ne téléphonerait sans doute pas à Scotland Yard pour se plaindre.

Le visage de M. Smithson se rembrunit dès qu'il entendit parler de Gannon.

– Celui-là ! Il a fait sa tournée un matin, et je ne l'ai plus revu ! Une lettre – cinq semaines plus tard – m'annonçant sa démission – pas d'adresse pour faire suivre…

– Savez-vous où il a pu aller ?

– Non. Sa bourgeoise saurait peut-être, mais… (Il secoua la tête.) Pauvre femme.

– Quand avez-vous avez reçu cette lettre ?

– En avril.

– Vous rappelez-vous avoir vu un cachet de la poste ?

– Ben, non… Il lui est arrivé malheur ?

– J'espère que non. Donc, on ne pouvait pas compter sur lui…

– Mais si ! Il me donnait toute satisfaction – jusqu'au jour où il s'est barré…

– Pourquoi, d'après vous ?

– J'en sais rien. À cause d'une femme ? Bien que… j'aurais jamais cru qu'il plaisait aux femmes, avec son œil louche.

– Son œil louche ? (De nouveau, Stratton consulta ses notes.) Ah, le strabisme…

– Oui. Ça lui donnait un drôle d'air.

En sortant, Stratton aperçut la machine à napper de crème les pâtisseries, à présent inutilisée, et il se demanda quand il pourrait de nouveau goûter à un baba au rhum. Certes, ce n'était jamais aussi bon que ça en avait l'air, mais tout de même… Le souvenir des bons petits goûters lui fit penser à ses enfants. Il les reverrait dans moins d'une semaine… Il remercia M. Smithson et se rendit au pub.

Le barman était occupé à astiquer ses verres.

– C'est fermé, monsieur.

– Inspecteur Stratton, Great Marlborough Street.

– Oh, pardon, inspecteur. Qu'est-ce que je vous sers ?

– Rien, merci. Je viens me renseigner sur l'une de vos habituées. De vos anciennes habituées. Vous travaillez ici depuis longtemps ?

– Deux ans.

– Bien. C'est quoi, votre nom ?

– Prewitt, inspecteur.

Le barman parut circonspect.

– J'appelle le patron ?

– Inutile. C'est au sujet de Mlle Morgan.

– On a appris la nouvelle. Quelle tragédie…

– J'ai cru comprendre qu'elle venait souvent ?

– Oh, oui. Presque tous les soirs.

– Comment était-elle ? Humainement…

– Eh bien, aimable… Autrement, je vois pas… Une femme agréable.

Stratton, notant qu'il avait dit « femme », pas « dame », demanda :

– Et sa voix ?

– Oh, pour ça, elle était de Londres !

– Accent ?

– Cockney. Le jour où elle m'a sorti qu'elle avait été actrice, j'y ai pas cru justement pour ça, mais elle a précisé que c'était avant le parlant… J'ai vu sa photo dans un magazine, avant son accident – splendide. C'était pas croyable, et pourtant c'était vrai. Les clients lui payaient à boire et en échange elle leur racontait sa vie, montrait sa photo. Vous savez ce que c'est…

Stratton, qui le savait effectivement, songea qu'il était bien triste d'en être réduit à monnayer ses anecdotes.

– Elle buvait beaucoup ?

Prewitt réfléchit un moment avant de répondre :

– Pas mal, inspecteur. On en a d'autres du même acabit, ici – écrivains, comédiens de théâtre. Et, comme j'ai dit, plein de gens lui payaient des coups.

– Utilisait-elle d'étranges expressions ? Des mots d'argot désuets, ce genre de choses…

– Oh, non !

– Diriez-vous que c'était une femme éduquée ?

– Elle était pas idiote, mais elle avait pas dû aller beaucoup à l'école, non…

Rien de tout cela, songea Stratton en se dirigeant vers le domicile de Gannon, dans Scala Street, ne donnait l'impression que Mabel Morgan était l'un des auteurs des lettres du coffre. Quelqu'un s'exprimant comme tout le monde écrirait-il de façon aussi affectée ? Mais si elle n'était ni Binkie ni Bunny, pourquoi conserver ces lettres ?

Il retourna cette question dans son esprit tout en attendant qu'on lui ouvre. Mme Gannon était une femme petite au regard aigri, qui avait quelque chose de laminé, ce qui – en plus des fleurettes imprimées sur son tablier – lui fit penser à une fleur séchée.

Quand il eut décliné son identité et annoncé l'objet de sa visite, elle l'invita à entrer. Le domicile de Gannon se composait de deux pièces en haut d'un escalier sombre, et toute la maison, ou du moins ce qu'on pouvait en voir, présentait un aspect délabré, au-dedans comme au-dehors. La pièce principale, qui contenait une gazinière et du linge élimé séchant sur un étendoir, donnait sur un lugubre bâtiment scolaire et sa cour, déserte pour le moment.

– Vous voyez comme il m'a laissée tomber ? dit-elle. Pour une autre femme…

– Savez-vous où il est allé ?

– Il m'a écrit. Il voulait que je lui envoie ses vêtements, mais je les ai mis en gage. J'avais besoin d'argent. Soi-disant qu'il m'enverrait quelque chose, mais j'attends toujours.

– Cette lettre, quand l'avez-vous reçue ?

Mme Gannon haussa les épaules.

– Sais pas. Au printemps. Avril, je crois…

– Vous l'avez conservée ?

– Elle est là, quelque part…

D'un brusque coup de tête, elle indiqua l'autre pièce.

– Puis-je y jeter un œil ?

– Pour quoi faire ?

– Enquête de routine, madame Gannon. On se renseigne toujours sur les personnes qui ont disparu.

– Il a pas disparu. Il est avec une femme.

– Vous n'avez pas dit cela au commissariat.

– J'y avais pas pensé ! protesta-t-elle, belliqueuse. J'en avais déjà plein ma musette…

– Je peux la voir ?

– Pourquoi pas ?

Elle alla dans la pièce et en ressortit bientôt avec un papier plié en quatre, qu'elle lui fourra sous le nez.

– Allez-y !

Il lut en diagonale… *et c'est tout ce que je peux dire chérie et j'espère que tu me pardonneras. Si tu veux, envoie-moi mes vêtements parce que je n'ai rien pour le moment peux-tu les envoyer à cette adresse c'est là que je crèche à présent.* L'adresse, inscrite en haut, était dans Belmore Lane, Holloway, N. Stratton la nota et rendit la lettre à sa propriétaire.

– Je l'ai plus revu, dit Mme Gannon, qui ajouta, sur le ton du défi : Je sais pas s'il est vivant ou mort – et je m'en fiche !

En redescendant, Stratton jugea que Mme Gannon ne pouvait avoir assassiné son mari – pas sans aide, en tout cas. Elle n'était de force ni à déplacer un corps ni à soulever une dalle toute seule. Pourtant, il faudrait voir avec le commissariat d'Holloway si Gannon vivait bien à l'adresse indiquée. Stratton avait un ancien collègue là-bas, Ralph Maynard. Un coup de fil serait sans doute suffisant. Il le passerait du commissariat.

Quand il rentra à la maison, ce soir-là, Jenny lui remit un message de Donald : *J'aurai le projecteur demain. Quand est-ce qu'on se fait une toile ?*

30

Diana flanqua sa valise sur le lit et s'affala sur le dos, juste à côté. Ce retour en train avait été infernal – une allure d'escargot, une voiture bondée à l'atmosphère irrespirable à cause des rideaux de black-out – et en arrivant chez elle, elle avait été accueillie par une accablante odeur d'égout due à la rupture d'une canalisation d'eaux usées dans la rue voisine. Elle était épuisée et moulue. Que faire ? Ces quatre derniers jours, et une bonne partie des trois dernières nuits, elle les avait passés à réfléchir, mais sans trouver de solution. Impossible de demander à Guy le divorce – c'était hors de question. Le simple fait de l'envisager était une folie. Même si c'était possible, et même si – dans le meilleur des cas – Guy acceptait en vrai gentleman, cela signifierait plein de choses sordides impliquant détectives privés et chambres d'hôtel – sans compter la stigmatisation sociale, sinon le déshonneur. Et si elle avait un enfant ? Ne pouvant protester contre la confiscation de ses moyens contraceptifs, qui devait être le fait d'Evie, Guy ne connaissant sûrement rien à ces affaires-là, elle était restée de glace, croisant les doigts dans le dos de son mari, pendant qu'il… Ça pouvait difficilement s'appeler « faire l'amour », c'était plutôt comme… quoi ? Jardiner. Planter une graine. Elle aurait pu tout aussi bien n'être qu'une plate-bande, pour l'attention qu'il lui portait. Ensuite, il n'était même pas resté mais était retourné dormir, penaud, dans le dressing, la laissant s'endormir à force de pleurer.

Ce fut cette timidité post-coït de Guy, s'ajoutant à sa colère grandissante d'être traitée comme une chose, qui l'avait fait exploser le dernier soir. Elle s'était débattue, frappant, griffant et le traitant de tous les noms, mais loin de se détourner d'elle, il en avait été excité sexuellement – comme jamais auparavant.

– Ah, on veut se battre ? avait-il dit, la repoussant sur le lit.

L'immobilisant d'une main, il avait déboutonné sa braguette de l'autre, avec un air… Fermant les yeux, elle s'efforça d'effacer cette image. Elle ne voulait pas s'en souvenir.

– Laisse-moi tranquille, espèce de brute !

Elle avait voulu se redresser, et même le griffer au visage, mais en vain. Elle n'était pas de taille à lutter et d'ailleurs l'entraînement militaire l'avait rendu encore plus fort, plus vigoureux.

– Ah, tu veux jouer ?

– Qu'est-ce que tu racontes ? Ce n'est pas un jeu – Guy, je ne veux pas…

D'une main, il l'avait bâillonnée. À la vérité, il s'était promptement ravisé quand elle l'avait mordu, mais même cela ne l'avait pas arrêté.

– Petite garce !

Sa voix était voilée, plus rude, différente. Ignorant ses protestations, il l'avait clouée au lit, puis, retroussant sa chemise de nuit si brutalement qu'elle s'était déchirée, il avait coincé un genou entre ses cuisses et l'avait pénétrée.

– Guy, non !

Là, il avait souri, mais une sinistre lueur sur son visage abêti par la jouissance lui avait fait comprendre qu'il savait très bien qu'elle ne jouait pas et qu'il s'en fichait. Le plus étrange – et elle ne voulait pas y penser – était que, avec un peu de bonne volonté, elle aurait presque pu trouver cela agréable, en tout cas plus que leurs ébats ordinaires, car…

Diana se redressa sur son séant et secoua la tête vigoureusement pour chasser ce souvenir. Malgré ce qui s'était passé, elle ne pouvait trop lui en vouloir de cette agressivité. Après tout, elle pouvait difficilement lui parler de Claude ou de son refus d'avoir des enfants. Était-elle anormale ? En fin de compte, toute femme – à condition d'être mariée – était censée en vouloir, non ? C'était le cours naturel des choses. Ou du moins son devoir, comme disait Evie. En fait, personne ne l'obligeait à jouer les espionnes, n'est-ce pas ? Ni même à rester à Londres en courant le risque d'y être tuée. Le désir de Guy était bien légitime…

Il faudrait attendre – pas longtemps, deux semaines au plus – pour voir si elle était, ou non, enceinte, mais si la réponse était oui… ? « Oh, mon Dieu ! » Elle serra les poings et s'enfonça les ongles dans ses paumes, comme si elle avait pu écarter cette menace en se faisant du mal.

Et si Guy était tué ? Eh bien, si elle était enceinte, elle resterait avec cet enfant, et Evie. Mais si elle ne l'était pas ? Pendant quelques minutes, Diana se laissa aller à fantasmer sur un mariage avec Claude, oubliant opportunément à la fois l'existence de Guy et celle de la femme que son amant avait abandonnée, avant de reprendre pied dans sa misérable réalité.

Soupirant, elle ouvrit sa valise et se mit à ranger. Elle aurait pu laisser faire la femme de ménage, mais c'était une occupation.

– Quelle folie, se dit-elle à haute voix. Un château en Espagne…

Elle flanqua un tas d'effets sur le lit, les regarda un moment, puis eut soudain la sensation qu'elle n'avait même plus l'énergie nécessaire pour en venir à bout. Elle se rassit et alluma une cigarette. Si Evie l'avait vue fumer, elle aurait été horrifiée.

– Oh, quelle importance ! se dit-elle à haute voix. Quelle importance, Seigneur !

31

Le lendemain après-midi, Stratton reçut un appel de Maynard.

– Ton Gannon est bien là-bas. Pas très recommandable, ce type – et quelle gueule ! Il est à la colle avec une certaine Beatrice Dench. Franchement, c'est déjà étonnant qu'une femme ait pu le trouver aimable – alors deux !

Donc, la question était réglée. Il passa le reste de la journée à essayer de démêler les propos embrouillés du fils de l'évêque anglican qui avait agressé la fille dans la boîte de nuit. Le jeune homme était terrorisé, contrit, et presque hystérique dans son désir de coopérer. Au bout de deux heures, durant lesquelles il avoua tout les méfaits de sa vie, depuis le chapardage de pommes jusqu'aux attouchements nocturnes dans le dortoir, Stratton commençait à désespérer d'obtenir un récit tout simple quand Ballard passa la tête.

– Je peux vous parler, inspecteur ?

Stratton le suivit dans le couloir.

– Qu'y a-t-il ?

– Le patron, inspecteur. Enfin, le leur… Il voudrait vous voir.

– Bon…

De nouveau, Matchin paraissait mal à l'aise.

– Ce jeune que vous avez arrêté… Cockcroft. Il peut s'en aller.

– Quoi ?

– On va en rester là. Je viens de parler à l'évêque, qui m'a assuré que son fils est un jeune homme bien élevé qui n'avait, jusqu'à présent, jamais rien fait de tel…

– Ça ne veut pas dire qu'il ne recommencera pas, s'il se croit au-dessus des lois.

En son for intérieur, Stratton n'y croyait pas – Cockcroft, qui avait eu la trouille de sa vie, n'oserait même plus inviter une fille à danser – pas de sitôt, du moins – mais là n'était pas la question.

Matchin se racla la gorge.

– Nous en avons reçu l'assurance.

– De l'évêque ?

– Oui. Son fils étant promis à un brillant avenir, ce serait dommage de gâcher sa carrière pour un simple écart de conduite.

– Un viol. Ce n'est pas tout à fait un « écart de conduite ».

– L'évêque voudrait parler à la mère de la fille.

Voilà qui signifiait une proposition financière, songea Stratton. Combien ? 25 livres ? 50 livres ?

– Elle a quinze ans.

– Je sais, fit Matchin irrité, mais nous – « lui et son nouveau pote, l'évêque », pensa Stratton – pensons que c'est la meilleure ligne de conduite. Donc, vous allez lui annoncer qu'il est libre.

– Mais…

– Sur-le-champ, inspecteur Stratton !

Stratton laissa Cockcroft mijoter aussi longtemps qu'on le pouvait sans faire preuve d'insubordination, puis le relâcha. Sur le chemin de la maison, il songea que le père du garçon devait connaître le préfet. Il serait bien avancé si la femme refusait son argent – mais c'était bien improbable.

Après avoir dîné, il alla trouver Donald au sujet du projecteur. Il avait lu le reste des lettres dans le coffre – encore des « Sucre d'orge », mais rien d'utile – et même s'il avait envie de voir les films, il n'était pas sûr d'en tirer quelque chose.

– J'ai parcouru le mode d'emploi, dit Donald en lui montrant l'objet, et je pense pouvoir me débrouiller. On peut en regarder maintenant, si tu veux ?

Stratton l'aida à dégager de la place dans le petit salon, puis il retourna chercher les films dans la cabane du jardin, tandis que Donald installait projecteur et écran. Jenny avait déclaré qu'elle l'accompagnerait car elle souhaitait parler à Doris. Quelque chose dans son ton lui fit soupçonner que cette discussion porterait sur Johnny. Elle ne lui avait plus redemandé de parler au jeune homme, mais il savait qu'elle y pensait. Il avait honte de ne pas l'avoir fait, mais l'occasion ne s'était vraiment pas présentée. Jenny avait toujours été plus proche de Doris que de Lilian. Il y avait à peine un an d'écart entre elles, alors que Lilian en avait quatre de plus, et elles se ressemblaient au physique comme au mental – Doris étant une version plus grande et plus brune de Jenny.

Cette dernière considéra les boîtes rondes, onze en tout, qu'il avait coincées sous son bras, et déclara :

– Tu n'es pas censé garder ça chez toi, n'est-ce pas ?

– Non. Donc, motus et bouche cousue.

Elle le dévisagea avec curiosité.

– Normalement, tu ne rapportes rien à la maison.

– On n'est pas dans la « normalité ».

– Oh…

Jenny parut sur le point de demander ce qu'il voulait dire par là, puis se ravisa.

– Ça concerne Mabel Morgan, non ?

– Oui. Ce sont des films.

– Dans ces boîtes ?

– C'est là-dedans que ça se conserve.

– Je ne savais pas…

Elle en tapota une.

– Tu sais ce qu'elles contiennent ?

– Aucune idée. Il n'y a pas d'étiquettes.

– Tu ne vas pas avoir d'ennuis ? demanda-t-elle en l'accompagnant dans la rue.

– Personne ne sait que je les ai récupérées.

– Mais c'est… (Elle avait l'air inquiète.) C'est mal.

– Ce n'est pas bien, reconnut Stratton, et c'est évidemment contraire au règlement, mais j'ai un… un pressentiment là-dessus. Un « feeling », comme disent les Américains.

– Tu ne m'avais pas dit qu'elle s'était suicidée ?

– Si, mais j'ai changé d'avis.

– Je vois, fit Jenny avec circonspection, et une fois de plus Stratton eut l'impression qu'elle aurait voulu ajouter autre chose.

– Oh-oh ! s'exclama-t-elle en découvrant le salon. On se croirait au cinéma. Les rideaux du couvre-feu sont d'un chic ! Vous pourriez faire payer l'entrée ! Moi qui ai toujours rêvé d'être ouvreuse…

– Pas question, répondit Stratton. Tous ces hommes dans le noir… Ils ne pourraient pas s'empêcher de te tripoter. Enfin… (Il l'envoya vers la cuisine en lui mettant la main aux fesses.) Tu peux aller nous préparer du thé, si tu veux.

Donald força le couvercle de la première boîte et entreprit de caler la pellicule dans le projecteur.

– Où les entreposes-tu ?

– Dans la cabane du jardin.

– Bon. Surtout pas dans la maison. C'est très inflammable, et si jamais une bombe incendiaire… *boum !* Là, c'est prêt…

Stratton s'installa sur le canapé au moment où l'écran s'animait et un titre – *La Chauve-Souris* – apparut, puis le visage de Mabel, qui semblait articuler des paroles. À son côté, sur un divan, dans une pièce bien meublée, un bel homme lui baisait la main, mettait un genou à terre. *Veux-tu m'épouser, ma chérie ?* disait la légende. Le visage de l'actrice s'illuminait de bonheur – *Oui, je serai ta femme !* L'homme retrouvait sa place sur le divan en écartant d'une élégante chiquenaude les pans de sa queue-de-pie, et la prenait dans ses bras. Aussitôt une ombre ailée tombait sur le mur, derrière eux. Ils se retournaient et le visage de Mabel apparaissait en gros plan, avec une expression exagérée d'horreur, le bout des doigts sur les joues – *la chauve-souris !* L'homme levait un bras en l'air, comme pour parer un coup. Après encore quelques grimaces des deux acteurs, Mabel se détournait de la caméra, la main au front – *Notre amour est condamné* – tandis que l'homme la couvait d'un regard douloureusement romantique, et ensuite… ensuite, l'image passa du positif au négatif, et inversement, avant de se dissoudre dans un patchwork de taches mousseuses à travers lesquelles Stratton distingua les mots *Jamais je ne pourrai* – après quoi l'écran redevint noir.

– Détérioré ! déclara Donald. On aurait dit des spectres, ajouta-t-il, pensif.

Stratton le regarda avec surprise. Son beau-frère n'était pas un grand imaginatif, mais il comprenait tout à fait ce qu'il avait voulu dire, et voir cette femme disparaître ainsi lui avait donné le frisson.

– C'est drôle, non ? dit-il. Ce film n'a pas plus de vingt ans et pourtant on dirait que c'est…

– Très ancien. D'une autre époque.

– C'est curieux de le voir comme ça, sans aucune musique. Je n'avais jamais réalisé à quel point ça change…

Des gloussements provenant de la cuisine annoncèrent l'entrée de Jenny, un plateau suspendu de façon précaire à son cou par de la corde à linge.

– Voilà, voilà… ! Les glaces, y en a plus ! Les cigarettes, non plus ! Y a même plus de sucre !

Elle vit l'écran vierge.

– Oh, zut ! Panne ?

– Ce n'est pas le matériel, répondit Donald, mais le film. Le celluloïd n'est pas stable.

– Est-ce que ça signifie… (elle lui tendit une tasse de thé) que dans vingt ans on ne pourra plus voir les films tournés aujourd'hui ?

– On a fait des progrès. La pellicule actuelle se conserve mieux.

– Je ne sais pas si les gens auront envie de les voir, déclara Stratton en prenant sa tasse. On voudra de la nouveauté, et en couleur ! Je me demande à quoi ressemblera le monde en 1960.

Il y eut une courte pause, le temps d'y réfléchir, puis Donald soupira et dit :

– Dieu seul le sait !

Jenny ayant réintégré la cuisine, il demanda :

– On réessaye ?

– Vas-y !

Stratton reprit sa place sur le divan et but son thé tandis que Donald se mettait au travail. Le film suivant était une comédie tenant sur une seule bobine

– *Gertie et Bertie en promenade.* Mabel interprétait une nurse qui, distraite dans le parc par les assiduités d'un soldat, laissait les terribles jumeaux faire un tas de bêtises à son insu. Le film était en meilleur état que le précédent et se terminait sur le soldat étalé dans un abreuvoir et Mabel couverte de farine. Ensuite, ce fut un mélodrame, *Sa plus belle heure*, puis Stratton voulut voir le contenu de la dernière boîte.

Au titre, *La Valse*, succédèrent les images de deux hommes dansant ensemble dans une salle de bal déserte. Rasés de près, sanglés dans des smokings impeccables, chaussés de souliers vernis et coiffés à la mode des années vingt – cheveux gominés, partagés par la raie au milieu – ces deux élégants mondains se regardaient solennellement avec des yeux cernés de khôl.

– Ils répètent, tu crois ? fit Donald, sardonique.

– Pas la peine, dit Stratton, ils connaissent déjà le topo…

Donald ricana.

– Celui-ci, il n'a pas dû passer dans les cinémas.

– Non. C'était confidentiel…

Ils regardèrent en silence pendant quelques minutes, Stratton tâchant de comprendre où il avait vu le plus grand. Car il l'avait déjà vu – mais quand et où ? À la fin, les deux hommes s'embrassèrent dans une parodie de baiser de cinéma, le plus petit renversant sa tête en arrière pour recevoir un baiser sur la bouche.

– Nom d'une pipe ! dit Donald.

À l'écran, le couple se sépara et, se tenant par la main, salua le public. Ce fut à ce moment-là, en voyant le plus grand de face, que Stratton se rappela où il l'avait vu, et la légère inclinaison de la tête confirma son souvenir.

– J'y suis ! dit-il.

– Tu les connais ? demanda Donald.

– Hum..., fit Stratton, ce qui n'était guère compromettant.

– T'inquiète, je ne te poserai pas de questions embarrassantes...

Stratton et Jenny rentrèrent dans leur foyer sans mot dire, perdus dans leurs pensées. Les premières sirènes mugirent juste au moment où Stratton ouvrait la porte d'entrée, et ils se précipitèrent à l'étage pour passer pantalons et gros pulls et prendre les duvets, la lampe torche et le seau.

Comme ils étaient allongés, côte à côte, sur leurs lits de camp, dans l'obscurité de l'abri Anderson, à écouter les raids au loin, Stratton tendit la main dans le vide et prit celle de Jenny. Elle répondit par une petite pression et dit :

– Ça t'a plu ?

– Quoi ?

– Ces vieux films. Tu as trouvé ce que tu cherchais ?

– J'ai trouvé *quelque chose*, mais ce que j'ai préféré, c'était l'ouvreuse. Belle plante ! Je vais y retourner, à ce cinéma – elle acceptera peut-être de sortir avec moi...

– Idiot !

Elle porta la main de son mari à ses lèvres et la baisa.

– Tâchons de dormir avant que ça ne se rapproche.

Stratton se rallongea et réfléchit à ce qu'il avait vu. Il savait parfaitement qui était le grand. Ça n'était pas bon signe, et en plus il devrait garder ça pour lui, du moins jusqu'au moment où il aurait arrêté son plan d'action. Mais quel plan d'action ? « Je n'ai pas les moyens d'agir, et encore moins de changer le fait que cet homme à l'écran était – en plus jeune – sir Neville Apse. » Passant une main lasse sur son visage, il ferma les yeux.

32

Une semaine plus tard, de violentes crampes d'estomac réveillèrent Diana à trois heures et quart du matin, et elle se redressa sur son séant, passagèrement désorientée. Puis elle comprit, avec un immense soulagement qui lui donna envie de rire bien fort, la signification de ces maux. Repoussant les draps, elle découvrit la tache de sang et remercia le ciel de ne pas s'être trouvée dans l'abri – la fin de l'alerte avait retenti juste après deux heures du matin, et elle était remontée pour quitter son pantalon et son tricot, passer une chemise de nuit et se coucher.

Elle alla chercher une serviette hygiénique dans le tiroir du bas de sa commode. Dieu merci ! Trois jours de retard, mais elle n'était pas enceinte. Elle trouva la discrète pochette en velours où elle conservait ces choses-là, enfila sa robe de chambre et gagna la salle de bains sur la pointe des pieds.

Presque étourdie de bonheur, elle entreprit d'ôter la souillure sur sa chemise de nuit – ce ne serait pas prudent de laisser cela à la femme de ménage. Cette fille était devenue difficile dernièrement à cause des bombes, et lui trouver une remplaçante relevait de l'impossible. Elle avait lu quelque part que l'eau froide était indiquée pour le sang, et frotter énergiquement avec la savonnette en effaça le plus gros à une vitesse surprenante. De nouveau dans son lit, bien réveillée, elle resta sur son séant, les bras autour des genoux, à écouter les coups assourdis des bombes au loin.

Et si elle écrivait à Evie ? *Désolée, pas enceinte en dépit de vos efforts, j'espère que cette lettre vous trouvera*... Étouffant un petit rire, elle chercha ses cigarettes, en alluma une, puis prit une lettre de Guy, reçue le matin même. Il aurait dû rejoindre son régiment à l'étranger, mais en raison d'un changement de programme ils étaient à présent quelque part en Écosse. *Donc j'aurai peut-être l'occasion de te revoir plus tôt que prévu*... Diana soupira. Aucune allusion à ce qui s'était passé entre eux, la dernière nuit, mais c'était prévisible – Guy n'avait rien dit avant son départ, et ce n'était pas un sujet facile à aborder dans une lettre. L'abandonnant sur l'édredon, elle ferma les yeux et laissa ses pensées dériver vers Claude.

Il lui avait écrit, et même téléphoné au bureau d'Apse, mais jusque-là elle avait réussi à éviter de le voir. Toutefois elle ne pouvait s'empêcher de penser à lui, et, les jours passant, c'était de plus en plus souvent. Une petite voix moqueuse dans sa tête lui dit, pour la centième fois, qu'elle était lâche et pitoyable, qu'elle aurait dû défier Evie et sortir aussitôt, mais elle savait que cela n'aurait pas été bien. Ces dix derniers jours, elle avait pris sa plume pour écrire à Claude au moins une vingtaine de fois, mais le souvenir des paroles de sa belle-mère, et la farouche intensité de son regard, l'en avaient empêchée. Bien sûr, elle tomberait sur lui tôt ou tard, et de toute façon elle lui devait une explication quelconque, même de pure forme...

Délicatement, elle massa son ventre douloureux. Une bouillotte aurait été l'idéal, mais elle l'avait prêtée à la fille d'en dessous et avait oublié de la réclamer… Elle écrasa sa cigarette dans le cendrier, puis se releva à nouveau pour fourrager dans son sac à main, à la recherche d'aspirine. Elle en prit deux avec une gorgée d'eau, puis éteignit la lampe de chevet et se recroquevilla, dans l'espoir de se rendormir.

Le lendemain, reposée après ces quelques heures de sommeil, elle arriva à Nelson House pour trouver l'appartement d'Apse vide. *Rendez-vous urgent, serai de retour après 11 h*, disait une note sur la table. Diana consulta sa montre. N'ayant nulle part où aller avant l'après-midi, elle avait donc plus de deux heures pour fouiller cet endroit. Elle commença par le bureau, ouvrant les tiroirs et épluchant leur contenu, prenant soin de tout remettre exactement à sa place. À dix heures et demie, ne sachant plus où chercher, elle se tourna vers la petite cuisine exiguë, et se mit à examiner le contenu des placards. Elle envisageait d'abandonner – après tout, elle n'avait jamais vu Apse mettre les pieds dans la cuisine – quand elle décida de vérifier d'abord le tiroir à couverts. Ôtant couteaux et fourchettes, elle passa rapidement la main sur le papier qui tapissait l'intérieur et sentit comme une épaisseur dans un angle. Dessous, il y avait un morceau de papier plié en deux. L'ayant extrait, elle se retrouva devant un feuillet dactylographié, avec des colonnes de lettres disposées par groupes de quatre qui n'avaient pas de sens. Ce n'était pas un message en langue étrangère – c'était un code. Impossible de l'emporter – Apse s'en apercevrait – donc, il faudrait le recopier, et comme c'était du charabia, cela prendrait du temps.

À la pendule, il était onze heures moins vingt : trop risqué d'agir maintenant, et d'ailleurs il y avait le courrier à dépouiller avant son retour. Ayant remis le papier à sa place, le cœur battant, elle retourna à son bureau et se mit au travail.

33

– Les génisses sont très mal élevées, papa ! expliqua Monica en glissant sa main dans celle de son père, tandis qu'un troupeau de vaches, en route pour la traite, passait lourdement la barrière, en se bousculant et en roulant des yeux effarés. Elles poussent toujours comme ça… Les vieilles attendent leur tour.

– Je préfère que tu ne t'approches pas trop, ma chérie…, déclara Jenny, nerveuse, quelque part derrière eux.

– T'en fais pas, maman, dit Monica. Elles sont pas méchantes. Celle-ci, c'est mon chouchou, ajouta-t-elle en désignant une frisonne. Elle s'appelle Matilda. En fait, c'est Daisy, mais c'est moche, je trouve…

– Par ici, papa…

Pete le tirait de son côté.

– Je vais te montrer Jack !

– Qui est Jack ?

– Le cheval. On t'en a déjà parlé. Tu te souviens pas ? Allez, viens !

Stratton sourit à ses enfants, qui avaient les joues roses, ravi de constater leur engouement pour les travaux des champs.

– Prenez les devants ! On vous suit…

Comme ils s'élançaient sur le petit chemin, il se tourna vers son épouse.

– Ça va ?

Elle lui adressa un sourire un peu inquiet.

– Toutes ces grosses bêtes… mais c'est bien de voir qu'ils s'amusent.

– Bon sang ne saurait mentir…

– Ton sang à toi ! Parce qu'ils ne tiennent sûrement pas cela de moi… ! Ils ont bonne mine, hein ?

Stratton, croyant avoir décelé une vague note de tristesse dans cette réflexion, répondit :

– Pas plus que si tu t'en étais occupée. Je ne t'avais pas dit que tout irait bien ?

Jenny sourit et lui prit le bras.

– Bon, dit-elle. Allons voir ce génial canasson.

Au moins, elle était un peu plus détendue. Durant presque tout le trajet en train, elle avait été incapable de se tenir tranquille, palpant sa coiffure, se penchant pour chasser d'imaginaires grains de poussière sur sa veste, si bien qu'il avait fini par lui dire d'un ton acerbe que ce n'était pas un défilé de mode et que les gosses se moqueraient bien de leur allure. Aussitôt, il l'avait regretté – après tout, il était tout aussi nerveux qu'elle à l'idée de rencontrer cette Mme Chetwynd. Mais à partir du moment où Pete et Monica s'étaient précipités sur le quai en criant, et où elle-même, à la fois gênée et ravie, les avait embrassés, grondés, tout en s'efforçant de les examiner tous les deux en même temps, ça s'était arrangé et il ne se rappelait pas avoir jamais été plus heureux. Comme c'était différent de la fois où ils les avaient retrouvés, blafards et malheureux, logés chez cette femme qui ne s'était pas occupée d'eux, à tel point que lui-même et Jenny avaient refusé de s'en aller avant d'avoir reçu l'assurance du responsable des hébergements qu'on trouverait mieux ailleurs. Comme ils n'avaient jamais eu l'occasion de venir, ils ne connaissaient pas encore Mme Chetwynd, et ne l'avaient d'ailleurs toujours pas rencontrée – c'était son après-midi de permanence au Comité des volontaires et elle avait chargé les enfants de les emmener à la ferme pour y goûter et se promener avant de revenir à la maison. Le fermier et son épouse s'étaient montrés hospitaliers et les petits semblaient tout à fait à leur aise.

Pete tint à porter la valise sur le chemin menant à la grande demeure. Il soufflait et ahanait derrière Monica, qui sautillait en tenant son père par la main.

– C'est juste après ce virage, dit-elle à un moment donné. Vous allez la voir dans une minute.

Au détour du chemin, Jenny s'arrêta tout à coup, si bien que Pete lui rentra dedans et lâcha la valise.

– Miséricorde !

Jamais Stratton n'avait vu une baraque aussi monumentale – sauf quand il payait pour visiter un manoir plein de peintures et d'animaux empaillés – et il en resta bouche bée.

– T'as vu ! dit Monica. Mme Chetwynd n'utilise pas toutes les pièces. Beaucoup sont fermées.

– Fermées…, répéta Jenny d'une voix mourante. Je m'en serais doutée…

Stratton soulagea son fils – qui était maintenant tout rose – de la valise, et prit sa femme par le bras.

– Tâche de ne pas dire bonjour à des armures par erreur.

– Arrête ton char ! Mme Chetwynd n'a pas d'armures, n'est-ce pas ? J'ai toujours l'impression qu'elles vont se mettre à marcher toutes seules…

– Pa-pa ! dit Monica. Il n'y a pas d'armures…

– La milice a dû les récupérer, déclara Stratton. Je suis certain que votre oncle Reg serait content d'en avoir une. Ça pourrait même lui clouer le bec pendant cinq minutes.

Les enfants rigolèrent. Jenny lui fit les gros yeux et secoua la tête, puis demanda :

– On ne passe pas par-derrière ? Pour ne déranger personne…

Stratton n'avait pas eu le temps de répondre que Monica, d'une voix posée de grande personne, déclara :

– T'en fais pas, maman. On a le droit de passer par la grande porte.

Jenny considéra l'immense portique.

– Mais…

– C'est vrai, tu sais ! fit sa fille doucement. On pensait comme toi au début, mais Mme Chetwynd est très gentille. Hein, Pete ?

Ce dernier acquiesça.

– Tout le monde est très gentil, sauf Mme Cabinet.

– Mme Qui ? demanda Jenny.

Les enfants se remirent à glousser. Pete, avec une gaieté outrée.

– Mme Cabernet, dit Monica. C'est la laitière.

– J'espère que vous ne l'appelez pas comme ça…

– Mme Cabinet ! répéta Pete.

– Stop ! fit Jenny entre ses dents.

– Ma-dame Ca-bi-net !

– Pete ! On va t'entendre. Moi qui croyais t'avoir inculqué les bonnes man…

Comme la porte s'ouvrait, elle se figea sur place. Là, sanglée dans un tailleur en tweed, une femme maigre se tenait sur le seuil. Avec son doux visage allongé, elle avait tout d'une vieille jument sympathique.

– Madame Stratton !

Stratton, sachant que ses enfants étaient encore en train de ricaner sous cape, vit Jenny, rouge de honte, s'avancer pour la saluer.

– Madame Chetwynd, je suis enchantée... C'est si aimable à vous de nous inviter...

– Pensez-vous ! Je sais combien les enfants s'ennuient de vous. Monsieur Stratton... ?

La suivant dans le couloir jusqu'à un petit salon étonnamment accueillant – « J'utilise toujours celui-ci, l'autre est bien trop vaste pour être confortable » – Stratton s'aperçut que Mme Chetwynd avait un physique décharné, tout en articulations. Elle n'avait pas la moindre poitrine et même sa coiffure semblait anguleuse à cause de la quantité d'épingles truffant le petit chignon serré sur sa nuque.

Il y eut encore du thé, servi par la gouvernante – nouveau sujet d'embarras pour Jenny –, puis une petite conversation, et Mme Chetwynd se révéla être aussi gentille que ses lettres, et les enfants, l'avaient suggéré. Pete et Monica les emmenèrent pour une visite guidée de la maison, puis dans le parc où ils admirèrent les ruines du donjon normand et furent présentés aux trois chiens. Le dîner fut excellent – Stratton ne se rappelait plus à quand remontait son dernier repas sans qu'on évoque les rationnements – et après le cognac, et même un cigare (dont il n'avait pas très envie, mais Mme Chetwynd avait prétendu que l'odeur lui manquait) ils montèrent à leur chambre.

Ils s'amusèrent à examiner les lieux, Jenny s'extasia à mi-voix sur le lit à baldaquin, les beaux meubles et les vases (« N'y touche pas, Ted, tu vas casser quelque chose ») et plus tard, étendus dans les bras l'un de l'autre, ils se répétèrent les propos des enfants.

– Et Mme Cabinet ?

– Oh, Ted, c'était affreux !
– Tu es devenue rouge comme une tomate.
– Non !
– Comme une tomate !
Jenny lui donna une petite bourrade.
– Arrête !
– Bon…
Stratton s'empara de sa main et commença à lui mordiller les doigts.
– Ted, on ne peut pas… Pas ici.
– Pourquoi ? Ils font l'amour, eux aussi, tu sais.
– Ted !
– Si, je t'assure ! Les gens du grand monde ne pondent pas des œufs, figure-toi.
Jenny rit tellement qu'elle dut mordre l'oreiller.
Par la suite, allongé dans son lit, Stratton se demanda si ce ne serait pas la peine d'investir dans quelques poules. Il en discuterait avec Jenny, à leur retour. L'hiver approchant, elle ne renoncerait pas de gaieté de cœur à ses coupons pour les œufs, mais au printemps… « Si on est toujours de ce monde », songea-t-il, morose. Là, il revint au sujet qui l'avait tracassé toute la semaine : que faire des films de Mabel Morgan ? Jenny, bien trop émue par sa visite aux enfants, ne lui avait plus posé de questions, pas plus que Donald. Et heureusement, car il ne pouvait rien leur dire. À la simple idée de la réaction de Matchin et Lamb (ce dernier allait bientôt revenir), quand il leur parlerait de sir Neville Apse et de son partenaire de danse, ses cheveux se dressaient sur sa tête.

34

Par la suite, Diana se demanda comment elle avait pu traverser cette journée – notamment l'interminable et immangeable déjeuner avec plusieurs dames du Right Club – sans se trahir. Par chance, elle avait été très occupée avec la paperasserie – Apse, comme Forbes-James, semblait croire qu'elle s'expédierait toute seule si on la laissait traîner suffisamment longtemps. À plusieurs reprises, elle se réfugia dans la minuscule salle de bains où, le cœur battant à grands coups et les tempes bourdonnant sous l'effet d'un mélange de jubilation et de terreur, elle s'agrippa au lavabo, les phalanges blanches, et contempla dans la glace ce visage tendu au regard sévère qui ne pouvait être le sien.

– C'est moi, se dit-elle à mi-voix. Ressaisis-toi.

À six heures et demie, Apse lui donna l'occasion idéale de parler à Forbes-James en lui confiant des documents à déposer chez lui en rentrant du travail. Elle traversa le jardin en courant, étreignant ses papiers, et dans sa hâte faillit trébucher en haut de l'escalier. Margot Mentmore lui ouvrit.

– Ouh la la ! Voilà la cavalerie ! Ça va ? Tu as l'air d'avoir très chaud et d'être très inquiète.

– Ça va, haleta Diana. Forbes-James est là ?

– Bien sûr, je vais le prévenir. Et comment va le sémillant Claude ? Ça fait un bail qu'on ne l'a vu…

– Je n'en sais rien, fit Diana, irritée. Je ne l'ai pas revu non plus.

– Ah bon ? (Margot prit l'air étonné.) Les deux tourtereaux se seraient-ils disputés ?

– Nous ne sommes pas des tourtereaux.

– Non, c'est vrai... (Margot leva les yeux au ciel.) Où avais-je la tête ?

Forbes-James, une cigarette intacte à la bouche, était en train de regarder d'un air soupçonneux sous les tas de papiers qui jonchaient son bureau quand elle entra.

– Elle me l'a encore caché... ! dit-il.

– Là !

Diana sortit une boîte d'allumettes de son sac à main.

– Merci. Qu'avez-vous pour moi ?

– Ceci, chef...

Elle déposa les documents qu'on lui avait confiés sur une pile de livres.

– Et j'ai quelque chose à signaler.

– Ah ? Eh bien, asseyez-vous. Un verre ?

– Merci.

Diana ôta plusieurs classeurs d'un fauteuil tandis que le colonel remplissait deux petits verres de scotch.

– Je vous écoute.

– Eh bien...

Lorsque Diana eut fini de parler du message codé trouvé au fond du tiroir de la cuisine, chez Apse, Forbes-James regarda vers la fenêtre, puis reporta son attention sur elle.

– Je vois. Vous êtes sûre de vous ?

– Je l'ai vu de mes yeux. Un genre de code, composé de groupes de quatre lettres.

– Je vois, répéta-t-il, la voix grosse de déception.

– Je regrette d'apporter de mauvaises nouvelles…

– Bien…

Forbes-James soupira et se tourna vers la fenêtre. Après avoir passé quelques minutes à regarder, à travers le jardin, en direction de Frobisher House – temps pendant lequel Diana garda le silence et sirota son scotch, il se retourna et dit soudainement :

– Vous allez fouiller son appartement.

– Mais, je…

– De fond en comble. Et il me faut une copie de ce document. Apse va passer ce week-end en famille, donc vous pourrez opérer vendredi soir ; il n'y aura plus personne. Regardez bien partout – et je dis bien : partout…

– Même dans sa chambre ? Ses affaires personnelles ?

– Oui. C'est choquant, je sais, mais indispensable.

En rentrant chez elle, Diana songea que, peut-être, Forbes-James aurait préféré ne rien savoir sur Apse. « Mais je devais lui dire, même s'il m'en veut un peu. » Il s'était montré moins chaleureux que de coutume – ne l'avait pas interrogée sur Guy, ni sur son week-end à la campagne, ce qui, réflexion faite, n'était pas plus mal.

L'idée de ne plus jamais revoir Claude, de ne plus l'embrasser, de ne plus être serrée dans ses bras, était physiquement douloureuse. Peine de cœur. Le souvenir de cette expression lui causa un vague étonnement. « Je suppose que c'est encore quelque chose que j'ai appris », songea-t-elle. La voix moqueuse, blasée, dans sa tête, qui devenait chaque jour plus envahissante, lança : « Enfin, on se décide à grandir… ? »

– Oui, marmonna Diana. On se décide à grandir…

Le vendredi, à dix-sept heures, après trois jours qui avaient passé comme l'éclair, Apse quitta Frobisher House avec sa valise pour attraper le train qui le conduirait à la campagne. Diana rentra chez elle, passa un pantalon sport et un tricot, puis tira les rideaux noirs et s'assit dans sa chambre, à fumer et compter les heures en attendant la nuit. Le pire, c'était de n'avoir personne à qui parler d'Apse ou de Claude, de ce qu'elle vivait. Elle ne pouvait parler d'Apse à Lally et, si elle lui parlait de Claude, elle essuierait une nouvelle rebuffade – méritée, à vrai dire. « On finirait par se quereller », songea-t-elle, se rappelant son agressivité à l'égard de Margot un peu plus tôt dans la journée. Lally et Margot étaient bonnes amies. « Certaines sont douées pour l'amitié, conclut-elle tristement. Pas moi, apparemment… »

Elle contempla la photo de ses parents sur la coiffeuse, sans y puiser de réconfort. Cela lui rappela seulement que, sans ce document, elle aurait été presque incapable de se souvenir de leurs traits. Quand elle songeait à sa mère, elle voyait un visage vague, brumeux, aux traits brouillés. Quant à son père, ce dont elle se souvenait le plus clairement, c'était son odeur, où se mêlaient la pipe, le poil de chien et le cuir. Peut-être n'étaient-ils pas doués pour l'amitié, eux non plus. Avait-elle hérité de leur froideur ? Même son enfance lui semblait lointaine, sans rapport direct avec elle, comme s'il s'agissait d'une autre.

À vingt et une heures trente, elle se servit un petit scotch – courage d'ivrogne ? – et s'allongea sur le lit, se creusant les méninges pour trouver quelque chose de réconfortant à quoi se raccrocher. Finalement, elle dégota une bévue enfantine risible : un jour, chez une vieille tante, elle avait cru entendre dans une certaine prière à la Sainte Vierge : « Et Joseph, votre très chaste *pou…* » À l'époque, elle n'avait pas trouvé cela étrange – après tout, pourquoi la Vierge Marie n'aurait-elle pas eu un pou prénommé Joseph pour lui tenir compagnie ? Elle avait admis la chose, comme elle admettait tout le reste, parce que c'était ainsi. Ce qui prouvait que rien n'est jamais conforme aux apparences… « Je ne suis pas celle que je parais être, même pour moi-même. » Plus on grandissait, plus la vie devenait compliquée et les acrobaties mentales difficiles – surtout maintenant.

Chassant cette humeur pleurnicharde, elle vida le fond de son verre, vérifia que la lampe de poche était bien dans son sac, mit ses souliers et son manteau de fourrure, car le temps clément de septembre avait fait place au froid mordant d'octobre. Les sirènes commençaient à mugir quand elle quitta la maison. Un instant, elle songea qu'elle aurait pu se saisir de ce prétexte pour ne pas aller là-bas – mais seulement un instant. Le fait de penser à la réaction d'Evie si elle se faisait tuer, associé à son sens du devoir envers Forbes-James, renforça sa détermination. Étreignant sa lampe torche et marmonnant des prières entre ses dents, elle se rendit aussi vite que possible au bord de la Tamise. Lorsqu'elle y arriva, le bruit des avions et des canonnades était devenu continuel et le ciel, que balayaient les faisceaux des projecteurs, était rosi par les dizaines d'incendies allumés de l'autre côté du fleuve, qui avait pris une teinte jaunâtre. Elle vit un couple venir dans sa direction et n'eut que le temps d'entendre la jeune femme dire : « Je t'avais bien dit qu'on aurait dû aller au cinéma », quand quelque chose comme un gros chuintement, ou un fort sifflement, qui semblait fondre droit sur elle, ébranla le trottoir. Elle eut comme un blanc, après quoi l'atmosphère même parut se désintégrer et elle se sentit projetée à terre.

Dans le calme qui succéda à l'explosion, elle resta couchée sur les pavés sales, rugueux, enveloppée d'un suffocant nuage de poussière et de fumée, tout engourdie. Au milieu du silence, une petite voix demanda :

– Où c'est tombé ?

– J'en sais rien, répondit l'homme. Quelque part par là.

Diana sentit qu'on la tirait par la manche.

– Ça va, mademoiselle ?

– Je crois…

Elle se redressa sur son séant avec effort, et vit le couple.

– Là, fit l'homme en lui tendant la main.

– Merci.

– Ça n'a pas pu tomber dans la Tamise, fit la jeune fille. On aurait entendu un *splash*.

– Pas avec tout ce boucan…

Diana regarda autour d'elle.

– Là-bas…, dit-elle.

À quelques centaines de mètres, on voyait un amas de décombres qui avait été autrefois une maison mais semblait, dans la clarté diffuse et vacillante, un immense tas de charbon répandu sur la chaussée.

– Ah, voilà ! dit l'homme. Quand je te disais que ce n'était pas dans la Tamise.

– Ça aurait pu être le cas, répliqua la jeune fille.

Ils poursuivirent leur chemin, discutant toujours. Diana fit quelques pas à leur suite, dans la vague intention d'aider, mais ses pieds ne voulaient plus la porter. Elle resta là, hébétée, s'efforçant d'avancer, mais ses jambes tremblaient trop pour obéir à un quelconque signal, et, craignant de tomber comme une quille, elle traversa la rue d'un pas chancelant pour aller s'adosser au mur le plus proche. Au bout d'un moment, elle entendit comme un bruit curieux et insistant, et se rendit compte que c'était ses dents qui s'entrechoquaient. « Je ne peux rien faire, songea-t-elle. C'est à d'autres d'agir. » Lentement, s'appuyant au mur, elle se mit à avancer en trébuchant sur les gravats et morceaux de verre qui jonchaient le trottoir, concentrée sur ses pas.

Comme elle atteignait Dolphin Square, véhicules d'incendie, camions-pompe et ambulances la croisèrent, filant en direction de Chelsea Bridge. Ses forces étaient revenues en même temps qu'une exaltation proche de l'hilarité, à l'idée de s'être dominée. Avec une énergie renouvelée, elle se précipita dans l'escalier de Frobisher House, ouvrit la porte de l'appartement d'Apse et éclaira le bureau avec sa lampe torche. Avant de partir, il avait tiré les rideaux de black-out, donc le faisceau ne se verrait pas de l'extérieur. Ôtant ses chaussures, elle alla les déposer dans la cuisine, se lava les mains et entreprit de recopier le message codé. Curieusement, frôler la mort avait aiguisé son esprit ; elle avait rarement été aussi lucide. Appuyée à la paillasse, occupée à noter ces groupes de lettres dépourvus de signification, elle se sentait comme branchée sur un circuit électrique qui rendait son intelligence vive, brillante, instantanée, telle la lumière elle-même. Le bruit des avions et des tirs de DCA l'environnaient, et, à plusieurs reprises, comme les bombes semblaient presque au-dessus d'elle, elle s'interrompit pour se blottir sous le plan de travail. Sa raison lui disait que ça ne servirait à rien si l'immeuble était touché, mais se réfugier sous quelque chose, fût-ce une simple planche, lui donnait l'impression d'être à l'abri, tandis que le bâtiment vibrait et qu'une fine poussière de plâtre pleuvait du plafond. Elle se surprit à prier : « Sainte Vierge, protégez-nous, Vous et Votre très chaste Pou… » et rit. Enfin, songea-t-elle en se remettant debout, la Vierge Marie n'allait pas se fâcher, ou si ?

Elle était résolue à remplir sa mission : si l'appartement était détruit, il ne resterait plus rien de cette pièce à conviction. Elle vérifia et revérifia qu'elle avait fidèlement recopié le message, remit l'original dans le tiroir et emprunta le couloir pour gagner la chambre et fouiller la penderie. Tout avait l'air à sa place – chemises, costumes, souliers et accessoires. Seule chose insolite, une photo sous cadre montrant un petit garçon et une fillette (Pammy et Pimmy ?), cachée dans la commode, sous une pile de sous-vêtements. Apse l'avait-il mise là pour qu'elle ne soit pas abîmée si le bâtiment était frappé ? Cet espoir semblait illusoire, mais la superstition fait faire d'étranges choses… peut-être, en protégeant cette image de ses enfants (si c'était bien ses enfants), avait-il l'impression de les protéger, eux ? Cette pensée était si émouvante qu'elle eut aussitôt honte de ses actes et referma le tiroir avant de quitter la pièce, bouleversée. Comme elle était sur le point d'y retourner, elle perçut, à travers le vacarme du bombardement, un autre bruit – discret, plus proche – un déclic, puis un grincement. Quelqu'un avait ouvert la porte d'entrée.

Diana se figea. Dans un instant, on allait allumer et la voir plantée là. Derrière elle, dans le couloir, il y avait un grand placard intégré au mur. Presque sans réfléchir, elle tira le battant et, apercevant un espace sous la tablette du bas, s'accroupit et s'y nicha, fermant la porte une seconde avant qu'on fasse de la lumière. Au bout d'un moment, une accalmie au milieu des bombardements lui permit d'entendre des pieds frottés sur le paillasson, le bruit d'un sac posé à terre, puis une voix – Apse, mais pourquoi était-il revenu ? – déclara : « Nous y sommes ! » Une voix mâle – accent londonien, pas cockney, mais presque – dit : « Chouette appart. » Le cœur de Diana cognait dans sa poitrine, presque aussi fort que les coups de canon à ses oreilles. Autres murmures, provenant du bureau ; elle tendit l'oreille. On remplissait des verres. Dieu merci, elle avait remis de l'eau dans la carafe sur le plateau, dans l'après-midi. Si jamais Apse allait à la cuisine, il verrait ses affaires par terre… Qu'est-ce qu'il fichait là ? Pourquoi n'était-il pas à la campagne, avec les siens ? La gare avait peut-être été bombardée et il était revenu, ou… quoi ? Et qui était l'autre ? Elle ne reconnaissait pas sa voix – quelqu'un de jeune, mais ça ne pouvait pas être le fils d'un ami… un serviteur venu de la campagne et recruté par lui ? « Quand tu m'as suivi, disait l'homme, j'ai cru que tu étais de la police. » Ce devait être un membre du Right Club, ou un disciple de Mosley qui avait réussi à échapper à la prison. Elle se rappela les paroles d'Apse sur les individus peu recommandables qu'on pouvait être amené à fréquenter – mais ici, c'était visiblement quelqu'un en qui il avait assez confiance pour l'amener chez lui. Elle entendit rire, puis la voix d'Apse : « Un ami m'a dit d'être sur mes gardes avec toi. » Il semblait différent, presque – incroyable ! – aguichant.

– Un bon ami ?

– Un très bon ami. On boit à l'amitié ?

Diana entendit tinter des verres, et à nouveau des bruits de bombes, cette fois atténués et plus distants. Les bombardiers devaient repartir, ou du moins suivre le cours du fleuve. De nouveau les verres s'entrechoquèrent, il y eut d'autres chuchotements, des pas dans le couloir, dans sa direction… Deux paires de pieds. Le rai de lumière sous le placard s'obscurcit momentanément quand ils passèrent devant elle. Ils vont dans la chambre, songea-t-elle. Le couloir ne desservait pas d'autre endroit. Elle n'avait pas fini sa fouille ; donc, peut-être allait-il confier des documents compromettants à ce jeune homme – quelque chose qu'elle n'avait pas été capable de trouver, sous les lames du parquet, ou… Oh, mon Dieu ! Elle avait allumé la lampe de chevet. Il allait le remarquer, et alors…

Elle attendit une exclamation, qui ne vint pas. À la place, elle entendit un petit rire, aigu et féminin, provenant de la chambre derrière elle, et des bruits sourds – mouvement, froissement, puis un grincement comme si quelqu'un s'était assis sur le lit. Diana entendit un long soupir, un gémissement, puis le jeune dit :

– Laisse-moi faire…

– Tu ne t'es pas rasé, aujourd'hui, dit Apse.

– T'aimes, hein ? dit l'homme, puis, après un silence : J'embrasse pas.

Diana plaqua sa main sur sa bouche. Un jour, Claude lui avait désigné un prostitué, à Piccadilly. Il marchait avec un vieux monsieur qui, dans la lumière diffuse dispensée par les phares tamisés d'une voiture qui passait, lui avait paru fardé. Comme elle s'en scandalisait, Claude s'était moqué d'elle. Dans son école, avait-il déclaré, les garçons s'exerçaient à s'embrasser entre eux, faute de filles, et certains ne s'en étaient jamais remis. Mais Apse était… il était marié, père de famille, donc… Se rappelant la photo des enfants dans le tiroir, une idée la traversa : il l'avait mise là non pour la raison qu'elle s'était imaginée, mais parce qu'il avait projeté de ramener un type, et son désir était si impérieux que même les bombardements ne l'avaient pas découragé.

On entendait des grognements à présent, plus bruyants. Reconnaissant la cadence des ébats amoureux, Diana, épouvantée, se boucha les oreilles et ferma très fort les yeux. Et si, sortant de la chambre, il la découvrait ? Elle pourrait jouer les candides – prétendre n'avoir rien entendu ne serait pas crédible, l'endroit étant trop petit ; mais pouvait-elle lui faire croire qu'elle n'avait pas compris la signification de ces bruits ? Si ça ne marchait pas… Et s'il pensait qu'elle voulait le faire chanter ? Les éventualités fusaient dans son esprit, toutes plus horribles les unes que les autres. Il pouvait même tenter de la tuer – elle savait qu'il connaissait, tout comme Forbes-James, des individus capables d'exécuter des missions « non officielles » et avait entendu parler d'agents doubles véreux dont on s'était « débarrassé » de diverses façons, l'un d'eux en pleine mer du Nord… Son estomac se souleva et, pendant un moment terrible, elle crut qu'elle allait vomir. Je dois sortir d'ici, se dit-elle. Sans tarder. Pendant qu'ils sont encore dans la chambre.

Elle poussa la porte du placard et sortit en rampant. Le couloir était resté éclairé – la distance jusqu'à la porte, d'en réalité six mètres, semblait s'étirer à l'infini et ses souliers étaient toujours dans la cuisine. Diana se mit debout et, retenant son souffle, marcha sur la pointe des pieds dans cette direction. Comme elle ramassait ses affaires de ses mains tremblantes, un bruit à travers le mur, entre soupir et râle, annonça l'orgasme. Elle se hâta vers la porte d'entrée, et, après avoir tâtonné avec la gâche, réussit à l'ouvrir. La refermant sans faire de bruit, elle courut dans le corridor et dévala l'escalier sans se rechausser. Après quoi, sortant du bâtiment, elle se précipita dans le jardin, encore assez éclairé par les incendies pour lui permettre de gagner, chancelante, la plus proche plate-bande, où elle vomit entre les rosiers. Debout dans l'allée, en proie à des haut-le-cœur et la gorge irritée par l'amer mélange de bile et du scotch ingurgité un peu plus tôt, elle contempla la sombre façade de Frobisher House. On n'entendait plus que les lointaines détonations de l'artillerie et le grondement de la circulation sur Grosvenor Road – pas de cris indignés, pas de cavalcade.

Elle se rechaussa et, se retournant, regarda en direction de l'appartement de Forbes-James. Puis elle se rappela qu'il ne serait pas là avant samedi.

Debout dans la cabine publique au bout de Chelsea Bridge Road, Diana ne savait pas très bien comment elle était arrivée là, ni ce qu'elle allait faire. Elle savait seulement qu'elle avait besoin de parler à quelqu'un, besoin d'aide, besoin… de quoi ? Espérant que la ligne fonctionnait toujours, elle glissa une pièce dans la fente et composa le numéro. Quand la voix de l'opératrice se fit entendre, elle pressa le bouton A et dit, sans réfléchir : « Gerrard 73468, je vous prie. »

Au bout d'un moment, une voix masculine sur la ligne répéta le numéro.

– Claude ?

– Diana ? C'est toi ?

– Oui, c'est moi. Claude, je…

– Qu'y a-t-il ? Tu pleures ?

– Oui… Je ne peux pas…

– Que s'est-il passé ?

– Je ne peux pas… Je… c'est affreux, je ne peux pas.

– Calme-toi. Respire à fond… c'est mieux ?

– Ou… oui.

– À la bonne heure. Alors, qu'est-ce qui ne va pas ?

– Je ne peux rien te dire maintenant. Claude…

– Où es-tu ?

– Chelsea Bridge Road. Claude, je n'en peux plus…

– Ne dis plus rien. Rentre chez toi et n'en bouge plus. Tu vas y parvenir ?

– Oui.

– Bravo. Et maintenant, file. J'arrive dès que possible.

– Oh, mon Dieu…

Elle raccrocha et s'adossa à la cloison de la cabine. « Je dois être folle, se dit-elle. Qu'ai-je fait ? »

35

Diana rentra chez elle en titubant, aussi vite que possible compte tenu du couvre-feu, et elle était assise, toute frissonnante, au bout de son lit, blottie dans son manteau et regrettant d'avoir appelé Claude, quand on sonna à la porte. Elle descendit et le trouva sur les marches, avec une demi-bouteille de cognac.

– Bon, dit-il en lui prenant le coude. On va te remettre d'aplomb…

Ils montèrent à l'appartement où il la poussa dans un fauteuil, déposa une couverture sur ses genoux, et lui fourra un verre bien rempli dans les mains.

– Avale ! Tu parleras seulement quand tu auras fini.

Diana acquiesça docilement et prit une grande rasade d'alcool, qui lui brûla la gorge et la fit suffoquer. Claude, perché sur l'accoudoir, lui massa le dos pour mettre un terme à cette toux.

Diana le regarda avec des yeux larmoyants.

– Désolée…, dit-elle.

– Ne dis pas de bêtise.

Il lui tendit son mouchoir.

– Arrange-toi !

Il la regarda se tamponner avec le mouchoir, puis lui prit le menton et la força à le regarder.

– Ça pourra aller pour le moment, déclara-t-il. Tu as repris des couleurs. C'est une joie de te revoir, je dois dire, même ainsi. Je croyais que tu ne voulais plus me parler…

– Oui, mais ce n'était pas…

– Plus tard. Finis ton verre.

Il se laissa glisser jusqu'à terre, où il la déchaussa et entreprit de lui masser les pieds.

– Qu'est-ce que tu fais ?

– Plus un mot, tant que tu n'auras pas fini…

– Eh bien, dit-il quelques minutes plus tard, en lui caressant le pied droit – qu'il avait mis sur ses genoux. De toute évidence, tu as subi un choc. Dis-moi ce qui s'est passé.

Diana se mit à raconter, d'une voix hachée au début, puis dans un flot de paroles :

– Cet homme, conclut-elle. C'était manifestement un… tu sais… un gigolo, et Apse l'avait amené chez lui pour… pour… je les ai entendus. C'était affreux. Comment peut-il…

Claude haussa les épaules.

– C'est courant… Je dois dire que je ne m'en doutais pas, dans son cas…

– Évidemment ! Il est marié !

– Toi aussi, chérie.

– Comment oses-tu ? Ce n'est pas du tout la même chose !

– Mais si.

– Non, c'est… c'est…

Scandalisée et à court d'arguments, elle retira vivement son pied.

– Pour l'amour du ciel, Diana !

Claude se rejeta en arrière et la considéra.

– Il est grand temps que tu comprennes qu'il y a de la marge entre ce que les gens disent, les… formes – à défaut d'un mot plus adéquat – qu'ils observent, et ce qu'ils sont en réalité. Ce n'est qu'une question de degré, après tout.

– C'est bien plus que ça ! C'est répugnant.

– À tes yeux, peut-être. Pas pour tout le monde.

– C'est illégal !

– Voilà bien le problème. Le tout est de ne pas se faire pincer.

Il secoua la tête.

– Ce pauvre vieux Apse. J'ignorais totalement que tu le surveillais, tu sais. Je m'étonne que Forbes-James n'ait pas su qu'il était... À moins que...

– Que quoi ?

– Rien. Je pensais tout haut. Ça rend les choses plutôt sordides...

– Comment ça ?

– C'est le problème des homosexuels, chérie. Le chantage. Très simple, et très efficace.

– Tu veux parler du Right Club ?

– Ou d'autres gens de cette espèce... On t'a bien chargée de les infiltrer ?

– Oui, avoua Diana, en se maudissant.

Pensant que cela ne faisait plus aucune différence à présent, elle demanda :

– Tu veux dire qu'Apse pourrait leur transmettre des renseignements sous la menace ?

– Possible. Probable, même. Il faudra en parler à Forbes-James dès demain matin.

– Je ne sais pas comment faire.

– Oh... (Il agita une main désinvolte.) Ne t'en fais pas. Il comprendra.

– Ah ?

– C'est un homme du monde, Diana. Ce n'est pas la première fois qu'une chose pareille arrive, et ce ne sera pas la dernière.

– Oui, mais...

– Tu n'as pas à t'inquiéter pour ça. Tu es certaine qu'Apse ne t'a pas entendue ?

– Oui. En tout cas, il ne m'a pas poursuivie.

– Rien d'étonnant, vu les circonstances… (Claude sourit de toutes ses dents.) Je l'imagine mal se précipiter dehors sans son froc.

– Ce n'est pas drôle !

– Je sais, chérie, mais s'il a bien entendu quelque chose – l'appartement n'est pas très vaste, après tout… La porte n'ayant pas été forcée, l'intrus avait donc la clé. Qui, à part toi, a un double ?

– Sa femme, sûrement, mais…

– Mais elle n'irait pas rôder au milieu d'un bombardement. D'ailleurs, elle aurait allumé. Tu as dit qu'il avait tiré les rideaux…

– Oui.

– Apse pourrait croire que c'était Forbes-James. Ou moi.

– Toi ?

– Pourquoi pas ? L'essentiel – s'il a bien entendu quelque chose – c'est qu'il ne te soupçonne pas. Tu es sûre de n'avoir rien laissé derrière toi ?

– Je ne crois pas.

– Tu as remis le papier à sa place, n'est-ce pas ? Après l'avoir recopié.

– Oui, oui. Je me revois le faire.

– Heureusement.

Il lui tapota la cheville.

– Et maintenant, dis-moi pourquoi tu ne voulais plus me voir.

– La mère de Guy… Elle sait pour nous deux. Elle m'a fait promettre…

– Comment l'a-t-elle appris ?

– Par la rumeur publique. Ses relations.

– Elle devrait travailler dans l'espionnage. Elle gâche son talent dans son bled…

– Je ne plaisante pas !

– Je sais. On sera ultra-prudents, désormais…

– Claude, je lui ai promis ! Et ce n'est pas tout.

– Ah ?

– Lally m'a dit quelque chose. Arrête de caresser ma jambe.

– Pardon. (Claude ôta sa main.) J'avais comme l'impression que tu aimais… Qu'est-ce qu'elle t'a dit ?

– D'après elle, une femme s'est tuée pour toi. Elle était mariée et…

– Julia Vigo. (Il soupira.) J'imagine ce qu'elle a pu dire. Cependant…

Voyant que Diana était sur le point de l'interrompre, il la fit taire d'un geste.

– Ce que Lally ignore, c'est que Julia était une toxicomane.

– C'est ridicule ! Elle travaillait pour Forbes-James, d'après Lally.

– Exact, mais Forbes-James n'en savait rien, à l'époque.

– Si, forcément. Ça devait se voir.

– Qu'en sais-tu ? Tu sais comment ça se comporte, une toxicomane ?

– Eh bien…

Diana réfléchit.

– Eh bien… le délire. La confusion mentale, la folie…

– Pas du tout. Moi non plus, je n'étais pas au courant.

– Alors, comment… ?

– J'ai retrouvé la came ensuite. Il a bien fallu ranger son appartement.

– Mais son mari…

– Il ne voulait plus entendre parler d'elle. Elle l'avait quitté.

– Oui, pour toi !

– Non, c'était bien avant. Je n'étais pas en cause.

– Alors, pourquoi Lally affirme-t-elle le contraire ?

– C'est l'histoire qui a couru. Forbes-James ne voulait pas que ça se sache, de peur que la réputation du service en souffre. Il fallait bien une explication, et celle-ci était la plus facile…

– Et ta propre réputation ? Ça t'est égal ?

Il haussa les épaules.

– Comment peux-tu être aussi blasé ? Lâche donc ma jambe !

– Pardon… Tu ne devrais pas être aussi irrésistible.

– Sois sérieux, Claude.

– Oh, change de disque !

Il se mit debout et se palpa les poches, à la recherche de son étui à cigarettes.

– Les gens cancanent, Diana, et ce n'est sûrement pas ce qu'on a raconté de pire sur mon compte – loin de là !

– C'est une honte ! Je vais dire à Lally que tu n'y étais pour rien.

– Certainement pas.

– Mais…

– Non !

Claude se tint au-dessus d'elle, les mains sur ses épaules.

– Diana, je suis sérieux. Tu vas la boucler.

– Mais si c'est la vérité…

– C'est la vérité. Raison pour laquelle tu n'en parleras à personne. En fait, tu vas tout oublier.

Diana, se rappelant les paroles de Jock, dit :

– Ce qu'on ignore ne peut pas vous faire de tort…

– Exact.

Il l'embrassa sur le front.

– Et maintenant…, dit-il en lui caressant la joue du revers de la main, si on prenait nos aises… ?

– Attends…

Elle écarta sa main, et Claude battit en retraite vers le lit.

– Quoi encore ? lança-t-il, irrité.

– Quand tu as rangé son appartement, as-tu… Enfin, celui qui l'a examinée se serait rendu compte…

– Pour l'amour du ciel ! Pyke a tout arrangé.

– Le Dr Pyke ? s'étonna Diana.

– Oui. Et maintenant, est-ce qu'on…

– Le médecin de Forbes-James ? Je croyais qu'il n'était que…

Une soudaine vision, horriblement claire, de Forbes-James jetant un coup d'œil à sa braguette la réduisit au silence.

– Je crois que Forbes-James le trouve très utile, en certaines occasions, déclara-t-il de façon sibylline. Écoute, ma chérie, j'ai bien eu une liaison avec cette femme, et je ne me suis pas précisément couvert de gloire, mais ce n'est pas ma faute si elle est morte. Tôt ou tard, ce serait arrivé. Tu ne veux pas venir ici… (il tapota le lit) qu'on parle d'autre chose ?

– Tu ne le répéteras pas, n'est-ce pas ? Ce que je t'ai dit sur Apse.

– Ça dépend. Es-tu disposée, oui ou non, à être gentille avec moi ?

– Claude !

Au bord des larmes, elle rejeta sa couverture et bondit du fauteuil.

– Pour l'amour du ciel, tu ne peux pas…

– Stop !

Il se leva du lit et la prit dans ses bras.

– Je plaisantais…

Tandis qu'elle pleurait, il lui caressa le dos en murmurant des paroles réconfortantes, joua de son mouchoir. Au bout d'un moment, la résolution de Diana céda sous ses larmes, sous une écrasante impression de soulagement mêlé d'anxiété, ainsi qu'un besoin éperdu d'être consolée, et elle se laissa déshabiller et entraîner vers le lit.

36

Stratton négocia avec difficulté les trois pas entre son fauteuil et la porte. L'espace de stockage était compté à Great Marlborough Street, même pour le nombre limité de documents récupérés après l'incendie de West End Central, et la plupart des dossiers subsistants – détrempés, déchirés et puant le cramé – s'empilaient à présent autour de son bureau.

La femme l'attendait dehors. Stratton n'avait pas grand espoir, l'info qu'on avait fait circuler au sujet du cadavre non identifié étant assez maigre, mais au moins quelqu'un s'était présenté. Selon Gaines, cette Mme Symmonds croyait que le disparu pouvait être son mari.

C'était une petite chose décharnée au visage émacié, aux traits tirés – la quarantaine, peut-être, mais elle était sûrement plus jeune qu'elle n'en avait l'air – minable et mal ficelée dans un manteau gris et râpé. Peut-être, se dit Stratton, qui lui accorda le bénéfice du doute, même s'il était presque onze heures du matin, avait-elle passé la nuit dans le métro et n'était-elle pas retournée à la maison entre-temps ? En tout cas, elle semblait avoir bien besoin d'une tasse de thé. Stratton arrangea cela, puis l'escorta jusqu'à une salle d'interrogatoire.

– Arthur Symmonds, dit-elle sans préambule. Mon mari.

Elle ne semblait ni perturbée, ni en colère, juste fatiguée, à bout.

– Quand l'avez-vous vu pour la dernière fois ?

– En février. Depuis, il n'a plus donné signe de vie.

– Avez-vous signalé sa disparition ?

– Oh, non… (Elle parut surprise.) Ça lui arrive de s'en aller. Pour affaires…

– Quelles affaires ?

– Oh…

Elle regarda attentivement le mur d'en face, comme si la réponse pouvait s'y trouver inscrite.

– Des affaires… le commerce…, ajouta-t-elle, comme si c'était plus clair. Parfois, il devait s'absenter.

– Pour aller où ?

– À droite, à gauche… En fait, je ne sais pas très bien. Comme ça fait plus de six mois, maintenant, je me dis que, peut-être…

Elle lui adressa un regard plein d'attente.

– Où habitez-vous, madame ?

– Poland Street. Au 14. Au-dessus de l'épicerie.

– Quel âge a votre mari ?

– Quarante-cinq ans… Quarante-six, maintenant.

– Date de naissance ?

– Le 16 avril.

– Vous êtes mariés depuis longtemps ?

– Oh, très longtemps…

Mme Symmonds grimaça, pensive. Curieux, songea Stratton. En général, c'était les hommes qui avaient du mal à se rappeler cela, pas les femmes.

– … dix-huit ans.

– Date du mariage ?

– 1922. Le 5 mai.

Elle s'en était souvenue tout de suite. C'était peut-être la façon dont il avait formulé sa question.

– Pouvez-vous me le décrire physiquement ?

– C'est comme dans votre signalement. Ordinaire. Cheveux bruns…

– Raides, ondulés ?

– Raides.

À l'entendre, on aurait pu croire que les cheveux ondulés étaient une aberration révoltante.

– Yeux ?

– Plutôt bruns…

– Noisette ?

– Non, plutôt marron.

– Et ses dents ? Était-il allé chez le dentiste, à votre connaissance ?

– Oh, non !

Au bout d'un moment, elle ajouta, avec une fierté manifeste :

– Il avait toutes ses dents !

Puis, se penchant en avant, comme pour confesser un secret, elle déclara :

– C'est pour ses pieds que je m'inquiète…

– Ses pieds ? répéta Stratton, déconcerté par ce brusque passage d'une extrémité à l'autre.

– Oui. Il avait mal aux pieds. Des cors affreux ! Je lui disais tout le temps d'aller voir un docteur des pieds.

– L'a-t-il fait ?

– J'en sais rien. Il aimait pas trop les docteurs. L'argent, vous savez… J'ai acheté un truc à la pharmacie. Un emplâtre. C'est toujours à la maison…

De nouveau, elle contempla le mur et conclut, tragiquement :

– Je lui avais dit que j'achèterais quelque chose. Je croyais qu'il reviendrait.

Stratton dit doucement :

– Il y avait quelqu'un d'autre ?

retrouvé dans l'église, commissaire, mais comme c'est plutôt délicat, j'ai cru bon de vous en parler…

Le commissaire Matchin le considéra d'un air méfiant et remua dans son fauteuil.

– Je vous écoute…

Stratton, qui sentait déjà qu'il allait revivre l'épisode du fils de l'évêque, exposa sa découverte du coffre de Mabel Morgan et de son contenu. Matchin l'écoutait, l'air de plus en plus abattu. Lorsque Stratton parla du film, il poussa même un gémissement.

– Ça pourrait être une affaire de chantage, à laquelle Mlle Morgan aurait été mêlée. Elle a pu chercher à lui extorquer de l'argent – il y a plusieurs choses à propos de son décès qui m'ont paru bizarre, à l'époque, et on sait qu'elle a reçu la visite de deux truands juste avant sa mort. Quand on a retrouvé le mouchoir de sir Neville sur le cadavre dans l'église, ça m'a mis la puce à l'oreille, et…

Le commissaire l'interrompit d'un geste.

– Bon, j'ai compris.

– Si je pouvais questionner de nouveau sir Neville, inspecteur, ça m'aiderait.

– Oui, oui, fit Matchin, avec humeur. Je comprends, mais vous n'aborderez pas sir Neville avant que je ne vous y autorise.

– Ça sera quand, au juste, commissaire ?

Stratton savait jouer un jeu dangereux, mais c'était plus fort que lui.

– Je l'ignore. Mais ne faites rien – rien ! – tant que je ne vous aurai pas donné le feu vert.

– Oui, commissaire.

– Et qu'est-ce qui vous a pris de barboter des pièces à conviction au commissariat pour les ramener chez vous ?

– Le coffre n'était pas au commissariat, commissaire. On me l'a donné quand…

– Ce n'est pas la question. C'est le principe ! Je veux le voir – avec tout son contenu – sur mon bureau, demain matin.

La mort dans l'âme, même s'il ne s'était pas attendu à autre chose, Stratton répondit :

– Oui, commissaire.

– Et pour l'amour du ciel, cessez de vous comporter comme un éléphant dans un foutu magasin de porcelaine !

Le lendemain matin, ayant remis le coffre et reçu un nouveau sermon – où l'image de vagues à ne pas faire et d'eaux dormantes à ne pas réveiller figurait en bonne place –, Stratton entra dans son bureau et y trouva Gaines qui, d'une main, lui tendait une tasse de thé et, de l'autre, une liasse de papiers.

– Du nouveau sur Symmonds ? demanda-t-il d'un ton las.

– Au sommier, ils n'ont personne de ce nom avec cette date de naissance, inspecteur. J'ai trouvé un Arthur Daniel Symmonds, né le 14 avril 1894, mais il est dans la RAF, à Waddington, dans le Lincolnshire. On a vérifié : il a été muté là-bas en mai de cette année – il est instructeur – et n'en a pas bougé depuis.

– « On » ?

La jeune femme rougit légèrement.

– Ballard m'a donné un coup de main, inspecteur. En dehors de son temps de travail, ajouta-t-elle hâtivement. Sur son temps libre…

« On le comprend », songea Stratton.

– C'est tout à son honneur, dit-il, tant que son propre travail ne s'en ressent pas.

– Oui, inspecteur. Bien sûr, inspecteur.

À présent, son visage avait pris un très joli ton de rose. Stratton l'examina un moment, puis dit :

– Personne d'autre ?

– Non, inspecteur. Enfin si, mais ils sont ou trop jeunes, ou trop vieux…

De nouveau, Gaines consulta ses notes, plus pour cacher sa gêne que par besoin de se rafraîchir la mémoire.

– … et il y en a deux qui combattent outre-mer. On nous l'a confirmé.

– Et les podologues ?

– Rien jusqu'à présent.

– Bon, poursuivez vos recherches.

Se trouvant un peu grincheux, il ajouta :

– Vous faites du bon boulot !

« À la différence de moi-même », songea-t-il tandis que la jeune femme quittait la pièce. Et si sa première théorie était juste et que Symmonds était en fait un bigame usant d'un nom d'emprunt ? Après tout, on pouvait se procurer de fausses cartes d'identité ou carnets de rationnement. Symmonds avait dû emporter les siens au moment de sa disparition et son assassin – si c'était bien un assassinat – s'en était emparé. Ça valait la peine de vérifier. Gaines pourrait voir cela aussi, avec ou sans l'aide de Ballard. « Tout de même, songea-t-il, il faudrait leur infliger un avertissement. » Après tout, c'était contraire au règlement, mais, que diable, à la place de Ballard, il en aurait sans doute fait autant. En fait, il n'y avait pas de « sans doute » – il lui aurait sauté dessus, et tant pis pour les conséquences !

Il se demanda ce que deviendrait le coffre. Matchin, après avoir consulté Roper, l'« égarerait-il » opportunément ? Quand on disait qu'il y a une justice pour les riches… Et puis, merde ! Il y avait forcément un rapport entre Mabel Morgan, sir Neville et le cadavre dans l'église, sans parler de Marks et Wallace – et plus vite il découvrirait qui était ce mort, plus on y verrait clair.

37

Comme la voiture débouchait du tournant, Diana, installée à l'arrière avec Forbes-James, découvrit Bletchley Park. C'était un méli-mélo de différents styles datant de la fin de l'époque victorienne – une rotonde, des pignons hollandais couronnés par des épis de faîtage en forme d'ananas, des colombages Tudor noir et blanc et des créneaux. L'architecte avait manifestement pu laisser libre cours à sa fantaisie. À droite, les écuries et un genre de clocher avec son horloge ; à gauche, un baraquement peint en vert. Tout un tas de travaux semblaient en cours – des hommes en salopette et à casquette sciaient des planches sur la pelouse, devant la maison, avant de les trimbaler jusqu'à un chantier d'aspect chaotique composé de structures non terminées, de l'autre côté des dépendances en briques.

Diana, qui s'attendait à un accueil militaire, cligna des yeux, ébahie, quand elle vit Phyllis Garton-Smith, avec qui elle avait « fait la saison », se hâter dans leur direction. Elle était en civil – corsage, jupe et rang de perles – et se comporta comme si toutes deux avaient été tout simplement invitées à une partie de campagne.

– Quelle joie de te revoir, ma chère ! L'amiral Candless vous attend, colonel, dit-elle à Forbes-

James. On m'a chargée de te montrer l'endroit – ou plutôt, non, car personne n'a le droit de rien voir. Je n'ai pas la moindre idée de ce qu'ils fabriquent là-bas…

D'un geste, elle désigna le chantier.

– Sinon s'acharner à détruire de ravissants parterres et monter ces horribles baraquements.

– Que fais-tu ici ? demanda Diana, quand Forbes-James eut été emmené par une femme en tenue militaire.

– Je suis documentaliste. Très amusant. C'est l'oncle Tony qui m'a dégoté ce boulot. Je ne sais pas du tout de quoi il retourne. Personne ne sait, en fait – en tout cas, parmi mes connaissances. Quelle horreur, cette baraque, non… ?

Prenant son amie par le bras pour entrer dans le hall, elle ajouta :

– Jeanie est ici, elle aussi – la sœur de Sally Monkton, tu te souviens ? – et Merope Wright, et…

Diana écouta d'une oreille distraite tout en appréciant du regard le décor, les colonnes de marbre italien, et elle aperçut des lambris précieux et des plafonds ornementés en passant devant des pièces autrefois magnifiques, dont la plupart avaient été cloisonnées avec des planches sans nul souci de symétrie. On se sentait moins dans une maison de campagne que dans ce collège d'Oxford qu'elle avait un jour visité – à condition d'ignorer le téléscripteur et les diverses femmes qui couraient partout. De plus, la maison semblait pleine d'écoliers trentenaires, débraillés, en vestons de tweed et amples pantalons de flanelle.

– Que des génies, paraît-il, lui murmura Phyllis. Si tu veux mon avis, ils sont tous fous à lier, mais on s'y fait. J'en ai vu un aller boire son thé là-bas…

Elle désigna par la fenêtre la grande mare aux canards.

– Ensuite, il a contemplé sa tasse avec stupeur, comme s'il ne comprenait pas comment elle avait pu arriver là, et l'a jetée dans la flotte. Bizarre, non ? Bref, comment vas-tu, toi ? J'ai entendu dire que tu t'amusais comme une folle à Londres, petite veinarde… Ce bel homme est ton patron ?

– Oui.

– Tranquillise-toi, je sais que je ne suis pas censée poser de questions. D'ailleurs, je ne crois pas que je comprendrais les réponses, mais ils sont extrêmement féroces là-dessus. Quand je suis arrivée, on m'a expliqué que je serais jetée aux oubliettes si je soufflais le moindre mot. Bref, tout ça est formidablement important. Tu meurs d'envie d'avoir une tasse de thé, je suppose ?

– Volontiers, oui.

– On peut aller au mess. On n'y est pas vraiment les bienvenues, mais ils ne cherchent pas la petite bête…

Elle la conduisit dans une salle pleine de fauteuils, où deux hommes, dont l'un en imper, jouaient au ping-pong. Tous deux bondissaient de-ci de-là, écarlates, et chaque fois qu'ils rattrapaient la balle – ce qui ne semblait pas très fréquent – ils criaient un nombre (« 317 811 ! » « 514 229… Excellent ! 832 040 ! ») sans aucun rapport avec le score.

– Les génies s'amusent, chuchota Phyllis, en l'installant dans un fauteuil près de la fenêtre. Ou bien ils travaillent, qui sait ? Enfin, ils sont totalement inoffensifs. Je reviens tout de suite…

Laissée seule, Diana offrit son visage au pâle soleil d'octobre. Tout en écoutant les discrets caquetages du téléscripteur et le bruit de la balle de ping-pong rebondissant sur la table, elle se demanda combien de temps Forbes-James resterait en tête à tête avec l'amiral Candless, et si c'était l'une de ces caracolantes « grosses têtes » qui aurait pour tâche de déchiffrer le message codé.

« Je n'aurais jamais dû le dire à Claude », songea-t-elle. Ensuite elle avait maudit sa faiblesse, mais sur le moment... C'était si gentil d'être venu chez elle avec du cognac pour la rasséréner. « Tout de même, je n'aurais jamais dû coucher avec lui. Ça ne doit plus se reproduire – jamais. » Jusque-là, elle avait réussi à l'éviter, mais ils tomberaient forcément l'un sur l'autre tôt ou tard, et alors... Elle se massa les tempes. C'était facile de prendre une résolution ici, installée dans ce fauteuil confortable et se sentant à peu près en paix, mais qu'arriverait-il quand elle le reverrait ?

Faire son rapport à Forbes-James, première tâche dont elle s'était acquittée le samedi matin, avait contribué à améliorer la situation, tout comme apprendre qu'il s'arrangerait pour la faire muter dans un autre service. Lui parler d'Apse, cependant, avait été aussi horrible qu'elle le craignait. À plusieurs reprises, il lui avait demandé si elle était sûre d'avoir bien interprété ce qu'elle avait entendu, sans toutefois – Dieu merci ! – exiger des détails. Comme Claude l'avait prévu, il s'était montré résigné.

– C'est bien ennuyeux... D'autres personnes sont au courant ?

– Non. Du moins, pas que je sache.

Heureusement, Forbes-James avait pris son malaise manifeste pour de la gêne (c'était en partie le cas) et non comme le signe qu'elle mentait.

– Vous n'en aviez pas entendu parler au Right Club ? De façon voilée ?

– Non.

– Malheureusement, cela reste une possibilité. La première des priorités, c'est de décrypter ce message. Vous allez m'accompagner. Pas d'inquiétude, je verrai avec Apse – je lui dirai que je vous « emprunte » pour expédier un arriéré de paperasses. Comme ça, on sera tranquilles dans l'immédiat.

– Tiens !

Phyllis, qui lui présentait une tasse de thé, baissa vivement la tête pour éviter la balle de ping-pong.

– Faites attention !

Les deux hommes sursautèrent violemment, comme s'ils venaient seulement de remarquer qu'ils n'étaient pas seuls, et celui à l'imper vint récupérer la balle derrière le fauteuil de Diana.

– Ton sémillant patron devrait sortir dans une minute. L'amiral est terriblement brusque. Comme il est habitué à brailler des ordres sur de grands navires, il ne sait plus parler normalement. Le responsable de l'hébergement a trouvé une chambre pour ton colonel au Bull, à Stony Strattford – il dînera ce soir avec l'amiral, bien entendu – et toi, tu viens avec moi. C'est tout près, une simple auberge, mais tu y seras en très bonne compagnie. Il y a une fille sur mon palier qui est de l'East End, et figure-toi…

De nouveau, Diana se laissa aller à rêvasser en contemplant vaguement le paysage, songeant à Apse. Peut-être sa fatuité s'expliquait-elle non seulement par son statut, mais par le fait qu'il avait réussi à cacher – jusqu'à présent, du moins – non pas un, mais deux secrets à tout le monde ? À ceci près que l'obligation de jouer la comédie aurait dû le rendre inquiet, non ? « À sa place, je serais inquiète, se dit-elle. J'aurais tout le temps peur. » À moins qu'il n'aimât le danger, comme Claude devait l'aimer s'il était réellement un agent double.

Phyllis la poussa du coude et elle aperçut une femme en tenue militaire auprès d'elles.

– Suivez-moi, je vous prie.

Forbes-James et l'amiral se tenaient sur la pelouse, à admirer la mare aux canards. Après quelques minutes de conversation, Forbes-James demanda à Diana de le retrouver à neuf heures moins le quart, le lendemain matin, et ils s'en allèrent.

– Pauvre chérie, dit Phyllis. Tu dois être vannée. Viens ! Tu vas avoir le temps de t'allonger avant le dîner, ce soir. On va chez les Hartley – de vieux amis de maman et papa – très gentils. C'est là-bas que je prends mes bains.

Le lendemain matin, épuisée, Diana se présenta à Bletchley Park. Les Hartley s'étaient montrés très gentils, en effet, et elle avait apprécié son bain chaud, mais ils l'avaient traitée comme une autorité sur tout ce qui se passait à Londres et n'avaient cessé de poser des questions, puis Phyllis avait tenu à bavarder jusqu'au cœur de la nuit.

On la mena dans une vaste salle encombrée de longues tables sur lesquelles on avait étalé des couvertures grises provenant de stocks militaires. Forbes-James se tenait assis là en compagnie de trois autres hommes, parmi lesquels le joueur à l'imper de la veille. À côté de lui, se trouvaient un petit type au visage plat comme celui d'une chouette et qui cligna des yeux étonnés sur elle, ainsi qu'un homme plus jeune aux dents proéminentes. Forbes-James fit les présentations.

– Professeur Upjohn (imper), professeur Ingersoll (chouette), et M. Matthews (dents). Mme Calthrop…

Tous trois se penchèrent en avant quand elle déposa le double du document codé sur la table, devant eux. L'ayant étudié pendant un moment, le professeur Upjohn déclara :

– Vous n'êtes pas sûre de la langue du texte simple ?

– Du texte simple ?

Diana chercha un éclaircissement du côté de Forbes-James.

– La langue du message codé.

– Oh, je vois. Anglais ou allemand, je pense.

Diana réalisa qu'elle ignorait si Apse parlait l'allemand ; elle l'avait simplement supposé.

– C'est le plus probable, déclara Forbes-James.

– Pouvez-vous être à peu près sûr que cela provient de cette organisation-là ? demanda Upjohn, tandis que les deux autres étaient absorbés par leur examen.

– Je crois, dit Forbes-James, qui devait avoir parlé du Right Club auparavant. Mais pas nécessairement. Il peut s'agir d'une autre source.

– Et vous ignorez quelle pourrait être cette autre source ?

– Une ambassade, peut-être. J'en ai parlé à nos gars à Londres, et ça ne semble pas être quelque chose d'officiel. Venant de chez nous, en tout cas.

– Selon vous, demanda le professeur Upjohn à Diana, quelle clé a pu utiliser cette clique du Right Club ?

– Quelle clé… ?

– Un mot ou une phrase…

– Eh bien…

Diana se rappela l'horrible broche en argent que Mme Montague lui avait offerte.

– PJ, peut-être. « Périsse Judas ».

– Ça s'épelle : J-U-D-A-S ?

– Oui, j'imagine. Je ne l'ai jamais vu écrit.

À côté de lui, le professeur Ingersoll se mit à écrire à toute vitesse dans son calepin.

– Rien d'autre ? Noms... ? Livres ? Poèmes ?

– Celui du fondateur, Peverell Montague, ou le Protocole des Sages de Sion, ou quelque chose de ce genre, vous voulez dire ?

– Oui.

– Eh bien... Il y a un affreux petit poème que Montague a composé. Je peux vous le recopier, si vous voulez ?

– Faites...

Upjohn glissa un morceau de papier dans sa direction, et elle se mit à écrire : *Terre de crétins enjuivée, terre naguère libre ; Tous les youpins vont t'adorer, ces pillards ivres...*

Elle finit et le remit à Upjohn, qui sourcilla.

– Désolée, fit-elle, gênée. C'est assez déplaisant, je sais. Il y a une suite, mais je ne m'en souviens plus.

– Ça ira pour le moment, dit Upjohn.

À côté de lui, Matthews fixait un point dans l'espace, tandis que Ingersoll continuait à griffonner.

Ils les laissèrent travailler et allèrent s'installer au mess.

– Si cela ne provient pas du Right Club, déclara Diana, d'une voix hésitante, je veux dire : si ça provient d'une ambassade étrangère, et si ça a été volé, l'original pourrait être dans n'importe quelle langue, n'est-ce pas ?

– Oui, c'est bien le problème. Un code se fabrique par adjonction de lettres – par exemple, A devient D et ainsi de suite – ou substitution. Ajouter est relativement simple, mais avec les substitutions, les possibilités sont infinies. Ils vont commencer par relever la fréquence de certaines lettres, rechercher des mots communs… manifestement, ce serait trop simple pour une application militaire – s'il s'agit bien de cela, évidemment – mais c'est le principe de base. Enfin, si quelqu'un peut y arriver, c'est bien eux. Il n'y a plus qu'à attendre.

Après le déjeuner – nourriture infecte, dont un pudding curieusement rose vif, mais café étonnamment bon – Forbes-James et Diana traversèrent la pelouse pour aller au bord de la mare. Ils contemplèrent les canards pendant un moment, puis Forbes-James dit : « Un sou pour vos pensées. »

Diana se mit à rire.

– Vous gaspilleriez votre argent ! J'étais juste en train de penser à ce que m'a dit un jour Jock Anderson, sur le moi caché – c'est son expression. Il prétend que c'est la part qu'on ne révèle pas, parce qu'on n'ose pas, et que le plus sûr est d'être exactement ce qu'on semble être.

– « Sois vrai avec toi-même, cita Forbes-James, et de là s'ensuivra, comme la nuit suit le jour, que tu seras en vérité avec tout homme. »

– *Hamlet* ?

Il opina.

– Polonius.

– Ça n'a pas trop réussi à Ophélie, n'est-ce pas ?

– Laërte. Ophélie s'entend dire que Hamlet n'a qu'une idée en tête et qu'il ne faut pas croire à ses belles paroles.

– Oh !

Diana, qui songea aussitôt à Claude, espéra qu'on ne voyait pas combien elle était mal à l'aise.

– J'ai toujours pensé que l'injonction : « Sois vrai avec toi-même » était une absurdité, déclara Forbes-James. Que voulait dire Jock, à votre avis ?

– Je suppose, répondit-elle, songeuse, qu'il y a certaines zones de notre personnalité – notre être intime – qu'il vaut mieux garder compartimentées. Tels des vêtements dans une commode.

– Très féminin, comme image. Au fait, comment était-ce, le Hampshire ?

Diana soupira. Tôt ou tard, il lui aurait posé la question.

– Pénible… Ma belle-mère semble avoir appris ma liaison avec Claude.

Elle croyait qu'il allait se fâcher, ou à tout le moins faire allusion à sa mise en garde, mais il se contenta de dire :

– Pas possible…

– J'ai dû promettre de ne plus le revoir.

– Je sais que ce doit être difficile pour vous, dit-il doucement, mais c'est sans doute préférable.

– Oui, colonel.

– Avez-vous tenu parole ?

– Oui !

Après tout, elle avait effectivement tenu parole – sauf après sa catastrophique fouille de l'appartement d'Apse, et de cela, elle ne pouvait pas lui parler.

Gagnée par la nausée, elle s'appliqua à respirer lentement, en attendant que ça passe, avec la désagréable sensation d'être scrutée.

– J'espère que c'est vrai, dit-il. On est souvent tenté de se croire au-dessus de ces considérations, surtout en temps de guerre… mais c'est une illusion. Les complications et leurs conséquences peuvent être désastreuses, voire fatales. Et on le regrettera toute sa vie…

Il s'interrompit pour allumer une cigarette.

– Vous devez trouver que je parle comme Polonius ! Par formules pompeuses. Ce n'est pas mon intention, mais je vous aime beaucoup, ma chère, et je ne voudrais pas qu'il vous arrive malheur. C'est toujours une possibilité, et maintenant plus que jamais, mais ce serait une erreur de faire d'une éventualité une certitude. Dans ce cas, je serais incapable de vous aider.

Il lui prit la main.

– La confiance, c'est important, ma chère, et si jamais vous me mentiez, je ne pourrais plus vous faire confiance…

En regardant leurs doigts entrelacés, Diana eut de nouveau la vision de Forbes-James baissant les yeux sur sa braguette, et elle ressentit le besoin urgent de s'arracher à ce contact. Au lieu de quoi, elle se força à le regarder droit dans les yeux en disant :

– Je comprends, colonel.

Même s'il lui avait parlé très gentiment, elle avait saisi la menace voilée, sans bien comprendre ce qui était visé. Son infidélité conjugale ? Oui, mais il y avait autre chose de plus important – de plus personnel, qui dépassait son entendement. Et quand Forbes-James parlait de « le regretter toute sa vie », pensait-il aux conséquences de sa propre conduite passée ? Qu'avait-il dit ? Les conséquences peuvent être désastreuses, voire fatales…

– Je l'espère bien…

Il lui lâcha la main.

– Et si vous restiez ici ? Je n'aurai pas besoin de vous avant un bon moment – des gens à voir…

Il lui tapota l'épaule et, pivotant sur ses talons, repartit vers le manoir d'un pas tranquille.

Ce n'était pas un jeu, elle l'avait toujours su, mais… malgré son charme rugueux, et le fait qu'il l'aimait bien, elle savait qu'il ne la ferait jamais passer en premier. Sa loyauté allait ailleurs – et c'était bien normal. Et il ne parlait pas seulement de loyauté vis-à-vis du service. Le Dr Pyke, par exemple. Et Claude lui-même, qui à l'évidence en savait bien plus qu'il ne le montrait. Savoir pouvait être dangereux, mais ignorer aussi. « Il se passe quelque chose, songea Diana. Quelque chose qui m'échappe. Personne n'en parle, et pourtant c'est bien là… »

Elle se retourna et, regardant Forbes-James passer la porte du manoir, elle eut soudain très peur.

38

Étant rentré chez lui, pour une fois à l'heure mais complètement vanné, Stratton ne fut pas très content de trouver Doris installée dans la cuisine avec Jenny. Non, il n'y avait pas à s'y méprendre : elles avaient l'air de deux femmes liguées pour régler son compte à un pauvre homme : lui-même. « Ce doit être à propos de Johnny, se dit-il. J'avais en effet promis de lui parler. » Était-ce sa faute s'il n'avait pas eu le temps ? C'était dans un coin de sa tête, mais avec le boulot et la visite aux gosses, à la campagne… « Bon sang ! J'ai vraiment bien besoin de ça… »

Il alla s'arranger à l'étage, tâchant de faire traîner en longueur ses ablutions. Quand il redescendit, dix minutes plus tard, il resta un moment sur les marches, à tâcher de comprendre ce qu'elles se disaient, mais elles parlaient trop bas. Elles devaient l'avoir entendu approcher, car quand il entra dans la cuisine, la discussion, animée, portait sur l'émission radiophonique de la princesse Élisabeth destinée aux enfants. Cela semblait bien peu spontané, comme si elles avaient déjà eu cette conversation-là et la reproduisaient maintenant à son intention. « Une manœuvre…, songea-t-il. Elles cherchent à m'endormir, à me donner un sentiment trompeur de sécurité, avant de joindre leurs forces et d'attaquer. » Comme Jenny lui servait une tasse de thé, il se dit : « Et puis, merde ! » Il n'avait pas la patience de se laisser faire – entre le fils de l'évêque et sir Neville, il en avait plus qu'assez de marcher sur des œufs.

– Alors, qu'est-ce qui ne va pas ? lança-t-il.

Elles semblèrent déconcertées, et Stratton eut la puérile, mais tangible satisfaction de constater qu'il les prenait de court. Puis, réalisant devant leur expression authentiquement grave que ce n'était pas les habituelles niaiseries féminines, il se radoucit.

– De grâce, ajouta-t-il, j'ai eu une rude journée. Ne tournez pas autour du pot – parlez ! C'est encore Johnny, hein ?

– Oui, répondit Jenny. Lilian est venue ici cet après-midi. Elle est folle d'inquiétude.

– Elle a découvert la vérité, pour les bons d'essence ?

– Oui, mais c'est pire que ça, Ted. Elle croit qu'il a tué quelqu'un.

– C'est ridicule. Pourquoi ?

– Elle l'a entendu parler, déclara Doris. Il s'adressait à un copain. Ils rigolaient, se vantaient – tu vois…

– Oui, mais ça ne veut pas forcément dire quelque chose.

– Lilian croit que si. Elle l'a entendu dire à l'autre qu'il avait intérêt à faire gaffe, vu qu'il avait tué quelqu'un – « buté », selon son propre terme – et l'autre a dit ensuite que ce n'était qu'une pauvre vieille et…

– Une pauvre vieille ?

– Oui.

– Quand a-t-elle surpris cette conversation ?

– Hier.

– Elle en a parlé à Reg ?

– Il croit que c'est une blague, dit Jenny. Très drôle, si tu veux mon avis, mais tout de même… On a essayé de dire à Lilian que c'était assez improbable (elle regarda Doris, qui acquiesça) mais elle est convaincue que c'est vrai.

– Pourquoi ? dit Stratton. En général, c'est elle qui prend sa défense.

– C'est bien le plus bizarre. D'après elle, c'est la façon dont il a dit cela. Son visage. Pour les coupons et le fait qu'on l'avait viré du garage, elle semblait au courant depuis un certain temps, mais prétend n'en avoir pas parlé à Reg par crainte de sa colère, et d'ailleurs Johnny lui avait dit avoir un autre boulot en vue. Il n'arrêtait pas d'affirmer qu'elle se tracassait pour rien, que l'affaire du garage était un malentendu, qu'il n'y était pour rien et, bien sûr, elle l'a cru…

– On avait essayé de lui dire, Ted, continua Jenny. Je lui ai répété ce que M. Hartree avait dit, que Johnny faisait du trafic, mais elle ne voulait rien entendre. Et puis cet après-midi…

– Jamais je ne l'avais vue comme ça. Elle a dit que ça n'a jamais été entre Johnny et Reg, elle ne sait pas ce qu'elle a pu faire de mal, mais ce doit être sa faute, elle est une mauvaise mère, d'ailleurs Reg l'a toujours prise pour une idiote. Quand on lui a demandé pourquoi elle ne nous avait jamais parlé de ça, elle a dit que c'était pour qu'on ne critique pas Reg et Johnny plus qu'on ne le faisait déjà, mais qu'elle ne pouvait plus garder le secret plus longtemps. C'était affreux… hein, Jen ?

Jenny opina.

– On ne savait plus quoi dire, Ted.

– Vous, qu'en pensez-vous ?

Les deux femmes se regardèrent.

– On s'interroge…, dit Jenny. Mais comme a dit Doris, jamais on ne l'avait vue dans cet état-là, si désemparée… elle pleurait !

– Elle qui ne pleure jamais. Jen et moi, on a essayé de se rappeler quand on l'a vue pleurer pour la dernière fois, mais même quand on était petites… rien.

– Pas possible ? dit Stratton, surpris.

Il avait toujours cru que la froideur de Lilian s'expliquait par le fait qu'elle était ou trop lâche pour affronter l'horreur d'avoir épousé Reg, ou trop bête pour voir le problème. Jamais il n'avait imaginé que ce flegme puisse être de la force d'âme.

– Jamais, répéta Jenny. C'est ce qui nous fait croire qu'il y a du vrai là-dedans. Je sais que ça semble un peu tiré par les cheveux, mais…

La fin tacite de cette phrase parut bourdonner dans l'atmosphère, entre eux, telle une guêpe en colère. Stratton imagina qu'elles cherchaient, comme lui, à la chasser. Était-ce à ce point tiré par les cheveux ? Il y avait un certain temps qu'il s'inquiétait au sujet de Johnny – comme toute la famille, à part son imbécile de père – mais il avait cru que c'était un voleur, pillant les sites bombardés, ce genre de sottises, pas un meurtrier. « C'est encore un enfant ! » se dit-il en se rappelant le jeune homme faisant mine de boxer dans la sente. Mais il ne l'était plus, plus maintenant. Johnny était assez grand pour se battre – et tuer, légalement, pour sa patrie. D'ailleurs, les gangsters devaient bien commencer un jour… Il pensa au signalement de Vincent concernant le comparse de Wallace : seize ou dix-sept ans, cheveux bruns, teint pâle, taches de rousseur. Rogers, le voisin, avait parlé de taille moyenne, de cheveux brun foncé. Johnny avait dix-huit ans mais, sinon, il correspondait à ce signalement, si vague fût-il. Buter une vieille.

Mabel Morgan avait quarante-sept ans à sa mort ; c'était la maturité, pas la vieillesse, sauf qu'avec ses cicatrices au visage, sa perruque et sa bouche édentée...

Non, il n'aurait pas fait ça ! Pas son propre neveu... Pour une fois, Reg avait peut-être raison – quand on était flic, on se mettait à soupçonner tout le monde.

– D'un autre côté, disait Jenny, tu l'as dit toi-même, Ted : ces vantardises ne signifient pas grand-chose et, même si Johnny a toujours été assez rebelle, je suis certaine qu'il n'est pas capable de faire quelque chose de grave... Pas grave à ce point, en tout cas, ajouta-t-elle d'un ton suggérant qu'elle essayait de s'en convaincre elle-même.

– Je me le demande, dit-il. Et je ne le saurai qu'après l'avoir interrogé. J'y vais !

– Tu y vas ? dit Jenny. Lilian sera contente...

Une fois dans la rue, Stratton se demanda ce qu'il allait dire à Reg, ne trouva rien, et espéra ardemment que ce dernier serait allé patrouillé quelque part avec la milice. Arrivé au coin de la rue, il se surprit à espérer que Johnny, lui non plus, ne serait pas chez lui. C'était une chose d'interroger un inconnu, mais quand le suspect était votre propre neveu... bon sang !

Quand Lilian lui ouvrit et le laissa entrer, Stratton chercha sur son visage des traces de larmes. Elle avait les yeux un peu rougis, mais si on ne l'avait pas prévenu, il n'aurait sûrement rien remarqué. Elle accepta sa suggestion d'aller parler à Johnny, l'envoya à l'étage et rentra dans sa cuisine. Stratton frappa à la porte du jeune homme, obtint un grommellement, et entra.

Couché en travers de son lit, pieds et tête dans le vide, Johnny fumait en contemplant, à l'envers, la bibliothèque au fond de la petite chambre. Voyant son oncle, il se redressa en souplesse, se cala sur ses coudes et le dévisagea.

– Qu'est-ce que tu fais là ?

Autour de lui, Stratton remarqua une rangée de livres, la plupart provenant de la bibliothèque municipale, d'auteurs comme Sapper, Peter Cheyney ou Erle Stanley Gardner.

– J'ignorais que tu lisais des romans policiers, dit-il.

– Ouais…

Il prit un livre.

– Sabatini. J'aimais bien…

– Un peu gnan-gnan, dit Johnny avec dédain, en soufflant de la fumée.

– Pour un lecteur actuel, sûrement. Je n'ai pas relu ses bouquins depuis très longtemps.

– T'es pas venu parler littérature, hein ?

– Non. Je suis venu bavarder.

– J'ai pas peur de toi…

– J'espère bien, dit Stratton en s'installant sur le lit. Bouge-toi.

– Ouille ! Qu'est-ce que tu fais ?

– Je prends mes aises. Je te suggère d'en faire autant.

– Pourquoi ?

– Tu ne veux pas être mal à l'aise, n'est-ce pas ?

Johnny se releva.

– Je sors !

– Non. Pas avant d'avoir entendu ce que j'ai à te dire.

Johnny le toisa.

– Et si j'ai pas envie ?

Stratton, qui n'aurait sûrement pas accepté ce langage de la part de Pete, décida de laisser courir.

– Ce serait dommage, dit-il doucement, parce que tu as des ennuis, et je voudrais bien t'aider.

– M'arrêter, tu veux dire.

– Pourquoi voudrais-je t'arrêter ?

– Tu le sais.

– Les bons d'essence ?

– C'était pas moi. Vous croyez tous que c'était moi, mais c'était pas moi.

– Qui, alors ?

– Les autres.

– Quels autres ?

– Au garage.

– M. Hartree n'a pas d'autres employés.

– Lui et ses potes. Ils m'ont accusé, de peur d'être pris.

– Je ne te crois pas.

– Je m'en fiche. Tu penses toujours du mal de moi – vous tous. Peu importe ce que je fais, c'est toujours pareil.

– Ta mère te croit.

– Ouais...

Sa bouche ébaucha un vague sourire affecté, avant de retrouver son dessin maussade.

– Quant à ton père...

– Mon *père* !

Les mots sortirent dans un ricanement.

– C'est un vieux con, et tu le sais.

Stratton, pris au dépourvu et se reprochant d'avoir parlé de Reg, se leva pour gagner la fenêtre. Johnny était loin d'être bête et il aurait fallu être aveugle pour ne pas voir la crétinerie de Reg.

– C'est ce que tu penses, affirma Johnny, poussant son avantage, et oncle Donald aussi. Vous le méprisez.

« Oh, merde ! » Johnny avait vu clair en eux. « Je suis en train de tout gâcher », songea Stratton. Il savait que le jeune homme n'aimait pas son père, mais n'aurait jamais cru être aussi transparent – enfin, un visage délibérément inexpressif pouvait être aussi éloquent qu'une grimace. Que dire ? À présent, Johnny avait le dessus, et c'était lui qu'on avait pris en faute. Se sentant percé à jour, il tenta de sauver la face :

– Ce n'est pas du mépris, Johnny, mais…

– Je sais ce que je dis. (La voix de Johnny était détachée.) Si tu veux m'expliquer que les adultes ne s'entendent pas toujours, que les temps sont durs et cetera, épargne ta salive. Papa est un con, mais pas moi.

– Tu n'es pas un con, mais – laissons de côté ton père – tu es mal barré.

– Qui t'a dit ça ?

– Ta mère s'inquiète beaucoup à ton sujet.

– Elle a tort. Je lui ai dit que j'avais trouvé un nouveau boulot.

– C'est vrai ?

– Oui, je commence la semaine prochaine.

– Où ça ?

– Chez Dekker.

– Pourquoi Dekker t'emploierait-il ? M. Hartree ne te donnera pas de recommandations.

– Il me fait confiance, lui. Pas comme certains. On va me former comme mécano.

– Pourquoi M. Dekker voudrait-il d'un autre mécano, alors qu'il n'y a plus d'essence pour rouler ?

– Le sien a été mobilisé.

– Je peux vérifier, tu sais !

– Te gêne pas. Je m'en fiche.

– Bon, je le ferai, et ta mère aussi. Elle t'a entendu te vanter d'avoir commis un meurtre. Je suis sûr que ce n'est pas vrai, fit Stratton en riant, tu ne saurais pas comment t'y prendre, mais enfin, ce n'est pas très malin de raconter partout des bêtises pareilles.

Cela fit mouche, comme il l'avait espéré.

– J'en sais plus que tu crois ! répliqua Johnny, piqué. Tu penses que je suis trop jeune et trop con pour ça, mais c'est pas vrai…

– C'est pourtant l'impression que tu donnes…

– Pas vrai !

Johnny lui lança un regard noir.

– Si, dit Stratton, doucement. Je t'assure que si. Tu ne veux quand même pas passer pour un idiot, non ?

– On me prend pas pour un idiot. On me respecte.

– Qui ?

– Des gens.

– Des gens te respectent. Je suis heureux de l'apprendre. C'est parce qu'ils ont peur d'être tués par toi, eux aussi ?

– J'ai jamais dit…

Johnny laissa sa phrase en suspens, ne sachant plus quoi dire.

– Tu n'as jamais dit : « J'ai buté une vieille » ? C'est facile de tuer une vieille, hein ? Marrant ?

– J'ai pas dit ça !

– Ta mère t'a entendu dire à tes copains qu'ils avaient intérêt à faire gaffe, parce que tu avais tué quelqu'un.

– C'était pas sérieux.

– Ah oui ? Donc, c'était bête de le prétendre, pas vrai ?

Johnny baissa la tête.

– Parle-moi de cette vieille. À quoi ressemblait-elle ?

– Elle n'a pas été…

Le jeune homme ne le regardait plus, à présent. Au contraire, son regard errait autour de lui, comme à la recherche d'une issue de secours.

– Quoi ?

– Rien, je te l'ai dit. J'ai pas fait ça.

– C'était qui, alors ?

– Personne ! J'ai inventé. C'était pas sérieux.

Pourtant, il ne regardait toujours pas son oncle.

– J'ai été con, marmonna-t-il en direction du sol. T'as raison…

– C'est-à-dire ? Regarde-moi !

Le jeune homme redressa la tête de quelques centimètres, puis la laissa retomber.

– J'ai rien fait.

– On aurait tort de t'accuser ? C'est la faute de quelqu'un d'autre ?

– Non… c'était rien. C'était pas sérieux.

– Tu es sûr ?

– Oui ! Écoute, oncle Ted, je suis désolé mais je dois sortir, maintenant.

Il décrocha sa veste suspendue à la porte.

– Tu vas voir ton pote, M. Wallace ?

Johnny se figea, la main sur la poignée, puis se retourna pour lui faire face.

– Je vois pas de quoi tu parles, dit-il, puis il ouvrit la porte d'un coup sec, dégringola l'escalier et sortit dans la rue.

Stratton le vit s'éloigner en courant. Ce gamin savait quelque chose au sujet de Mabel. Il n'avait peut-être pas – mon Dieu, pourvu que ce fût vrai ! – causé directement sa mort, mais il savait quelque chose.

39

Stratton alla retrouver Lilian, qui était assise dans la cuisine. Le caractère insolite de cette scène le frappa aussitôt, mais il mit un moment à comprendre pourquoi : les trois sœurs étaient toujours occupées – à boire du thé, causer, tricoter, raccommoder, cuisiner –, elles ne restaient jamais le cul sur une chaise. Lilian semblait perdue dans ses tristes pensées et elle sursauta quand il lui adressa la parole.

– Ça va, dit-elle en réponse à sa question. C'est juste que je me sens bête…

– Mais non.

– Je suis si inquiète, Ted.

– Je sais. Je lui ai parlé et…

Réalisant qu'il n'avait rien de précis à lui annoncer pour la tranquilliser, il s'interrompit.

– C'est vrai qu'il a eu de mauvaises fréquentations, mais je suis certain qu'il va se ressaisir. C'est dur pour lui, Lilian – il ne peut pas aller combattre, comme son père, et ce doit être une grosse déception pour lui. Je ne sais pas tous les tenants et aboutissants de cette affaire au garage, mais il est manifestement perturbé pour le moment. Ce n'est pas un mauvais garçon – il a besoin d'un peu de temps pour y voir clair.

Bon, se dit-il, tandis que Lilian se tamponnait les yeux avec un mouchoir roulé en boule, le truc sur l'armée était sans doute une connerie, et il aurait mis sa main à couper que le gamin faisait bien du trafic, mais il ne savait pas vraiment pourquoi Johnny agissait ainsi, et sa mère avait besoin d'entendre quelque chose.

Il était sur le point de développer, quand la porte d'entrée s'ouvrit et la voix de Reg retentit dans le vestibule.

– Y a quelqu'un ?

– Oh, zut ! marmonna Stratton.

– Ne lui dis pas…, déclara Lilian juste au moment où Reg entrait dans la cuisine, en uniforme de milicien.

– Ne lui dis pas quoi ? lança ce dernier en se frottant les mains avec vigueur. Vous avez une surprise pour moi ? J'ai passé une très bonne journée, je vous assure – les commandes pour les cartes de vœux de Noël affluent de tous côtés, et on a fait un défilé impeccable ce soir. Tout va comme sur des roulettes.

– C'est bien, chéri, déclara Lilian machinalement.

– « Bien » ? Je veux ! Ah, les femmes… (Il adressa un regard éloquent à Stratton.) Il reste du thé ?

– Je vais en refaire.

Lilian se leva et passa un temps anormalement long à s'affairer avec la théière et les tasses, tandis que Reg se livrait à une démonstration sur le maniement de la baïonnette avec force sautillements et cris à vous glacer les sangs.

– Évidemment, on se sert encore de manches à balai, expliqua-t-il, essoufflé, en prenant une chaise. Les armes ne sont pas arrivées du QG. Alors, cette surprise ? Un petit goûter ?

Stratton tiqua.

– Non, dit-il. C'est Johnny…

– Stop, Ted, fit Lilian, doucement. N'en parle pas.

– Vous êtes encore après lui ? Tempête dans un verre d'eau. Je vais user de mon influence auprès du Major. On va l'intégrer à cette unité.

À l'entendre, on aurait dit qu'il s'agissait de la Garde royale.

– Ça lui fera du bien. La discipline, les exercices physiques, le grand air – c'est exactement ce qu'il lui faut, à ce petit !

Seigneur ! songea Stratton. Dans une minute, il va évoquer les douches froides.

– Johnny a des ennuis, dit-il. Il a été viré de son boulot.

– Quoi ?

– Il a été accusé de vol. Trafic de bons d'essence. C'est grave.

– Ça s'est passé quand ?

– Il y a deux semaines.

– Tu étais au courant ? demanda Reg à Lilian, qui, debout près du fourneau, pétrissait son torchon.

– Oui, chéri.

– Et tu n'as rien dit… ?

– J'ai pensé…

Elle hésita et s'interrompit, contemplant le lino.

– Tu n'as pas pensé ! aboya Reg. Comme d'habitude. Tu es incapable de penser. De quoi ai-je l'air, maintenant ? D'un con ! Si jamais ça se sait… À qui l'as-tu dit ?

– Jen et Doris, seulement.

– « Jen et Doris seulement… » Autant l'annoncer par voie d'affiche.

– J'ai cru que ça se tasserait, chéri, et Johnny a trouvé un autre boulot.

– Tu as cru que ça se tasserait ? Tu n'as jamais pris en compte ma situation, je suppose ?

Lilian s'empourpra.

– Je suis désolée…

– C'est un peu tard, non ? De quoi j'aurai l'air, quand on saura que mon fils a été pris la main dans le sac ? C'est ta faute ! Moi, j'ai joué mon rôle, mais toi…

Reg marqua une pause postillonnante, secoua la tête.

– Je lui ai expliqué des centaines de fois, mais elle n'écoute pas. Autant parler au mur.

Lilian se cacha la figure dans les mains. Pourquoi restait-elle là ? Stratton ne comprenait pas. L'égocentrisme du bonhomme était vraiment invraisemblable.

– L'important, c'est que…, commença-t-il, mais Reg lui coupa la parole.

– L'important, je vais te dire ce que c'est ! Il faut lui donner une bonne raclée ! Où est-il ?

– Il est sorti.

– Pourquoi l'as-tu laissé sortir ? beugla-t-il à l'adresse de Lilian. Qu'est-ce qui te prend, nom de nom ?

Lilian ôta les mains de son visage.

– Je suis désolée, répéta-t-elle.

Elle semblait ahurie, comme si on lui avait donné un coup de poing.

– Ça suffit, Reg, dit doucement Stratton. Perdre ton sang-froid n'arrangera rien.

– Ted, dit Reg d'une voix étranglée. Tu ne vas pas… Il n'y aura pas de suites, hein ?

Stratton fit non de la tête.

– M. Hartree semble avoir choisi de ne pas porter plainte, pour le moment. Mais si ça reproduit, et si je l'apprends…

Il haussa les épaules.

– Merci, dit Reg, avec plus d'assurance. Je savais bien qu'on pouvait compter sur toi. Après tout, c'est une affaire de famille, pas vrai ? Et ce genre de choses arrive tout le temps, de nos jours. Je suis sûr que ce n'est…

Stratton l'interrompit. Si Reg embrayait de nouveau sur les frasques et fredaines de la jeunesse, il allait le frapper.

– Je suis certain que tu apprécies la gravité de la chose, Reg. Johnny a de très mauvaises fréquentations. Je lui ai parlé et j'espère qu'il va se ressaisir, mais il faudra dorénavant le surveiller.

– Ne t'en fais pas ! Maintenant que je l'ai dans le collimateur, je…

– Non ! L'engueuler n'arrangera rien. Ça ne ferait qu'aggraver la situation. Explique-lui très clairement que tu n'es pas content. Et, ajouta-t-il, à ta place, je ne parlerais pas de la milice pour le moment – si tu ne veux pas le braquer.

– Je pense être assez grand pour savoir quoi faire, merci, dit Reg avec raideur. Je vois qu'il a réussi à ce que tu prennes sa défense, toi aussi…

– Ce n'est qu'une suggestion. Si tu n'en veux pas, tant pis.

Stratton repoussa sa chaise.

– Je vous laisse.

Lilian le raccompagna à la porte.

– Merci, chuchota-t-elle sur le seuil. De n'avoir pas amené l'autre sujet sur le tapis.

– C'est bon. Ne t'en fais pas, Lilian. Je suis sûr que c'était pour se vanter. Tu connais les gosses…

En rentrant lentement chez lui, Stratton se demanda ce qu'il aurait bien pu dire d'autre. Il espérait, sans y croire, que cette histoire de meurtre n'était que vantardise dans la bouche de Johnny. D'ailleurs, rien n'indiquait, sinon sa réaction, en particulier quand avait été prononcé le nom de Wallace, qu'il était mêlé à la mort de Mabel Morgan ou de quelqu'un d'autre. Peut-être aurait-il mieux valu ne pas parler à Reg, mais l'idée de se taire tandis que ce satané bonhomme faisait le pitre dans la cuisine en jouant au soldat avait été trop… De plus, c'était lui, le père !

Soudain, il se revit au chevet de son propre fils, Pete – cinq ans, à l'époque –, à l'issue d'une quelconque excursion familiale. Reg avait passé la journée à parler – pour des raisons connues de lui seul – avec un accent français caricatural, troublant les porteurs de bagages dans la gare, les serveuses dans les cafés, et tous ceux qui le croisaient. Couché dans son petit lit, prêt à être bordé, Pete l'avait regardé avec ses grands yeux verts, ceux de Jenny, et il avait dit : « Tonton Reg est fou, hein ? » Stratton ne se rappelait pas sa réponse, mais elle avait dû être pitoyable. Ce qu'il n'avait jamais oublié, c'était l'expression de Pete – grave et bienveillante, comme s'il devinait que son père faisait de son mieux compte tenu des circonstances. Le petit avait sans doute tout oublié depuis longtemps, mais lui-même n'oublierait jamais.

Johnny voyait peut-être en son père un fou, lui aussi. Stratton n'y avait jamais pensé. C'était déjà assez pénible de voir Reg de temps en temps, assez souvent, en fait – alors, jour après jour… « J'aurais dû parler à ce gosse plus tôt, songea-t-il, au lieu de me moquer de son crétin de père. J'aurais dû faire quelque chose pour l'aider. »

Plus tard, allongé dans le lit dans l'espoir de glaner quelques heures d'un sommeil confortable avant le début des raids, il en parla à Jenny. Il lui avait donné une version expurgée de sa conversation avec Johnny – s'il n'avait pas parlé de ses soupçons aux parents, du diable s'il allait perturber Jenny avec ça ! Elle lui reprocha de ne jamais avoir parlé à Johnny auparavant, mais pas trop durement, puis, après une pause convenable, elle déclara :

– Tu ne peux pas tout prendre sur tes épaules, mon chéri.

Puis :

– Oh, mon Dieu, j'espère que Reg n'est pas trop épouvantable avec Lilian.

– Il était imbuvable, tout à l'heure.

– Heureusement que je ne suis pas mariée avec un type pareil.

Elle lui prit la main.

– Tu fais toujours de ton mieux, Ted. C'est ce que j'apprécie en toi.

Stratton lui sourit. Il éprouvait un profond sentiment de gratitude – même si c'était plutôt un sentiment négatif : parce qu'elle n'était pas Lilian, qu'il n'était pas Reg, qu'ils n'avaient pas Johnny pour enfant et ne se disputaient pas.

– Tu sais quoi ? dit-il.

– Quoi ?

– Si tu n'étais pas déjà mon épouse, je te redemanderais en mariage.

Jenny y réfléchit un moment.

– Eh bien, dit-elle, je suppose que ça vaudrait mieux que d'attraper la scarlatine.

– Pourquoi la scarlatine ?

– Et pourquoi pas ?

Elle resta songeuse, puis ajouta :

– La scarlatine ou la rougeole…

Quelques instants plus tard, elle déclara :

– On n'a pas attrapé la scarlatine.

– Ni la rougeole.

– Donc, tout va bien !

40

– En fait, déclara le professeur Ingersoll, c'était bien plus simple qu'on ne le pensait. L'original était en anglais, pas en allemand.

Par-dessus l'épaule de Forbes-James, Diana contempla le morceau de papier.

– Un message du président Roosevelt ! s'écria-t-elle, surprise.

– C'est bientôt les élections là-bas, expliqua le professeur Upjohn. À en juger par ce message, il souhaite que l'Amérique combatte à nos côtés.

– Ce n'est pas ce qu'on lit dans la presse. Il ne cesse d'affirmer qu'il veillera à rester neutre. Comme le souhaite la population. M. Roosevelt ne sera pas réélu si les Américains pensent qu'on va les impliquer dans une guerre qui, aux yeux de la plupart d'entre eux, ne les concerne pas.

Elle chercha le regard de Forbes-James, pour en avoir confirmation.

– C'est vrai, dit-il, pensif. Ceci… (il agita le document) étant adressé à l'ambassadeur, M. Kennedy, quelqu'un de l'ambassade a dû se procurer une copie.

Diana ouvrit la bouche pour parler, mais Forbes-James lui adressa un signe presque imperceptible avant de se tourner de nouveau vers la docte assemblée. Il plia le document, l'empocha, et se mit à serrer des mains à la ronde.

– Eh bien, messieurs, dit-il d'un ton brusque, un grand merci pour votre concours, mais n'abusons pas de votre temps précieux ! Venez, Diana…

– Colonel, dit-elle, à la minute où la porte se referma derrière eux. Je sais que…

– Pas maintenant. On va aller déjeuner quelque part et on parlera là-bas.

Dans un salon privé, au pub de Newport Pagnell, Diana, enfin autorisée à parler, lança :

– Je suis désolée, je voulais vous le dire, mais ça ne m'avait pas semblé trop… Pour être honnête, j'avais oublié… Un Américain assiste aux réunions du Right Club. Je ne l'ai vu qu'une seule fois, mais je sais que c'est un ami de la fille de lady Calne, Helen. Il travaille peut-être à l'ambassade.

– Son nom ?

– Walter Wymark.

– Que fait-il ?

– Je n'en sais rien.

– Ça ne devrait pas être trop difficile à trouver. À en juger par ce message, le Président correspond avec M. Churchill depuis un certain temps. M. Kennedy doit recevoir des copies des télégrammes ensuite, donc c'est forcément un employé de l'ambassade qui a dérobé ce message – votre Wymark, peut-être. S'il en a eu d'autres, et s'il choisit de les rendre publics, Roosevelt ne sera pas réélu, et Wilkie est un isolationniste.

– Wilkie ?

– Wendell Wilkie, le candidat républicain. S'il est élu président, les États-Unis n'entreront pas en guerre à moins d'être d'abord attaqués, et les Allemands sont bien trop malins pour faire une chose pareille. De plus, Wilkie ne raffole pas de Churchill – il le trouve trop imbu de lui-même. Grands dieux… (Il soupira.) Vous auriez dû me parler de cet homme avant…

– Je sais. Je regrette…

– Bon, dites-moi tout ce que vous savez.

– Ce n'est pas grand-chose. Je sais que lady Calne n'est pas enchantée de le voir fréquenter sa fille. Helen en est très contrariée. Ils ne sont pas fiancés, mais lady Calne ne le trouve pas assez bien, vous voyez le topo… J'ai découvert qu'il a passé plusieurs années à Moscou avant la guerre, et il semble faire partie du Right Club depuis pas mal de temps, donc je suppose qu'il doit être isolationniste.

– Cela a-t-il jamais été discuté en votre présence ?

– Non.

– Donc, ce n'est pas certain. S'il est pro-nazi, il ne doit pas être communiste, bien que ce ne soit pas impossible.

Diana fronça les sourcils.

– Je ne comprends pas. Je croyais que l'Allemagne et l'Union soviétique avaient conclu un pacte de non-agression.

– En effet, mais ce n'est pas parce qu'on est du côté de l'un, qu'on doit soutenir l'autre. On pourrait penser qu'un long séjour à Moscou enseignerait à se méfier des Russes, mais on ne sait jamais de quel côté ces types vont se tourner.

– Qu'allez-vous faire ?

– Tout d'abord, me renseigner sur ce Wymark, son parcours et cetera, et ensuite parler à l'ambassadeur. Les Américains ne seront pas contents de voir qu'on a agi derrière leur dos, mais c'est un cas de force majeure. Si nécessaire, on pourra leur demander de lever l'immunité diplomatique de ce type, et il y a aussi d'autres choses dont il faudra s'occuper…

Diana attendit la suite, qui ne vint pas, et au bout d'un moment, le patron apporta leurs assiettes. Forbes-James ne continua pas sur ce sujet pendant le repas, mais l'interrogea sur Phyllis et ses conditions d'hébergement, si bien que la conversation devint plutôt mondaine qu'officielle. À plusieurs reprises, elle tenta de reparler du message codé, mais le colonel changeait de sujet. On leur servait un café tiède et fade quand elle se décida à hasarder une question directe.

– Que va-t-il arriver à Apse ?

Forbes-James reposa sa tasse et se pinça l'arête du nez. Son visage se crispa comme sous l'effet d'une intense réflexion.

– Bonne question. Au poste qu'il occupe, il a accès aux voies diplomatiques et le véritable risque, je le répète, est que Roosevelt perde les élections si jamais est portée à la connaissance du public son intention d'entraîner l'Amérique dans la guerre. Bien entendu, on ne sait pas jusqu'où va sa bonne volonté, mais il s'est montré très généreux en contre-torpilleurs et autres – bien que cela lui ait coûté assez cher, et en dépit d'une forte opposition. Il doit convaincre les Américains que leur devoir moral, tout autant que leur intérêt, leur impose de vaincre le nazisme, et cela n'arrivera pas si Apse, Wymark ou un autre, réussit à mettre ce genre de document préjudiciable dans les mains de gens qui le publieront ou le diffuseront à la radio.

Il soupira.

– Apse en sait trop, Diana, et il connaît trop de monde. C'est compliqué. On ne peut pas se contenter de le limoger. Et puis il y a la question du chantage. Il ne serait pas étonnant que ce soit la clé de toute l'affaire, mais je ne vois pas comment…

Il s'interrompit et regarda le dépôt noir au fond de sa tasse de café.

– Comment quoi ? fit Diana.

– Non, rien. Je pensais tout haut…

Dans la voiture qui les ramenait à Londres, Forbes-James ne s'expliqua pas davantage, mais il ferma les yeux et parut dormir pendant la plus grande partie du trajet. Diana regarda par la vitre et songea à Walter Wymark. Elle se rappelait un grand type bien nourri, affable et lisse, un blond qui avait cet air sain de l'amateur de gymnastique et de grand air. Très différent des visages blêmes aux traits tirés des Anglais. Il devait avoir la trentaine, et à en croire la rumeur, Helen Pender n'était qu'une de ses maîtresses. Savait-elle – elle ou sa mère – ce qu'il manigançait ?

Les yeux toujours clos, Forbes-James remua légèrement et Diana, se tournant vers lui, se demanda si elle n'avait pas imaginé l'avertissement au bord de la mare aux canards. Elle avait un sentiment d'irréalité, comme lorsqu'elle s'était regardée dans la glace, chez Apse, après sa découverte du message. Il eût été si agréable de se retrouver dans un univers ordonné et à peu près prévisible, où l'on pourrait se réfugier dans son propre esprit au lieu de découvrir que ses pensées et ses instincts étaient truqués. « Supposons qu'un miracle se produise, songea-t-elle, et qu'on découvre demain, en se réveillant, qu'on n'est pas en guerre, et que tout est comme avant, ne serait-ce pas merveilleux… ? » Puis, frémissant au souvenir de l'effroi qu'elle avait éprouvé, cachée dans le placard d'Apse – l'idée d'être découverte étant mille fois plus terrifiante que celle de périr sous les bombes –, elle se dit : « Rien ne sera jamais plus comme avant. »

41

Le lendemain matin, en arrivant au bureau, Stratton y trouva Ballard en conversation avec l'inspecteur Jones.

– Y a un pote à toi en bas…, déclara Jones. George Wallace.

– Ah oui ?

– Amené il y a deux heures – arrêté au volant d'une fourgonnette pleine de cigarettes. Apparemment, il suivait le chauffeur qui faisait sa tournée et a profité d'une livraison pour se barrer avec la marchandise. Le chauffeur a donné l'alerte, et Ballard – ici présent – l'a repéré. Il lui a balancé sa matraque dans le pare-brise…

Jones eut un hochement de tête admiratif.

– Chapeau !

– Merci, inspecteur…

– Bref… (Jones se tourna vers Stratton) notre héros pense que tu pourrais désirer lui parler d'une autre affaire. Donc, si le cœur t'en dit, il est à toi…

Stratton considéra le jeune agent, qui semblait contempler fixement un tas de dossiers par terre.

– Bonne idée, dit-il. Ballard, s'il y a de la place quelque part par ici, amenez-le. Je n'ai pas envie de suffoquer de bon matin.

– Oui, chef !

Ballard eut un grand sourire et négocia prudemment son chemin à travers le chaos.

– Qu'est-ce qu'il schlingue, ce Wallace ! gémit Jones. Je suis allé lui parler – il a pas jacté, mais j'ai eu l'impression qu'il agissait pour son propre compte. Je n'ai pas eu souvent affaire à Abie Marks, mais je sais que Wallace est l'un de ses gars, et j'ai eu la nette impression… (il mit la nette impression entre guillemets grâce à deux vifs haussements de sourcils) que cette marchandise n'allait pas chez Marks…

– Intéressant. Où, alors… ?

Jones hocha la tête.

– Pas chez les Ritals, et si les Maltais avaient élargi leur business hors de la sphère de la prostitution, je crois qu'on en aurait entendu parler, à l'heure actuelle. Donc, il peut s'agir d'un autre mafieux juif, peut-être dans l'East End – Levy ou Wilder. Un patron de tripots clandestins, à mon avis. Bref, si Wallace travaille pour d'autres, tu peux être sûr qu'il ne l'aura pas crié sur les toits, et si jamais ça arrivait aux oreilles de Marks…

Jones passa un doigt en travers de sa gorge.

– Je vois. Es-tu sûr que je peux foncer ? Je ne voudrais pas piétiner tes plates-bandes.

– Pas de problème. À strictement parler, c'est ton domaine, et je suis – comme les autres – jusqu'au cou dans les conneries que me fait faire Matchin. Donc, ne te gêne pas.

Il lui tendit un morceau de papier.

– Tiens ! Voilà ce qu'on a jusqu'à présent. C'est une bonne pêche !

Ballard avait mis Wallace dans le seul endroit disponible, une pièce exiguë au rez-de-chaussée. Le truand semblait avoir mûri comme un fromage français et l'unique fenêtre, comme celle du bureau de Jones, refusa de s'ouvrir. Pendant un moment, Stratton envisagea de laisser la porte ouverte afin de pouvoir respirer sans avoir envie de vomir, mais, vu les odeurs émanant des toilettes toujours bouchées, le gain en air frais serait négligeable par rapport au risque d'être entendu de l'extérieur. Pour le moment, il ne voulait surtout pas que ce qu'il s'apprêtait à dire à Wallace puisse être rapporté à Matchin, Lamb ou un autre. Il ferma la porte, approcha une chaise et s'assit derrière la table.

– Salut, mon pote, dit-il en s'efforçant de respirer par la bouche.

Wallace lui lança un regard furibond. Stratton fut content de constater les prémices d'un coquard spectaculaire à l'œil gauche, mais moins ravi de voir que le bonhomme avait manifestement résolu de garder le silence.

– Hélas, nos locaux sont moins reluisants que le bureau de ton patron, dit-il, mais on ne peut pas tout avoir, pas vrai ? En fait, poursuivit-il, comme l'autre ne réagissait pas, tu es plutôt mal barré… Quand je pense à ce que fera M. Marks quand il découvrira la vérité…

Wallace lui lança un regard acerbe mais ne dit rien. Le fait qu'il ne niait pas la non-culpabilité de Marks dans ce vol pouvait, bien entendu, signifier qu'il protégeait son patron, mais Stratton, soupçonnant que Jones avait raison, décida de continuer sur sa lancée pour voir ce qui se produirait.

– Un demi-million de cigarettes, dans ce fourgon. Ça nous fait…

Il se livra à un rapide calcul mental, augmenté de la valeur de la marchandise au marché noir.

– … environ 1 500 livres sterling, grosso modo. Plus, peut-être. C'est beaucoup, George. M. Marks ne va pas apprécier d'avoir loupé sa part.

– J'ai juste piqué le fourgon. Je savais pas ce qu'il y avait dedans.

– Mon œil ! Je n'y crois pas, et M. Marks n'y croira pas non plus…

Il s'adossa à sa chaise et se croisa les bras. Wallace le regarda fixement, mais avec moins d'assurance cette fois.

– Eh bien, dit Stratton, vas-tu m'en parler ?

Il laissa le silence se prolonger pendant quelques secondes avant de reprendre, sur le ton de la conversation :

– Tu vas être à l'ombre pendant un bon moment, bien entendu, mais je suis sûr que les gars de M. Marks t'attendront à la sortie – s'ils ne t'ont pas chopé d'abord à l'intérieur…

Inclinant la tête sur le côté, il examina Wallace, qui était à présent d'une inquiétante pâleur.

– Mon opinion ne doit pas t'intéresser, mais j'ai comme l'impression que t'es foutu de toute façon, George. Franchement, t'es déjà pas joli-joli, mais quand on t'aura tailladé, tu seras…

Stratton parut songeur.

– … vraiment moche. J'en sais rien, bien sûr, mais je dirais que t'auras de la chance – mais est-ce bien le mot ? – si tu es encore en vie quand ils en auront fini. M. Marks n'aime pas beaucoup qu'on le double, pas vrai ?

Wallace gardait toujours le silence, mais il avait la tête de quelqu'un qui peut gerber à tout moment.

– Enfin, j'ai peut-être tort. Peut-être qu'il te donnera une petite tape sur la tête et un susucre ?

Wallace ravala sa salive.

– Qu'est-ce que vous voulez ?

Stratton fit mine d'y réfléchir un moment, puis dit :

– Je veux que tu me dises ce qui est arrivé chez Joe Vincent.

– J'en sais rien.

– Oh, moi je crois que si. Ce n'est pas le moment de faire le modeste, George. Tu es cuit, c'est vrai, mais tu peux quand même améliorer ta situation si tu joues cartes sur table.

– Qu'est-ce qui se passera, si je parle ?

– Ça dépend de ce que tu dis. Je ne suis pas un magicien. Je ne peux pas faire se volatiliser un fourgon plein de cigarettes.

– Il n'a pas besoin de se volatiliser.

– Que suggères-tu ?

Wallace lui adressa un regard significatif.

– Si c'est ce que je crois, je n'en dirais pas plus si j'étais toi. En fait, si j'étais toi, je me mettrais à parler de Joe Vincent, très vite !

– On n'était pas venus pour voler.

– « On » ?

– Moi et le jeune.

– Comme s'appelle-t-il ?

– Johnny Booth.

Oh, merde ! pensa Stratton. Ce petit vaurien était bien allé là-bas, en fin de compte. Mais rien ne prouvait que Johnny ou Wallace se trouvaient là le jour où Mabel Morgan était morte. Un seul témoin les avait vus quand ils étaient venus chez Joe Vincent – Rogers, le voisin.

– Si ce n'était pas pour voler, dit-il, vous étiez là pour quoi ?

– Pour prendre un truc pour Abie Marks.

– Quoi ?

– Un coffre. Gros. Avec des trucs dedans…

– Quels trucs ?

– J'en sais rien.

– Comment étiez-vous censés reconnaître ce coffre ?

– Ce n'était pas un grand appartement. Il n'y avait pas grand-chose. Abie nous a dit de prendre ce qui ressemblerait à un coffre-fort, mais on n'a pas trouvé. Il avait dit que le mec qui vivait là était une pédale – il irait pas nous donner du mal, ni se plaindre à la police. Au début, quand on a commencé, il était pas là, mais ensuite il est arrivé et je lui ai causé parce qu'on n'avait rien trouvé, et comme ça n'a rien donné, on est repartis, voilà…

– Ah bon ?

Wallace opina.

– On avait regardé partout, et avec le bruit…

– Quand vous frappiez M. Vincent, tu veux dire ?

– Euh… oui… et avant, à cause des meubles déplacés…

– Et tu dis que, selon toi, M. Vincent ne savait pas où était ce coffre ?

Wallace hocha la tête vigoureusement.

– Il nous l'aurait dit, sinon.

– Pourquoi avoir pris la photo de Mabel Morgan ?

– Ça, c'était pour Abie. Il a dit qu'il l'aimait bien, cette actrice. Il voulait un souvenir…

– Donc, tu savais que Mabel Morgan avait habité là ?

– Euh, oui… (Wallace parut surpris.) Abie nous l'avait dit. Le coffre était à elle, pas vrai ?

– Ah ?

– C'est ce qu'il a dit.

– À qui était destiné ce coffre ?

– À Abie.

– Non. Quand je t'ai interrogé sur la photo, tu as dit : « Ça, c'était pour Abie. » Mais le coffre était destiné à quelqu'un d'autre, n'est-ce pas ?

Wallace le regarda d'un air circonspect.

– Je sais pas.

– Tu en es sûr ?

Wallace baissa la tête.

– Quel dommage. C'est vrai ! Moi qui étais presque convaincu que tu ne savais pas ce qu'il y avait à l'arrière de la fourgonnette…

– Bon, d'accord. Abie a voulu rendre service à un ami.

– Qui ?

– Je sais pas son nom.

– Tu en es sûr ?

– Oui. (Wallace se pencha en avant.) Abie l'a pas dit, mais je crois que c'était quelqu'un d'important.

– Qu'est-ce qui t'a fait croire ça ?

– La façon dont il l'a dit – « Quelqu'un que tu connais pas » – m'a fait penser qu'on irait dans les beaux quartiers. J'ai été surpris quand il nous a dit où c'était.

– Mais pas de nom ?

– Il l'a jamais prononcé. Il a juste dit qu'il rendait service à ce mec – et qu'on aurait quelque chose à y gagner, si on récupérait le coffre.

– Mais vous ne l'avez pas récupéré.

– Non. J'ai dit à Abie ce qui s'était passé, et il m'a dit de ne pas m'en faire.

– Rien d'autre ?

– Non. Ça m'a vachement étonné.

– Quoi ?

– Ben, qu'il laisse tomber, comme ça. Il en a plus jamais reparlé.

– Je vois. Parle-moi de Johnny Booth.

– Un petit jeune…

Wallace haussa les épaules.

– Abie m'a dit : « Prends-le avec toi », et c'est ce que j'ai fait.

– Tu le connaissais ?

– De vue. Il bossait un peu pour Abie. Pas beaucoup. Abie doit en pincer pour lui.

– Il est du coin ?

– Je sais pas… je crois pas – je le voyais que de temps en temps. Depuis deux mois…

– Tu as tué Mlle Morgan ?

– Non ! C'est juré ! Elle a sauté par la fenêtre. C'était dans le journal.

– Ça ne signifie pas que c'est vrai.

– Mais si ! Vous pouvez pas… On n'était pas là-bas quand ça s'est passé, seulement après.

– Donc, c'est Abie qui vous a appris qu'elle était morte ?

Wallace le dévisagea.

– Non… Je me rappelle pas. Il a juste dit que si quelqu'un était là, ce serait la pédale. Jamais il a parlé de quelqu'un d'autre.

– Il t'a demandé un souvenir, George…

– Oui, mais il n'a rien dit sur elle – si elle était morte ou si elle serait là, ou… Après qu'il a dit que ce type était important, j'ai plus posé de questions.

– Il a déclaré que ce type était important ? Tu m'as dit que c'est ce que toi, tu avais *supposé*…

Wallace se trémoussa pendant un moment, puis marmonna :

– Il a parlé d'ami en haut lieu, je crois. Mais il a jamais dit qui c'était.

– Je vois. Un homme comme M. Marks pourrait être très utile à des amis haut placés, George. Il pourrait même s'arranger pour qu'une pauvre femme tombe d'une fenêtre.

– Jamais de la vie ! Je le jure, monsieur Stratton, je l'ai pas touchée – même que je l'ai jamais vue ! Jamais je tuerais une vieille, à aucun prix !

– Ce n'était pas une vieille dame, George. Elle avait quarante-sept ans. Elle faisait vieille, sans son dentier ?

– Elle…

Wallace se reprit, puis répéta :

– Je l'ai jamais vue.

– Moi, je crois que si, George. Si tu l'avais lu dans le journal, tu aurais su qu'elle n'était pas vieille. Son âge était indiqué.

– Non ! Et je l'ai bien lu dans le journal. Ça m'était sorti de la tête, son âge. C'est pas un truc qu'on retient.

– Possible, concéda Stratton. Et les églises, George ?

– Les églises ?

L'air ahuri de Wallace semblait authentique.

– Notre-Dame-et-Saint-Pierre, dans Eastcastle Street. Tu connais ?

– Non. Jamais entendu parler.

– Sûr et certain ? Il y a un certain temps – en février, par exemple ? Un petit travail de terrassement, pour se réchauffer par une nuit bien froide…

– Tout ce qu'il y a de plus certain ! protesta Wallace avec fermeté. Je vois pas de quoi vous causez.

À en juger par son expression, il se sentait en terrain sûr.

– Bon, ça va ! dit Stratton. Et maintenant, tu vas retourner dans ta cellule pendant que je réfléchirai à ce que je vais faire de toi.

La gueule du truand, qui commençait à retrouver ses couleurs, pâlit de nouveau. Sa peau était blanche comme du savon.

– Qu'est-ce que vous allez faire ? marmonna-t-il.

– D'abord prendre une bonne tasse de thé, et ensuite aviser. Quand j'aurai pris ma décision, je te le ferai savoir. Je te conseille de t'installer là-bas confortablement, ajouta Stratton avec un sourire suave. J'ai comme l'impression que tu vas y rester un bout de temps…

L'inspecteur revint dans son bureau – à présent heureusement vide – et se tint à la fenêtre, avec une tasse de thé médiocre fournie par Cudlipp. Il avait besoin de réfléchir – et vite.

L'idée de dénoncer son propre neveu – et de la réaction de Jenny quand il lui parlerait de Johnny, de celle de Reg, des larmes de Lilian – le rendait malade. « J'aurais dû parler à ce gamin plus tôt », songea-t-il. Au lieu de cela, il avait tergiversé, se disant qu'il n'avait pas le droit d'intervenir dans la vie d'autrui, même s'il s'agissait de sa proche famille. La culpabilité, sa colère vis-à-vis de Reg à qui il reprochait d'être un… d'être Reg, et l'idée de contrarier Jenny lui retournaient l'estomac.

« Je ne peux rien pour le moment », se dit-il. Il prit son calepin et son crayon, chassa fermement tout ce qui concernait Johnny de son esprit, et se mit à réviser point par point l'interrogatoire de Wallace.

Lui et Johnny étaient allés chez Mabel Morgan pour trouver le coffre contenant les films et les lettres, parce que Abie Marks leur avait demandé de rendre service à l'un de ses amis. Étant donné le sujet de ces films, cet ami devait être soit sir Neville Apse, soit l'inconnu avec lequel il dansait. Jusque-là, c'était clair. Si l'ami était sir Neville, dont le mouchoir avait été trouvé sur le cadavre de l'église, alors Abie Marks était sûrement mêlé à ce meurtre. Mais pas forcément Wallace ; son air surpris en entendant parler de cette église avait paru authentique, en tout cas. Marks avait un tas de gens pour faire le sale boulot à sa place. Mais où diable sir Neville et Abie Marks avaient-ils bien pu se rencontrer ? Ils ne frayaient pas dans les mêmes cercles, à moins que… les garçons, songea Stratton. C'était bien possible. Marks avait la réputation d'être en mesure de vous obtenir tout ce que vous pouviez désirer – si vous aviez les moyens. Et un homme comme sir Neville ne pouvait guère se permettre d'être vu traînant dans Piccadilly à la recherche d'un gigolo…

Stratton prit quelques notes, puis s'interrompit pour fumer et, trouvant son paquet de cigarettes vide, mordilla le bout de son crayon et songea avec regret au fourgon volé, à présent sans doute sous bonne garde au garage.

Mademoiselle Morgan, écrivit-il, puis *Wallace ?* L'homme pouvait avoir dit la vérité sur l'église, mais Stratton était néanmoins sûr qu'il mentait quand il disait n'avoir jamais vu Mabel. Si sir Neville voulait vraiment ces films, au prix même d'un assassinat, pourquoi ne pas demander à son pote, Abie Marks, un coup de main ? Si Mabel le faisait chanter, c'était encore plus plausible. Avait-elle un complice ? L'inconnu de l'église – peut-être était-ce le cameraman, voire le partenaire ? Mais alors, pourquoi le tuer plusieurs mois auparavant ? Peut-être pour faire peur, et cela n'avait pas marché, ou bien l'homme avait donné les films à Mabel avant d'être tué et sir Neville ignorait qu'elle les possédait jusqu'au jour où elle lui avait demandé de l'argent, ou encore… Stratton se frotta le visage à deux mains. Aucune preuve de rien et, de toute façon, il fallait décider du sort de Wallace avant toute autre chose. Si jamais on l'inculpait du détournement du fourgon, Marks lui ferait passer un sale quart d'heure. Il ne pouvait pas laisser faire une chose pareille au risque d'entacher sa réputation, surtout maintenant que toutes les bandes se disputaient le contrôle des anciennes activités des Italiens.

Stratton se fichait éperdument de Wallace, mais sans lui, il se demandait s'il pourrait jamais découvrir ce qui était arrivé à Mabel. Certes, il se pouvait que son décès fût un accident, ou qu'elle ait été si épouvantée qu'elle s'était suicidée, mais les faits, à sa connaissance, ne corroboraient ni l'une ni l'autre de ces versions. De plus, le portrait de Mabel par Joe Vincent ne donnait pas l'impression d'une femme au bord du suicide. Il pourrait demander à Johnny – faire pression sur lui – mais ce ne serait pas un très bon indic, alors que Wallace, qui avait de l'expérience, lui en dirait plus.

Il pouvait soutenir l'hypothèse que Wallace ignorait ce que transportait la fourgonnette, et l'inculper seulement du vol du véhicule. Certes, il n'avait pas avoué savoir que les cigarettes étaient là, mais personne ne le croirait – et il faudrait se mettre d'accord avec Ballard. L'arrestation du truand était un exploit à mettre à son actif, et il ne serait pas content de découvrir que rien n'en résultait. Pourtant, comme Stratton, et tous les autres flics avant lui, ce jeune devrait apprendre que le travail de la police consistait moins à avoir des intuitions à la Sherlock Holmes qu'à coincer des individus pour les forcer à accuser les autres – et eux-mêmes. Ce n'était pas joli-joli, mais ça ne marchait pas autrement. Il lui dirait tout simplement qu'il avait reçu des ordres de la hiérarchie.

Il gémit. La hiérarchie. Il faudrait à nouveau parler à Matchin. Et si Matchin enterrait l'affaire, il n'y aurait plus qu'à charger Wallace au maximum et à tout oublier. Pour cette raison-là, songea-t-il, mieux valait ne pas citer Johnny.

42

Comme il déposait le chou et les patates emballées dans du papier journal sur la table de la cuisine, Stratton aperçut le petit mot de Jenny. Elle était allée voir Lilian, chez qui elle semblait passer de plus en plus de temps, à présent. Stratton se sentit soulagé. Sans doute n'aurait-il pas dû, mais il était content de ne pas avoir à composer avec tout ce qu'elle ne disait pas. Toute la semaine, elle avait marché sur la pointe des pieds autour de lui – pas littéralement, bien sûr, mais en lui demandant avec plus de sollicitude que d'habitude comment s'était passée sa journée, s'il avait apprécié le dîner, ou s'il voulait encore du thé. Elle l'appelait « chéri » bien plus souvent, signe qu'elle voulait l'amener à parler d'un certain sujet. Il savait fort bien lequel – Johnny – et ne pouvait justement rien dire sans rendre la situation cent fois pire.

Sur le point de monter à l'étage, il repéra une enveloppe sur la console dans l'entrée, adressée, de la main de Jenny, aux enfants. En la retournant, il vit qu'elle ne l'avait pas cachetée et se demanda si c'était exprès. Sortant la lettre, il la parcourut en diagonale et, lisant *Votre papa est très pris par son travail et je ne le vois pas souvent, mais il vous envoie son meilleur*… jugea que c'était probablement exprès. Il ne lui en voulait pas – elle n'était pas du genre à le tarabuster – mais il ressentit tout de même une certaine irritation.

Il hésita à aller voir si Donald avait envie d'aller au pub. Là-bas, au moins, il pourrait chasser de son esprit le souvenir de sa désastreuse entrevue avec le commissaire Matchin, qui l'avait écouté, les lèvres pincées, avant de signaler que la déposition de Rogers, de même que les aveux de Wallace (« dans des circonstances douteuses ») ne reliaient pas de façon concluante sir Neville à Abie Marks, que Joe Vincent n'avait pas porté plainte pour coups et blessures et qu'on ignorait toujours l'identité du cadavre trouvé dans l'église. Ensuite, Stratton s'était de nouveau entendu dire qu'il ne devait, en aucun cas, interroger sir Neville et que, franchement, il avait un meilleur usage à faire de son temps. À la suite de quoi, on lui avait ordonné d'inculper Wallace du vol tant de la fourgonnette que de son contenu, ce qui signifiait qu'il n'avait plus à attendre d'infos de ce côté-là.

À l'évidence, la personne influente à qui Matchin avait parlé de sir Neville l'avait envoyé promener. Pourtant, taire le nom de Johnny signifiait qu'au moins il n'était pas connu pour avoir un criminel dans la famille – et ne compromettrait donc pas sa carrière, du moins, pour le moment. Dieu seul savait ce que ce gamin ferait ensuite. Jusque-là, il avait eu de la chance, mais ça ne durerait pas. Ce genre de gosses se faisait toujours prendre, et quant à l'effet sur ses parents, et le reste de la famille, il préférait ne pas y penser…

« Il faudrait un miracle », songea Stratton. Il remit la lettre dans l'enveloppe et resta là un moment, à la taper contre la table. Il n'y aurait pas de miracle, mais quelques pintes et une heure d'insouciance en compagnie de son beau-frère réussiraient peut-être à l'égayer.

Avec un regard méfiant dans l'escalier, en direction de la salle de bains, il sortit son mouchoir, essuya ses mains terreuses et, enfonçant son chapeau sur sa tête, quitta la maison.

43

– Es-tu bien certaine de ne plus revoir Claude ? demanda Lally Markham alors qu'elles se refaisaient une beauté à l'intérieur des toilettes pour dames du 400.

Diana soupira. Elle était en train de passer une très bonne soirée, à danser, à rire, et à s'amuser avec Lally et Jock et toute la bande, quand elle l'avait vu entrer, seul. Elle l'avait sciemment ignoré, mais peine perdue – tous les autres l'avaient bien vu, et il n'avait fallu que quelques instants pour lui trouver une place à leur table. Elle l'avait salué avec froideur avant de reprendre sa conversation avec Margot, mais sans pouvoir oublier son regard, ni ce qui s'était passé la dernière fois dans ce même club – le raid aérien, suivi de leur première nuit d'amour – ni le fait que toute la tablée faisait mine de s'intéresser à autre chose, alors que nul n'en perdait une miette, comme s'ils avaient été au spectacle.

Finalement, incapable d'endurer cette tension une minute de plus, elle s'était excusée – pour découvrir que Lally lui avait emboîté le pas.

– Il est toujours mordu, hein ? commenta cette dernière en palpant sa coiffure. Il te dévore du regard.

– Je n'ai pas remarqué, répondit Diana. Et je t'avais bien dit…

– Oui, c'est vrai, dit-elle calmement, mais je ne te crois pas.

Diana, qui s'était attendue à de la fureur, fut déconcertée par cette gravité.

– Je te rappelle, reprit son amie en s'installant sur une chaise dorée pour allumer une cigarette, que la dernière fois qu'il a poursuivi une femme comme cela, ça s'est mal fini.

– Je sais !

« Et je sais aussi plusieurs autres choses que, toi, tu ignores », songea Diana. Glissant son poudrier dans son sac, elle ajouta :

– Je m'en vais.

– Il va te suivre…

– Mais non !

– Bien sûr que si ! Il n'est venu que parce qu'il savait te trouver ici.

– Mais comment… ?

– Jock a lâché le morceau malgré lui – quel idiot ! Je lui avais pourtant fait la leçon.

– Bon, eh bien j'y vais quand même. S'il essaie de me suivre, je l'enverrai paître.

– Diana, attends ! Tu ne sais pas à quel point c'est grave.

– Mais si. C'est pourquoi je ne vais pas…

– Pour l'amour du ciel ! Tout le monde voit bien qu'il est fou de toi, comme toi – que tu le veuilles ou non – tu es folle de lui.

Diana s'avança vers la porte, mais Lally fut la plus rapide et lui barra la route.

– Laisse-moi passer, s'il te plaît…

– Pas avant que tu n'entendes ce que j'ai à te dire.

– La discussion est close, fit Diana froidement. Si tu parles ainsi parce que tu es toi-même amoureuse de lui, alors…

– Diana ! (Lally parut vexée.) Qu'est-ce qui te prend ? Je ne suis pas amoureuse de lui et, même si je l'étais, ça dépasserait de toute façon une simple affaire de jalousie.

– Excuse-moi. Je ne voulais pas dire ça, mais tu fais une montagne d'une taupinière, car en fait…

– Par pitié !

Surprise par l'expression catastrophée de son amie, Diana fit un pas en arrière.

– Tu ne sais pas…

– Quoi ?

– Julia Vigo – c'était le nom de cette femme – ne s'est pas suicidée. Elle a été assassinée.

– Et puis quoi encore ?

Diana essaya d'en rire, mais ce fut un rire jaune.

– Franchement, Lally, si tu essaies de me dégoûter de Claude – de toute façon, j'ai rompu –, il faudra trouver mieux.

– C'est la vérité.

Diana prit un siège.

– Qu'en sais-tu ?

– J'ai surpris une conversation entre lui et Forbes-James.

– Forbes-James ?

– Oui. Je n'avais pas réalisé de quoi il s'agissait, au début, mais ensuite j'ai additionné deux et deux, et…

– Pourquoi Forbes-James aurait-il voulu la faire assassiner ? Et Claude ? C'est absurde.

– C'est pour cela que je n'ai pas compris tout de suite. Ils parlaient d'elle, et Forbes-James a dit : « Hélas, votre Mme Vigo va devoir nous quitter. »

– Il pensait sûrement à la congédier. Si elle n'était pas fiable…

– Mais là, Claude a répondu : « Je m'en occupe. » S'il avait voulu la congédier, Forbes-James s'en serait lui-même chargé.

– Mais s'il a dit « votre Mme Vigo », c'était peut-être à Claude qu'elle rendait compte, et dans ce cas, c'était à lui de le faire… ?

Lally secoua la tête.

– Ce n'est pas ainsi que ça se passe.

– Bon, mais pourquoi la tuer ?

– Je n'en sais rien. C'était peut-être un agent double, travaillant pour l'ennemi ?

– Mais enfin…

Diana s'interrompit. Si Claude avait dit vrai en affirmant que cette femme était une toxicomane, alors elle était vulnérable au chantage ou bien, si ses substances étaient onéreuses, elle aurait pu les troquer contre des renseignements. L'un et l'autre était possible, et si c'était ce qui s'était passé, la réduire au silence avait pu être l'unique solution. Sans doute au moyen d'une injection de drogues – fournies par le très serviable Dr Pyke. Et si Claude avait menti et que Julia n'était pas une droguée, il aurait été tout aussi simple d'inventer cette histoire par la suite… Pouvait-il avoir commis pareil acte ? Effarée, Diana repensa à leur conversation. « Non, se dit-elle, je le crois. » Il disait la vérité.

– Qu'est-ce qu'il y a ?

Lally la dévisageait.

– C'est impensable. Claude avait une liaison avec elle – tu as dit toi-même qu'il la poursuivait.

Elle réalisa, pour la première fois, qu'il n'avait exprimé aucun remords au sujet de la mort de cette femme. À en juger par son comportement, cela ne semblait pas l'avoir affecté.

– C'est si étrange, conclut-elle avec un geste d'impuissance. Ce n'est pas normal.

– Rien de tout cela n'est normal. Avoir cette conversation n'est pas normal. Tout ce qu'on croyait établi – règles, valeurs – change sous nos yeux. Le bien, le mal – rien n'a plus le même sens. Tu comprends ?

– Oui, mais...

– Tu ne peux pas te permettre d'être naïve, Diana. Claude adore les femmes, mais il ne les prend pas au sérieux. Tu as dû t'en rendre compte, à présent ?

– Oui, je crois...

Diana se prit la tête dans ses mains.

– C'est que... Je suis complètement troublée, Lally. Je ne sais plus quoi penser. Je veux rentrer chez moi. Tu veux bien prévenir les autres ? Dis-leur que j'ai eu la migraine, ou autre chose – trouve une excuse...

– Veux-tu que je t'accompagne ?

Diana se leva.

– Inutile. Je prendrai le bus. Il est encore tôt. Je... Je préfère être seule.

Lally la regarda, avec l'air d'en douter.

– Tu seras prudente, n'est-ce pas ?

– Promis.

– Très bien.

Lally l'embrassa. Son inquiétude semblait si sincère, et son geste était si inattendu, que Diana faillit en pleurer.

– Je sais que ce n'est pas facile, ma chérie, murmura-t-elle, mais il faut être forte.

Debout dans le bus bondé, hébétée, Diana voyait à peine où elle allait. Claude avait-il assassiné Julia Vigo ? À l'évidence, si c'était vrai, il n'en parlerait jamais avec elle... et elle-même ne pourrait pas l'interroger. Citer Lally serait lui attirer des ennuis

– ou pire… Toutefois, si Claude avait tué cette femme, ce n'était pas par vice, mais parce que c'était son boulot. Elle avait entendu parler de gens qui avaient disparu, mais jamais des personnes de sa connaissance, et il ne s'agissait que de rumeurs très vagues. Lally avait-elle mal interprété des paroles qu'elle avait entendues – comme ces vieilles toquées qui croyaient voir des Allemands sous leur lit ? Mais ce qu'elle avait dit, sur le bien et le mal, c'était juste. Quant aux paroles de Forbes-James à Bletchley Park : « Les conséquences peuvent être désastreuses, voire fatales »…

Elle enfonça ses ongles dans ses paumes, se rappelant son léger vertige quand Claude était entré au Club 400 ; soudain elle n'avait plus vu que lui au fond de la salle, comme s'il avait été illuminé par une sorte de halo. « C'est comme une drogue », se dit-elle. Une drogue. Elle avait reçu deux petits mots de lui depuis son retour de Bletchley Park et n'y avait pas répondu, mais réussir à ne pas penser à lui plus de cinq minutes d'affilée relevait presque du miracle. Au moins, il n'avait pas eu la témérité de l'appeler au bureau, et la ligne de son domicile fonctionnait très mal depuis le début des bombardements. « Mais je l'aime, songea-t-elle. C'est plus fort que moi. »

Il ne servait à rien de tourner en rond. « Je ne dois plus jamais le revoir. Jamais. » Suivant le faisceau de sa torche dans la rue, ses pas semblaient dire : « Jamais, jamais, jamais, jamais », sur le trottoir. Elle tourna à l'angle de Tite Street, pressée de rentrer chez elle pour dormir, oublier. « Jamais, jamais », chuchota-t-elle tout bas. « Jamais, jamais, jamais ja… » À quelques mètres de son domicile, elle fut stoppée net par la vue d'une silhouette svelte, élégante, adossée à la grille : Claude.

Elle s'arrêta, le corps tout électrisé, comme si elle avait mis les doigts dans une prise de courant. L'espace d'un instant, elle songea à prendre la fuite, mais la rue était dangereusement sombre et, de plus, ses membres semblaient en coton. Elle n'avait pas eu le temps de se ressaisir que Claude venait au-devant d'elle, et une seconde plus tard, il la prenait dans ses bras et l'embrassait sur la bouche.

Sur le coup, elle n'en revint pas d'être ainsi trahie par son corps, puis elle le repoussa si durement qu'il tituba en arrière.

– Arrête !

– Pas ici, tu veux dire ?

– Nulle part. Qu'est-ce qui te prend ?

– Tu sais fort bien ce qui me prend. Et j'ai bien l'intention de continuer.

– Certainement pas !

– C'est ce que tu crois, chérie…

Il lui attrapa le bras.

– Fiche-moi la paix !

Elle essaya de le repousser, mais cette fois il s'y attendait et, la bousculant contre la grille, il l'embrassa de nouveau.

– Tu me déçois, Diana, chuchota-t-il. Il ne faut pas se laisser effrayer par les gens aussi facilement.

– Je ne suis pas effrayée !

– Alors, pourquoi tu trembles ?

– Je ne veux pas…

Sa main chercha son sein, sous le vêtement.

– Tu mens ! dit-il d'une voix traînante. Si tu veux ta part de gâteau, moi je veux bien… Tu as peur, mais tu aimes ça, mon ange ! Ça t'excite. Tu recherches ça… Je le sais.

Il y avait trop de vérité là-dedans pour qu'elle nie, et elle fut épouvantée de se savoir percée à jour.

– D'accord, dit-elle, c'est vrai. Mais ça ne veut pas dire que je vais te céder.

– Oh que si ! Ici même, dans la rue, ou là-haut…

Sa main s'aventura entre ses jambes.

– À toi de choisir…

– Va-t'en !

Elle le frappa avec son sac, mais il lui attrapa les mains et les immobilisa, la clouant sur place tout en riant.

– Viens…

Il se mit à la remorquer vers la maison. « Je ne dois pas me laisser faire », songea-t-elle, éperdue. Jamais, jamais. C'est trop dangereux. Je dois l'arrêter – le gifler, au besoin, mais il ne faut pas lui céder. Céder à mon désir. » Cela, elle l'entendait très clairement dans sa tête, mais soudain ce fut comme si une autre parlait, de très loin. Elle avait tellement envie de lui… Incapable de résister, elle se laissa draguer jusqu'en haut du perron. Comme elle cherchait à tâtons la clé dans son sac, il la tint par la taille, puis il lui caressa le dos et les fesses à travers les vêtements tandis qu'elle ouvrait.

– Arrête ! chuchota-t-elle, désespérément. On va nous voir.

– Alors, presse-toi !

Claude la poussa à l'intérieur et, refermant la porte derrière lui, il la traîna – quand il ne la portait pas, désormais consentante – dans l'escalier.

44

– Entrez !

Le cœur lourd, Stratton entra dans le bureau du commissaire Matchin. Qu'est-ce qu'on lui reprochait, maintenant ? Il avait inculpé Wallace conformément aux ordres, et essuyé un barrage d'insultes. Il n'avait plus posé de questions embarrassantes à sir Neville, mais évidemment, il n'avait toujours pas progressé dans l'identification du cadavre de l'église. Sans doute allait-il simplement recevoir une engueulade standard censée le faire marcher droit jusqu'au retour de Lamb. Enfin, il s'en serait bien passé.

Matchin semblait encore plus mal à l'aise que la dernière fois, si c'était possible.

– Vous allez vous présenter tout de suite au colonel Forbes-James, à Dolphin Square.

Plus tard, Stratton devait se dire qu'il n'aurait pas été plus surpris si Matchin avait bondi pour venir lui faire la bise. En fait, il réussit tout juste à bredouiller :

– Oui, monsieur le commissaire, avant de se ressaisir assez pour ajouter : Puis-je vous demander pourquoi ?

– On vous en avisera quand vous serez là-bas. L'inspecteur Jones a reçu l'ordre d'assumer votre charge de travail en votre absence.

Jones allait adorer. Stratton songea qu'il ne faudrait

pas manquer de s'excuser auprès de lui à la première occasion.

– Une voiture vous attend.

– Une voiture ? fit-il en écho.

– Oui, dit Matchin, cassant. Ne tardez pas. On ne fait pas attendre ces gens-là.

En descendant les marches, Stratton fut surpris de voir une femme à gros mollets, en tenue militaire, et qui ressemblait à une version comprimée (donc bien moins attirante) de Gaines, lui tenir la portière arrière d'une Bentley noire.

– Bonjour, inspecteur…

Elle le salua dans les formes.

– Legge-Brock, monsieur. J'ai ordre de vous conduire à Dolphin Square.

La voiture était plus somptueuse que toutes celles dans lesquelles il était jamais monté. Il cessa de se demander ce qui pouvait bien lui arriver pour jouir pleinement de la balade dans ce carrosse. Jamais il n'aurait eu les moyens de s'offrir une voiture, surtout un modèle pareil, mais… « Et si j'apprenais à conduire ? » se dit-il. À la fin de la guerre, peut-être – si toutefois ils n'avaient pas été anéantis sous un déluge de bombes et rayés de la carte en tant que nation… Enfin, autant profiter de la course – en tout cas, miss Gros-Mollets était une conductrice fantastique. Et s'il achetait une petite cylindrée avec Donald ? Se renversant contre le cuir précieux, il ferma les yeux et huma ce parfum de grand luxe.

Quelques minutes plus tard, la voiture s'arrêtait devant la grande entrée de Dolphin Square. Gros-Mollets bondit de son siège, ouvrit la portière et le salua de nouveau.

– Appartement 19, inspecteur ! Nelson House. Deuxième bâtiment à votre gauche, inspecteur.

– Merci, répondit Stratton.

Un autre genre de beauté blonde et glaciale (les fabriquait-on à la chaîne ?) lui ouvrit et le fit entrer dans le bureau du colonel Forbes-James. Stratton, qui s'attendait à des cheminées condamnées, une précision militaire et du kaki partout, fut soulagé de se retrouver dans une pièce « normale », presque aussi encombrée que le bureau qu'il partageait avec l'inspecteur Jones. Alors qu'il s'attendait à devoir poireauter une fois de plus, Forbes-James était assis à son bureau et, au lieu d'agiter simplement la main dans sa direction approximative, il le regardait carrément. Il avait un visage rond, légèrement aplati, de grands yeux vifs, pas de cou à proprement parler, et son allure générale était soignée – non, pas soignée, sémillante. C'était le terme.

– Merci d'être venu aussi vite, inspecteur. Prenez un siège – enfin, si vous en trouvez un. Quel bazar, ici !

L'homme mit une cigarette à sa bouche et, penchant la tête, se mit à regarder sous divers tas de papiers. Stratton, qui s'était assis après avoir ôté une liasse de documents de la chaise la plus proche, se releva pour lui offrir du feu.

– Merci ! Servez-vous – elles sont sur la cheminée. Thé ?

– Si ça ne vous dérange pas…

– Bien sûr que non.

Il alla à la porte pour communiquer ses instructions à la téléphoniste. Quelques minutes plus tard, après des propos généraux sur Great Marlborough Street – il semblait tout savoir du bombardement de West End

Central –, la femme qui s'appelait Diana, et qui semblait tout aussi ravissante, hautaine et inabordable que dans son souvenir, entra avec un plateau. Elle fut présentée comme étant Mme Calthrop (mariée donc, mais pas, vraisemblablement, à l'homme qui l'avait emmenée déjeuner l'autre fois, ce qui était intéressant). Comme elle se penchait pour lui servir son thé, Stratton huma un parfum tout aussi luxueux que celui de la Bentley. Il s'attendait à la voir ressortir ensuite, mais, à sa grande surprise, elle débarrassa un coin du divan d'un tas de dossiers et prit place.

– Eh bien, déclara Forbes-James, maintenant que nous sommes au complet, je vais vous mettre au courant. Ceci, bien entendu, est hautement confidentiel et couvert par l'Official Secrets Act, donc à ne pas répéter. On a dit à votre supérieur, à Great Marlborough Street, que nous vous « empruntions » et vous ne devrez pas, jusqu'à nouvel ordre, parler de votre travail à lui ou à quiconque. Est-ce clair ?

– Oui, colonel.

– Bien. Voici la situation…

Stratton écouta avec un étonnement croissant tandis qu'on lui racontait en résumé comment Diana Calthrop avait infiltré le Right Club, comment on avait décodé le message qu'elle avait trouvé dans l'appartement de sir Neville, et comment Walter Wymark était soupçonné d'avoir volé des télégrammes cryptés à l'ambassade américaine.

– Wymark est employé au chiffre. Ça n'a l'air de rien, mais c'est l'un de ceux qui codent et décodent les messages confidentiels entrant ou sortant de l'ambassade. On s'est renseigné sur lui…

Pendant quelques secondes, le colonel fouilla sur son bureau, puis il fit signe à Diana de venir trier son bazar, à la recherche du document en question.

– Nous le croyons motivé par des sympathies isolationnistes. Il roule peut-être même pour les Soviets, mais pour le savoir, il faudrait l'avoir interrogé. À ce qu'on sait, il hait les communistes – apparemment – et les Juifs. Pour être honnête, on ignore comment il a obtenu l'habilitation de sécurité. Une influence extérieure a pu s'exercer, mais… (Il haussa les épaules.) Ce sont des choses qui arrivent. L'ambassade américaine a accepté de lever son immunité diplomatique et nous comptons l'arrêter ce soir, chez lui. Vous serez là. Tout document trouvé sera, bien entendu, confisqué et examiné. Et maintenant…

Il présenta le dossier que Diana lui avait remis.

– Est-ce clair ?

– Oui, colonel, dit Stratton en prenant ces notes.

Au sommet de la pile, il y avait la photo d'un homme blond, bien bâti, dans la pose héroïque, athlétique (tête droite, épaules effacées, regard perçant et ainsi de suite) qui, dans son esprit, demeurait associée aux portraits de sportifs.

– C'est lui, dit Forbes-James. Des questions ?

– Pourquoi moi, colonel ? Pourquoi pas la Branche spéciale ?

– Je pense que vous en avez déjà une idée… ?

– Je suppose que c'est lié à sir Neville Apse ?

– Précisément. Diana…, dit Forbes-James en se tournant vers Mme Calthrop, qui avait repris sa place sur le divan, voulez-vous nous laisser ?

– Oui, colonel.

Comme elle se levait en lissant sa jupe, Stratton jeta un regard furtif à ses jambes et jugea qu'elle aurait pu en remontrer à Betty Grable.

– J'ai pensé, reprit le colonel, une fois la porte close, que ce serait plus simple si Mme Calthrop n'était pas présente.

et alors il pourrait dire adieu à ses perspectives d'avancement. « Attention, mon gars ! se dit-il. Gaffe où tu mets les pieds ! »

– Oui, colonel. Merci.

– J'ai eu des informations sur vos activités par Scotland Yard – qui, vous le savez sans doute, n'est pas très content – mais j'aimerais entendre cela de votre bouche.

Stratton ravala sa salive. Il avait la sensation très nette de s'enliser. « On est du même bord, se dit-il. Le gouvernement de Sa Majesté, le bien commun… » Mais le rayon d'action d'hommes comme le colonel était bien plus considérable que celui de ses supérieurs directs, surtout maintenant que, comme un idiot, il avait mis les pieds dans quelque chose qui le dépassait. Il essaya de conjurer des visions d'« accidents » arrangés (abattu par erreur par un espion allemand, renversé par une voiture à la faveur du couvre-feu) en se répétant qu'il n'avait rien fait de mal – ou du moins, rien de vraiment mal, dans l'ensemble. Mais cela, bien entendu, ne suffirait pas forcément – détenir des informations mettait en position de force mais c'était aussi très dangereux. Ce qu'il avait découvert était-il sur le point de lui exploser à la figure ?

Comme s'il avait lu dans ses pensées, le colonel se pencha en avant :

– Vous pouvez me faire confiance, vous savez. Nous savons que vous avez enquêté pour votre propre compte, et avons pensé à vous utiliser.

Stratton faillit demander qui était ce « nous », mais c'eût été inutile. Ici, « nous » signifiait des gens influents, capables d'agir – des gens plus communément désignés par lui-même et ses pareils comme : « ils ». Cependant, pas l'ombre d'une menace – pour le moment.

– Bon, racontez-moi tout.

– Eh bien, colonel, je ne sais pas si vous avez jamais entendu parler d'une ex-actrice nommée Mabel Morgan…

Forbes-James écouta attentivement. À la fin, il dit :

– Je vois. C'est tout ?

– Oui, colonel. J'ai donné le coffre contenant les films au commissaire Matchin, à sa demande.

– Hum… Et vous n'avez pas reconnu le partenaire, le danseur… ?

– Non, colonel.

– Nous non plus, hélas.

– Vous voulez dire que vous avez vu ces films ? s'exclama Stratton, surpris. Ils n'ont pas été détruits ?

Forbes-James secoua la tête.

– Nous les avons. Du moins, pour l'instant. Qui, à part le commissaire et votre beau-frère, Donald…

– Kerr…

– … Donald Kerr, connaît leur existence ?

– Mon épouse. Ou plutôt, elle sait qu'on a visionné des films de Mlle Morgan, mais en ignore le contenu.

– Et M. Kerr, que sait-il ?

– Rien. Je n'ai pas cité le nom de sir Neville.

– Pouvez-vous me noter ses adresses – privée et professionnelle ?

– Oui, colonel.

Stratton les nota dans son calepin et déchira la page qu'il lui tendit.

– C'est juste pour se renseigner sur lui, comprenez-vous… ? On n'ira pas l'interroger – sauf si c'est nécessaire, bien entendu.

– Ça ne le sera pas.

– Tant mieux. Et l'homme qui vous a remis le coffre ?

– L'agent Ballard, inspecteur. Il ne sait pas ce qu'il y a à l'intérieur. J'ai cassé le cadenas moi-même, à la maison. Il savait que j'avais enquêté et a pensé que ça pourrait m'être utile.

– Bon, tout ça me semble assez carré. besoin des copies de toutes vos notes – Mme s'occupera de cela pendant qu'on déjeune un petit resto près d'ici, pas mal du tout…

Stratton, ayant noté les pages utiles dans pin à l'intention de Diana, accompagna le c restaurant. Mal à l'aise dans ce cadre inco bien plus chic que celui auquel il était (l'accent français du serveur aurait fait honte rice Chevalier), il choisit une sole meuni c'était le plat le plus simple (et le plus fa identifiable) sur le menu. Elle s'avéra ex même s'il aurait préféré la déguster avec Jenn qu'avec Forbes-James qui l'interrogeait aimal mais avec insistance sur son passé, sa fami travail. Il en dit peu sur Johnny, sinon qu'il a réformé et était un peu « tête brûlée », et espér lâché cela sur un ton aussi détaché que le Forbes-James écoutait attentivement, plaçant de en temps des questions. Il devait avoir une me formidable, car il n'avait pas pris une seule – mais il était peut-être équipé d'une sorte de pour écouter. Stratton n'avait jamais entendu d'une chose pareille – on pouvait mettre des sur écoutes, bien entendu, et des téléphones, m ne savait pas s'il existait des trucs assez miniatu pour se fixer sur un individu.

Seul dans les toilettes, il prit le temps de se saisir. Mais non, Forbes-James n'avait pas ce g d'appareil. Ça n'existait pas. Toute cette ambi d'espionnage le rendait paranoïaque et, de t façon, on avait bien dû se renseigner sur lui avan le convoquer ? Certes, c'était plutôt excitant de ticiper à cette descente chez cet Américain, mais t de même… Au moindre faux pas, on le coince

45

– Flûte !

Pour la troisième fois, Diana arracha le papier de la machine. Lamentable ! Sacré Forbes-James, il savait pourtant qu'elle ne valait rien comme dactylographe ! Jetant un coup d'œil à la pendule, elle s'aperçut que son chef et ce policier, Stratton, seraient bientôt revenus du restaurant. Elle attrapa une autre feuille et se mit à l'insérer dans la machine, puis se rappela qu'elle avait oublié le carbone. Il aurait été plus simple de demander de l'aide à Margot, mais ceci était confidentiel. Elle avait parcouru les notes de l'inspecteur avec un étonnement grandissant, surtout le passage sur le mouchoir d'Apse trouvé sur le cadavre inconnu… C'était pour cette raison, en fait, que Stratton était venu le voir. Apse avait dit ne rien savoir, mais évidemment on ne l'avait pas cru. Pouvait-il vraiment être acoquiné avec des criminels, comme le suggéraient ces notes ? Avec des voleurs et des assassins ? Elle essaya d'imaginer à quoi ces hommes – Marks et Wallace – pouvaient bien ressembler, mais son esprit ne se figurait que de grosses brutes velues, avec au poing une arme et, par-dessus l'épaule, un sac marqué « butin ».

Elle remit en place papier et carbone et recommença, en regrettant de trembler autant des mains.

« Pour l'amour du ciel, se dit-elle, ressaisis-toi ! Ce n'est pas toi qui iras chez Wymark ! » Bien sûr, cela ruinerait sa « couverture » vis-à-vis du Right Club, mais elle avait rempli sa mission, n'est-ce pas ? Forbes-James ayant l'intention – en fait, on lui avait donné l'autorisation – d'arrêter toutes les personnes concernées, elle ne risquerait rien, à ceci près qu'elle s'était confiée à Claude… Il avait déclaré qu'il ne parlerait d'Apse à personne, mais tiendrait-il parole ?

« Arrête ! » Ce n'était pas bien de penser à ce qu'il *pourrait* arriver, alors qu'elle avait la présente tâche à accomplir. De toute façon, elle n'aurait plus à revoir aucun des membres du Right Club, sauf au tribunal. Lally s'était procuré les informations nécessaires sur Wymark et comme on lui avait recommandé de donner une fausse adresse à Mme Montague (un logement appartenant à un autre agent) pour le courrier, aucun d'eux – sauf Apse – ne savait où elle habitait. Mais il pourrait leur dire…

Cherchant une raison de se calmer les nerfs, elle se concentra sur l'inspecteur Stratton. Quand il était venu voir Apse, elle n'avait pas remarqué combien il était costaud (mais elle n'avait pas remarqué grand-chose, ce matin-là, toute polarisée qu'elle était sur son futur déjeuner avec Claude). Il avait quelque chose de solide – de solide, de rassurant et d'inexplicablement droit. Il ne ressemblait pas à un policier ordinaire, même si, à vrai dire, elle ne savait pas à quoi ressemblait un policier ordinaire, puisqu'elle n'en avait jamais rencontré – du moins, personnellement.

Forbes-James n'avait pas été content de découvrir que ce Stratton avait mené sa propre enquête et qu'il avait trouvé un film où l'on voyait Apse danser avec un autre homme. Il ne lui avait guère parlé de la semaine, éludant les questions d'un air las, préoccupé. Quand même, se dit-elle pour la énième fois, il devait bien avoir eu des soupçons sur Apse ? Sans doute le renseignement qu'elle lui avait rapporté signifiait-il qu'il ne pourrait plus jouer sur les deux tableaux – comme quand on prétend avoir cru que la personne plaisantait, alors que ce n'était pas le cas. Ou était sincère, alors qu'on savait qu'elle ne l'était pas… Claude était-il sincère, quand il avait dit l'aimer ? Le savait-il d'ailleurs lui-même ? Et maintenant elle avait trahi sa promesse à Forbes-James…

– Merde !

Elle avait tapé un *v* au lieu d'un *b*. C'était – elle les compta – sa cinquième faute en deux lignes. Se forçant à se concentrer et à ne plus penser à rien d'autre jusqu'à la fin, elle réussit à aller jusqu'au bout de la page, mais, au milieu de la seconde, elle se surprit à taper ortibbr fr cr bom au lieu de « personne de ce nom » parce qu'elle se demandait si l'inspecteur Stratton était marié et, si oui, à quoi ressemblait sa femme. Ronde et solide comme lui, sans doute. Avaient-ils des enfants… ? Il semblait avoir tout pour faire un bon père de famille… Comme elle alignait une suite de x par-dessus son erreur, elle l'imagina dans un bon vieux fauteuil, avec une petite fille sur les genoux. Les seuls genoux sur lesquels elle s'était jamais perchée, étant enfant, c'étaient les protubérances cagneuses d'une ribambelle de nurses, ce qui n'était pas si mal mais ne pouvait se comparer au confort protecteur d'un giron attitré. Elle s'efforça de se représenter, enfant, sur les genoux de son père, mais cela, à sa connaissance, ne s'était produit qu'une seule fois – le temps d'un cliché photographique.

Ces rêveries furent interrompues par le claquement d'une porte. Hé là ! Ils étaient déjà de retour, et elle n'avait pas fini. Ne voulant pas passer pour une incapable, elle se mit à taper le plus vite possible. Heureusement, Forbes-James ne l'appela pas avant une heure, et à ce moment-là elle en avait presque terminé. Quand elle lui remit les copies et qu'elle rendit à l'inspecteur son calepin, Forbes-James lui donna la permission de rentrer chez elle, alors qu'il n'était que quatre heures un quart. Même si elle s'y attendait à moitié, elle se sentit néanmoins exclue, rejetée, comme si elle avait été expulsée d'une soirée avant le début réel des festivités. Bien que n'ayant aucun désir de participer à la descente à l'appartement de Walter Wymark, elle rentra chez elle en sachant qu'elle serait trop fébrile pour s'occuper à quelque chose et que la soirée serait longue à tirer.

Seule dans sa chambre, elle ramassa la lettre de Guy, arrivée la semaine précédente. Il allait passer deux jours à Londres avant d'être envoyé outre-mer avec son régiment et avait – annonce menaçante – *hâte de savoir ce que tu as fait*. Elle avait tenté de le repousser – *l'appartement est bien trop petit* – mais il lui avait écrit qu'il dormirait à son club – ce qui devait toujours être possible, car elle n'avait pas entendu dire le contraire.

Et puis ce n'était pas le seul problème. Son médecin, qui avait déjà enfreint la loi pour elle – en lui donnant un contraceptif sans l'autorisation du mari – ne serait plus aussi accommodant la prochaine fois.

C'était beaucoup, et elle se sentait bien trop fatiguée pour réfléchir à tout cela. Le mieux était de n'y plus penser et de tâcher de se reposer – du moins, en attendant le bombardement. Elle se servit un petit whisky – mauvaise habitude que de boire seule, mais peu importait – et se pelotonna sur le lit, le verre au creux des mains.

46

Nul ne parlait tandis que la Bentley – les fins faisceaux de ses phares voilés perçant à peine la nuit du black-out – roulait à l'aveuglette vers le nord, passant devant Hyde Park, en direction du domicile de Walter Wymark situé dans Gloucester Place, suivie d'un fourgon cellulaire. On entendait les détonations assourdies des bombardements au loin, mais rien de trop proche. Stratton était placé entre Forbes-James et un représentant de l'ambassade américaine, un certain Ritter qui, le dos rond, tripotait une alliance à son petit doigt.

Stratton et Forbes-James prirent la tête de la délégation qui se rendit à l'appartement, au troisième étage d'un immeuble cossu. Ils étaient suivis par trois agents de police – Ritter et une femme policier fermant la marche. Les hommes se répartirent le long du couloir, matraque au poing, quand Forbes-James frappa à la porte. Il n'y eut pas de réponse. Forbes-James recommença et, cette fois, quelqu'un cria : « Allez-vous-en ! » À la troisième tentative, la voix – mâle – lança de nouveau : « Je suis occupé ! Revenez plus tard ! »

– Police ! hurla Stratton. Ouvrez !

– Non !

La voix était plus forte, à présent.

– Vous ne pouvez pas entrer ici !

– Ouvrez, monsieur Wymark.

– Non ! Je suis protégé – vous ne pouvez pas entrer.

– Monsieur Wymark, si vous n'ouvrez pas, je vais devoir…

– Non ! Allez-vous-en !

Stratton regarda Forbes-James, qui opina. La dernière fois qu'il avait démoli une porte, son épaule en avait souffert pendant une semaine et il n'avait aucune envie de recommencer. Il fit signe au plus baraqué des agents :

– Vas-y, mon gars !

L'homme se rua sur la porte et la défonça. Une femme poussa un cri perçant et, au milieu du fracas des bottes de la police sur le sol dallé du vestibule, Stratton entendit une voix masculine – « La ferme ! » –, une gifle, puis le bruit d'une fenêtre à guillotine soulevée quelque part, au fond de l'appartement. Bousculant les agents, il galopa dans le long couloir central, Forbes-James sur ses talons, et se rua dans la pièce du fond. Wymark, pieds nus, pyjama flottant, avait enfourché le rebord de la fenêtre, tandis que, couchée dans le lit, une jeune femme échevelée, les couvertures tirées sous le menton, sanglotait, la joue marquée d'une vilaine plaque rouge.

Stratton traversa la chambre d'un pas énergique et empoigna Wymark par le bras. Celui-ci tenta de se dégager, perdit l'équilibre et faillit tomber par la fenêtre. Stratton se pencha et le repêcha.

– À votre place, je ne ferais pas ça, dit-il. La terre est basse, d'ici…

Wymark, affalé par terre, ne répondit pas. Stratton s'était attendu à des protestations, voire des menaces, mais l'autre se contenta de secouer la tête, comme dégoûté par toute cette affaire. Derrière eux, la fille couchée dans le lit commença à mugir, tel un animal pris au piège.

– Allons…

Constatant son absence de combativité, Stratton le prit par le bras et le remit debout.

– On va aller discuter…

Puis il le poussa dans le couloir, où l'homme, passif, laissa deux agents reboutonner sa veste de pyjama et le menotter avant de le conduire, tête basse, au fourgon cellulaire.

Stratton fit entrer la femme policier dans la chambre, avec ordre de calmer la jeune fille, et alla au petit salon où divers vêtements masculins ou féminins, éparpillés par terre ou drapés sur des meubles ou objets, marquaient la progression de Wymark et de sa conquête vers le lit. Il appela l'agent resté sur place et dit :

– Prenez tout ça et apportez-les dans la chambre.

Écarlate, le jeune homme se racla la gorge :

– Vous ne voulez pas que j'entre là-bas, inspecteur ?

– Surtout pas ! Frappez à la porte et laissez-les à l'extérieur. Et prévenez-moi quand elle sera rhabillée.

– Bien, inspecteur.

Sous l'effet du soulagement, la voix du jeune agent avait baissé de plusieurs tons. Comme Stratton se détournait pour dissimuler son sourire, Forbes-James sortit de la chambre.

– Il faut fouiller tout l'appartement.

– Ça ne devrait pas être trop long, colonel.

L'appartement avait un aspect impersonnel – mobilier moderne de bon aloi et peu de bibelots – et c'était, vêtements éparpillés mis à part, bien rangé. Stratton regarda l'agent ramasser le dernier vêtement – un soutien-gorge – et, le tenant du bout des doigts, comme de crainte de le voir s'embraser, quitter la pièce.

– Commencez par ici, dit Forbes-James. Je vais dans la cuisine. On fera la chambre après avoir vu la fille.

La fouille, assez facile, fut ponctuée par les cris hystériques provenant de la chambre et par la voix rassurante de la femme policier, qui de toute évidence avait du mal à la convaincre de se rhabiller. N'ayant rien trouvé au salon, Stratton alla rejoindre Forbes-James dans la petite cuisine.

– Rien, colonel.

– Moi itou. Ça doit être dans la chambre.

Le jeune agent passa la tête.

– Elle est prête, inspecteur.

– Bien !

La fille, blafarde, échevelée et le visage strié de larmes, attendait dans le couloir, le bras de la femme policier autour de ses épaules.

– S'il vous plaît ! Laissez-moi partir !

– Désolé, dit Stratton. Comment vous appelez-vous ?

– Je suis l'Honorable Helen Pender, dit-elle, dans un effort pour retrouver sa dignité. Mon père est Lord Calne. Vous allez me laisser partir, n'est-ce pas ?

– Non, mademoiselle.

– Par pitié…

Se tournant vers Forbes-James, qui visiblement lui semblait un homme de son milieu, elle ajouta :

– Dites-lui de me laisser partir.

– Impossible, hélas, répondit Forbes-James.

– Mais mon père…

– … est Lord Calne, conclut-il, posément. Néanmoins, nous avons quelques questions à vous poser.

– Vous ne pouvez pas m'arrêter !

– On ne vous arrête pas, dit Stratton. Du moins, pas pour l'instant. Et si vous alliez passer un petit moment là-bas… ?

Il lui désignait le salon.

Lui jetant un regard furieux à travers ses larmes, la jeune fille consentit à s'y laisser emmener. Forbes-James attendit que la femme policier ait refermé la porte, puis invita Stratton à entrer dans la chambre.

– Vous étiez au courant, pour elle ? lui demanda ce dernier.

– On s'en doutait…

Ouvrant la porte de la penderie, le colonel se mit à soulever des piles de chemises et de sous-vêtements. Au bout de quelques secondes, il dit : « Tiens, tiens ! » et brandit une serviette en cuir.

– Vous pouvez fouiller le reste, dit-il à Stratton, mais je suis quasi sûr que tout est là. Et il n'y a même pas de cadenas !

Tandis que Stratton ouvrait les autres tiroirs, Forbes-James défit les fermoirs de la serviette et en laissa le contenu – une épaisse liasse de papiers – glisser sur le lit.

– Il doit y avoir une centaine de documents ! commenta Stratton, impressionné.

– Au moins. Et…

Forbes-James fourra sa main au fond et en sortit une paire de clés.

– Voilà ! Des doubles, à vue de nez.

Il compara les contours.

– Même serrure. Et…

Il repêcha dans une poche intérieure un simple feuillet, couvert d'une écriture manuscrite recto verso.

– Il y a encore ceci.

– Qu'est-ce que c'est, colonel ?

– On dirait la liste des membres du Right Club. Très utile.

Il empocha le papier et lui donna les clés.

– Apportez ceci à M. Ritter, voulez-vous ? J'imagine qu'elles ouvrent la pièce du chiffre, à l'ambassade.

– Oui, colonel.

Stratton alla trouver Ritter, qui se tenait à la porte de l'appartement comme un planton, tripotant toujours son anneau au petit doigt. Quand il revint dans la chambre, Forbes-James était en train de remettre grossièrement les papiers dans la serviette.

– Bien, on peut s'en aller…

– Et la fille, colonel ?

– Ça m'étonnerait qu'elle connaisse ceci (Forbes-James tapota la serviette) mais il faut s'en assurer. Il va vous falloir, hélas, l'arrêter. Ordonnance 18B. Vous connaissez la musique, je suppose ?

Stratton, qui redoutait cela et connaissait effectivement la musique, opina, maussade. On pouvait compter sur une nouvelle crise d'hystérie.

– Le panier à salade est toujours en bas ?

Forbes-James fit signe que non.

– Ils sont allés à Brixton. Elle va devoir nous accompagner. Vous pourrez la déposer directement à Holloway – je vais les prévenir – après quoi la voiture vous ramènera chez vous.

– C'est très aimable à vous, colonel.

– C'est tout naturel…

Forbes-James sourit.

– La journée a été longue – et demain sera un autre jour.

47

Debout dans le passage, Jenny regarda la forme massive de la Bentley se fondre dans les ténèbres.

– Je me suis fait un sang d'encre, Ted ! Et quand j'ai entendu cette voiture, et qu'elle s'est arrêtée devant chez nous, j'ai cru…

– Je sais, ma chérie.

Stratton l'embrassa.

– Tout va bien. Je suis là, maintenant.

– Tu as vraiment fait tout le chemin là-dedans ?

– Hé oui. Impressionnée ?

– C'est fou ! Je me demandais ce qu'elle faisait ici. En entendant le moteur, j'ai cru qu'il était arrivé un malheur.

– Mais non. Viens, tu as laissé la porte grande ouverte. Il vaut mieux rentrer ou le type de la défense passive va venir nous coller une amende.

Ils trébuchèrent sur le petit chemin, bras dessus, bras dessous, et rentrèrent dans la maison.

– Ton dîner est tout desséché. Mais je peux te faire un sandwich. Il reste un peu de fromage.

– Ne t'en fais pas, chérie. Je suis trop fatigué.

– Il faut manger, Ted.

– Ça va. J'ai mangé une sole meunière à midi.

Comme cela semblait loin – à son esprit, sinon à son estomac.

– Tu es allé au restaurant ?

– Oui.

– Comment ça se fait ?

– Je ne peux pas te le dire.

– Mais tu peux me parler du restaurant, quand même ?

– Oui, je pense… Un endroit très chic. Serveurs français. Il nous reste un peu de ce scotch qui date de Noël dernier, non ? J'en prendrais bien une goutte. Sers-le-moi dans une tasse, je le boirai dans l'abri…

Stratton alluma une cigarette et attendit sur la pelouse le retour de Jenny qui se préparait dans la chambre. Debout dans le noir, il sirotait son scotch et savourait la sensation de chaleur dans son gosier, même s'il n'était pas très amateur de scotch – non qu'il en eût jamais goûté de très bon, comme celui que devait s'offrir le colonel Forbes-James. Sans doute devait-il être satisfait, pour l'avoir fait raccompagner à la maison en voiture ? Stratton fut surpris de constater à quel point cela lui faisait plaisir. Cet homme avait le chic pour vous donner l'envie d'être dans ses petits papiers. Il se demanda si Mme Calthrop éprouvait la même chose.

Jenny ferma la porte côté jardin et le rejoignit.

– Ce soir, c'est à l'autre bout de Londres, Dieu merci… ! Espérons qu'ils ne viendront pas de notre côté…

– Ce n'est pas la Luftwaffe qui pourra m'empêcher de dormir, cette nuit. On va se coucher ?

Comme ils allaient se mettre au lit, se contournant mutuellement dans l'espace exigu au milieu de l'abri Anderson, Jenny déclara :

– Si seulement on avait le téléphone, Ted…

– Je sais, chérie, mais ce n'est pas possible. De toute façon, les appels ne passent pas toujours.

– Au moins, je saurais que je n'ai pas à m'inquiéter pour toi. C'est horrible d'être dans le doute…

Stratton se pencha pour l'embrasser sur le front.

– Et tu ne m'as pas parlé de ton gueuleton… tu as pris un dessert ?

Ils bavardèrent encore un peu, puis Jenny s'endormit ; mais Stratton, qui pensait sombrer sitôt sa tête sur l'oreiller, se surprit à passer en revue les événements de la journée. Quel retournement de situation ! Le colonel avait manifestement décidé qu'il valait mieux l'enrôler que de le laisser gaffer tout seul de son côté. Stratton se demanda si ses supérieurs avaient eu leur mot à dire et ce que Matchin dirait à son retour. Bon débarras, sans doute. Quand il reprendrait ses fonctions au commissariat – Great Marlborough Street ou West End Central, si c'était habitable – Lamb prendrait un malin plaisir à s'assurer qu'il n'avait pas attrapé la grosse tête à collaborer avec les services secrets. Car Forbes-James était des services secrets, très certainement. Il n'avait pas précisé, parlant juste du ministère de la Guerre, mais c'était forcément ça.

L'Honorable Helen Pender avait été abasourdie quand il l'avait déposée à la prison d'Holloway, et c'était compréhensible. Tous ces types en uniforme braillant à pleins poumons, puis la surveillante qui l'avait gardée à la réception, un genre de placard, pendant plus d'une heure. Il avait demandé si le médecin ne pouvait pas lui donner un calmant, mais cette bonne femme n'avait sûrement pas transmis sa requête. Il espérait que le médecin serait plus compatissant. C'était pure malveillance de la part de la surveillante – tant à l'égard du statut social de l'Honorable Helen Pender que de ce qu'elle avait fait. Stratton savait que cette jeune fille serait horrifiée en découvrant les cellules sordides, avec leurs matelas défoncés et les draps de grosse toile, l'atmosphère chargée d'odeurs de pots de chambre – sans parler de la nourriture infecte, du choc et de la détresse due à l'emprisonnement. Cependant, internée dans le cadre de l'Ordonnance 18B, elle pourrait porter ses propres vêtements et recevoir des colis, et au moins cette prison n'était-elle pas infestée par la vermine, contrairement à Brixton, où Wymark avait été incarcéré. Stratton soupira. Il avait pitié de cette fille, parce qu'elle était jeune, stupide, et – à son avis – avait eu le tort de se trouver au mauvais endroit au mauvais moment. Et Wymark avait été tout prêt à décamper en la laissant se débrouiller, même s'il ne pouvait pas espérer aller loin en pyjama et les pieds nus. Quel idiot ! songea Stratton, en essayant de se mettre à l'aise sur l'étroite couchette. Il fallait tenter de dormir un peu. Comme avait dit Forbes-James, demain serait un autre jour…

48

– Ça va, madame Calthrop ? demanda Stratton.

– Excusez-moi…

Diana s'adossa au mur d'enceinte de la prison. Elle était pâle et, quand elle voulut atteindre la cigarette qu'il lui offrait, il vit que sa main tremblait. Comme ils se rapprochaient pour protéger la flamme de l'allumette du vent d'automne, elle dit :

– Je n'étais jamais allée dans une prison. C'est le choc, tout simplement… Ça, et la réaction d'Helen. Enfin, je suppose que j'aurais dû m'y préparer…

Stratton avait été très surpris quand Forbes-James avait insisté pour que la jeune femme l'accompagne et interroge avec lui Helen Pender – et franchement choqué de voir que l'Honorable Helen Pender, une demoiselle si bien élevée, sût autant de mots orduriers.

– Il ne faut pas y faire attention, répondit-il. Vous ne faisiez que votre devoir.

– « La bave du crapaud… », comme on dit !

Son rire était faible, mais c'était un début. « Elle est coriace », pensa Stratton. Aussi coriace que superbe, avec ses cheveux lâchés sur les épaules et qui volaient autour de sa figure depuis que l'hystérique Helen s'était jetée sur elle.

– Vous devez en voir de belles, dans votre boulot…

– C’est vrai, répondit-il, surpris de voir qu’elle pensait à lui alors qu’elle était si manifestement bouleversée.

Elle ôta un brin de tabac de ses lèvres, l’observa, et dit :

– Ça vous plaît, d’être policier ?

Décontenancé, il répondit :

– Je crois. C’est mon gagne-pain.

– Êtes-vous content de l’avoir choisi ? Vous n’auriez pas préféré faire autre chose ?

– Ce serait un peu tard pour y penser, maintenant, mais non, ça va. Il y a les bons et mauvais côtés, comme dans tous les boulots.

Il savait que ce n’était pas une réponse adéquate, mais n’en avait pas d’autre. Il aurait voulu trouver les mots pour la réconforter, ou du moins lui faire oublier cette fille presque dérangée qui lui avait craché des menaces incohérentes à la figure – mais comment faire ?

– J’ai eu une vie très protégée, dit-elle. Comme beaucoup de gens, je suppose, mais la guerre a changé tout cela, n’est-ce pas ?

« Pas trop tôt ! » songea Stratton, qui se contenta de dire :

– Les temps changent. C’est fatal, vous savez…

– Oui, c’est vrai ! fit-elle avec une véhémence surprenante.

Comme ils fumaient en silence, il se demanda comment une fille comme elle pouvait savoir que les choses devaient changer. Il songea à toutes les maisons délabrées où il était entré, avec leurs murs rongés de salpêtre, les W-C communs qui débordaient et empestaient, et leurs habitants qui se nourrissaient de pain et de margarine. Que savait-elle de cela ? Sans doute ignorait-elle jusqu'à l'existence de ces taudis. Mais peut-être parlait-elle d'autre chose…

Regardant en direction des grilles de la prison, elle dit :

– Ils vont aussi y enfermer Mme Montague.

– Qui est-ce ?

– L'épouse de Peverell Montague.

– Le député qui a fondé le Right Club ?

Elle acquiesça.

– Il a gardé ses distances depuis que Mosley a été arrêté – c'est surtout elle qui était en vue. Mais lui aussi va être arrêté.

– Vous la connaissez ?

Diana opina.

– Je connais la plupart d'entre eux. Le pire, voyez-vous, c'est de ne pas pouvoir parler. Je sais ce que vous pensez – que les femmes sont incapables de garder un secret, de ne pas cancaner – mais ce n'est pas à cela que je fais allusion. Je veux dire : ne pas pouvoir se confier quand on a peur et qu'on ne sait pas quoi faire, ou qu'on doute du bien-fondé de ce qu'on fait.

Déconcerté par ces confidences, Stratton détourna les yeux et fut soulagé de voir approcher la Bentley dans la rue. Gros-Mollets (il devrait lui demander de lui rappeler son nom véritable) s'arrêta, puis bondit pour ouvrir la portière.

– J'ai l'ordre de vous ramener à Dolphin Square, dit-elle d'une voix enjouée, très boy-scout. Puis j'irai chercher le colonel à Brixton.

– Avez-vous vu Apse aujourd'hui ? lui demanda Diana.

Elle fit signe que non.

– Je dois être uniquement à la disposition du colonel. Margot a fait passer le message.

Elle referma la portière et reprit le volant.

– Je veux dire... (Elle eut une moue dans le rétroviseur.) Mlle Mentmore.

À leur retour à Dolphin Square, Margot-je-veux-dire-Mlle-Mentmore leur apporta des sandwiches et une très bonne bouteille de vin (Stratton loucha furtivement sur l'étiquette et distingua le mot « aligoté » sur fond de jolies volutes). Tout en mangeant, Diana, agissant selon les instructions écrites laissées par Forbes-James, le renseigna sur les autres membres du Right Club.

– Ce n'est peut-être pas tout, conclut-elle. Forbes-James a dit que vous aviez trouvé une liste chez Wymark...

– Oui, mais je ne l'ai pas vue.

« Dieu sait quels noms y figurent », se dit-il. Les gens dont parlait Diana étaient déjà bien assez coupables comme cela. Il abandonna son sandwich, trop scandalisé et stupéfait pour continuer. Bon, c'était sans doute de la naïveté de sa part – après tout, le peu qu'il avait vu dans l'exercice de son métier lui avait prouvé qu'il y avait beaucoup de malhonnêteté en haut lieu, mais à présent on était en guerre, bon sang ! Bien entendu, il fallait être fou pour désirer la guerre, mais les circonstances avaient changé. Il secoua la tête, déconcerté. Ces gens-là étaient plus instruits que lui, alors pourquoi ne pas voir ce qui crevait les yeux – qui plus est, au bout de plusieurs mois de bombardements ? Peut-être étaient-ils trop bêtes, ou trop égocentriques, pour comprendre que le monde avait changé. Cette idée le mit en colère et, pour se calmer, il concentra son attention sur un petit tableau représentant des fleurs un peu floues, derrière le bureau de Forbes-James.

– Odilon Redon, dit Diana. Vous aimez ?

– Je ne sais pas trop…, répondit-il, prudent.

Le nom était censé l'impressionner, sans doute, mais ça ne lui disait rien.

– Je ne m'y connais pas beaucoup en peinture.

Il craignait que cela lui vaille un sourire condescendant, mais Diana déclara :

– Moi non plus.

Puis, désignant d'un geste un tableau plus grand, près de la porte, à moitié caché par un tas de papiers en haut d'un meuble-classeur, elle ajouta :

– Mais je sais que celui-ci est d'un certain Henry Scott Tuke.

Stratton, qui ne l'avait pas remarqué jusque-là, fut surpris de voir un jeune garçon nu – ou, pour être plus précis, à demi nu –, de dos, debout au bord d'un étang, dans une clairière. Il aimait bien sa façon de pencher la tête, la main à la hanche, comme s'il s'interrogeait sur la température de l'eau avant d'y faire trempette. Cela lui rappela ses propres baignades dans la rivière avec d'autres fils de paysans, dans sa jeunesse, même s'il n'y avait sûrement pas eu de pédérastes rôdant sur les berges avec leur chevalet. À bien y réfléchir, tout cela avait un côté louche…

– C'est assez…

Il allait dire « osé », mais, voyant qu'elle rougissait, il prononça le mot « intéressant » à la place. Pourquoi attirer son attention sur cette peinture, si ça la gênait ?

– Un jour, je lui ai posé la question, dit-elle. C'est un cadeau d'Apse.

– Oh !

Voilà qui expliquait le choix du sujet, mais pas pourquoi le colonel avait choisi d'exposer la chose, ni pourquoi sir Neville la lui avait offerte, pour commencer.

Il contempla fixement le tableau tandis que Diana s'occupait à reboucher la bouteille et à enlever les assiettes. Au moins, ce garçon ressemblait à un être réel, pas comme toutes ces bonnes femmes de la Renaissance qu'il avait vues à la National Gallery et qui semblaient avoir eu les nichons battus à grands coups de louche…

– C'est bien peint, dit-il quand elle revint de la cuisine avec le café. J'aime les choses qui ressemblent à ce qu'elles sont.

– Moi aussi.

Diana déposa son plateau.

– La vie est déjà assez embrouillée comme ça. Café ?

– Merci.

– Que va devenir Helen, inspecteur ?

Flatté de voir qu'elle le croyait en mesure de répondre, Stratton dit qu'il ne pouvait rien certifier, mais que son cas ne devait pas être trop grave.

– Je crois qu'elle a dit la vérité, ce matin, en affirmant tout ignorer de ces documents.

Stratton acquiesça.

– Alors, elle n'a rien à se reprocher, n'est-ce pas ? Sinon sa sottise…

De nouveau, Diana se mit à rougir. Peut-être, songea Stratton, l'idée d'Helen au lit avec Wymark l'avait-elle choquée ? Si c'était le cas, tant de pudibonderie ne cadrait pas avec ce qu'il savait de son caractère, en particulier ce qu'il avait vu de sa conduite envers l'homme qui l'avait emmenée déjeuner le jour où il l'avait rencontrée pour la première fois, mais il ne voyait pas d'autre explication. Il était sur le point de dire que oui, Helen Pender était sotte, mais pas méchante, quand Forbes-James apparut.

– Matinée fructueuse ? dit-il.

Diana fit un pas en arrière, laissant le champ libre à Stratton.

– Mlle Pender semble amoureuse de M. Wymark, dit-il, mais elle affirme ignorer qu'il dérobait des documents à l'ambassade. Nous l'avons interrogée toute la matinée, colonel, et elle a nié toute implication.

– Diana ?

– Je suis d'accord, colonel.

– Bien.

– Vous avez déjeuné ?

Le colonel agita la main.

– Plus tard. Apportez-moi à boire, voulez-vous ? Un scotch fera l'affaire.

Il coinça une cigarette entre ses lèvres et se mit à brasser des papiers sur son bureau surchargé. Stratton, identifiant le prélude à la recherche infructueuse d'un briquet, s'avança avec une allumette. Forbes-James inhala à fond, et, quand Diana plaça son verre devant lui, il reprit sa place, satisfait.

– Asseyez-vous, asseyez-vous…

Dociles, ils s'installèrent côte à côte sur le divan, et comme Diana lui souriait, Stratton se surprit à lui rendre la pareille.

– J'ai interrogé Wymark. Ça confirme ce qu'on pensait – son but était d'empêcher l'Amérique d'entrer en guerre. Il l'a dit tout de suite. Prétend servir loyalement son pays, agir au mieux de ses intérêts, et cetera. Intraitable. Et il refuse de dire comment il comptait faire passer les documents à travers l'Atlantique. Ritter, le type de l'ambassade, affirme qu'il n'a pas accès aux canaux diplomatiques, ce qui pourrait être vrai. Hélas, nous ne sommes pas en position d'enquêter – l'ambassade est assez fâchée contre nous, autant que contre Wymark, et un incident serait vraiment très mal venu. (Il soupira.) Le plus plausible, s'il est vrai qu'il n'avait pas accès aux voies diplomatiques, c'est qu'il comptait envoyer ces documents via un pays neutre. C'est déjà arrivé par le passé. Donc, soit il a un contact avec une autre ambassade, soit…

Il s'interrompit et haussa un sourcil à l'adresse de Diana.

– Soit c'est Apse, colonel…

– Tout à fait !

Il regarda Stratton.

– Pour nous deux, le moment est venu, je crois, d'aller bavarder avec sir Neville. Bavarder, répéta-t-il de manière marquée. On ne va pas l'arrêter, sauf s'il avoue.

– Mais, colonel…

Forbes-James lui fit signe de se taire.

– Il nous faudrait plus de preuves. Et vous me laisserez parler. Vous ne lui poserez pas de questions, sauf si je vous le demande.

Stratton ouvrit la bouche pour protester, puis se ravisa.

– Vous, vous restez ici, dit le colonel à Diana. Vous gardez la baraque.

– Oui, colonel.

Stratton crut percevoir qu'elle était extrêmement soulagée.

Forbes-James ne parla pas en descendant l'escalier, mais en traversant le jardin vers Frobisher House, il demanda :

– Comment Mlle Pender a-t-elle réagi en voyant Mme Calthrop ?

– Elle était bouleversée, et très en colère. Elle l'a traitée de tous les noms…

– C'était sincère, d'après vous ?

– Oui, colonel.

– Et comment Mme Calthrop s'est-elle comportée ?

– Elle n'a pas pu dire grand-chose parce que Mlle Pender hurlait et on a mis un certain temps à la calmer. Il a fallu faire venir le médecin. Visiblement, Mme Calthrop était ébranlée, mais elle ne s'est pas laissé émouvoir – en apparence, du moins. Elle a gardé son sang-froid.

– Je vois. Et comment la trouvez-vous, vous-même ?

Stratton, surpris par cette question, ne trouva rien à répondre, sinon « superbe » et renversante ».

– Je ne parle pas de son physique, ajouta Forbes-James, l'air amusé. Ça, ça va de soi.

– Elle est très dévouée, dit Stratton, qui se sentait bête. C'est une bonne professionnelle, j'imagine.

– Oui, mais elle est vulnérable. Les belles femmes le sont toujours.

Ils atteignirent l'entrée de Frobisher House et Forbes-James fit une pause.

– Avant de monter, il y a quelque chose dont je n'ai pas parlé. Pendant que Mme Calthrop recopiait le document codé qu'elle a trouvé dans l'appartement d'Apse, celui-ci est revenu. À l'improviste, bien sûr. C'est ma faute, j'en ai peur. Il m'avait dit qu'il allait voir sa famille à la campagne, donc j'avais donné à Mme Calthrop la permission d'aller chez lui dans la soirée. Il est revenu avec un gigolo. Mme Calthrop s'est débrouillée pour se cacher et s'éclipser, mais – pour parler carrément – elle les a entendus batifoler…

– Bon sang ! s'exclama Stratton.

Donc, en désignant le tableau et en lui disant qui l'avait offert, Diana avait tenté de lui communiquer ce qu'elle savait d'Apse. Pas étonnant qu'elle ait usé d'un moyen détourné.

– C'est regrettable. Je crains qu'elle en ait été affectée. On sait que ces choses-là ont cours, mais… (Il haussa les épaules.) Si au moins ils avaient pu être discrets…

– Il croyait l'être, je suppose, colonel.

– Pas en faisant ça chez lui. Cela nous rend la situation difficile.

Forbes-James ouvrit la porte.

– Entrez…

Le suivant dans le hall d'entrée, Stratton se demanda si ce « nous » faisait référence aux services secrets ou aux homosexuels en général. Manifestement, Forbes-James pensait aux services secrets, puis, se rappelant le tableau du jeune garçon nu, Stratton se dit : « En serait-il, lui aussi… ? » Et pourquoi l'interroger sur Diana ? Il n'était qu'un flic, bon sang – quelle importance pouvait avoir son opinion ? Peut-être la soupçonnait-il de quelque chose… « Du diable si je le sais ! Je devrais arrêter de gamberger, c'est simplement leur façon de parler – on en vient à penser que tout est à double sens. Si j'avais passé ma vie à poignarder mes vieux copains dans le dos dans l'intérêt supérieur de la nation, je parlerais sans doute moi aussi par charades. »

Soudain, il eut la nostalgie de son bureau encombré de Great Marlborough Street. Au moins, avec des types comme Abie Marks, on savait où on en était. Et on ne se sentait pas idiot d'ignorer tout de la peinture et du bon vin.

49

D'un commun accord, Forbes-James et Stratton retournèrent à Nelson House sans parler. L'interrogatoire avait été une perte de temps. Apse avait tout nié en bloc et déclaré que Diana avait inventé le message codé pour ensuite faire semblant de l'avoir trouvé chez lui. À leur retour, Forbes-James congédia Diana et Margot, et ils se mirent à savourer de grands verres de scotch. Stratton avait cru que Forbes-James se lancerait dans un résumé de leur entrevue avec sir Neville, mais en fait, il mit les coudes sur le bureau et se pencha en avant.

– Alors ?

– Il ment, colonel. Soit il est pro-fasciste, soit un membre du Right Club le fait chanter pour son homosexualité.

– C'est très possible. Mais nous n'avons que la parole de Mme Calthrop qui prétend avoir trouvé le document dans sa cuisine et l'avoir entendu dans sa chambre, avec le garçon…

Stratton faillit s'étrangler avec sa gorgée de scotch – qui était, comme il l'avait deviné, bien supérieur en qualité à celui qu'il avait à la maison – et dit :

– Elle n'aurait pas pu inventer ça, colonel.

– Toute seule, non…

– Vous voulez dire…

– Son nom figure sur la liste des membres du Right Club trouvée chez Wymark.

– Forcément, puisque vous l'aviez chargée de les infiltrer !

– Le nom d'Apse n'y était pas. Et cette liste, à notre connaissance, est exhaustive.

– Vous ne m'aviez pas dit ça, colonel.

– Non, en effet. J'aurais peut-être dû…

« Oui, songea Stratton. Un peu que tu aurais dû, si tu veux que je te sois d'une quelconque utilité ! » C'était peut-être les méthodes des services secrets, mais cette manie de dire les choses à la dernière minute, et jamais de façon complète, c'était sacrément déroutant.

– Apse a dit qu'elle a fait bon nombre de remarques pro-fascistes pendant qu'elle travaillait pour lui.

– Mais elle s'efforçait de découvrir si lui-même…

– Oui, mais il est aussi possible qu'elle ait forgé ce document. Du reste, elle n'avait même pas besoin de le faire – ni même d'aller chez Apse ce soir-là. Je le répète, nous n'avons que sa parole.

– Mais si elle agissait pour le compte du Right Club, à quoi bon incriminer sir Neville ? Si c'est une affaire de chantage, il leur suffisait de faire pression sur lui ; vous avez vu le film, colonel…

– Oui, comme vous. Mais on ne sait pas si quelqu'un d'autre l'a vu. Diana a passé beaucoup de temps avec des membres du Right Club, et elle a également eu une liaison avec l'un de mes hommes – un agent double qui est arrivé de Lisbonne il y a plusieurs mois, briefé par l'Abwehr – même si elle avait commencé son travail d'infiltration avant de le rencontrer. Et si cet homme ne m'a donné aucune raison de douter de sa fiabilité, et bien que Diana m'assure qu'elle a rompu avec lui, on ne peut pas être certain, dans l'un et l'autre cas…

« Donc, j'avais raison, songea Stratton. Le type qui l'a emmenée déjeuner… »

– Comme je l'ai dit tout à l'heure, les belles femmes sont vulnérables.

– Mais pourquoi Mme Calthrop vous parlerait d'un message codé dans l'appartement de sir Neville ? Si elle agissait pour le compte du Right Club, elle aurait su que le code pouvait être déchiffré et qu'on remonterait à Wymark. Et si elle travaille pour les Allemands, son but est d'empêcher l'Amérique d'entrer en guerre, et tout ce qui peut nuire aux chances de réélection de Roosevelt va dans ce sens. C'est absurde.

– En apparence, voulez-vous dire…

« Parce que je ne sais pas ce qui se trame », songea Stratton.

– Et la réaction de Mlle Pender, ce matin ? dit-il.

– Elle n'était pas forcément au courant de la situation.

– Mais, tout de même…

– Le Right Club avait peut-être besoin de discréditer Apse pour d'autres raisons, et Diana ne savait pas forcément que le message pourrait être facilement décodé. Ou – c'est tout à fait possible – on a pu lui donner le mauvais document par erreur.

Stratton ouvrit de grands yeux.

– Croyez-moi, ça arrive. C'est étonnant comme le plan le plus finement ourdi peut tourner au sac de nœuds, dit Forbes-James avec affabilité. Très fréquent, ça… surtout en temps de guerre.

– Mais si Mme Calthrop nous double, comment aurait-elle pu atteindre ces pays neutres ?

– Par l'entremise de mon agent double. Comme je vous l'ai dit, ses contacts avec l'Abwehr sont à Lisbonne. Il convient d'envisager la situation sous tous ses angles. C'est improbable, mais pas impossible. Il ne faut rien prendre pour argent comptant.

– Merde, alors…

– Comme vous dites. Encore un peu de scotch ?

– Merci, colonel. J'en ai besoin.

Ils burent en silence pendant un moment, puis Stratton dit :

– Puis-je vous poser une question, colonel ?

– Naturellement.

– Pourquoi ne pas m'avoir laissé interroger sir Neville sur le cadavre de l'église ?

– Il a déjà nié avoir un quelconque rapport avec ça.

– Mais c'était son mouchoir, colonel. On a bien vérifié. Tout est dans mes notes.

– Je sais, mais il y a d'autres façons de procéder et nous avons besoin d'autres renseignements avant d'aller plus loin. « Rien ne sert de courir, il faut partir à point… » De plus (le colonel sourit), j'ai pu voir qu'il ne vous inspirait pas une sympathie extrême.

– Non. C'est sûr.

L'ironie affichée de sir Neville, cette façon de se foutre du monde en général, et de lui en particulier, lui était restée sur le cœur comme à leur première entrevue, mais il n'avait pas compris à quel point ça se voyait. Le côté aigri : exactement ce à quoi quelqu'un comme sir Neville – Forbes-James et, en définitive, Diana Calthrop – devait s'attendre de la part d'un prolo comme lui.

– Vous aurez votre revanche, c'est promis. Mais d'abord, il faut aller parler à Peverell Montague. Il doit être en prison à l'heure qu'il est, et notre chauffeur attend…

– J'imagine, reprit-il en descendant avec lui, que vous aimeriez bien nous étrangler tous avec nos cravates de collège ?

C'était exactement ce à quoi Stratton pensait. Il ne vit pas l'utilité de le nier, mais comme il s'apprêtait à parler, Forbes-James ajouta :

– Soit dit en passant, je pense aussi qu'il s'agit d'une affaire de chantage. À moins que Mme Calthrop ne se soit compromise, son implication semble très improbable.

« Dans ce cas, à quoi bon tout cela ? » aurait voulu dire Stratton, qui garda pourtant le silence. Comme la voiture roulait vers le pont Albert Bridge, il songea au serveur pakistanais dans les ruines du commissariat de West End Central. « Tu crois moi ignorant, colonel, et t'as raison. Moi complètement paumé. »

50

Diana était rentrée chez elle sans autre perspective qu'une soirée passée seule, à se tourmenter, suivie d'une nuit inconfortable dans l'abri, à la cave. Une nuit très différente de celle de l'avant-veille... Voir Claude ainsi, appuyé à la grille, lui avait fait oublier toutes ses résolutions, mais ça n'excusait pas sa pitoyable capitulation. Comment avait-elle pu – après ce que Lally lui avait dit ? Elle y avait pensé et repensé, tâchant de décider qui et quoi croire, mais sans parvenir à une conclusion. Elle se sentait si coupable, convaincue que chacun savait ce qu'elle avait fait, comme si les empreintes digitales de Claude étaient partout sur sa peau. Et quand Helen Pender l'avait insultée... Elle se crispa au souvenir de sa voix, remplissant la petite pièce sordide : garce, traîtresse, Janus, salope... Elle avait beau se répéter que la jeune fille était furieuse et bouleversée, impossible de chasser ce dernier mot de son esprit. Salope. Il semblait résonner tout autour d'elle, et même si elle se répétait qu'Helen ne pouvait rien savoir de Claude, il n'y avait rien à faire.

À neuf heures, et demie, après avoir passé deux heures à essayer, en vain, de se concentrer sur un roman, la sirène retentit. Elle rassembla ses affaires et était sur le point d'enfiler un pantalon et de descendre à la cave, quand on sonna à la porte. Claude ? Elle jeta le pantalon sur le lit et descendit en vitesse l'escalier. Mais ce n'était pas Claude, c'était Guy – en uniforme. Il était débraillé, avait les yeux vitreux, et il tituba en passant le seuil.

– Qu'est-ce que tu fais ici ?

– Quelle façon d'accueillir son mari…

Ôtant son paquetage de son épaule, il le flanqua par terre.

– Changement de programme…

Il parlait haut et fort, avec une sorte de jovialité agressive.

– On nous a libérés plus tôt. J'voulais voir où t'habitais…

Diana se recula.

– Tu as bu.

– Bien oss… ooservé. C'est là-haut ?

– Chéri, je te le répète, ce n'est pas assez grand pour deux.

– Juste pour cette nuit. Demain, j'vais à mon club.

– Ce n'est pas possible, Guy. Les bombardements ont commencé.

L'idée de l'emmener à la cave et d'affronter la curiosité des voisins était insupportable. Et si on avait vu Claude sortir de son appartement ? Les gens jasaient. Une fois de plus, elle crut entendre la voix perçante d'Helen Pender crier : « Salope ! »

– T'en fais pas, insista Guy. C'est juste pour voir…

– Je t'en prie, chéri…

Diana lui tapota le bras, dans le but de l'apaiser.

– Tu ne peux pas rester.

– Si, je veux. Trop crevé. J'veux me coucher.

– Très bien. Mais il faut descendre à la cave.

– Non. Tu viens avec moi…

Il lui saisit le poignet et le secoua comme un chien qui a attrapé un os.

– Avec moi…

Vaincue, et craignant d'être surprise, Diana déclara, de guerre lasse :

– Bon, montons…

Peut-être s'endormirait-il tout de suite, lui permettant de s'échapper ?

– Allons, viens…

Le traînant en remorque, paquetage cognant contre chaque marche, elle essaya de ne pas penser à son ascension aérienne avec Claude.

Tandis que Guy balançait ses affaires sur le lit, elle chercha autour d'elle des traces de son amant. Heureusement, il n'y en avait pas.

– Chouette appart…, bredouilla-t-il. Y a quoi à boire ?

– Tu ne crois pas avoir assez bu ?

– Non, dit-il, agressif. Justement pas !

Il se laissa choir sur le tabouret de la coiffeuse et la dévisagea. Diana haussa les épaules, lui servit un whisky et s'approcha de lui avec prudence, le verre dans sa paume, comme un sucre destiné à un cheval ombrageux. Guy jeta ses mains en avant, l'attrapa par les hanches et l'attira à lui. Projetée en avant, elle vacilla mais réussit à ne rien faire tomber.

– Attention ! Tu vas en renverser !

– Pose ça…

Docile, elle déposa le verre au coin de la coiffeuse.

– Je t'en prie, lâche-moi, dit-elle doucement.

– Non !

La figure de Guy, rouge brique, les lèvres molles, se leva vers elle pendant un instant, puis il ferma les yeux et appuya sa tête contre le ventre de son épouse.

– Arrête !

Elle se rejeta en arrière si vivement qu'il bascula en avant, tête baissée, et faillit tomber du tabouret. Se redressant, il prit son verre, regarda à l'intérieur comme s'il examinait quelque breuvage expérimental, et but.

– T'es qu'une garce, Diana…

Une fois de plus, les insultes d'Helen résonnèrent dans son esprit, tandis qu'elle se tenait au milieu de la pièce. Le remords et le dégoût la submergèrent. Elle n'avait jamais pensé à Guy ici, dans son petit sanctuaire, mais sa présence incontrôlable, son œil grivois, son contact visqueux et ces relents d'alcool que son haleine avinée promenait dans toute la pièce, c'était pire que dans son imagination. Et cet homme-là était son mari ! Comment en était-elle arrivée là ?

– Peut-être bien, oui…, dit-elle, très lasse.

– T'es qu'une garce, mais…

La figure de Guy s'illumina, comme s'il avait été frappé par une idée nouvelle et révolutionnaire.

– T'es ma garce à moi. Mon épouse. Ma… (il rota) ma femme. Et t'es là, je suis là. C'est pas chouette, ça ?

– Oui, dit-elle. Très chouette…

Si elle pouvait le tranquilliser, le faire parler assez longtemps, il allait peut-être s'endormir ? Et si elle l'incitait à s'allonger ? Il allait commencer par la peloter, mais s'il était à l'horizontale, l'alcool produirait son effet plus rapidement… Quelle quantité avait-il ingérée ? Il était peut-être trop tôt pour tabler sur un évanouissement. Jamais elle ne l'avait vu ivre – éméché, oui, mais jamais ainsi – donc, impossible de savoir à quel stade il en était. Certains hommes s'endormaient, mais d'autres devenaient lubriques, avaient envie de chanter ou de se battre, voire se mettaient à pleurer… Ça paraissait un peu bizarre d'ignorer à quelle catégorie appartenait son mari.

Elle était sur le point de lui demander s'il voulait encore un peu de scotch, quand il imita un chien qui fait le beau.

– Tu veux pas être gentille avec moi ? pleurnicha-t-il. S'il te plaît… ?

Elle eut envie de vomir. Guy fit semblant de haleter, tirant une langue jaune, chargée, puis il émit un gémissement de jeune chiot. Incapable de se retenir, elle se détourna, écœurée.

– Non !

Ses flacons de parfum s'entrechoquèrent, puis se renversèrent quand il frappa la coiffeuse du plat de la main.

– Pour l'amour du ciel, Diana, qu'est-ce que t'as ?

Le plus simple était sans doute d'adopter la ligne de moindre résistance – lui donner ce qu'il voulait ; après quoi il s'endormirait et elle pourrait descendre. Il n'y avait qu'à s'avancer vers lui – faire trois pas en avant – ensuite… De toute façon, il ne serait pas capable de… donc, ça n'avait pas d'importance, mais à supposer qu'il puisse et qu'elle tombe enceinte ? Sans moyen contraceptif, ça avait toutes les chances d'arriver. On pouvait faire confiance à Claude, mais Guy désirait un enfant.

– Je te sers un autre verre ? proposa-t-elle.

Elle aurait voulu avoir un ton léger, mais sa tirade fut aiguë et nerveuse.

Guy se leva et s'avança en titubant.

– T'es ma femme, grogna-t-il, et, la prenant par les épaules, il l'attira à lui.

Prise au piège, elle se tortilla pour se libérer, secouant la tête, jouant des coudes et griffant, tout en se sentant entraînée vers le lit. Libérant un bras, elle le gifla, durement, en pleine figure. Il recula en chancelant, la libérant, puis s'étala de tout son long sur le dos, les yeux écarquillés.

Saisissant son sac à main, elle s'enfuit, dévala l'escalier et se retrouva dans les ténèbres de la rue où le bombardement battait son plein. Flamboiements, éclairs trouaient l'obscurité, le grondement des avions et les détonations n'arrêtaient pas, et une forte odeur de gaz envahissait le quartier. Longeant les grilles des habitations, elle se dirigea vers la bouche de métro de Sloane Square. À en juger par la durée des sifflements précédant les explosions, les bombes tombaient à deux kilomètres de là, quelque part sur sa gauche – Knightsbridge ? Paddington ? « Pour l'amour du ciel, ne venez pas plus près. Je ne veux pas mourir maintenant, pas comme ça, pas dans cet état-là... » De quoi parlaient les catholiques ? Ah oui, l'état de grâce. Eh bien, elle avait l'impression d'être dans l'état contraire à l'état de grâce – si cela existait.

« Ne fais pas l'idiote ! se dit-elle. Plus personne ne croit à l'enfer. C'est un truc inventé pour faire peur aux gens. Et quand bien même ça existerait, ça ne pourrait pas être pire ! » Se concentrant sur ces pensées, et mettant avec soin un pied devant l'autre, elle atteignit la station de métro, acheta un ticket pour Piccadilly Circus et se fraya un chemin parmi les corps couchés sur le quai, respirant par la bouche pour moins sentir les odeurs fortes d'humanité entassée et de seaux d'aisances. Par la suite, elle devait se dire qu'elle avait ignoré où elle se rendait, mais c'était faux. À l'heure où elle atteignit King's Road, elle savait déjà qu'elle irait chez Claude.

51

Assis sur le divan, dans Jermyn Street, Claude tenait la main de Diana qui, les larmes aux yeux, contemplait le mobilier massif et les tableaux lugubres qui l'environnaient, tout en s'efforçant de se ressaisir.

– Il était ivre, dit-elle. Il a tenté de me violer.

– Impossible, chérie, répondit Claude d'une voix enjouée. On ne viole pas sa propre épouse. On ne peut violer… (il lui caressa la cuisse)… que celles des autres.

Même dans l'état qui était le sien – elle n'avait fait que pleurer depuis son arrivée – Diana sentit la profondeur de son malaise, son désir de ne pas s'impliquer.

– Mais si ! insista-t-elle.

Elle avait besoin d'être consolée, défendue – qu'on s'indigne en sa faveur – pas de cette ironique fin de non-recevoir.

– Tu ne peux pas lui en vouloir, chérie.

Il lui caressa le bras.

– Le repos du guerrier, et tout ça… D'ailleurs, j'ai l'impression que ça ne t'a pas déplu…

– Comment peux-tu dire une chose pareille ?

– Pourtant, c'est la vérité. Pourquoi te voiler la face ?

– Tais-toi !

– Oh, arrête d'en faire toute une histoire. Tu deviens laide… Enfin, un bon débarbouillage à l'eau et au savon, et il n'y paraîtra plus !

– Je crois, dit Diana en rassemblant les lambeaux de sa dignité, que je vais m'en aller.

– Ne dis pas de bêtise. On est encore sous les bombes. Va te rafraîchir, pendant que je te sers un verre.

Elle se leva et alla dans la salle de bains. « Il ne veut pas savoir », se dit-elle. Elle ne pouvait sans doute pas lui en vouloir ; ça ne se faisait pas de se plaindre de son mari auprès de son amant – mais la déception, en plus de tout le reste, était dure à supporter.

– C'est mieux ! s'exclama-t-il, quand elle revint, toute propre, le nez repoudré. Tu es ravissante dans cette robe. Note bien…, ajouta-t-il en lui tendant son verre, que tu serais encore mieux sans…

– Tu ne comprends pas !

Elle était incapable de se contenir.

– Ce n'est pas pour ça que…

La suite se perdit dans l'ébranlement de la maison, dont les fenêtres vibrèrent.

– Ça se rapproche, dit-il en l'enlaçant par la taille. On sera plus en sécurité au lit, et bien plus à notre aise…

Il lui taquina la joue de ses lèvres.

Diana le dévisagea. Une explication eût été inutile. Il ne pouvait pas, ou ne voulait pas, comprendre. « Je n'aurais pas dû venir, songea-t-elle. J'aurais dû aller chez Lally. » Pourquoi ne l'avoir pas fait ? Elle n'y avait même pas pensé. « Suis-je à ce point inféodée à cet homme ? » Elle secoua la tête, dégoûtée d'elle-même et, trop lasse pour résister, se laissa entraîner dans la chambre, déshabiller comme une poupée, puis elle alla se glisser sur le matelas, sous le cadre surélevé, et fit ce qu'il voulait.

Ensuite, il lui caressa la joue du revers de la main et dit :

– Là ! Tu en avais besoin, hein ?

« Non ! songea Diana. Ce n'était pas de cela que j'avais besoin. » Elle aurait voulu demander : « C'est tout ce que je suis pour toi ? », mais n'osa pas.

– Il ne t'a accusée de rien, n'est-ce pas ? demanda-t-il.

– Accusée de quoi ?

– D'adultère ?

Fatiguée, elle fit non de la tête.

– Bien. Donc, il n'est pas au courant pour nous !

Il lui tapota le derrière d'un air satisfait.

« C'est tout ce qui l'intéresse, songea-t-elle. Lally a raison, il ne me prend pas au sérieux. Et c'est normal. » Alors qu'il dormait auprès d'elle, elle songea, en considérant les événements de la soirée, que Guy avait peut-être bu pour avoir le courage de la voir – ou, plutôt que de la voir, de... C'était horrible. Elle-même était horrible. Tout était horrible. En écoutant la respiration de Claude dans le silence succédant à l'attaque aérienne, elle songea : « Lui, il n'aurait pas besoin de se soûler pour affronter une femme. » Était-ce mieux, ou pire ? Elle n'en savait rien. Tout ce qu'elle savait, c'était que jamais elle ne s'était sentie aussi seule de sa vie.

Une fois revenue chez elle, dans la froideur grise du petit matin, elle trouva un mot griffonné, presque illisible, sur la coiffeuse jonchée d'épingles à cheveux, de poudre, de boîtes et flacons retournés. *Pardon. Je n'aurais pas dû venir. G.* Elle se demanda, sur le moment, s'il reprendrait contact avec elle avant d'aller se battre, mais c'était improbable. Après tout, qu'avaient-ils à se dire ?

Claude dormait encore quand elle s'était extirpée de leur abri improvisé juste après l'aurore, et elle ne l'avait pas réveillé pour lui dire au revoir. Elle aurait pu lui laisser juste un petit mot, mais elle était trop abattue. Le pire, c'était que réaliser combien elle comptait peu pour lui n'entamait pas son amour. « Pauvre fille, grinça la voix blasée dans sa tête, ce n'est guère étonnant ! » Et c'était vrai. Dès le début, son intuition – sans parler des avertissements de Forbes-James, de Lally, de tout le monde, d'ailleurs – lui avait soufflé que Claude n'avait pas de cœur. « De toute façon, songea-t-elle, c'est moi qui commets l'adultère, pas lui. Lui, il n'a rien à perdre. »

Tu es une garce, Diana. La voix pâteuse de Guy résonnant dans sa tête, elle se laissa choir dans le fauteuil, trop déprimée pour pleurer. Elle se demanda si Guy se plaindrait à sa mère et, si oui, comment il formulerait cela. Au moins, il ignorait où elle était allée, ce soir-là. Mais Evie saurait, elle. Evie devinerait aussitôt, et alors…

« Si c'est la fin de mon mariage, songea-t-elle, pourquoi je ne ressens rien ? » Guy avait raison – elle était bel et bien une garce. Donc, elle n'avait que ce qu'elle méritait, n'est-ce pas ?

52

Peverell Montague était un grand maigre au teint couleur sang de bœuf, arborant une moustache d'une blancheur impressionnante et dont l'expression rappela à Stratton l'une des formules préférées de la mère de Jenny – quand elle parlait de ces gens qui ont toujours l'air de « mastiquer un pruneau ». Il était si voûté qu'on avait l'impression qu'un poids invisible était fixé au bout de son long nez. Ce poids parut s'alourdir encore quand Forbes-James parla de la descente de police chez Wymark, au point que le front du député parut reposer sur ses bras croisés. Il était si inerte que Stratton sursauta sur sa chaise quand Montague redressa brusquement la tête et frappa du poing sur la table.

– C'est un scandale ! Quand pourrai-je voir mon avocat ?

– Demain, répondit Forbes-James.

– Je ne parlerai pas avant d'avoir pu m'entretenir avec lui.

– Il se peut, dit Forbes-James froidement, que votre avocat refuse de vous défendre…

– Ridicule ! Et je ne parlerai pas tant qu'on ne m'aura pas dit de quoi je suis accusé.

– Ce n'est pas ainsi que ça marche, dit Forbes-James, calmement. Votre dossier va être examiné par un comité consultatif, qui entend chaque prisonnier détenu dans le cadre de l'Ordonnance 18B, et il conseillera le ministre de l'Intérieur quant à l'à-propos d'une libération.

– Ainsi, la loi se réduit au bon plaisir d'un seul homme ?

– Votre affaire sera…

– Quelle affaire ? S'il n'y a pas de chef d'inculpation, il n'y a pas d'affaire ! Si je ne peux pas être justement inculpé d'un crime, je n'ai pas commis de délit. Cette idée qu'un gentleman anglais puisse être incarcéré indéfiniment sans avoir été inculpé de rien est une perversion monstrueuse de la justice. Ma cellule est infestée de poux. Ce sont des conditions de détention inacceptables.

– Nous représentons le gouvernement de Sa Majesté, monsieur Montague.

– Ah oui ! Des gens qui ont choisi de ne pas participer à la Grande Guerre. Ce sont des traîtres et des lâches, pas moi.

– M. Churchill est-il un traître et un lâche ?

– Greenwood, Morrison. Vous savez parfaitement de qui je parle. Les traîtres, c'est vous, messieurs. Malgré l'apparence de légalité, vous trahissez votre pays.

– Nous agissons dans l'intérêt de la sûreté nationale.

– Vous agissez dans l'intérêt d'une clique de politiciens véreux, à la solde des Juifs, qui veulent démolir notre pays et ses valeurs. La liberté de parole ? Supprimée ! L'habeas corpus ? Supprimé ! Et avec…

– Il s'agit d'une situation d'exception.

– Qui n'aurait jamais existé, si nous avions… – et il n'est pas trop tard – négocié la paix. Il est parfaitement possible, messieurs, de négocier avec M. Hitler, et démentiel de laisser cette folie se prolonger…

– La paix à quelles conditions ?

– M. Hitler est un homme raisonnable.

– Si raisonnable, en fait, qu'il est actuellement en train de faire pleuvoir la mort et la destruction sur les femmes et enfants britanniques.

– Nous en faisons autant sur les femmes et enfants allemands. C'est nous qui avons déclaré la guerre à l'Allemagne, nous qui avons bombardé Berlin. Un agresseur ne devrait pas s'étonner de subir des représailles, et vous ne pouvez plus continuer à croire qu'on pourrait aider la Pologne, à présent…

Stratton ne voyait guère où cette discussion les menait. Montague était un fanatique. Il parlait et gesticulait comme s'il avait été à une tribune, devant des partisans, et non enfermé dans une minuscule pièce à l'atmosphère confinée. De toute évidence, il ne les aiderait pas.

– Vous n'allez pas nier, reprit Forbes-James, que votre organisation, le Right Club, a pour but de répandre la propagande pro-nazie et antisémite ?

– Notre propagande, comme vous dites, est patriotique. D'ailleurs, j'ai peu de contacts avec elle.

– Votre épouse vous a remplacé.

Montague parut sur le point de dire quelque chose, mais Forbes-James ajouta :

– Seriez-vous prêt à défendre ce pays en cas d'invasion allemande ?

– Je considère que votre question est outrageante.

– Pourquoi ?

– Parce que je ferais mon possible pour défendre mon pays. Rien ne pourrait m'amener à nuire à la Grande-Bretagne, ou à l'Empire.

– Pourtant, vos actes contredisent cette déclaration.

– Non !

De nouveau, Montague frappa du poing sur la table.

– Je suis un loyal sujet de Sa Majesté.

– Ce n'est pas mon avis.

– Si vous estimez déloyaux tous ceux dont les vues diffèrent de celles du gouvernement, alors…

– On est loyal ou pas, monsieur Montague. Parler comme un politicien n'y change rien. Ce sont les règles du jeu. Vous ne pouvez pas les réinventer.

– Contrairement à vous, qui pouvez changer les lois d'un coup de baguette magique…

– On tourne en rond, monsieur Montague. Dites-moi : votre organisation a-t-elle reçu des fonds de l'Allemagne ?

– C'est une suggestion scandaleuse.

– Eh bien ? Vous avez, après tout, rencontré le Signor Mussolini.

– Je ne l'ai jamais nié.

– L'Union fasciste britannique a notoirement reçu des fonds de l'Italie.

– Ce n'est pas vrai.

– Qu'en savez-vous ?

– Sir Oswald l'a dit.

– Il a dit n'avoir rien à voir avec les finances du mouvement. Ce n'est pas tout à fait pareil, n'est-ce pas ?

– Il a affirmé qu'il ne fallait pas accepter d'argent, excepté de sujets britanniques.

– Mais l'origine de l'argent, c'est tout autre chose. Enfin, je ne suis pas ici pour parler de cela.

– Alors, pourquoi êtes-vous là, sinon pour m'insulter ?

– Pour demander votre aide.

Stratton recula dans son siège et fixa ses chaussures du regard. À quoi jouait donc Forbes-James ?

– Mon aide ?

– Nous allons, bien entendu, parler à votre épouse, et nous voulions d'abord éclaircir quelques points…

Forbes-James s'interrompit et scruta son interlocuteur, avant d'ajouter sur un ton détaché :

– Avant d'aller à Holloway.

Le changement d'atmosphère fut aussi brusque et frappant que si un courant électrique avait traversé la petite pièce.

– Quoi ?

Montague, presque bleu à force d'être pâle, les veines du cou ressortant et la mâchoire jouant, les dévisagea.

– Naturellement, poursuivit Forbes-James comme s'il n'avait eu aucune idée de l'effet dévastateur produit par sa grenade adroitement dégoupillée, si vous ne nous fournissez pas les renseignements nécessaires, alors…

– Attendez ! Vous avez arrêté ma femme ?

– Oui, dit Forbes-James, affable. Hier soir. Je croyais que vous le saviez…

– Je ne me doutais pas… Vous… vous ne pouvez pas.

– Si, la preuve, monsieur Montague !

– Mais c'est… c'est absurde ! C'est…

– Vous deviez quand même vous y attendre, non ? dit Forbes-James d'une voix suave. Après tout, Dame Mosley…

– Je veux la voir.

– Hélas, c'est impossible. Du moins, pour le moment.

– Quand le pourrai-je ?

– Tout dépend de vous. Il en va de la sûreté nationale, mais Mme Montague pourrait quitter la prison pour être placée en résidence surveillée. Je ne sais pas combien de temps le comité consultatif mettra à examiner son dossier, mais j'imagine que l'instruction peut prendre un certain temps. La trahison est une faute grave, monsieur Montague.

– Ma femme n'a pas agi dans…

– Mme Montague et d'autres membres du Right Club ont aidé l'ennemi en contribuant à la communication illégale de documents confidentiels à des gens hostiles aux intérêts de ce pays, affirma Forbes-James d'une voix neutre. C'est de la trahison.

– Balivernes ! Tout ce que nous avons fait, c'était pour le bien de ce pays. Vous ne pouvez pas en dire autant…

– Je doute que le peuple de ce pays considère avec indulgence une organisation prônant la négociation avec un homme qui cherche à nous réduire à sa merci par tous les moyens. Seule la peine capitale lui paraîtra un châtiment acceptable. Et maintenant…

Forbes-James se leva et Stratton, comprenant le signal, repoussa sa chaise.

– Si vous n'avez plus rien à dire, nous allons nous retirer.

– Attendez ! Que va devenir ma femme ?

– Je crains de ne pouvoir le dire, répondit Forbes-James, très calme. J'ai laissé un colis pour vous à la réception, et si…

– À quelle condition ma femme serait-elle assignée à résidence ?

– Je ne peux pas conclure un marché avec vous, monsieur Montague. Je pourrais, toutefois, faire certaines recommandations.

– Je vois…

Montague regarda à ses pieds, puis releva la tête.

– Vous avez dit avoir besoin de moi.

– Votre aide serait appréciée.

Forbes-James reprit sa place. Son regard croisa celui du détenu et, pendant un long moment, plus un mot ne fut prononcé. Une fois de plus, Stratton se sentit comme exclu d'un club, d'un milieu supérieur – bonne éducation, collèges privés, universités – auquel il ne pourrait jamais appartenir. Montague, lui – trahison ou pas –, en serait toujours membre. À Great Marlborough Street, au moins, lui, Stratton, était parmi ses égaux. Ici, malgré les odeurs corporelles et excrémentielles émanant par vagues du corridor, il n'était pas à sa place.

Montague se racla la gorge.

– Vous avez des questions à me poser, je crois ?

– Effectivement, dit Forbes-James. Les documents chez M. Wymark… vous les avez vus ?

– Non.

– Mais vous deviez bien avoir une idée de leur contenu ?

– Oui. Je dois répéter que tout ce que j'ai fait, c'était pour le bien de ce pays. Si une nation aussi puissante que l'Amérique entre en guerre, cela causera des destructions à une échelle sans précédent dans l'histoire de l'humanité.

– Si les États-Unis viennent à notre secours, monsieur Montague, nous remporterons la victoire.

– À quel prix ?

– La paix. La paix, comme disait M. Chamberlain dans un tout autre contexte, dans l'honneur. Ces documents ont attiré notre attention par le biais de l'implication de sir Neville Apse. Il nous a donné certaines informations…

Forbes-James s'interrompit pour allumer une autre cigarette, prenant son temps.

– Chantage, monsieur Montague. C'est de cela qu'on parle.

– Le chantage semble être votre spécialité, colonel, pas la mienne.

Forbes-James ignora cette pointe.

– Sir Neville n'est pas membre du Right Club, n'est-ce pas ? Son nom ne figure pas sur la liste que nous avons trouvée chez M. Wymark.

– Je ne connais pas l'existence d'une telle liste.

– J'ai cru comprendre par M. Wymark que vous la lui aviez donnée pour la mettre en lieu sûr. Ou bien, est-ce votre femme ?

– Ma femme… (la voix de Montague trembla légèrement) n'a rien à voir avec cela.

– Nous sommes loin d'en être convaincus. Vous pourriez peut-être nous aider ?

– Comment ?

– Quelques renseignements…

– Je dois dire, messieurs, que je considère votre conduite comme honteuse. Mesquine à l'extrême…

– C'est la guerre, monsieur Montague, pas une garden-party. Comment avez-vous entendu parler des… inclinations de sir Neville ?

La figure de Montague passa du pâle au rouge marbré.

– Par un dénommé Chadwick.

– Chadwick ?

Stratton sortit son calepin.

– Bobby Chadwick.

Montague prononça ce nom avec dégoût.

– Un répugnant pédéraste.

– Il est membre du Right Club ?

Montague fit signe que non.

– Il s'est présenté comme un sympathisant. D'ordinaire, bien sûr, on ne traite pas avec ce genre d'individu, mais…

Il s'interrompit.

– On n'est pas à une garden-party, murmura Forbes-James.

Montague vira au rouge cramoisi.

– Continuez…

– Il est venu me voir, soi-disant pour nous aider. Il m'a dit que sir Neville avait eu une liaison avec un ami à lui, qu'il avait une preuve.

– Quelle sorte de preuve ?

– Un film.

– Vous l'avez vu ?

– Non. Je n'en avais aucune envie. Chadwick prétendait qu'il l'avait tourné lui-même – il tenait la caméra – et qu'il savait où ça se trouvait.

– Et l'ami figurant dans ce film avec sir Neville ? demanda Stratton. Comment s'appelait-il ?

– Aucune idée. Chadwick n'a mentionné que son surnom.

– Qui était… ?

– Bunny, dit Montague avec un air de mépris.

Bunny, songea Stratton. Le nom dans les lettres de Mabel, mais ce n'était pas elle. Cela, enfin, expliquait le ton acide, les commentaires sur le décor, les orchidées et cetera. Cela voulait-il dire que sir Neville en était l'auteur – Binkie ? Et si, à leur prochaine rencontre, il s'essayait à appeler sir Neville « Sucre d'orge », juste pour voir sa réaction ?

– Pas de prénom ? demanda-t-il.

Montague fit non de la tête.

– Je n'ai pas demandé. Tout ça m'a soulevé le cœur – Chadwick était visiblement un sodomite invétéré, un ignoble individu. Je n'avais aucune envie de tisser des liens avec lui.

– Néanmoins, vous étiez prêt à le croire. Vous avez rapporté cette information à sir Neville.

– J'en ai fait usage, oui.

– Et comment a-t-il réagi ?
– Il a bien voulu nous aider.
– Comment ?
– En réceptionnant certains documents de M. Wymark et en les faisant sortir du pays. Il avait un contact à l'ambassade du Portugal.
– Cela, en échange de votre silence ?
– Oui.
– Et sir Neville n'a pas de demandé de preuve – il n'a pas demandé à voir ce film ?
– Non.
– Lui avez-vous dit que la source de cette information était Chadwick ?
Montague secoua la tête.
– Savez-vous où habite Chadwick ? demanda Stratton.
– Non, il m'a contacté à mon club.
– Quand était-ce ?
– En février. Je ne me rappelle pas la date exacte.
– Lui avez-vous offert de l'argent ?
– Oui. À ma grande surprise, il a refusé.
Stratton nota cela.
– Pouvez-vous le décrire ?
– Une tapette. Efféminé. Genre fardé. Les cheveux teints…
– Quelle couleur ?
– Auburn. Ridicule.
Le Dr Byrne, songea Stratton, n'avait pas dit que le cadavre avait les cheveux teints – seulement qu'il était brun. Mais il pouvait subsister des traces de cette teinture, même si elle avait été estompée… Et, de toute façon, Montague avait des préventions. La couleur des cheveux de Chadwick pouvait avoir été naturelle – à supposer, bien sûr, que ce fût le cadavre dans l'église.

– Quel âge avait-il ?
– La cinquantaine, je suppose.
Montague eut un geste vague.
– C'est difficile à dire avec ces gens-là.
– Sa taille ? demanda Stratton.
Montague le toisa, à la façon d'un bourreau évaluant le gabarit de sa victime qu'il s'apprête à pendre.
– Moins d'un mètre quatre-vingts. Un mètre soixante-quinze, environ. Dodu, ajouta-t-il avec une mine dégoûtée.
– L'avez-vous revu par la suite ?
– Jamais.
– Avez-vous eu de ses nouvelles ?
– Non.
– Connaissez-vous un certain Abraham, ou Abie, Marks ?
– Non.
– Le connaissez-vous de réputation ?
– Je ne fréquente pas de Juifs.
Stratton, qui ne s'attendait pas à autre chose, réagit par le silence, et au bout d'un moment, Forbes-James déclara :
– Si vous n'avez pas d'autres questions, inspecteur… ?
Stratton fit non de la tête. S'adressant à Montague, le colonel ajouta :
– Pour le moment, ce sera tout, monsieur Montague. Merci de votre coopération.
– Que va devenir ma femme ?
– Cela reste à voir.
Le colonel se leva.
– Néanmoins, soyez assuré que nous allons informer les autorités compétentes de votre attitude.
Comme il lui tendait la main, Montague plaça les siennes résolument derrière son dos.

– J'aimerais mieux, dit le colonel, qu'on se sépare en gentlemen.

– Je ne vous considère pas comme un gentleman, colonel.

Montague ne se donna même pas la peine de saluer Stratton d'un coup de menton.

– Bonsoir…

53

– Je me demande, déclara Forbes-James dans la voiture qui les emportait, jusqu'où vous pourrez pousser votre enquête. Il n'est peut-être pas dans l'intérêt du pays de faire trop de vagues. J'espère que vous le comprenez ?

Stratton soupira.

– Oui, colonel.

– C'est étonnant qu'Apse ait cédé si facilement à Montague.

– La peur, colonel. La crainte du déshonneur.

– Je sais, dit le colonel d'un air irrité, mais c'est quand même extraordinaire qu'il n'ait pas demandé d'abord à voir une copie du film. Surtout si Montague n'a pas cité le nom de Chadwick…

– Sir Neville connaissait l'existence de ce film. M. Montague a dit que Chadwick était le cameraman.

– Oui, ce doit être ça… même si ce film aurait pu être détruit, bien sûr… Ce n'est jamais une bonne idée de garder trace des folies de sa jeunesse… On sait qui pourrait être ce Bunny ?

– Oui, colonel. Par les lettres de Mlle Morgan.

– Oui, je sais que ces lettres existent, mais je ne les ai pas lues. Nous supposions qu'il n'y avait pas de rapport.

– Moi aussi, colonel, mais elles sont adressées à

un certain Bunny. J'avais supposé que c'était Mlle Morgan, mais Bunny doit être une connaissance à elle. Sinon, comment ces lettres se seraient-elles retrouvées en sa possession ?

– Hum ! Bon, j'imagine qu'il faut aller voir M. Chadwick – si vous pouvez le trouver…

– Oui, colonel. Et si c'est le cadavre dans l'église ?

Forbes-James soupira.

– Chaque chose en son temps…

– Oui, colonel. Que va devenir M. Montague ?

– Eh bien, ça m'étonnerait qu'il soit traîné en justice – je le déconseillerai. J'imagine qu'il restera en détention jusqu'à la fin de la guerre. Il s'en sortira très bien. L'élite s'en sort toujours. Ce sont les autres bougres qui en bavent…

– Ça m'étonne qu'il n'ait pas compris qu'il risquait la prison…

– Oui…

Forbes-James parut pensif.

– Il m'a paru bien naïf. Je ne le connaissais pas… Un rêveur, doublé d'un fanatique, mais moins raffiné que Mosley, qui est très intelligent, bien qu'il soit lui aussi assez naïf…

– Et Wymark ?

– J'aimerais pouvoir dire qu'il sera rapatrié puis fusillé, mais je n'en sais rien. Même si les Américains étaient d'accord, un procès public là-bas, en ce moment, nuirait aux chances de réélection de Roosevelt, donc je suppose qu'on va devoir le garder – pour le moment, du moins…

Forbes-James se tut. Par la vitre, Stratton vit des hommes ôter des grilles près d'un abri antiaérien dont les murs de briques disparaissaient sous des sacs de sable, et il se demanda si Abie Marks savait qu'il avait rendu service à un homme acoquiné (quoique à contrecœur) avec le Right Club. Peu probable. Marks s'était toujours vanté de son arrestation dans Cable Street, en 1936, même si, selon un ami de Stratton qui était de service, à ce moment-là, on ne l'avait pas arrêté pour avoir tabassé l'un des partisans de Mosley, mais pour coups et blessures sur un policier. Enfin, même si son rôle dans ce pugilat – qui avait surtout opposé les communistes et la police – était exagéré, Marks n'était pas du genre à copiner avec un antisémite comme Montague (« J'leur donnerais même pas l'heure, monsieur Stratton »). Quant à sir Neville, c'était tout différent. Pour quelqu'un comme Abie Marks, l'argent et les relations comptaient. Si sir Neville avait persuadé Marks d'aller détruire le film de Mabel Morgan, et s'il l'avait fait, qu'aurait-il pu obtenir en échange ? Si c'était bien ce qui s'était passé, alors sir Neville savait parfaitement que le film était chez Mabel, ce qui signifiait, selon toute probabilité, que son partenaire de danse était Cecil Duke, le mari de Mabel. Sinon, pourquoi l'aurait-elle détenu ?

– On vous dépose à Great Marlborough Street, déclara le colonel. Tâchez de localiser Chadwick. Je vais veiller à vous fournir toute l'assistance nécessaire… Si vous trouvez quelque chose, informez-m'en et faites vite !

– Oui, colonel.

– Bien. Je vais me procurer un spécimen de l'écriture d'Apse pour la comparer avec celle des lettres. C'était quoi, son petit nom, déjà ?

– Binkie, colonel.

– Dieu du ciel ! marmonna Forbes-James, et il ferma les yeux.

54

Stratton prit un dossier et le secoua. La fenêtre à guillotine du bureau, qui avait jusque-là refusé de s'ouvrir, était à présent, grâce aux efforts d'Arliss et à l'effet de nouvelles attaques aériennes, bloquée à mi-hauteur. Résultat : il faisait un froid de canard en ce mois de novembre et tout était recouvert d'un voile grisâtre, un genre de suie. Il prit une gorgée de thé et fit la grimace. Quelques jours seulement avaient suffi à lui faire oublier à quel point le breuvage de Cudlipp était infect. Il était en train d'allumer une cigarette pour se débarrasser du goût, quand Gaines passa la tête.

– On l'a retrouvé, inspecteur. Robert Peregrine Chadwick. Vit à Belgravia. Chester Square. À notre connaissance, il y est toujours.

Et merde, songea Stratton. Chadwick n'était pas leur cadavre. C'eût été trop facile, pas vrai ? Merde, merde et re-merde !

– Bravo ! Il a le téléphone ?

– Non, inspecteur.

– Bon !

Il souleva le combiné et souffla dessus avant de composer le numéro de Forbes-James. La compétente Margot Mentmore le pria de rester en ligne, puis le colonel dit :

– Alors ? C'est fait ?

– Oui, colonel. Robert Peregrine Chadwick. Réside au 96, Chester Square.

– Donc, ce n'est pas votre cadavre.

– Apparemment non, colonel.

– Dommage. Je vais me renseigner. Rendez-vous devant chez lui, disons… dans deux heures ? Ça devrait me laisser assez de temps…

Stratton attrapa un bus allant à Victoria puis marcha jusqu'à Chester Square où Forbes-James l'attendait à bord de la Bentley. Les demeures étaient cossues, d'un âge vénérable, majestueuses. Si Chadwick était un maître chanteur professionnel, il avait manifestement beaucoup de victimes fortunées.

– L'appartement est là-bas…

Le colonel désigna un immeuble, à une centaine de mètres.

– Cadeau posthume, apparemment, d'un certain Lionel Atwater. Célibataire endurci…, ajouta-t-il, sarcastique.

« Quelle efficacité ! » songea Stratton. Il avait dû mettre dix minutes à trouver.

– Hérita de l'appartement en 1938. A cinquante-trois ans et, si nos informations sont exactes, est toujours en vie…

Et, en effet, ce n'était pas leur cadavre, même si, aux yeux de Stratton, il était bien parti pour mourir d'une cirrhose du foie. Le « dodu » de Montague était l'adjectif adéquat, et les « cheveux teints » étaient, en fait, une perruque peu convaincante. Le bonhomme était enveloppé d'un peignoir en soie orné de dragons tourbillonnants aux yeux globuleux. Ses traits qui, comme le reste de sa personne, disparaissaient sous une épaisse couche de graisse, avaient l'aspect pâteux de la cire molle. Dressé sur le seuil, il les regardait en clignant des yeux, serrant un verre dans son poing charnu. À travers une porte, au fond du corridor, on entendait des glapissements hystériques de fausset et des pattes labourant du bois.

– Inspecteur Stratton, police judiciaire, et voici le colonel Forbes-James. On peut entrer ?

Chadwick émit un cri rauque et, joignant les mains, lâcha son verre qui se fracassa contre le parquet. Forbes-James et Stratton se reculèrent vivement pour éviter d'être aspergés, mais Chadwick parut à peine le remarquer. Trop soûl, songea Stratton, pour noter des signes de frayeur, ou même de surprise.

Le salon lui fit penser à un bordel de luxe où il avait opéré une descente, jadis, et une orgie particulièrement débridée semblait s'y être déroulée. De fragiles petits meubles de style paraissaient avoir été éparpillés au hasard, il y avait des marques de cigarettes et des taches sombres sur les divans et les fauteuils, de la cendre sur le tapis pâle, diverses bouteilles semées un peu partout. Un unique rideau de couvre-feu pendait lâchement, à moitié arraché de sa tringle, comme si on avait essayé de s'y balancer, tandis que des assiettes sales, des coussins maculés et quelques petites crottes semblaient indiquer que ni le chien ni, sans doute, son maître, n'avaient quitté les lieux depuis plusieurs jours.

– … Naaaavrééé…

Chadwick agita une main languissante devant ce bazar, s'affala sur un divan et ferma les yeux.

– Pour trouver du personnel, ces temps-ci…

Stratton n'en fut pas surpris – même si, étant donné le degré de puanteur, Chadwick aurait eu moins besoin d'une bonne que d'un bunker, de préférence tapissé de toile cirée. Forbes-James s'approcha des vestiges du coin-bar dévasté et souleva une carafe.

– Eau…, dit-il en la tendant à Stratton. Et tâchez de dégoter du café.

La cuisine n'était guère plus présentable que le salon. Stratton remplit la carafe, trouva un flacon d'essence de café et fit bouillir de l'eau. Il faillit lâcher la bouilloire en entendant une suite de petits cris provenant du salon, accompagnés par les jappements affolés de l'invisible chien. Rappliquant avec la carafe et une tasse de café bien noir, il trouva le colonel dressé au-dessus de Chadwick, qui était pelotonné sur le canapé. Stratton n'aurait pu dire si les sons qu'il produisait étaient le fruit d'une détresse authentique ou d'une simple crise de nerfs. Mais enfin, Chadwick était sans doute trop énervé pour faire lui-même la différence. Forbes-James prit la carafe, força Chadwick à se remettre sur son séant, et lui aspergea le visage.

Choqué, ce dernier crachota, hoqueta, et enfin s'essuya les yeux sur la manche de son peignoir. Ce traitement avait fait tomber sa perruque et son crâne chauve, d'une nudité obscène, ressemblait à une tortue sans carapace. Il ne fit rien pour la récupérer. Stratton lui tendit la tasse de café.

– Buvez…

Chadwick prit une gorgée, grimaça, puis, notant l'air des deux hommes penchés au-dessus de lui, avala d'un trait le liquide brûlant. Stratton, croisant le regard du colonel, retourna en chercher à la cuisine. À son retour, Chadwick semblait s'être ressaisi, et il se demanda ce que le colonel avait bien pu lui dire dans l'intervalle.

L'homme ayant bu sa seconde tasse, Forbes-James approcha une chaise de style et s'installa devant lui, faisant signe à Stratton de l'imiter.

– Et maintenant, dit-il, reprenons depuis le début. Je me présente : colonel Forbes-James... et voici l'inspecteur Stratton, de la police judiciaire. Vous allez nous parler de vos rapports avec sir Neville Apse.

– Je n'ai jamais eu aucun *rapport* avec sir Neville..., déclara Chadwick avec plus de dignité que Stratton ne l'en aurait cru capable, dans ces circonstances.

– Vous l'avez filmé en train de danser avec un autre homme.

L'autre pâlit.

– Comment l'avez-vous su ?

– Nous sommes allés voir Peverell Montague. À la prison de Brixton.

Chadwick eut comme un hoquet.

– Ce petit film, reprit Forbes-James d'un ton affable, n'était pas destiné à une projection en public, n'est-ce pas ?

– C'était... un... un divertissement privé. Ce n'est pas défendu...

– Alors, pourquoi en avoir parlé à M. Montague ?

– Vous allez m'arrêter ? demanda Chadwick d'une voix blanche.

– Tout dépend de ce que vous allez nous dire.

Chadwick contempla le désordre de la pièce d'un air absent. Son regard semblait mort et Stratton se demanda à quoi il pouvait bien penser.

– Alors ? dit Forbes-James.

– Bunny m'avait demandé de les filmer ensemble.

– Bunny ?

– Bunny Duke.

– Vous voulez dire, le mari de Mlle Morgan ?

– Mabel...

Chadwick agita la main d'un air las.

– J'étais son assistant.

– Voulez-vous dire que c'était un mariage de convenance, un mariage blanc ?

– Et comment ! Au début, elle ne savait pas, mais elle a compris très vite. Enfin, elle n'avait pas à… Bunny avait beaucoup de succès, à cette époque. Elle aimait ça, dépenser son fric. Et il y avait toujours plein d'hommes…

– Quelle était son attitude vis-à-vis du comportement de M. Duke ?

– Elle était relax, je dois dire. C'est à peu près tout ce que je peux dire en sa faveur. J'ai toujours dit à Bunny qu'il aurait dû choisir une fille plus chic, mais il aimait la vulgarité – le contraste…

– Le contraste ?

– Avec sa beauté. Parce qu'elle était superbe, dans le genre sylphide – alors qu'elle parlait comme un docker. Vulgaire, mal dégrossie, buvant comme un trou… oh, vous n'avez pas idée !

Dans l'exaltation un peu guindée de Chadwick, Stratton crut apercevoir le joli jeune homme trop gâté qu'il avait dû être avant que l'âge, l'alcool et le manque de discipline ne fassent leur œuvre.

– Bunny la trouvait tordante, mais on n'avait pas le même sens de l'humour. Bien entendu, c'est la raison pour laquelle elle n'a jamais pu jouer dans un parlant.

– Ça, et les cicatrices, dit Stratton.

– Ça, ça l'a *achevée* !

– Donc, vous connaissiez Cecil Duke avant son mariage ?

– Oh, oui ! J'avais travaillé avec lui dès le début, voyez-vous. Le tout début.

– Et vous étiez… intimes ?

– On partageait tout.

– Jusqu'à l'arrivée de sir Neville Apse.

– Oui. Bien sûr, ce n'était pas *sir* Neville, à l'époque. Je suis resté, naturellement…

Stratton, qui s'attendait à plus de méchanceté, fut surpris par la tristesse de son ton.

– Bunny a cru à son amour. Moi, je voyais bien qu'il ne pensait qu'à s'amuser – c'était le genre – alors j'ai essayé de prévenir Bunny, mais il était aveugle. Mabel s'en fichait – forcément, non ? Je ne l'ai jamais tenue pour responsable de ce qui s'est passé. D'ailleurs, Bunny ne lui aurait jamais fait ce genre de confidences.

– Pourquoi avoir continué à travailler pour lui ?

– Quoi faire d'autre ? (Il soupira.) J'étais amoureux. J'ai toujours espéré…

– Votre fidélité est bien touchante, fit Forbes-James, sarcastique, mais ça vous ennuierait de nous dire pourquoi vous avez choisi de porter ce film à l'attention de M. Montague ?

– Apse a gâché ma vie, déclara l'homme simplement. Si Bunny m'avait laissé dormir chez lui, il ne serait pas mort. Il n'y aurait pas eu cet incendie – ou sinon, j'aurais pu le sauver.

– Sir Neville était avec lui, la nuit où il est mort ?

Chadwick fit non de la tête.

– Il n'y avait que Mabel, à ma connaissance. Ça s'est passé dans leur maison dans le Sussex.

– Où ?

– À Balcombe, près de Haywards Heath.

– Quand l'avez-vous vu pour la dernière fois ?

– En mai, cette année-là. On s'était disputés – sérieusement. Par la suite, je lui avais écrit une lettre, mais il n'avait pas répondu. (Chadwick baissa la tête.) Je ne l'ai plus jamais revu.

– Donc, dit Forbes-James, vous avez parlé à M. Montague de ce film pour vous venger de sir Neville, qui s'était mis entre vous et Duke.

– Oui, fit Chadwick dans un murmure.

– Pourquoi ne pas l'avoir fait chanter directement ? Après tout, M. Montague vous a bien offert de l'argent, non ?

– Je ne suis pas un maître chanteur ! Regardez-moi, messieurs. Comment pourrais-je… ?

– Assez facilement. Ce que vous êtes, ça se voit. Vous n'aviez rien à perdre.

– À part ma peau ! protesta Chadwick.

Puis, regardant autour de lui, il ajouta :

– Pour ce qu'elle vaut… Apse a le bras long. Si je l'avais abordé en lui demandant de l'argent – entre parenthèses, je n'en ai nul besoin, grâce au généreux legs d'un ami très cher –, il aurait pu facilement me retrouver et j'aurais pu être victime d'un accident, disparaître… Mais en recourant à un tiers, je me protégeais… De toute façon, l'argent en aurait fait quelque chose de mesquin – sordide, vulgaire – et, pensez ce que vous voulez, messieurs, ce n'est pas mon style. J'ai voulu faire du mal à Apse comme il avait fait du mal à Bunny – et à moi. Le mettre dans une situation intolérable. Il m'a fallu un moment pour trouver comment procéder, mais en définitive… Et Bunny étant mort, ça ne pouvait plus lui nuire…

« Il n'est pas pire haine que celle de l'amoureux éconduit », songea Stratton.

– Avez-vous en votre possession une copie de ce film, monsieur Chadwick ? demanda-t-il.

Chadwick fit non de la tête.

– Il n'a jamais existé qu'une seule bobine.

– Qui l'a ?

– J'imagine qu'elle a été détruite dans l'incendie.

– Êtes-vous en train de me dire, fit Stratton, incrédule, que vous êtes allé trouver M. Montague sans aucune preuve matérielle ?

– Oui ! Je ne voyais pas comment faire autrement. D'ailleurs, ça a marché.

– Et personne ne vous a menacé… à aucun moment ?

– Non. De toute façon, ajouta-t-il, amer, Apse ne devait même pas se souvenir de mon nom.

– C'est vrai ?

Stratton était sceptique. À ses yeux, la seule chose positive à dire en faveur de la communauté homosexuelle, c'était qu'elle était sans castes.

– Pourquoi se serait-il souvenu de moi ? (Chadwick haussa les épaules.) Il ne s'intéressait pas à moi. J'étais un gêneur. Sans importance. Il ne me parlait pas.

– Parlait-il à Mlle Morgan ?

– Je ne sais pas s'ils se sont jamais rencontrés. Il n'y avait pas de raison… Il n'était pas souvent là quand on travaillait. Apse savait que Bunny était marié, bien sûr, et à qui, mais c'était tout.

– Sir Neville a-t-il jamais écrit à M. Duke ?

– Oh, oui ! J'ai vu certaines de ces lettres. Bunny pouvait avoir cette cruauté-là. Pas intentionnellement, s'empressa-t-il de préciser. Il les laissait traîner, par négligence…

– Mlle Morgan a donc pu les voir ?

– Oui. Elle, ça n'a pas dû l'affecter, mais moi…

– Avez-vous pris l'une ou l'autre de ces lettres ?

Chadwick secoua la tête.

– Vous pouvez fouiller l'appartement, si ça vous chante.

– Nous n'y manquerons pas, dit Forbes-James. Avez-vous une photo de M. Duke ?

– Je les ai toutes détruites. Vous ne trouverez que les lettres qu'il m'avait adressées. Naturellement, j'aurais préféré que vous ne les lisiez pas, mais…

Il haussa les épaules, résigné.

– Quand vous avez abordé M. Montague, étiez-vous, d'une façon ou d'une autre, influencé par le désir de l'aider dans son combat politique ?

Se penchant non sans difficulté, Chadwick ramassa sa perruque sur le tapis, la mit sur sa tête, et l'ajusta.

– Je sais bien, dit-il, que vous me trouvez tous deux parfaitement répugnant et ridicule. Moi-même, je me dégoûte – non pas à cause de ce que je suis, mais de ce que je suis devenu – mais je ne suis pas un traître. Et j'aimais Bunny, de tout mon cœur.

Une fois de plus, Stratton fut étrangement ému par la dignité de cet homme et il se sentit en tort, sans trop savoir pourquoi. En définitive, se dit-il en suivant Forbes-James jusqu'à la voiture après avoir fouillé l'appartement et échappé de justesse aux intentions malveillantes du petit chien enrubanné, il ne faisait que son devoir.

55

– J'ai fait comparer l'écriture d'Apse avec celle de ces lettres, déclara Forbes-James dans la Bentley qui les ramenait à Dolphin Square. Elles sont identiques.

– Vous aviez demandé un spécimen de son écriture à sir Neville ? s'étonna Stratton.

– Mme Calthrop en a trouvé un dans mes papiers. Il nous faudra une photo de Duke – il n'y en avait pas dans le coffre de Mlle Morgan. Vous pourriez peut-être voir si son jeune colocataire a quelque chose – vous m'aviez dit qu'il avait le reste de ses affaires.

– Si c'est le cas, ça se trouve chez sa sœur. Elle habite Clerkenwell Road.

Il consulta sa montre – six heures et quart.

– Je pourrais passer chez elle maintenant. Elle travaille chez une couturière mais devrait être chez elle, à l'heure où j'arriverai.

– Bonne idée !

Forbes-James se pencha pour donner ses instructions à Miss Gros-Mollets. Stratton tendit l'oreille, au cas où il aurait prononcé son nom, mais en vain.

– Sir Neville a dû avoir une sacrée frousse pour avoir cédé aussi facilement au chantage, dit-il. Et Chadwick devait être bien sûr de lui pour aller trouver Montague sans preuve matérielle de ce qu'il avançait.

– J'y pensais, justement, répondit Forbes-James.

Tout dépend de l'individu, évidemment. Il y a certains types dont les… « orientations », sont de notoriété publique – et, bien sûr, s'ils nous sont utiles…

Il haussa les épaules.

– Vous voulez dire que vous les protégez, en échange d'informations ?

– Cela doit arriver, de temps en temps, dit Forbes-James, avec un certain manque de franchise. Un autre type d'hommes pourra s'en vanter – Oscar Wilde, par exemple – surtout s'il a tendance à se croire au-dessus des lois. Au moins Apse a-t-il eu plus de jugeote que cela, et nous ne pouvons pas nous permettre un scandale.

– On ignore toujours l'identité du cadavre trouvé dans l'église, colonel.

– Ce n'est pas forcément important.

– Pas pour vous, mais…

– Je sais. Mais, je vous le répète, il n'est peut-être pas dans l'intérêt du pays de poursuivre cet aspect-là de l'enquête. « Ne pas réveiller l'eau qui dort… » Avant tout, il importe de ne pas compliquer les choses. Cigarette ?

Le colonel descendit à Dolphin Square et Stratton poursuivit sa route jusqu'à Clerkenwell, maussade. Il commençait à trouver toute cette affaire bien déprimante, et quand il pensait au fait que Johnny y était mêlé, et à la probable réaction de ses parents… Naturellement, si on lui défendait de poursuivre l'enquête, alors la mort de Mlle Morgan resterait un mystère, ce qui permettrait à Johnny (et à lui-même) de s'en tirer – du moins, jusqu'à la prochaine fois. Car, pour les garçons comme lui, il y avait toujours une prochaine fois.

Il remercia Gros-Mollets et alla dans la cour des Immeubles Peabody pour monter jusqu'au modeste appartement de Beryl Vincent.

– Vous désirez ?

Beryl parut décontenancée pendant un moment, puis ajouta :

– Vous êtes M. Stratton, n'est-ce pas ? Comment saviez-vous que Joe était là ?

– Je l'ignorais, répondit Stratton, ravi. Il va bien ?

– Attendez, je l'appelle. Jo-oe !

– C'est vous que je venais voir. Pourquoi est-il de retour ?

– Permission. On les envoie à l'étranger la semaine prochaine. Mais pourquoi vouliez-vous me voir ?

Voyant son air alarmé, Stratton déclara :

– Rien de grave ! Je me demandais juste si je ne pourrais pas jeter un coup d'œil aux affaires de Mlle Morgan.

Joe apparut dans l'embrasure. Il paraissait plus étoffé, plus costaud et sûr de lui que dans le souvenir de Stratton. Sans doute l'entraînement militaire.

– Comment va ? dit Stratton. Ça vous plaît, l'armée ?

– Je ne sais pas si c'est le terme, fit Joe en haussant les épaules, mais ce n'est pas trop dur. Je vous ai entendu parler, monsieur Stratton. Faut-il croire que vous êtes sur le point de découvrir ce qui s'est réellement passé ?

– Je l'espère…

Le visage de Beryl s'illumina tandis qu'elle s'effaçait pour le laisser passer.

– Je pense que ses affaires m'appartiennent, aujourd'hui, dit Joe. En tout cas, elles ne sont la propriété de personne d'autre. Personne n'est venu les chercher.

– Nous vous sommes très reconnaissants, monsieur Stratton, dit Beryl. Avoir veillé sur Joe comme ça. Je n'ai plus de thé, hélas… Si vous voulez un verre d'eau ou…

Stratton, réalisant qu'il n'y avait pas d'alternative, s'empressa de préciser qu'il n'avait besoin de rien, merci.

– Si vous pouviez juste me montrer où sont ses affaires…

– Je vais les chercher, dit Joe. Voulez-vous vous asseoir ?

Stratton attendit qu'on lui apporte les valises cabossées et un carton à chapeau.

– Vous allez les prendre ? demanda Beryl.

Stratton fit signe que non. Officiellement, cela n'entrait pas dans le cadre d'une enquête, donc il pouvait difficilement les rapporter au commissariat, et à quoi bon les trimballer jusqu'à Dolphin Square ? Quant à ramener tout cela chez lui, il avait déjà eu assez de problèmes avec ce genre de choses.

– Si ça ne vous fait rien, je vais regarder ça ici.

Il s'agenouilla et ouvrit la première valise. Une forte odeur de camphre lui fit froncer les narines.

– C'est surtout des vêtements, je crois, dit Joe en se penchant. Mais il y a peut-être aussi quelques lettres.

– Vous les avez lues ?

– Non. Je ne m'en sentais pas le droit.

Beryl se pencha pour ramasser une veste gris tourterelle.

– Je m'en souviens ! Il y a la jupe assortie et un corsage vert qu'elle portait avec… Ce qu'elle appelait un « ensemble » !

Elle gloussa.

– Madame Sauvin s'en étranglerait…

Stratton fouilla à travers divers vêtements, dont un corset d'un effrayant rose saumon, mais il ne trouva rien au fond, à part une paire de bottines brunes à lacets. L'autre valise contenait elle aussi des vêtements, un bidule pliant en bois que Joe identifia comme une tête à postiche, et un chapeau de paille donnant l'impression qu'on avait sauté dessus à pieds joints. Au fond de la troisième valise, il trouva une boîte en bois enveloppée d'une quantité d'étoles en laine, une queue de renard mitée faisant office de sangle. En fait, elle contenait plusieurs photos sous cadre et une petite liasse de lettres.

– Oh ! dit Beryl en se penchant pour voir. Celle-ci, je la reconnais. C'est une photo de tournage. Elle était exposée sur sa cheminée. Et celles-là…

Stratton brandit la dernière. À la différence des autres, présentées dans des cadres en argent, celle-ci était montée sur du carton fort.

– Je ne l'avais jamais vue, dit Joe. Elle ne l'a jamais montrée. Je m'en serais souvenu.

– Reconnaissez-vous cet homme ?

– Non.

C'était un brun en tenue de tennis, avec une raquette à la main et qui clignait des yeux, ébloui par le soleil.

– Peut-être son mari, dit Beryl.

– Possible.

Stratton la retourna. Ce visage ne lui rappelait pas l'inconnu du film, peut-être parce qu'il avait porté trop d'attention à sir Neville pour remarquer vraiment la tête de l'autre danseur. Il sortit son canif, découpa soigneusement le carton, et extirpa la photo.

– Il y a une inscription, dit Beryl.

– Cecil, lut Stratton. 1938. C'est son mari.

– Vous en êtes sûr ? dit Joe.

– C'était son nom.

– Oui, mais… la date. Vous êtes sûr que c'est un huit, pas un cinq ?

– Ça m'a tout l'air d'un huit. Voyez…

Stratton lui passa la photo.

– Pourquoi ?

Joe et Beryl l'examinèrent attentivement.

– C'est bien un huit, dit Joe. Mais Cecil est mort en 1935. D'après Mabel.

– Elle a pu se tromper.

– Je suis sûr que non. Enfin, c'est un truc dont on se souvient, non ? Et puis, quand on l'écrit, ça vous saute aux yeux… Parfois, il arrive qu'on se trompe avec le Nouvel An, sur les cartes de vœux, mais trois ans…

– Que vous a-t-elle dit d'autre ?

– Pas grand-chose. Juste qu'il l'avait dirigée dans ses films – c'est ainsi qu'ils se sont rencontrés – et que leur maison a pris feu… incendie qui lui a valu ça… – Joe indiqua sa joue gauche – et où son mari a trouvé la mort.

– Regardez, dit Beryl en désignant le cadre. Il y a autre chose là-dessous. Un papier.

– C'est vrai. Recommençons…

Stratton passa son canif sous le cadre et le fit jouer de façon à écarter les bords et à dégager le morceau de papier sans le déchirer.

– Une lettre !

Beryl s'agenouilla près de lui, tandis qu'il la dépliait.

Stratton lui sourit.

– Vous vous amusez bien, mademoiselle la détective ?

La jeune fille parut décontenancée.

– Eh bien, c'est passionnant – trouver des choses. Ça pourrait être important.

– Pas forcément…

Stratton jeta un coup d'œil à Joe, qui commençait à paraître mal à l'aise.

– Enfin, bref, voyons cela…

Il se mit à lire à haute voix.

Chère Mabel,

Étonnée, après tout ce temps ? Tu me croyais peut-être parti pour toujours, mais on dit que la mauvaise graine… J'avais l'intention de revenir depuis un certain temps, mais c'est pur hasard si j'ai découvert ce qui s'était passé. Max Wolcroft. Tu te souviens de lui ? Quel choc, ma chère… ! Je te ferai signe très bientôt. On en a des choses à se raconter, n'est-ce pas, chérie ? En attendant, voici une photo pour me rappeler à ton bon souvenir, et au fait, je me présente : M. Symmonds, ces jours-ci, mais appelle-moi Arthur. Au fait, qui a cramé dans l'incendie ? Tu as oublié de lui demander son nom ? Dommage pour la maison. Qu'est-ce qu'on a rigolé là-bas, hein ? Mais toutes les bonnes choses ont une fin.

Salut,

C.

– Donc, il n'est pas mort, en fait, hein ? fit Beryl, très émue. Il était ailleurs, un autre est mort dans l'incendie et Mabel a prétendu que c'était Cecil, mais…

Elle fronça les sourcils.

– Pourquoi faire une chose pareille ? Elle n'a pas pu se tromper, quand même ? On sait qui se trouve sous son toit, ou alors c'était un cambrioleur, mais alors, je ne vois pas…

– Vous avez une idée ? fit Stratton à l'adresse de Joe.

– Non. À moins que…

Le jeune homme rougit.

– Eh bien, monsieur Stratton, elle avait mené une existence assez agitée. Pimentée. Et cette lettre…

– Donne à penser qu'elle avait l'habitude de coucher avec d'autres hommes, conclut Stratton, songeur.

Chadwick avait bien insinué que Mabel était facile – il avait peut-être eu tort de traiter cela par le mépris.

– Voilà ce qui explique sa peur, poursuivit Beryl. Tu avais bien dit qu'elle avait peur, Joe, tu te souviens ?

– Je croyais que c'était à cause du couvre-feu, mais elle redoutait le retour de Cecil… Elle devait croire qu'il allait la dénoncer à la police – mais pourquoi a-t-il changé de nom ? Je ne comprends pas.

– Moi non plus, dit Stratton. Mais je ne crois pas qu'il avait l'intention d'aller à la police.

– Pourquoi ? demanda Beryl. Ce serait tout naturel… Mabel l'avait en quelque sorte tué, n'est-ce pas, en affirmant qu'il avait disparu dans l'incendie. Et il aurait dû prouver qu'il était vivant pour obtenir ses tickets de rationnement et le reste, n'est-ce pas ?

– Peut-être qu'il voulait de l'argent, dit Joe, pour prix de son silence. Mais Mabel n'en avait pas. Croyez-vous que ce soit cela, monsieur Stratton ?

– Je n'ai pas de réponses à vos questions. Et même si j'en avais, je ne dirais rien car il s'agit d'une enquête officielle. Je vais devoir emporter ceci.

Il empocha la lettre.

– Et la photo. Je vous demande de ne rien dire à personne – je dis bien : à personne ! Je ne veux pas vous faire peur, ajouta-t-il plus gentiment, mais il ne faudrait pas que se reproduise la visite de ces deux truands… C'est bien compris ?

Les jeunes gens opinèrent, les yeux écarquillés.

– Oui, dit Beryl. Vous pouvez nous faire confiance. N'est-ce pas, Joe ? On ne dira rien. Rien du tout.

56

Stratton se hâta de remonter en voiture et demanda à être ramené à Dolphin Square. Comme la Bentley revenait lentement par les rues plongées dans le noir en raison du couvre-feu, il se laissa aller contre la banquette et rêva à Mabel Morgan. Il la voyait, visage pâle et yeux immenses, pleins de terreur, s'enfuir de la maison en flammes dans sa belle chemise de nuit blanche gonflée en corolle… Mais ce n'était pas un film. La malheureuse avait dû tituber hors de la maison en criant, la peau et les cheveux en feu, sa chair fondant comme du celluloïd, tandis que son amant, pris au piège quelque part, hurlait de douleur ou suffoquait, asphyxié par la fumée. Qui était-ce ? Ses proches se demandaient-ils encore ce qu'il était devenu ? Ils ne devaient plus avoir le moindre espoir de retrouver sa trace. Quelle fin…

Symmonds. Ce nom-ci était familier. Il était tombé dessus récemment, mais quand ? Il alluma sa torche et se mit à feuilleter son calepin. Voilà : la maigrichonne qui s'était présentée au commissariat, à la recherche de son mari. *Disparu en février. Vit au 14, Poland St, Voyage d'affaires ? 45/46, cheveux bruns, raides, yeux marron, pas de dentier, cors aux pieds. Bigame ? Déposition prise (Gaines). Date de naissance donnée (16 avril 94) erronée. Podologue ?*

– Hourra ! murmura-t-il.

Le Dr Byrne avait parlé d'une prothèse dentaire, mais ce n'était pas comme de fausses dents, donc il se pouvait… cette prothèse pouvait s'être délogée à un moment donné, et n'avoir pas été remplacée.

Pour une raison quelconque – comme toucher l'assurance, si elle était dans la gêne – Mabel Morgan avait identifié un cadavre inconnu et carbonisé, peut-être celui d'un de ses amants, comme étant son mari, Cecil Duke. Et, manifestement, il n'était pas dans la combine, car, selon la lettre, il n'en avait même rien su du tout, jusqu'à sa rencontre avec ce Wolcroft. Donc, où était-il au moment de l'incendie ? Hors de Londres ? Mabel avait pris un gros risque en ce cas – il aurait pu revenir à tout moment et vendre la mèche. Plus probablement à l'étranger et l'Amérique semblait une destination plausible pour un metteur en scène.

Stratton tira la lettre de sa poche et y promena la lampe torche. Pas de date. Une rencontre fortuite… Cela avait dû être un sacré choc pour lui et ce M. Wolcroft. Si Mabel Morgan semblait être un spectre en celluloïd, Cecil Duke était, lui, un mort vivant. La peur de Mabel était compréhensible si elle s'attendait à revoir Cecil alias Arthur, qui était revenu en Angleterre et qui – si Stratton voyait juste – s'était mis en ménage avec Mme Symmonds. « Je te ferai bientôt signe. » Pour réclamer de l'argent, sans doute – l'argent qu'elle n'avait pas. Mais Cecil ne lui avait pas fait signe, n'est-ce pas ? Il avait été tué avant d'en avoir l'occasion. Il y avait peut-être autre chose…

Déposant le calepin et la lettre sur la banquette, il sortit à nouveau son canif et, la torche entre les dents, inséra la lame dans l'espace qu'il avait aménagé dans le cadre en carton et la remua de haut en bas, jusqu'à ce que…

– Ah ah !

Il y avait bien autre chose. Encore un morceau de papier.

Le dépliant, il découvrit l'en-tête : Weill, Blynde & Cartsoe, Avocats. Bien sûr, songea Stratton en se rappelant l'étiquette sur le coffre. W.B. & C. Cela devait provenir de chez eux. La lettre était datée du 27 août 1935 et était destinée à Mabel, à une adresse à Clapham. Stratton la parcourut en diagonale : *Le testament de feu votre époux… assurance… documents… effets personnels chez nous… Salutations distinguées, Thos Blynde.* Même si Cecil Duke n'avait pas laissé beaucoup d'argent, il restait l'assurance. Si lui et la maison étaient assurés, la somme avait pu être coquette… À quoi Mabel avait-elle employé cet argent ? Sans doute à joindre les deux bouts – non sans style. Gigolos, alcool, fiestas. C'était possible… Il se demanda pourquoi elle avait gardé ces lettres. Celle de l'avocat, d'accord – c'était, après tout, un document officiel. Mais celle de Cecil Duke ? La plupart des gens l'auraient déchirée ou jetée au feu.

– Qui sait ? marmonna-t-il. Les gens sont si bizarres…

Il haussa les épaules et retourna à son calepin : Mme Symmonds, 14 Poland Street. Il réfléchit un moment, puis scruta la nuit par la portière, tâchant de deviner, d'après les sombres contours des bâtiments, où ils se trouvaient. Ne voyant rien d'identifiable, il ôta la torche de sa bouche et se pencha en avant :

– Mademoiselle ?

– Oui, inspecteur ?

– Où sommes-nous ?

– Pall Mall, inspecteur. On fait un détour. Une bombe qui n'a pas explosé. Je vais passer par Vauxhall Bridge Road.

– Pouvez-vous faire demi-tour ? J'ai besoin d'aller d'abord à Poland Street. C'est dans Soho.

– Oui, inspecteur.

– Vous n'avez pas peur ?

– Bien sûr que non, inspecteur.

– Les attaques aériennes ne vont pas tarder.

– Ça ne devrait pas être trop méchant ce soir. Nuit sans lune.

– C'est vrai.

Content de voir qu'elle avait le moral, Stratton décida que c'était le moment ou jamais :

– Excusez-moi, dit-il, je voulais vous demander depuis un certain temps… Je n'ai pas saisi votre nom.

– Pas de problème, inspecteur. Legge-Brock. Rosemary.

Legge-Brock, se répéta Stratton mentalement, tandis qu'elle faisait demi-tour. Il faudrait s'en souvenir. Rosemary Legge-Brock. Ce n'était pas tellement mieux. Oh, bon… Il se demanda si Mme Symmonds serait chez elle, ou déjà partie s'abriter dans un refuge. Il pourrait toujours se renseigner au poste de la défense passive.

– Nous y sommes, inspecteur ! Je vais devoir descendre pour repérer les numéros…

– Pas la peine, dit Stratton. J'y vais. Attendez-moi ici.

Avançant d'un pas maladroit dans l'obscurité, éclairant les pas de porte de sa lampe torche, Stratton surprit un couple enlacé, dit : « Pardon » et songea que le couvre-feu avait, après tout, des avantages. Il se reprocha de n'avoir pas gardé le souvenir du sens des numéros, ayant arpenté ce quartier si souvent, à l'époque où il était îlotier... Alors qu'il levait les yeux vers une enseigne, il se sentit empoigné par le bras, rudement – « À quoi tu joues ? » – tandis qu'un faisceau lumineux lui arrivait en pleine poire, l'aveuglant quasiment.

– À moins que vous ne m'invitiez à danser, Arliss, dit Stratton, agacé, je vous conseille de me lâcher !

– Oh, pardon, inspecteur ! Je vous avais pas reconnu.

– De toute évidence... Vous ne pourriez pas me conduire jusqu'au numéro 14, par hasard ?

– Mais si, inspecteur. C'est à deux pas...

Mme Symmonds colla son visage émacié par l'ouverture de la porte, le bord métallique d'un bigoudi dépassant de son foulard enturbanné.

– C'est pour quoi ? dit-elle avec agressivité.

– Inspecteur Stratton, police judiciaire. Vous étiez venue me voir au commissariat. J'aurais encore quelques questions à vous poser au sujet de votre mari. Ça ne sera pas long.

– Ben, j'espère ! J'allais m'abriter – ça peut commencer à tout instant.

– On peut aller parler là-bas, si vous voulez.

– Pour mettre tout le monde au courant de mes affaires ? Merci bien. Vous l'avez retrouvé ?

– C'est ce dont je voulais vous parler, madame.

Elle entrouvrit encore un peu plus le battant afin de le laisser passer, à contrecœur, et lui fit signe de la suivre dans l'escalier. Refermant la porte de l'appartement derrière lui, elle s'y adossa et croisa les bras sur son inexistante poitrine.

– Bon... alors ?

Stratton balaya du regard la pièce sombre et exiguë. Pas trop propre, avec ses rideaux de dentelle jaunis et la poussière accumulée sous les chaises, mais il n'y avait pas trace d'une présence masculine, hormis un manteau au col graisseux étalé à une extrémité du divan élimé.

– J'aimerais vous montrer une photo, si vous me le permettez, dit-il.

– Bon, d'accord…

Elle lui arracha le cliché, y jeta un coup d'œil et dit :

– C'est lui. Qu'est-ce que vous lui avez fait ?

– Rien, madame Symmonds. On ne l'a pas encore retrouvé.

– Alors, d'où ça sort, ça ?

– Vous connaissiez cette photo ? riposta Stratton.

– Non. Ça doit dater de l'époque où il était en Amérique.

– C'était quand ?

– Avant qu'on se connaisse. Il était anglais, bien sûr. Jusque dans la moelle de ses os. C'était pour ses affaires qu'il était allé là-bas.

– Quelles affaires ?

L'expression et le ton vinaigré de cette femme firent soudain place à une vague incertitude.

– J'en sais trop rien, ma foi…

– Quand avez-vous fait connaissance ?

– Il y a un an. En octobre.

– Avant la guerre ?

– C'est ça, oui.

– Vous m'aviez dit être mariée depuis dix-huit ans, madame Symmonds.

– Je…

Le regard de Mme Symmonds retrouva son acuité, mais pour se fixer sur le lino, et des taches rouges marbrèrent ses joues.

– J'ai dû faire une erreur, dit-elle d'une voix étranglée.

– Sacrée erreur, dites-moi ! convint Stratton, affable, se sentant proche de la victoire. Quand vous êtes-vous mariée ?

– J'en sais trop r…

– Êtes-vous mariée, madame Symmonds ?

– Pas… tout à fait.

– Je vois. Depuis combien de temps vous faites-vous appeler Mme Symmonds ?

– C'est mon nom ! s'écria-t-elle, indignée.

– Donc, qui est M. Symmonds ?

– Mon mari. Ou plutôt, feu mon mari…

– Qui s'appelait Arthur Symmonds, n'est-ce pas ?

– Oui.

– Et vous étiez mariés depuis dix-huit ans quand il est mort ?

– Oui. Il est décédé en août.

– Où est-il mort ?

– Ici, dans cette pièce.

Elle regarda autour d'elle comme si elle s'attendait à voir le défunt, les yeux vitreux et rembourré avec du crin, debout dans un coin et prêt à confirmer.

– Avez-vous signalé son décès ?

– Comment ça ?

– En avez-vous informé les autorités compétentes ?

– Je ne pouvais pas le laisser ici, pas vrai ? répondit-elle d'un ton aigre.

– Je veux dire : toutes les autorités compétentes…

Elle le fusilla du regard. Les taches rouges sur ses joues étaient à présent rutilantes.

– On peut facilement vérifier, ajouta Stratton. Les fraudeurs sont sévèrement punis…

– Comment j'aurais pu m'en sortir ? explosa-t-elle. J'ai pas d'enfant. Mon fils est mort à l'âge de six ans. La tuberculose… Arthur touchait une petite pension pour invalidité, et j'ai…

– Continué à la toucher ?

– Comment faire autrement ? J'ai bien pensé à trouver un emploi, mais mes nerfs… J'ai jamais travaillé de ma vie. Je m'occupais d'Arthur, de mon fils, et j'ai pas de famille – ma sœur est au Canada – je savais pas de quel côté me tourner. J'ai pas voulu mal agir, mais la pension était là, alors… j'ai continué à aller la toucher puisque, à partir du moment où il était tombé malade, c'était moi qui me chargeais de ça, et j'ai jamais cru…

– C'est alors que vous avez rencontré l'homme qui se fait passer pour Arthur Symmonds. Comment s'appelait-il, à l'époque ?

– Twyford. M. Henry Twyford. C'est pas son vrai nom ?

Stratton évita de s'avancer.

– On ne le sait pas encore. Avait-il un papier d'identité à son nom ?

Mme Symmonds fit non de la tête.

– Il m'avait dit que, devenu citoyen américain, il ne pouvait plus en avoir. C'était à cause de ses affaires. Il devait m'emmener là-bas, mais la guerre a éclaté. Il a dit qu'on pourrait se marier là-bas.

Stratton comprit que, pour une femme comme Mme Symmonds, qui visiblement vénérait les « affaires » dans tout leur nébuleux prestige, c'était une explication tout à fait plausible. Il était pathétiquement facile d'imaginer les rêves que ce mot d'« affaires » avait pu lui inspirer – hommes en chapeau haut de forme fumant le cigare, elle-même, parée de soie artificielle et d'un manteau de fourrure, au bras de son époux… Et comme Cecil Duke était un homme éduqué – du moins, en apparence – et s'exprimant mieux qu'elle, il n'avait sans doute eu qu'à brosser un tableau sommaire que cette femme crédule avait complété bien volontiers. Elle était veuve, seule dans la vie, et un homme comme lui avait dû être la réponse à ses prières. Et – dès lors qu'il avait réalisé qu'elle pouvait lui fournir une nouvelle identité – elle avait été la réponse aux siennes.

– Henry Twyford était-il au courant de la pension de votre époux ?

– Oui, je lui en avais parlé.

– Le bail est au nom du défunt ?

– Oui.

– Et vous aviez son extrait de naissance ?

Mme Symmonds opina.

– Donc, vous avez obtenu une carte d'identité et un carnet de rationnement à son nom ?

– Oui, pour Henry. Que vais-je devenir ? gémit-elle. J'ai tellement peur, maintenant qu'il est parti, et avec tout ça – elle désigna le ciel – alors que je suis toute seule. Je ne peux pas le supporter !

– Pourquoi ne pas vous asseoir ? dit Stratton, indiquant le divan.

Mme Symmonds le suivit, ôta le manteau et s'assit sur le divan. Le dos rond, elle resta là sans mot dire, le serrant contre sa poitrine creuse. Stratton s'installa près de l'appareil de chauffage au gaz, dans un fauteuil, et se concentra sur ses notes pendant plusieurs minutes.

– Il va prendre froid, sans ça, dit-elle soudainement, caressant le vêtement. Je le raccommodais pour lui. Et ses pauvres pieds ! J'ai toujours l'emplâtre pour ses cors. Je le gardais pour lui.

Stratton tiqua intérieurement. On pouvait désormais parier – à moins d'une espèce de miracle – que lui-même, ou un autre pauvre bougre, devrait dire à cette femme que le manteau et l'emplâtre étaient désormais inutiles.

– En fait, je le connaissais à peine, ajouta-t-elle, songeuse. Et pourtant c'était mon chéri. Ces derniers temps, ça a été très dur. Et quand il n'est pas revenu, je n'ai pas su quoi faire, mais j'ai pensé que, s'il avait ses papiers sur lui, vous pourriez le retrouver…

– La date de naissance que vous nous avez donnée…

– C'était bien la sienne – s'il ne m'a pas menti.

– Et la date de naissance de votre époux… ?

– Le 3 septembre 1896.

– Donc, il avait… quarante-quatre ans, à sa mort ?

– Oui, inspecteur. La tuberculose, comme mon fils.

– Je vois. Et le signalement que vous avez donné au commissariat, pour M. Twyford, cheveux et yeux bruns, était juste ?

– Oui… Vous allez quand même essayer de le retrouver, hein ? Maintenant que je vous ai dit la vérité. Moi, je ne pouvais pas… Oh, mon pauvre Arthur !

Mme Symmonds enfouit sa figure dans le manteau.

La voyant pleurnicher, Stratton ne ressentit que de la pitié, mais aussi du dégoût vis-à-vis de Cecil Duke ; il s'était attaqué à une proie vraiment trop facile.

– Je ferai de mon mieux, dit-il, lugubre. Soyez-en certaine.

Il s'éclaircit la voix.

– J'ai une dernière chose à vous demander, madame Symmonds, et c'est… assez délicat.

La pauvre femme leva les yeux du manteau, l'air alarmé.

– Je regrette, mais vous et M. Symmonds… – enfin, M. Twyford – aviez-vous une vraie vie de couple ?

Elle parut abasourdie, puis rougit violemment en comprenant le sens de sa remarque.

– Ce n'est… ce n'est pas illégal, n'est-ce pas ?

– Non.

Stratton sourit.

– Sinon, il faudrait arrêter la moitié de la population londonienne.

– Oh…

Mme Symmonds porta la main à sa bouche.

– Oh, mon Dieu…

– Donc, la réponse à ma question… ?

– Eh bien, répondit-elle timidement, en fait, la réponse est oui.

Intéressant, songea Stratton. Mari authentique quoique homosexuel : si Duke était bien Symmonds, alors son mariage avec Mabel Morgan n'avait manifestement pas été aussi platonique que le croyait Chadwick.

– Merci, dit-il. Maintenant, je vous conseille de vous rendre à l'abri et de vous préparer pour la nuit.

Comme ils quittaient l'appartement, Mme Symmonds lui toucha humblement le bras.

– Qu'est-ce que je vais devenir ? dit-elle.

– Malheureusement pour vous, vous ne pourrez plus continuer à toucher la pension de M. Symmonds, mais en dehors de cela, disons que vous ne recommencerez plus, n'est-ce pas ?

Malgré la pénombre du corridor, Stratton vit le soulagement se peindre sur le visage de son interlocutrice.

– Je sais pas comment vous remercier, dit-elle. J'écrirai au sujet de la pension demain matin, c'est promis.

– N'y manquez pas.

– Oh, non ! Et vous me le direz, si vous trouvez Arthur ? Même si je ne suis pas… (elle baissa la voix) vraiment sa femme ?

– Oui. Mais les nouvelles ne seront pas forcément bonnes.

– Peu importe, dit-elle avec fermeté. Je voudrais savoir. C'est ne pas savoir qui est le plus dur.

Stratton, croyant entendre Jenny – c'est horrible, d'attendre dans l'ignorance – lui prit les mains.

– Je comprends, dit-il.

Une fois dehors, elle se tourna vers lui et déclara :

– Vous savez, c'est comme si on m'ôtait un poids de la poitrine. Je ne suis pas… une mauvaise femme, et ça m'embêtait tellement de ne pas être en règle. Maintenant…

Elle s'illumina.

– Vous savez ce qu'on dit : une porte qui s'ouvre, c'est une autre qui se ferme.

– N'est-ce pas plutôt le contraire ?

Mme Symmonds parut interloquée, puis son visage s'éclaira.

– Oh, je vois ce que vous voulez dire !

Après avoir réfléchi un moment, elle ajouta :

– Non, je ne crois pas. Pas pour moi.

Sur ce, elle disparut dans les ténèbres.

57

Les sirènes retentirent au moment où Stratton retournait tristement à la voiture.

– Tout va bien, inspecteur ? demanda Mlle Legge-Brock.

Rosemary, songea Stratton. Joli prénom qui lui allait bien.

– Parfaitement. Non, ne sortez pas, je peux me débrouiller…

– Oui, inspecteur. Et maintenant, quelle destination ?

– Great Marlborough Street, je vous prie. Le commissariat. C'est juste à l'angle.

– Bien sûr, inspecteur.

Redémarrant, elle ajouta :

– Le colonel m'a ordonné de vous conduire où vous voudrez.

– C'est vrai ?

– Oui, inspecteur. Je suis à votre disposition.

« Là, je ne dirais pas non », songea Stratton en se relaxant contre la banquette, en prévision de ce court trajet.

Arliss était dans le hall, en train de laper son thé tout en bavardant avec le chef de poste. À sa vue, il se leva et salua.

– La pause, inspecteur…

– Pas de problème, Arliss.

Stratton s'appuya au guichet pour rédiger une note à l'intention de Ballard, demandant une enquête sur Cecil Duke. Il nota la date de naissance puis, se rappelant que le Dr Byrne avait donné la cinquantaine au cadavre, ajouta, *Essayer la même date jusqu'en 1885*. Par mesure de précaution, il demanda à Ballard de faire pareil pour Henry Twyford. Dans le milieu du cinéma, les gens changeaient parfois de nom ; donc c'était peut-être le sien à l'origine. Stratton nota cela, puis ajouta : *Établir aussi la date du décès de Duke/Twyford, août 1935 dans incendie maison à Balcombe, Surrey. Obtenir renseignements du commissariat local*. Il signa, ajouta en bas *Très urgent. Demander aide à Gaines au besoin.* Ça, ça lui plaira, pensa-t-il en tendant la note au chef de poste. Arliss, qui traînait là, déclara finement :

– Le commissaire Matchin n'est pas content, inspecteur.

– Quel dommage, dit Stratton, aussi aimablement que possible.

– Pas content du tout, répéta Arliss avec une certaine satisfaction. Il ne comprend pas pourquoi ils n'ont pas eu recours à un type de la Branche spéciale. Il n'apprécie pas que des officiers de police soient détournés des tâches essentielles. Il dit que ça bouleverse la routine, inspecteur.

Stratton, qui était certain qu'Arliss n'avait pas entendu le commissaire tenir ce langage, et tout aussi certain que le chef de poste gobait cela, déclara avec légèreté :

– Vous n'avez pas mieux à faire ?

– Si, inspecteur.

Arliss reposa sa tasse et tira sur sa tunique.

– J'y vais, inspecteur.

– Alors, oust !

Arliss s'en alla, puis lui lança un regard plein de ressentiment depuis le seuil de la porte où il avait repéré la Bentley garée contre le trottoir. L'entendant bougonner un : « Y en a qui s'emmerdent pas », Stratton caressa un moment l'idée de lui flanquer son pied au cul, et décida à regret que ça n'en valait pas la peine.

– Je dois téléphoner, dit-il au chef de poste qui bayait aux corneilles. Et vite ! Tate 3289.

Ce ne fut pas la voix suave de Mlle Mentmore qui répondit, mais une voix mâle – plus jeune que celle de Forbes-James, mais dénotant la même origine sociale.

– Un instant, je vous prie…

Une seconde plus tard, le colonel le prit en ligne.

– Oui ?

– J'ai quelque chose à vous signaler.

– Venez. Vous avez toujours la voiture ?

– Oui, colonel.

– Alors, je vous attends. Dites à Mlle Legge-Brock de monter aussi, vous voulez bien ?

Ce fut le beau Claude qui leur ouvrit. Comme il saluait Rosemary Legge-Brock, Stratton (qui n'avait eu droit qu'à un coup de menton symbolique) reconnut la voix entendue sur la ligne.

– Je me sauve, dit-il à la jeune femme. Forbes-James me charge de vous dire que vous n'avez qu'à vous préparer à dîner.

Chienne ! pensa Stratton, en la voyant s'illuminer tandis qu'il lui mettait la main au panier. Il fut troublé par la violence de son animosité envers cet homme – qui pouvait être, après tout, quelqu'un de bien, et se dit que c'était seulement parce que ce beau gosse avait sans aucun doute couché avec Diana, mais cela n'arrangea rien. La vérité, c'était que Diana, comme toutes celles que le beau gosse avait dû séduire, n'aurait jamais été une femme pour lui, Stratton, même s'il n'avait pas été marié. Il le regarda mettre manteau et chapeau, embrasser Mlle Legge-Brock sur la joue (elle en frétillait, la bougresse !) et quitter l'appartement.

Forbes-James apparut au seuil de son bureau.

– Entrez, entrez. Vous avez faim ? Je suis sûr que Mlle Legge-Brock pourra vous bricoler quelque chose.

– Non, merci. Ma femme m'aura gardé quelque chose, à la maison.

– Très bien, je ne vais donc pas vous retenir trop longtemps. Un verre ? Servez-vous…

– Merci, colonel.

Stratton alla se servir un petit whisky.

– Parfait. Asseyez-vous. Quoi de neuf ?

– Eh bien, colonel, on croyait que Cecil Duke avait péri dans l'incendie de la maison où il vivait avec Mabel Morgan en 1935, mais ce n'est pas le cas. Un cadavre – un inconnu, de sexe masculin – a, à tort, été identifié par Mabel Morgan comme étant celui de son mari. Ce dernier était en Amérique à cette époque, et ne se doutait de rien jusqu'à récemment.

Stratton sortit la lettre et attendit que Forbes-James l'ait lue.

– Duke semble être rentré en Angleterre sous le nom de Henry Twyford. Quand il a rencontré Mme Symmonds, qui touchait frauduleusement la pension et les rations de son époux décédé, il a tout simplement endossé l'identité du défunt. Je crois qu'il voulait revoir Mabel en vue de lui extorquer de l'argent. Cela expliquerait certainement pourquoi il n'est pas allé à la police.

– Telles que je vois les choses, déclara le colonel, tout cela soulève trois questions.

– Trois seulement, colonel ?

– Trois seulement... en ce qui nous concerne. Qui a tué Cecil Duke ?

Forbes-James brandit la photo.

– En supposant, bien sûr, que c'est bien lui votre cadavre. Pourquoi a-t-il été tué, et quel rapport avec le reste de cette affaire ?

– Un rapport très net, colonel, me semble-t-il.

– Sûrement... hélas ! Vous le savez, j'aurais préféré pouvoir éviter tout ceci, mais M. Chadwick nous a projetés en plein dedans...

– À qui le dites-vous, colonel...

Stratton se pencha en avant, les coudes sur les genoux, et fixa le tapis du regard, pensif. Il savait qu'il devait s'expliquer au sujet de Johnny, mais pas maintenant. D'abord, le dire à Jenny – et d'ailleurs rien ne pressait. Le simple fait d'y penser lui retournait l'estomac et il reposa son verre, en proie à la nausée.

– Pour vous, dit Forbes-James, Mlle Morgan aurait pu avoir exercé un chantage sur Apse au sujet du film ?

Stratton se força à reprendre pied dans la réalité.

– Comme Montague, vous voulez dire ?

– Oui.

– Non. Je ne le pense pas. Selon Joe Vincent, son ami, elle n'avait pas d'argent.

– Bon. Mais, à supposer que Duke soit le cadavre dans l'église, elle peut avoir eu une part de responsabilité dans sa mort. La situation, si j'ai bien compris, est la suivante : Mabel et Duke sont devenus étrangers l'un à l'autre – rien d'étonnant, s'il aime les hommes – il est parti, et, pour elle, il ne reviendra pas. Quand l'incendie se déclare dans la maison – sans doute accidentellement – elle en profite pour identifier le cadavre comme étant celui de son mari afin de toucher l'assurance. Elle se croit à l'abri, et c'est le cas – jusqu'au jour où son mari revient pour menacer de dénoncer cette escroquerie…

Forbes-James tapota la lettre de l'avocat que Stratton lui avait remise.

– Donc : elle le fait assassiner avant qu'il puisse parler.

– Possible, colonel, mais je ne vois pas comment elle aurait pu agir toute seule.

– On a pu l'aider…

– Vous pensez à la bande d'Abie Marks ? Ce n'est pas logique, colonel. Leurs « services » ne sont pas gratuits, et elle n'avait rien à leur donner en échange.

– Elle avait le film et les lettres…

– Mais, dans ce cas, pourquoi ne pas les leur remettre ? Pourquoi les cacher ? Elle les avait bien cachés, car Joe Vincent m'a dit qu'ils avaient retourné l'appartement… De plus, elle avait peur, si j'en crois Joe. Si elle savait qu'Apse allait envoyer quelqu'un chercher ces documents…

– Je vois ce que vous voulez dire. Mais si Apse n'avait pas voulu la payer, elle aurait pu mettre le mouchoir sur le cadavre afin de l'accuser…

– Si elle a jamais eu ce mouchoir en sa possession ! À notre connaissance, colonel, elle et Apse ne se connaissaient pas. Par ailleurs, je ne crois pas qu'il y ait le moindre rapport entre elle et Marks. Je crois que la clé de tout cela est Duke, pas Mabel. Si Duke était allé voir sir Neville de sa propre initiative, il a pu lui soutirer le mouchoir de cette façon, ou se le faire donner. Ça semble bien plus probable.

– Peut-être. Quel merdier…

Forbes-James sirota son whisky, songeur.

– Bon, comme je ne vois pas très bien ce qu'on pourrait faire d'autre ce soir, je vous suggère de rentrer chez vous. Votre homme, Ballard – croyez-vous qu'il aura trouvé des réponses d'ici à demain après-midi ?

– Je l'espère, colonel. Je lui ai dit que c'était urgent. Il faudrait aussi savoir qui a péri dans cet incendie, si ce n'est pas M. Duke…

– Je crois qu'on peut laisser cela à la gendarmerie locale – s'ils souhaitent enquêter. On se donne rendez-vous ici, demain, à treize heures ? Je demanderai à Mlle Mentmore de nous préparer une collation…

Dans la voiture qui le ramenait chez lui, Stratton contempla les ténèbres à travers sa vitre. Çà et là, on pouvait distinguer la silhouette d'un bâtiment, mais pas beaucoup plus. Oui, quel merdier. Rien que d'y penser, il en avait le tournis. Et il faudrait parler de Johnny à Jenny. Inutile de tourner autour du pot – Wallace avait cité son nom et Rogers pourrait bien être capable de l'identifier, si on le convoquait. Il se sentait coupable vis-à-vis de ce gamin – le fait de ne pas avoir été fichu de décrypter les signaux d'alarme et son comportement – mais fâché, aussi. Sans Johnny, il aurait pu retrouver un foyer paisible et jouir d'une nuit de sommeil à peu près correcte. À présent, c'était foutu et Jenny allait forcément penser qu'il n'avait pas eu confiance en elle puisqu'il ne lui avait rien dit jusque-là, alors qu'en fait il avait essayé de lui épargner ce souci-là – elle en avait bien assez avec Monica et Pete. Si seulement les enfants avaient été à la maison… Comme il aurait aimé pouvoir aller les regarder dormir dans leurs chambres, baiser leur front, leur parler, les serrer dans ses bras, les protéger. Pas seulement des bombes, mais de tout le mal sur terre. Mettant la main dans sa poche, il en retira la mini-écharpe qu'il avait volée à la poupée de Monica. La tenant dans sa paume, il caressa du pouce le tricot rose et granuleux et songea à sa fille, qui tenait de lui ses cheveux noirs et ses yeux bleus, mais de sa mère son joli minois, et se sentit complètement désemparé. Comme disait Jenny : attendre sans savoir. Et elle devait encore attendre, à présent : il croyait la voir, assoupie dans un fauteuil, la joue contre l'appui-tête, avec sur les genoux des affaires à raccommoder ou un journal abandonné.

– Ça va, inspecteur ?

Même s'il n'en avait pas conscience, il avait dû parler.

– Oh… oui. Pardon. Je pensais tout haut.

– Pas de problème, inspecteur. Vous serez bientôt à la maison.

« Oui, songea Stratton, chez moi où je vais balancer une grenade. » Il se demanda si son « foyer » allait pouvoir continuer à porter ce nom.

58

– Je suis désolé, ma chérie…

Jenny retira le mouchoir glissé dans la manche de son cardigan et se moucha.

– Pourquoi ne pas me l'avoir dit plus tôt, Ted ? Selon toi, il n'y avait pas à s'en faire. Chaque fois que je t'interrogeais, tu prétendais que je me tracassais pour rien.

– J'espérais que ça allait passer. Et je n'étais sûr de rien. Franchement, Jenny…

– Tu avais dit à Lilian qu'il ne faisait que fanfaronner. À moi aussi. À t'entendre, ce n'était que des mots…

– C'était une éventualité. J'ai cru qu'il était inutile de t'embêter avec ça…

– M'embêter ! Johnny pourrait… Il pourrait…

Elle se remit à pleurer.

– Je t'en prie, ma chérie…

Stratton se pencha au-dessus de la table de la cuisine pour lui caresser le visage, mais elle repoussa sa main.

– Je sentais bien qu'il y avait quelque chose.

– Mais alors…

Stratton était éberlué.

– Pourquoi n'as-tu rien demandé ?

– J'ai essayé ! Tu ne voulais rien dire ! Et tu rentrais si tard après avoir travaillé avec ce… dans cette grosse auto, en plus, après avoir déjeuné au restaurant…

– Une seule fois !

– Tu étais si loin, Ted…

Piqué au vif, Stratton rétorqua :

– Tu as été bien occupée aussi, à travailler au Centre d'Accueil jusqu'à point d'heure…

– Ce n'est pas vrai ! Le repas a toujours été prêt à l'heure – je n'ai pas négligé mon ménage, ne dis pas le contraire !

– Je ne dis pas le contraire – seulement qu'on n'a pas eu beaucoup de temps pour se parler, c'est tout.

– Ce n'est pas seulement une question de temps, Ted. Mais parce qu'il s'agissait de Johnny, n'est-ce pas ?

– Pas seulement. J'avais beaucoup à…

– Tu t'en fiches ?

– Bien sûr que non !

– La pauvre Lilian ! Qu'est-ce qu'on va faire ? Tu aurais dû m'en parler, Ted.

– Il fallait que je sois sûr, ma chérie.

– Tu m'as dit qu'il avait nié.

– C'est vrai, mais il est au courant, Jenny. Il connaît ce George Wallace, il connaissait Mlle Morgan. « Une vieille », tu te rappelles ?

– Mais ça pouvait être n'importe qui – n'importe quoi !

– Il a été là-bas, Jenny. Même s'il n'a pas tué Mlle Morgan, il a menacé Joe Vincent et a aidé à le tabasser, à retourner l'appartement. Wallace me l'a dit.

– Et tu crois à la parole d'un criminel plutôt qu'à celle de ton propre neveu ?

– Wallace n'a pas cité le nom de Johnny au hasard. Et il ignorait que c'était mon neveu.

– Qu'en sais-tu ?

– Il l'aurait dit. Un type pareil, s'il tient quelque chose dont il peut tirer un avantage, il n'hésite pas...

– Mais il doit exister plein de types qui s'appellent Johnny Booth. Et tu as dit que ce... Joe Machin-Chose... part avec son régiment, donc comment pourrait-il dire...

– Il y avait un autre témoin, ma chérie. L'un des locataires. Il les a décrits tous les deux.

– Mais c'était quand ils sont allés cambrioler l'appartement, pas quand cette femme a été tuée.

– Je sais, mais ces deux faits sont liés et le même individu, Abie Marks, est très certainement derrière tout cela.

– Mais ce n'est pas certain, n'est-ce pas ?

– Non. On a fait des recoupements. Je voulais être sûr...

– Mais ce n'est pas une certitude absolue... Pour ce meurtre, s'il s'agit bien d'un meurtre.

– Il ne s'agit plus seulement de détourner des bons d'essence, Jenny...

– Johnny n'est pas un assassin ! D'ailleurs, on a bien dit que c'était un suicide, non ? C'est toi-même qui me l'as dit. Le médecin légiste...

– Oui, mais...

– Tout ça, c'est lié à ces vieux films, non ? Et à cet homme avec qui tu as déjeuné au restaurant...

– Je ne peux pas en parler, Jenny.

– Pourquoi rapporter toutes ces choses à la maison ? Pourquoi ne pas oublier...

– Crois-moi, j'aimerais bien. Mais ce ne serait pas juste. Mlle Morgan mérite mieux que ça. Tout le monde mérite mieux que ça.

– Et Lilian, elle mérite que son fils soit désigné comme un assassin ?

Stratton soupira.

– Bien sûr que non. Mais ce n'est pas une simple affaire de famille.

– Il s'agit de ta propre famille !

– Je le sais bien. Mais si je sais quelque chose au sujet de Johnny, et si je me tais, alors j'enfreins la loi. J'ai gardé le silence le plus longtemps possible.

– Et si c'était Pete ?

– Ce n'est pas Pete. Et Pete ne sera jamais impliqué dans une affaire pareille, si je peux l'empêcher. C'est la faute de Reg, aussi bien que la mienne…

– Non !

Jenny se redressa sur son séant, les yeux étincelants.

– Ce n'est pas ta faute. Tu portes toujours le poids du monde sur tes épaules, et c'est un tort…

Stratton ne sut que répondre à cela.

– Je vais devoir leur parler demain. C'est pourquoi je te l'ai dit maintenant. Je ne devrais pas, mais je voulais que tu comprennes ma situation.

– On va l'arrêter tout de suite ?

– Il va être amené pour interrogatoire. Au commissariat de quartier. Je ne serai pas là.

– Tout de même…

De nouveau, Jenny se moucha et dit, avec plus d'optimisme :

– Comme ça, Lilian et Reg ne sauront pas forcément que tu es derrière tout ça…

– Si, obligatoirement. C'est mon affaire. Enfin, en partie. C'est compliqué.

– Mais tu ne vas pas être obligé de poursuivre cette enquête ! Puisqu'il s'agit d'un membre de ta famille…

– En temps ordinaire, non, mais je te le répète, c'est compliqué. S'il passe devant le juge, je devrai fournir des preuves, et…

– Oh, Ted !

Stratton fit le tour de la table et s'agenouilla à son côté. Il la prit dans ses bras et lui caressa les cheveux tandis qu'elle sanglotait contre son épaule. En l'entendant pleurer, impuissant à la réconforter, il se sentit au bas de l'échelle humaine.

59

Diana s'arrêta devant le portail de Dolphin Square, le cœur battant et avec l'impression d'avoir reçu un coup de poing dans le ventre. Apse marchait droit dans sa direction, et il l'avait vue. Aucun doute là-dessus. Elle resta clouée sur place, à s'efforcer de trouver quelque chose à dire. Depuis cette terrible nuit dans l'appartement de ce dernier, elle avait évité de penser à lui dans toute la mesure du possible, mais la réalité, affreuse, glaciale, la bouleversait et elle se sentait submergée par le sentiment de culpabilité. Un pas de plus, et il allait se trouver juste à sa hauteur – il fallait parler ! Elle promena sa salive dans sa bouche déshydratée.

– Bonjour…, réussit-elle à articuler, puis elle rentra la tête dans ses épaules, comme pour éviter son regard.

Allait-il l'insulter, la traiter de garce ? Elle se raidit, prête à essuyer un assaut. « S'il t'agresse, éloigne-toi, se dit-elle. Pars, et éloigne-toi d'un bon pas. » Elle leva les yeux sur lui.

– Diana…

Il la salua d'un brusque coup de menton et fit mine de passer son chemin, mais s'arrêta.

– Moi qui croyais pouvoir vous faire confiance…, dit-il.

Diana ouvrit la bouche, comprit qu'elle n'avait rien à dire et la referma.

– Vous savez que ce n'est pas de mon plein gré que j'aide ces gens-là ?

Diana, prenant « ces gens-là » pour le Right Club, dit :

– Oui.

– Forbes-James a approuvé, n'est-ce pas ?

– Je ne crois pas que je devrais vous parler, dit Diana, en s'efforçant de garder une voix ferme.

– Vous avez raison. Mais c'est un jeu dangereux, Diana. Vous vous voyez peut-être comme une créature de Forbes-James, mais ça ne vous aidera pas.

Diana fit un pas en arrière.

– Que voulez-vous dire ?

Apse secoua la tête.

– Ventriss non plus. Avec de la chance, vous recevrez un avertissement, mais ensuite vous serez toute seule, et vous réaliserez que...

Il s'interrompit, tourna vivement la tête en entendant un bruit de pas sur le chemin. Suivant son regard, Diana se dit qu'elle avait déjà vu cet homme... mais où ?

– Docteur Pyke..., dit Apse, sèchement.

Ah oui ! Le voisin de Forbes-James, celui qui était venu prendre sa tension artérielle. Qui s'était « occupé » du cadavre de Julia Vigo. « Et de Dieu sait quoi d'autre », songea-t-elle.

– Sir Neville..., dit le Dr Pyke d'un air guindé. Et vous êtes Mme Calthrop, n'est-ce pas ?

– Oui, répondit Diana, prise d'une vague nausée. Comment allez-vous ?

– Très bien, merci.

Le regard du Dr Pyke n'allait pas dans sa direction, mais dans celle d'Apse qui le dévisageait avec une intensité telle qu'il lui sembla qu'on avait oublié jusqu'à son existence. Elle perçut un changement d'atmosphère presque palpable et regarda les deux hommes alternativement. Le « bonjour » cassant d'Apse lui parut si dur qu'elle faillit tressaillir. Ensuite, sur un dernier coup de menton à l'adresse de Diana, il se détourna et partit en direction de Westminster, prenant par Grosvenor Road.

Resté auprès d'elle, le Dr Pyke regarda Apse s'éloigner et disparaître de leur vue. Diana se racla la gorge. Elle aurait voulu le remercier pour ce sauvetage, mais ça n'aurait pas été approprié… non ? L'avait-il réellement sauvée, ou avait-il tenté d'empêcher Apse de lui dire quelque chose ? Il connaissait Forbes-James et, visiblement, Apse : la façon dont ces deux-là s'étaient regardé laissait entendre qu'il en savait long sur Apse et, à moins qu'elle se fît des illusions, elle avait senti quelque chose entre eux. Son esprit travailla à toute allure, prenant et rejetant des hypothèses.

– Madame Calthrop ?

– Désolée, dit Diana. J'étais ailleurs…

– Je me bornais à remarquer qu'il faisait beau, pour un mois de novembre.

– Oui, très… doux.

Elle consulta ostensiblement sa montre.

– Oh, mon Dieu ! Je dois me sauver. Le colonel va se demander où je suis passée.

– Je pense bien. Que ferait-il sans son esclave préférée ?

– Oh, ce n'est pas ça…

Diana eut un sourire contraint.

– Mais je suis en retard.

– Alors, je vous laisse…

Soulevant son chapeau, le Dr Pyke quitta le square. Diana resta sur place assez longtemps, avant de traverser le jardin, pour noter qu'il était allé dans la direction opposée à celle d'Apse. À première vue, ce petit incident était plus désagréable que vraiment fâcheux, mais elle avait eu le sentiment bizarre que le Dr Pyke en informerait le colonel même si elle-même s'en abstenait. Il savait qui elle était – sa façon de l'appeler l'« esclave préférée » de Forbes-James – ou bien était-ce pour plaisanter... ? Mais peut-être n'était-ce pas un hasard s'il était arrivé en même temps qu'Apse ? Elle ignorait dans quel appartement il habitait, mais on pouvait peut-être voir la grille de sa fenêtre ? C'était drôle de penser qu'il avait pu les épier – elle ou Apse – mais plus rien ne la surprenait. Et que voulait dire Apse, en déclarant que ni le colonel, ni Claude ne l'aiderait, et qu'elle recevrait un avertissement si elle avait de la chance ?

Le cœur lourd, et avec le sentiment de s'enfoncer dans des eaux troubles, Diana se dirigea lentement vers Nelson House.

60

– Vous vous rappelez ce type, chez le coiffeur, il y a quelques mois ? Ce scandale à propos de la brosse et des lunettes ?

– Je ne suis pas près d'oublier, inspecteur.

– Il s'appelle Rogers. Il habitait l'une de ces maisons bombardées dans Conway Street… c'était l'un des voisins de Mabel Morgan. Comme c'est un témoin potentiel, il faudrait le retrouver…

Vu sa tête, Ballard aurait bien aimé pouvoir poser quelques questions, mais il se contenta de dire :

– J'ai les détails dans mon calepin, inspecteur, mais pour savoir où il est maintenant…

– Voyez d'abord avec la défense passive. Sinon, essayez au bureau de l'assistance. Quelqu'un sait forcément.

Stratton alluma une cigarette, croyant que ça l'aiderait à se concentrer. Il était épuisé. Il avait passé la nuit coincé sur l'étroite couchette de l'abri Anderson, à écouter Jenny pleurer et à chercher une raison quelconque justifiant de ne rien dire au colonel sur Johnny. Aux alentours de quatre heures du matin, alors que les sanglots de Jenny s'étaient estompés, il avait sombré dans un sommeil perturbé et rêvé que Jenny, Lilian et Doris étaient alignées devant lui comme des juges dans un tribunal, tandis qu'il se tenait au banc des accusés et que Reg prononçait sa condamnation à mort. Du haut de la tribune, Pete et Monica lui tournaient le dos, ne voulant même pas le regarder.

Allant à son travail, il s'était tourmenté durant tout le trajet en bus. Que diraient ses enfants en apprenant que leur cousin avait été arrêté ? Monica n'avait jamais beaucoup aimé Johnny (« Il est malpoli, papa. Malpoli et méchant »), mais Pete, très certainement, aurait pu être séduit à l'idée d'intégrer son gang. À plusieurs reprises, Stratton l'avait surpris à rouler lui aussi des mécaniques, et un jour il avait piqué un paquet de cigarettes pour se faire bien voir de son cousin. Stratton lui avait infligé une bonne correction et il avait promis de ne plus recommencer, mais… Et si ses enfants ne lui pardonnaient jamais ? Ce serait le pire. Il y avait aussi, comme Jenny le lui avait rappelé alors qu'ils s'apprêtaient à se coucher, la question de Mme Chetwynd, qui pourrait très bien décider de ne plus héberger sous son toit les cousins d'un délinquant.

Réfléchir à tout cela lui donnait l'envie de l'attraper par la peau du cou pour le réduire en bouillie. Ce petit con avait gâché la vie de tout le monde, y compris la sienne. Il chassa toute cette affaire de son esprit – à quoi bon ruminer ? – et reporta son attention sur Ballard.

– Vous vous débrouillez, avec le reste ? Gaines vous donne un coup de main ?

– Oui, inspecteur.

Ballard hasarda un sourire niais, ce qui amena Stratton à se demander s'il n'aurait pas dû lui conseiller de rester discret sur son idylle. Il n'avait pas eu le temps de passer à l'action que Ballard lui fourrait une liasse de notes sous le nez.

– Voilà ce qu'on a pour le moment, inspecteur. Rien sur Henry Twyford à la date que vous m'avez donnée, mais on a trouvé un certain Cecil Henry Duke, né le 16 avril 1888 à Torquay, mort le 13 août 1935. Dans l'incendie. Identité confirmée par son épouse, Mabel Morgan. Un voisin a vu de la fumée et alerté les pompiers, mais c'était trop tard pour le sauver, lui ou la maison. La victime était carbonisée, semble-t-il.

– Donc, elle n'aurait pas pu l'identifier d'après son aspect extérieur.

– Non, inspecteur. Mais elle a dit que c'était lui… Ce n'était pas le cas ?

– J'en doute fort.

– On nous envoie le rapport, mais ça m'étonnerait qu'il contienne beaucoup de choses. Pour eux, c'était un accident. Il n'y a pas eu d'enquête.

– Ils n'avaient aucune raison d'enquêter. Voyez si on peut retrouver le dentiste de Duke dans le Sussex – s'il en avait un – et appelez le Dr Byrne. On aura besoin des photos des dents du cadavre dans l'église. Ça (il griffonna l'adresse) ce sont les détails, mais j'imagine qu'il s'en rappellera assez bien. Même sans le dossier d'un patient, un dentiste sait en général reconnaître son propre travail. Il faudra aussi contacter les grandes liaisons transatlantiques et consulter la liste des passagers pour l'Amérique – voir si Cecil Duke a fait le voyage entre… (Stratton feuilleta ses notes pour retrouver l'interrogatoire de Chadwick) mai 1935, époque où il était en Angleterre, à ce qu'on sait, et la mi-août, époque de sa mort officielle. Et voyez si l'on peut trouver une preuve de son retour, soit sous le nom de Cecil Duke, soit sous son pseudonyme : Henry Twyford, en 39, jusqu'en octobre.

– Je ferai de mon mieux, inspecteur. C'est tout ?

– Pour le moment, oui.

Stratton consulta sa montre, constata qu'il était près de midi et se demanda ce que, à part retourner les choses dans son esprit, il avait fait de sa matinée. En l'absence de Mlle Legge-Brock et de la Bentley, il décida d'aller marcher sur les quais en espérant que cela lui éclaircirait les idées, puis de se rendre en bus à Dolphin Square.

L'air frais, en réalité, n'eut pas l'effet désiré. Tout ce qu'il voyait – immeubles, abris, gens, et même ces fichus sacs de sable – semblait lui rappeler Johnny, Jenny ou les enfants. Du côté de Suffolk Place, il aperçut une maison bombardée, dont le mur extérieur et l'escalier s'étaient s'écroulés tandis que le water-closet, avec son réservoir d'eau et sa chaîne, était resté perché là-haut : une image assez bonne de sa situation professionnelle. « Et moi, songea-t-il, je suis sur le point de tirer la chasse et d'atterrir, avec toute ma famille, dans la merde. » La tête basse, mains dans les poches, il poursuivit son chemin d'un pas lent vers Whitehall.

61

– Fâcheux, cette rencontre avec Apse…

Le colonel avait pris un ton détaché.

– Je suis navré, ma chère, mais je suppose que c'était inévitable. Qu'a-t-il dit ?

– Juste qu'il avait cru pouvoir me faire confiance, répondit Diana. Et il était si pâle…

– Rien d'autre ?

– Non, colonel.

– Il ne vous a pas menacée ?

– Il l'aurait peut-être fait… si le Dr Pyke n'était venu à ma rescousse.

– Tiens ? Et que s'est-il passé ?

– Rien. Ils se sont regardés en chiens de faïence. J'ignorais qu'ils se connaissaient.

– Pourquoi l'auriez-vous su… ? Mais quand on vit au même endroit, les uns sur les autres, ce n'est guère surprenant.

– Sans doute, colonel. Mais la façon dont ils… Ce n'est sans doute pas important, mais vous m'avez demandé de tout vous dire – j'ai eu l'impression que le Dr Pyke pouvait être au courant.

– … au courant de quoi ?

– Au sujet d'Apse.

– Plus précisément ?

– De tout… toute l'affaire.

– A-t-il dit quelque chose en ce sens ?

– Non, colonel. Mais j'ai pensé… enfin, vous le connaissez, et peut-être…

Diana laissa sa phrase en suspens, puis fit une nouvelle tentative.

– Je sais que ça peut paraître idiot, mais…

– Oui, c'est idiot. Je vous ai déjà mise en garde contre le fait d'imaginer que tout le monde est impliqué dans un grand complot. C'est un état d'esprit dangereux. Cette rencontre avec Apse vous a manifestement ébranlée plus que je ne l'aurais cru, mais vous êtes plus forte que cela, Diana. À présent, cessez de vous conduire comme une petite sotte et n'en parlons plus.

– Oui, colonel.

– Au fait, à propos de sottise, il paraît que vous avez revu Ventriss ?

– Je…

– Ne vous formalisez pas. J'ai surpris une conversation entre Lally et Margot. Je me suis demandé si elles se faisaient des idées…

– Je l'ai revu par hasard, colonel, dans un club. Rien de plus.

Le colonel eut un geste agacé.

– Je vous avais prévenue, Diana.

La jeune femme contempla ses genoux. Les paroles d'Apse : « Si vous avez de la chance, vous recevrez un avertissement… » résonnèrent dans son esprit.

– Je sais, colonel.

– Vous m'avez déçu, Diana. Veillez à ce que ça ne se reproduise plus.

– Oui, colonel.

– Bon. Maintenant que c'est bien clair, je vais vous mettre au courant de la situation avant l'arrivée de l'inspecteur Stratton.

62

– J'ai fait venir Mme Calthrop pour la tenir informée des derniers développements…, déclara Forbes-James.

Stratton, en regardant la jeune femme qui débarrassait les assiettes de viande froide-salade, la trouva pâle et fatiguée, et cette vulnérabilité ne semblait pas pouvoir s'expliquer entièrement par les propos du colonel. Peut-être, songea-t-il, morose, était-ce à cause du Beau Gosse, et il fut de nouveau surpris de ressentir autant de colère à cette idée.

– … rien de neuf, de votre côté ?

La question, qui – à en croire le ton du colonel – était posée pour la seconde fois, le ramena à la réalité.

– Si, colonel.

Stratton sortit son calepin et annonça les découvertes de Ballard ainsi que les nouvelles missions qu'il lui avait confiées.

Forbes-James soupira.

– Je ne vous cache pas que tout cela devient bien trop compliqué à mon gré. Trop de gens impliqués. Et cependant, il faut continuer…

Stratton inspira à fond.

– En fait, colonel, il y a autre chose…

– Ah ?

Forbes-James, qui avait accepté le café proposé par Diana, s'arrêta de boire, la tasse en l'air.

– C'est grave ?

– J'en ai peur, colonel. Du moins, en ce qui me concerne. C'est à propos de Mlle Morgan. Comme vous le savez, je n'ai jamais cru à un suicide et Joe Vincent – le jeune homme qui vivait avec elle – a reçu la « visite » de deux truands après son décès…

– … qui étaient à la recherche de quelque chose, oui.

– Grâce au signalement de Vincent, je savais qu'un des deux était George Wallace – un homme de main d'Abie Marks. J'avais aussi les signalements d'un voisin. Après enquête, j'ai découvert que l'autre était John Booth, mon neveu.

Forbes-James le regarda avec intensité.

– Je vois. C'est regrettable… Quelqu'un le sait ?

– Juste mon épouse, inspecteur. Je lui ai demandé de garder le secret.

Forbes-James sourcilla.

– Elle se taira, colonel.

– Vous êtes sûr qu'il s'agit bien de votre neveu ?

– Wallace l'a avoué. Lui, on le garde au frais – vol de fourgonnette contenant un stock de cigarettes. Ce n'est pas tout à fait régulier, mais j'ai décidé de ne pas l'inculper de quoi que ce soit avant d'avoir éclairci son rôle dans cette affaire.

– Bon, ça rend les choses un peu plus faciles. Ce triste sire – Wallace – est-il au courant de ce lien familial ?

– Non, colonel, mais je crois que lui et mon… Booth… pourraient être impliqués dans la mort de Mlle Morgan.

– Ils l'auraient poussée, selon vous ? Assassinée ?

– Je n'irais pas jusque-là. Mais je crois qu'ils étaient sur place quand c'est arrivé. Si j'en crois mon neveu…

– Difficile à prouver, à défaut d'une confession d'un des intéressés, bien sûr… Et le cadavre dans l'église ? Là aussi, ils sont en cause ?

– Wallace le nie, colonel.

Forbes-James haussa les épaules.

– Le contraire serait étonnant, non ? Et vous, qu'en pensez-vous ?

Stratton se frotta le visage.

– À vrai dire, je n'en sais rien. Marks a un tas de types, en dehors de Wallace, pour faire le sale boulot à sa place. Et si jamais sir Neville…

– Rappelez-vous, déclara Forbes-James sévèrement, qu'il n'y a pas de lien avéré entre Apse et ce Marks.

– J'en suis conscient, colonel.

De nouveau, Forbes-James soupira.

– Eh bien, dit-il, on dirait que nous avons tous une raison de vouloir expédier cette affaire le plus discrètement possible… Comment procéder, à votre avis ?

– Pour amener Marks à parler, le mieux serait d'obtenir des aveux de Wallace, mais j'ai peur d'avoir épuisé tout mon crédit de ce côté-là. Pour le moment, du moins. Booth devrait être plus coopératif, mais il n'en sait pas forcément long sur Marks.

– Mieux vaut lui parler en premier, alors. Je me rends compte que votre position n'est pas facile…

Stratton songea, sans le dire, que c'était l'euphémisme du siècle, et il déclara :

– Je n'ai pas voulu agir sans votre aval, colonel, parce qu'il ne s'agit pas d'une enquête officielle. Du moins, en ce qui nous concerne.

– Bien sûr. Votre neveu n'est pas affilié à une organisation d'extrême droite ?

Stratton fit non de la tête.

– Pour autant que je le sache, il ne s'intéresse pas à la politique.

– Dommage. On aurait pu le détenir dans le cadre de l'Ordonnance 18B, mais ce serait pousser le bouchon un peu loin…

Forbes-James alluma une cigarette et fixa le vide pendant un moment.

– Je vais téléphoner à Scotland Yard pour expliquer la situation. Et si vous alliez faire un tour dans le square ? Prendre l'air ? Vous n'avez qu'à emmener Mme Calthrop…

Stratton et Diana se dirigèrent vers le banc le plus proche.

– Je suis désolée, dit-elle. Ce doit être affreux pour vous et votre pauvre femme.

– C'est le fils de sa sœur. Donc, c'est pire pour elle. Vous savez, madame Calthrop, j'ai cru qu'il allait me congédier…

– Forbes-James ?

– Oui.

Diana secoua la tête.

– Ce n'est pas ainsi que ça marche. D'ailleurs, il vous aime bien.

– Vous croyez ?

– Oh, oui. Et de grâce, inspecteur, ne m'appelez pas Mme Calthrop. C'est Diana.

– Ted…, dit Stratton.

Diana parut surprise.

– « Inspecteur » n'est pas mon nom de baptême, vous savez…

– Non, bien sûr ! Suis-je bête. Ted. Ted…

Elle pencha la tête de côté et le considéra.

– Vous savez, inspecteur, vous avez plutôt tout d'un Edward. Puis-je vous appeler Edward ?

– Si vous voulez, dit Stratton, interloqué par ce ton subitement badin.

– Je ne voulais pas vous offenser, ajouta-t-elle très vite, baissant les yeux. Si vous n'aimez pas qu'on vous appelle Edward…

Stratton réfléchit. Il n'aurait pas su dire exactement pourquoi, mais cela lui plaisait, de sa part.

– Ça va, dit-il. Cigarette ?

– Pourquoi pas ? Je suis sûre que Forbes-James nous fera signe, quand il voudra qu'on remonte.

Comme Stratton se penchait pour lui donner du feu, il sentit son parfum délicat, la proximité de son visage et de ses cheveux. Ce désir de l'embrasser, était-ce elle, ou juste parce qu'il avait besoin de réconfort, ou encore de penser à autre chose qu'à ce qui était en train de se tramer là-haut ?

Elle parut consciente de cela – ou de quelque chose, en tout cas – car elle se recula avec un rire nerveux et dit :

– Bien entendu, on suppose le pire, mais on ne sait pas ce qui va arriver.

– Rien de bon, en tout cas.

– Non, en effet. Vous savez…

Elle le regarda drôlement, inclinant la tête de nouveau sur son épaule.

– Quand j'étais petite, j'avais une nounou – j'en ai eu plein, mais celle-ci était plus vieille que les autres et est restée plus longtemps. Si quelqu'un évoquait l'avenir – un événement probable, ou possible – elle disait : « En tout cas, je ne serai pas là pour le voir. » Et ça lui suffisait. Moi, j'avais l'impression qu'elle pouvait voir l'avenir, prévoir la catastrophe où on trouverait tous la mort. En grandissant, j'ai eu pitié d'elle parce qu'elle n'avait jamais aucune raison de se réjouir, mais aujourd'hui je commence à avoir peur. Pas des bombes – on s'y fait – mais…

Elle regarda autour d'elle, puis vers la fenêtre de Forbes-James.

– … de tout ça. Des gens qui ne sont pas ce qu'on croit. Je ne me sens plus à l'abri nulle part… Pardon, c'est sans doute idiot, et d'ailleurs je ne devrais pas vous embêter avec cela.

– Ça ne fait rien, dit Stratton, puis, après un silence, et sans vraiment savoir ce qui l'avait poussé, sinon la nette sensation que ses propos avaient une portée plus large qu'il n'y paraissait, il ajouta : Puis-je vous poser une question ?

– Si vous voulez. Mais je ne connaîtrai pas forcément la réponse.

– Vous êtes amoureuse de lui ?

Diana étouffa un petit cri.

– … de Forbes-James ?

– Non. De l'homme que j'ai vu là-bas. (Il désigna vaguement Nelson House.) Celui qui vous emmenait déjeuner le jour où on s'est vus pour la première fois.

– Le jour où vous êtes venu voir Apse ?

– Oui.

– Oh, lui !

Stratton crut qu'elle allait éluder la question, mais en fait, elle demanda, gravement :

– Qui vous l'a dit ?

– Personne. Mais j'ai trouvé que vous aviez l'air complices.

– Oui. C'est la difficulté. « Difficulté » n'est pas le mot, d'ailleurs. Que pensez-vous de lui ?

– Je ne l'ai qu'entraperçu.

– Entraperçu. Vous avez dû vous forger une impression.

Stratton fut tenté de dire la vérité, à savoir qu'il avait été trop occupé à la regarder, elle, pour s'inquiéter de son compagnon, mais ce n'était pas une bonne idée. Comme – dans la mesure où il pouvait se fier à son propre jugement – elle semblait souhaiter une réponse honnête, il déclara :

– J'ai trouvé qu'il avait l'air dangereux.

– C'est ce que tout le monde ne cesse de me répéter. Un Casanova...

Elle se remit à rire et ajouta :

– Au fait, oui, c'est vrai... je l'aime.

– Et ce n'est pas... (Stratton hésita.) Ce n'est pas bien ?

– Non, pas bien du tout, en fait.

– Parce que... ?

– Parce que, inspecteur, dit-elle avec légèreté, comme vous l'avez déjà deviné, je suis mariée, parce que Forbes-James est furieux et qu'il m'a défendu de le revoir, et parce que Claude...

– Il s'appelle Claude ? demanda Stratton, songeant que ce misérable méritait bien ce prénom ridicule.

– Oui. Claude Ventriss. Il travaille pour Forbes-James.

– Ah, je me disais bien... Il sortait de son bureau quand je suis arrivé, la nuit dernière.

– Ah ? (Diana fronça les sourcils.) Claude n'est pas le genre d'homme qu'il faut aimer si l'on tient à préserver sa santé mentale.

Elle se leva.

– Je me demande ce qui me prend de vous raconter tout cela...

– C'est moi qui vous ai interrogée.

– Vous ne direz rien à Forbes-James, n'est-ce pas ? C'est vrai, j'ai cessé de le voir – même si personne ne me croit – mais...

Elle fit la grimace.

– Bien sûr que non. J'espère que vous ne m'en voulez pas de vous avoir questionnée.

– Non, je devrais, mais bizarrement…

Jetant un coup d'œil en l'air, elle déclara :

– Forbes-James nous fait signe… Remontons.

Tout en la suivant dans l'escalier, Stratton se demanda ce qu'elle entendait par « préserver sa santé mentale ». Il n'y avait eu rien de mélodramatique dans cette déclaration, et pourtant cela n'avait pas non plus eu l'air d'une plaisanterie – ça ne cadrerait pas avec sa lucidité, ni avec l'apparent fatalisme avec lequel elle acceptait cette situation. Mais là encore, on ne choisissait pas de tomber amoureux d'un tel, pas plus qu'on ne pouvait cesser d'aimer lorsque cela s'avérait inopportun, voire dangereux. Mais si Claude – de dégoût, sa lèvre se retroussa – si Ventriss n'était pas… comment avait-elle dit… celui qu'elle croyait, alors cela devait quand même changer ses sentiments à son égard ? « Pas bien du tout », avait-elle dit, mais n'étant pas mariée à cet individu, elle n'avait pas à se résigner d'avoir choisi le mauvais cheval. Stratton lorgna ses chevilles et se demanda comment était son mari. Comme Ventriss, sans doute : un type considérant qu'une femme comme elle lui était due. Mais elle l'avait trompé, n'est-ce pas ?

Debout derrière elle, sur le palier, tandis qu'elle ouvrait la porte, Stratton eut le sentiment gênant de tromper sa femme. Il se demanda, lugubre, si lui et Jenny retrouveraient jamais leur vie d'autrefois. Lui en voudrait-elle éternellement ? Johnny se trouverait-il toujours entre eux, telle une pomme de discorde, le réduisant à n'être plus qu'un étranger dans son propre foyer, l'homme qui est là pour payer les factures, être nourri, blanchi et rien de plus ? Reg et Lilian penseraient qu'il les avait trahis… Et si Donald prenait leur parti ? Si Doris le faisait, il serait obligé de l'imiter pour préserver la paix dans son ménage, et cela signifierait pour lui la perte non seulement d'un ami, mais aussi d'un allié. « Seigneur, songea-t-il, j'aurais bien besoin d'un verre. » S'étourdir. Une bonne biture pour se mettre à distance de ce beau gâchis. Il aurait voulu pouvoir tourner les talons et redescendre, histoire de se trouver une gargote bien sombre où personne ne le reconnaîtrait pour carburer, tout seul, dans son coin.

– Là…

Forbes-James lui tendit un grand verre de cognac.

– Vous semblez en avoir besoin. Diana ?

– Non, merci, colonel.

– Installez-vous. Vous allez prendre des notes. J'ai parlé à Roper. Il va donner ses instructions au commissariat de Tottenham, mais sans citer votre nom, Stratton. Ils vont arrêter le gamin – tentative de cambriolage, menaces, voies de faits – et je le verrai demain. Vous allez encore tout me raconter par le menu, et aussi me parler de lui. Ensuite, vous pourrez rentrer chez vous.

63

Le temps s'était rafraîchi et il pleuvait quand Stratton quitta le pub. Depuis le seuil, il scruta la pénombre. En sortant de chez le colonel, il avait choisi cet endroit tout exprès, attiré par son allure – un sinistre bâtiment victorien d'aspect funèbre, moche et triste à l'intérieur, doté d'une serveuse maigrichonne à l'air revêche. Quand il avait demandé un whisky, elle avait désigné du pouce une inscription griffonnée à la craie sur l'ardoise – Pas de spiritueux – et dit : « Je regrette », d'une voix qui signifiait tout le contraire.

Le bar était presque vide à ce moment-là, mais il s'était rempli à une vitesse remarquable. Une fille vulgaire aux cheveux filasse et à la voix forte, nasillarde, avait calé ses grosses fesses plates contre la petite table où il s'était installé, dos au mur. Quatre types l'entouraient, mais comme elle les traitait avec la même familiarité mêlée de dédain, on ne pouvait pas savoir lequel était son bonhomme. Près d'eux se tenaient deux femmes hommasses, en pantalon et arborant un brassard, et un certain nombre de soldats, ainsi que des hommes plus âgés en complet et imper, formant de petits groupes de deux ou trois, et enfin quelques jeunes couples.

Ayant passé presque trois heures à faire plus ou

moins facilement la navette entre le bar et sa table, Stratton était un peu éméché, mais sûrement pas aussi ivre qu'il l'aurait souhaité. S'arrêtant en général à deux ou trois pintes, il n'avait jamais été confronté à la difficulté de parvenir à se soûler rien qu'en buvant de la bière coupée d'eau, même si cela faisait suite au cognac du colonel.

– Merde, bougonna-t-il, en relevant le col de son imper pour se protéger des méchantes rafales.

Quelle absurdité ! La seule fois de sa vie, s'il avait bonne mémoire, où il tentait réellement de se bourrer la gueule, pas moyen d'y arriver ! Au moins, songea-t-il en marchant, presque droit, vers la gare Victoria, il échapperait peut-être à la gueule de bois, même si, étant donné les circonstances, cela aurait pu opportunément arrondir les contours d'une réalité blessante.

À l'heure où il arriva chez lui, il se sentait complètement dégrisé. Redoutant l'accueil qui l'attendait, il tâcha de rentrer aussi discrètement que possible, mais Jenny avait dû l'entendre batailler avec la clé, car la porte s'ouvrit brusquement et elle se jeta dans ses bras.

– J'étais si inquiète !

– Allons, allons…

Stratton entra dans la maison, son épouse quasiment accrochée à son cou, et referma la porte non sans difficulté, car elle ne voulait plus le lâcher.

– Pardon, j'ai…

– Tu as bu !

Elle leva les yeux sur lui, mi-pleurant, mi-riant.

– Tu pues l'alcool, mais peu importe. Tu es là, Dieu merci ! Quelle journée ! Lilian est venue cet après-midi. J'étais à l'étage, mais je sais que c'était elle parce qu'elle m'a appelée à travers la porte et j'ai fait semblant de ne pas être là. J'ai cru qu'elle allait entrer tout de même, mais elle ne l'a pas fait, Dieu merci. Je m'en suis tellement voulu... Ensuite, Doris est venue vers sept heures et demie, après l'arrestation de Johnny – elle se trouvait chez eux, avec Donald, et Lilian lui a demandé d'aller te chercher... Je n'ai pas su quoi lui dire, Ted ! D'après elle, Lilian était dans tous ses états, elle répétait que tu avais affirmé que son fils n'avait rien fait de mal, et qu'il fallait que tu ailles au commissariat pour tout arranger afin qu'il puisse rentrer. Doris voulait que j'y aille, mais je n'ai pas pu, Ted, je n'ai pas pu ! Ne sachant pas... Elle voulait absolument savoir de quoi il retournait, si bien qu'à la fin, j'ai dû lui dire – pour le cambriolage, pas pour le reste. J'ai eu tort, Ted, mais j'étais obligée...

– Ça ne fait rien, dit Stratton en lui caressant le dos. Je comprends.

– Doris ne m'a pas adressé la parole. Elle n'a pas dit un mot, mais elle m'a regardée et puis elle est partie. Ce regard... Elle a dû aller tout raconter à Lilian, qui doit savoir que je ne lui ai pas ouvert ma porte, et elles ne me reparleront plus jamais... Et en voyant que tu ne rentrais pas, j'ai pensé... je ne sais pas ce que j'ai pensé. J'étais si inquiète, et rien que de penser à Lilian, Doris et Reg... J'ai cru devenir folle !

– J'aurais dû être ici, dit Stratton, navré. Je te demande pardon.

– Non, dit Jenny à travers ses larmes. Je comprends très bien pourquoi tu n'es pas rentré...

– C'est vrai ?

– Tu as fait ce qu'il fallait. Je sais que ça n'a pas dû être facile pour toi.

– Alors, tu es de mon côté ? Tu ne me détestes pas ?

– Quelle idée !

Stratton lui déposa un baiser sur le front.

– Merci, ma grande…

Ils restèrent là, enlacés, à se regarder puis détournèrent les yeux, resserrant toujours plus leur étreinte, jusqu'au moment où Stratton eut bien envie de pleurer, lui aussi – de soulagement. Jenny, le visage contre la poitrine de son époux, l'entendit se racler la gorge et lui planta un doigt dans les côtes.

– Ne t'y mets pas, toi ! lui chuchota-t-elle. Si on ouvre les vannes tous les deux, on va se noyer…

Un grand coup frappé à la porte, derrière eux, les fit sursauter.

– C'est Donald ! On peut se parler ?

Ils échangèrent un regard, puis Stratton la relâcha et il alla ouvrir. Le visage de Donald, à demi dans la pénombre, ne laissait rien deviner de ses intentions. Se raidissant dans l'attente d'une insulte ou de coups, il fut décontenancé quand l'autre déclara, doucement :

– Je ne t'en veux pas, mon vieux. Ce n'est pas ta faute.

Stratton sentit que c'était sincère.

– Merci, Don. Tu n'entres pas ?

– Je ne vais pas pouvoir rester longtemps.

Donald le suivit dans la cuisine.

– Doris est toujours chez Lilian. Elle est dans un état…

– Pas étonnant, dit Stratton, lugubre. Installe-toi. Et Reg ?

– Je ne l'avais jamais vu comme ça ! dit Donald en tirant une chaise. Je croyais qu'il…

Il jeta un coup d'œil à Jenny, qui s'était assise à côté de Stratton et mit la main dans la sienne.

– Enfin, qu'il ferait son Reg, quand la police est venue, mais non. Il n'a rien dit. Comme s'il avait été frappé par la foudre. La pauvre Lilian pleurait toutes les larmes de son corps, et lui il restait planté là comme si c'était trop pour lui. On ne peut pas lui en vouloir, à ce pauvre vieux. Quelle affaire…

– Je ne pouvais pas…, commença Stratton, mais Donald lui coupa la parole.

– Tu n'as pas à t'expliquer, Ted. C'est ton boulot. Si Johnny a volé…

– C'est pire, l'interrompit Jenny. Tu peux lui dire, Ted. Bientôt, tout le monde sera au courant.

– Pire ?

Donald regarda Stratton pour confirmation.

– Je crois que je vais vous laisser…

Stratton sentit que sa femme lui broyait la main.

– Je vais aller m'allonger un moment, avant l'alerte…

Ils la regardèrent partir, puis Stratton déclara :

– Je comprends qu'elle n'ait pas envie d'entendre ça une nouvelle fois. Ça l'a bouleversée.

Donald écouta son explication en silence, attentif. Une fois ce récit terminé, il observa un long silence, puis dit :

– Sacré nom de nom…

Stratton opina.

– À quoi joue-t-il ? Je sais bien qu'il s'était déjà fourré dans le pétrin, dans le passé, mais j'aurais jamais cru… un truc pareil. Je me demande comment je vais l'annoncer à Doris.

– Mieux vaut ne rien dire à ses parents. Ils l'apprendront bien assez tôt.

– Ça va être sacrément compliqué, Ted. Je vois pourquoi tu n'as pas… Pourquoi tu n'as rien dit. Monter les uns contre les autres… Mince, si on m'avait dit que j'aurais un jour pitié de Reg ! Au sens propre du terme, je veux dire, pas parce qu'il est… lui-même, et…

Il leva les yeux au ciel et ajouta :

– Enfin, si son fils a mal tourné, c'est en partie sa faute…

– Ça, c'est une autre histoire. Quand je suis allé voir Johnny, j'ai parlé de Reg, et il m'a dit que c'était un vieux con et qu'il savait à quel point on le méprisait, toi et moi…

– Ah, merde…

– Je n'ai pas su quoi répondre. À quoi bon mentir ?

– C'est vrai…

– Johnny le déteste.

– Merde, répéta Donald. Tu crois qu'on aurait dû s'en mêler ?

– Je me pose sans cesse la question. Mais on n'aurait pas pu changer son père, pas vrai ?

Donald fit non de la tête.

– Tout de même, ça me dépasse…, dit-il, pensif. Mépriser son père…

– Moi, itou. J'aimais bien mon paternel. Malgré ses idées parfois spéciales…

– Que va devenir Johnny ? On va l'inculper de cambriolage, ou du…

– Je ne sais pas encore. C'est compliqué.

Stratton ne s'expliqua pas, et Donald ne posa pas de questions mais se borna à marmonner des « Merde ! » par intermittence, tandis que Stratton, sans avoir demandé, servait le reste du whisky de Noël dans deux verres.

Ils sirotèrent en silence pendant un moment, puis Donald déclara :

– On ne va pas le pendre… ?

– Ça m'étonnerait. Pas assez de preuves. Et s'il a quelque chose à leur donner en échange…

– Une information, tu veux dire ?

– Oui.

– Mais il va lui falloir un avocat et tout ça, non ? Ça va coûter un paquet.

– Oui, sûrement.

– On a un peu d'argent de côté, alors on pourra…

– J'y pensais, moi aussi, mais Reg n'acceptera peut-être pas d'argent de notre part, quand il saura…

– Où étais-tu, quand Doris est venue ? Toujours au turbin ?

– Dans un pub, près de la gare. À tâcher de me cuiter.

– C'est compréhensible.

– Impossible d'y arriver. Pas de whisky, et la bière était de la pisse d'âne.

– Mon pauvre…

Ils contemplaient, maussades, le contenu de leurs verres, quand les sirènes mugirent et Jenny appela Stratton de la chambre.

– Merde, alors ! s'exclama Donald. Je file…

Il finit son verre.

– Ted, je ne peux pas retourner là-bas avec cette haleine. Tu n'aurais pas des pastilles de menthe ?

– Non, mais j'ai du persil.

– Du persil ?

– J'ai cueilli ce qu'il en restait dans mon potager, il y a quelques jours. Jenny ne l'a pas encore mis à sécher. Ça purifie l'haleine.

Donald haussa les sourcils.

– Si tu le dis…

Stratton sortit la petite botte du placard.

– Moi, aussi, je vais en mâcher…

Debout l'un à côté de l'autre, ils se mirent à mastiquer solennellement.

– Ah, je me fais l'effet d'un cheval, déclara Donald. Bon… (Il gagna la porte d'entrée.) J'étais sincère, tout à l'heure : je suis de ton côté.

– Merci.

Stratton s'attendait à le voir ouvrir la porte, mais son beau-frère restait sur le paillasson à le dévisager, sentant clairement qu'il fallait ajouter quelque chose. Stratton ne savait que dire.

– On aimerait pouvoir mettre ses emmerdements dans un sac-poubelle, pas vrai ? marmonna l'autre.

– Sauf que je vois pas de sac-poubelle assez grand…

– Oui… t'as raison. Mais si… écoute… tu sais que…

Abandonnant, Donald lui tapa maladroitement sur l'épaule en guise d'explication.

– Merci, dit Stratton. Oui, je sais. J'apprécie…

Ils se jetèrent un coup d'œil rapide, puis contemplèrent leurs chaussures ; enfin Donald se racla la gorge et dit :

– Bon, j'y vais.

– C'est ça…

Stratton ouvrit la porte.

– Bonne nuit.

– Bonne nuit, Ted.

Stratton referma la porte et resta dans l'entrée, conscient de se sentir un peu mieux, et tout à fait soulagé – il découvrait seulement à quel point le soutien de Donald comptait pour lui. Pendant encore un moment, il resta adossé à la porte à tenter vainement d'ordonner ses pensées, avant de se traîner dans l'escalier afin d'aller de nouveau consoler Jenny et de se préparer au semblant de nuit qu'ils allaient encore passer dans le jardin.

64

Ni dans la cave où elle avait passé la moitié de la nuit, ni dans son lit, Diana n'avait été capable de dormir. Ce n'était pas les attaques aériennes – elle s'y était habituée. C'était ses propres craintes, qui, prenant les proportions d'une épouvantable paranoïa aux petites heures du jour, l'avaient fait se redresser sur son séant, en nage et toute tremblante. Les ténèbres compactes, paniquantes, semblaient se refermer si étroitement sur sa personne qu'elle se sentait manquer d'air. Lorsque le soleil se leva et que les rideaux du black-out purent être ôtés, elle se reprocha son ridicule, mais sans pouvoir chasser cette sensation d'effroi. Il était encore très tôt, mais incapable de rester confinée plus longtemps dans son petit appartement, elle décida d'aller travailler.

Au moins n'avait-elle pas reçu de lettre de sa belle-mère. Tout en descendant la rue en direction de la Tamise, dans le jour grisâtre, elle se demanda si Guy lui avait parlé de sa visite-surprise à son appartement… Quelqu'un de normal aurait eu trop honte pour en parler, mais les gens normaux n'avaient pas une sorcière en guise de mère. La vision d'une Evie avec un chapeau pointu et un nez crochu, trois poils au menton, la dérida momentanément. Puis l'omniprésent filet de sentiments pénibles, confus – angoisse, anxiété, sentiment de culpabilité – se resserra de nouveau sur elle, et elle se mit à spéculer, comme elle l'avait fait des dizaines de fois au cours des dernières vingt-quatre heures, sur ce que le gentil inspecteur Stratton – Edward – avait dit au sujet de la visite de Claude à Forbes-James. Quand il lui avait demandé si elle était amoureuse de lui, elle avait été trop surprise pour se fâcher. Il était si bon, si plein de sollicitude, et elle avait été soulagée d'exprimer à haute voix ses sentiments.

Pourquoi, se demanda-t-elle pour la énième fois, le colonel avait-il convoqué Claude ? Bien entendu, il y avait une foule de raisons sans aucun rapport avec elle et ce pouvait être aussi une simple visite de courtoisie, mais malgré ses efforts, elle n'arrivait pas à y croire. Claude avait-il pu répéter ce qu'elle lui avait dit sur Apse ? Il avait dit – promis – qu'il n'en ferait rien. « Tu n'es plus à l'école primaire, fit la voix moqueuse dans sa tête. Un serment, ce n'est rien – prends ton mariage, par exemple ! »

Si Forbes-James avait ordonné à Claude de rompre avec elle, cela expliquerait alors pourquoi elle n'avait plus entendu parler de lui depuis la visite-surprise de Guy. « C'est mieux ainsi », se dit-elle. D'ailleurs ce n'était sans doute même pas ça – après tout, le colonel avait d'autres chats à fouetter. Quant à ce pauvre inspecteur, qui devait en baver à cause de son vaurien de neveu… ses problèmes à elle n'étaient rien, comparés aux siens – et encore moins, songea-t-elle en contemplant les décombres de quatre ou cinq maisons dans une petite rue adjacente à Grosvenor Road, comparés à ceux des personnes qui avaient vécu ici. Des hommes en salopette rampaient dans les gravats, tendant l'oreille pour repérer des survivants, criant de temps en temps : « Silence, s'il vous plaît ! » au groupe de badauds qui fumaient sur le trottoir d'en face, sans s'inquiéter apparemment de la forte odeur de gaz.

Ses yeux se mouillèrent de larmes. Ne sachant si elle les versait sur elle-même, les malheureux ensevelis – sans doute morts ou à l'agonie –, ou sur l'humanité en général, elle se dirigea vers la Tamise pour ne pas être vue, et contempla les mouettes sur les bancs de vase ainsi que la masse grise de la centrale électrique sur l'autre rive. « Voilà ce qui compte, se dit-elle avec détermination. Londres. Le peuple. À l'échelle de la planète, toi, tu n'es rien. »

« Tout de même, se dit-elle en s'essuyant subrepticement les yeux avec un coin de son mouchoir, mes problèmes sont peut-être insignifiants, n'empêche que ce sont les miens. » Et quelque chose lui disait qu'ils allaient nettement s'aggraver.

Elle consulta sa montre. Huit heures et demie – plus tôt qu'elle n'aurait cru. Margot ne serait pas encore arrivée, et elle-même n'était pas censée se présenter là-bas, mais il commençait à faire frisquet et un tas de paperasses l'attendait, donc…

Elle était en train d'ouvrir la porte, quand elle entendit parler dans le bureau du colonel. D'habitude, il ne recevait pas de si bonne heure… Autant commencer par faire du café. Posant son sac à main sur la table de Margot, elle prêta l'oreille et patienta pendant un moment, puis colla franchement son oreille à la porte. C'était bien Forbes-James, mais il paraissait si ému que sa voix en était presque méconnaissable.

– Pourquoi, Claude ? Pourquoi a-t-il fait ça ?

Ses yeux s'écarquillèrent.

– Pourquoi ? répéta le colonel.

– Parce que…

Claude parlait lentement, presque d'une voix traînante.

– Il a cru pouvoir s'en tirer. Après tout, c'est le cas de la plupart de ses amis.

Le cœur de Diana se serra. « Ils doivent parler d'Apse. Il n'y a pas d'autre explication. Claude a dû lui répéter mes propos… » À ceci près que ça ne pouvait pas être cela, car Forbes-James semblait malheureux, pas en colère. Il y eut un silence assez long, puis Claude lança :

– Parce qu'ils s'en tirent toujours, n'est-ce pas, Charles ?

Charles ! Personne n'avait jamais appelé le colonel par son prénom. Que se passait-il ?

– Ne fais pas l'idiot ! fit la voix, acerbe, de Forbes-James.

– Je ne fais pas l'idiot, mon cher Charles, rétorqua Claude sur un ton affecté. C'est la vérité pure et simple. Et puisque nous en sommes au chapitre des vérités désagréables, tu t'es débrouillé pour que Evie Calthrop sache pour moi et Diana, n'est-ce pas ? Un petit mot par-ci, un petit mot par-là… Bien joué. Tu as fait vite, cette fois !

– Pour l'amour du ciel, Claude ! s'écria Forbes-James, cassant. C'est une femme mariée. Je t'avais dit de ne pas y toucher.

– Oh, que oui… Suis-je bête ! Mais es-tu bien placé pour prêcher la vertu ? Je sais exactement pourquoi tu aimes à t'entourer de jeunes et jolies femmes…

– Ce n'est pas pour te déplaire, semble-t-il.

La voix du colonel tremblait.

– Tu ne devrais pas me tenter, mais moi, au moins, je suis honnête. Elles ne me servent pas de camouflage…

Quel camouflage ? songea Diana. Quoi… ? Quant à veiller à ce qu'Evie soit au courant… Pourquoi le colonel aurait-il fait pareille chose ? Il ne pouvait pas… Il ne pouvait pas… Une image instantanée, comme éclairée par le flash d'un photographe dans sa tête, s'imposa à elle : Forbes-James baissant les yeux sur les boutons de sa braguette. Le cœur battant, elle attrapa son sac à main, gagna la sortie et dévala l'escalier, traversa les jardins en courant et repartit par Grosvenor Road, où elle tourna à l'angle pour se perdre dans les petites ruelles où l'on remisait les voitures. Elle jeta un regard affolé autour d'elle et, ne voyant personne, s'insinua dans un étroit passage. Là, elle était en sûreté – invisible.

Tremblant de tous ses membres, elle s'adossa au mur et s'efforça désespérément de reprendre ses esprits. Forbes-James n'avait pas nié avoir agi pour qu'Evie apprenne sa liaison avec Claude… Et Claude avait affirmé qu'il avait déjà fait ce genre de choses – « Tu as fait vite, cette fois. » Tout ce que le colonel lui avait dit, comme quoi il ne voulait pas qu'elle fût blessée, c'était des bêtises. « Il ne s'intéresse pas à moi, mais à Claude. Il est jaloux. Et Claude le sait. Sinon, pourquoi prendrait-il de telles libertés ? Parce qu'il ne risque rien. Quoi qu'il arrive, Forbes-James le protégera toujours. Et si Claude est un agent double, et pas aussi fiable que Forbes-James doit le croire, alors ce dernier est dans une position très, très périlleuse. Apse le sait-il ? Est-ce qu'il s'apprêtait à me le dire ? Mon Dieu, comment doit-il se sentir, à présent ? » Certes, Forbes-James ne pouvait plus que le jeter en pâture aux loups, mais lui-même était en danger. Même s'il n'aurait sûrement jamais ramené un gigolo chez lui – elle frissonna en se rappelant ce qu'elle avait entendu, cachée dans le placard, chez

Apse. Et le Dr Pyke ? Quel était son rôle ? Était-ce l'amant de Forbes-James ? Si oui, connaissait-il les sentiments de Forbes-James envers Claude ?

Étourdie, les genoux flageolants, elle se laissa glisser jusqu'à terre et resta accroupie dans la poussière. Si jamais Forbes-James découvrait qu'elle savait… « Les conséquences peuvent être fatales »… Ses paroles à Bletchley Park. « Mon Dieu ! » Elle porta la main à sa gorge. Était-ce pour cela que Julia Vigo était morte ? Car, si oui, cela signifiait que Claude n'hésiterait pas à… « Au secours, murmura-t-elle. Mon Dieu… ayez pitié de moi. Seigneur, ayez pitié de moi, Jésus, ayez pitié de moi… »

65

Tout en allant attraper son bus pour se rendre au boulot, Stratton ressentait le même genre de peur, couplée à une sourde mais tenace migraine. Jenny, qui avait soutenu avec véhémence qu'elle n'avait pas besoin de lui, et qu'on n'avait pas à s'en faire pour elle, l'avait quasiment poussé dehors. Même si elle prétendait être d'accord avec lui et le soutenir, il devinait qu'elle préférait être seule afin de trouver un moyen de se rabibocher avec Lilian, Reg, et éventuellement – nonobstant l'affirmation de Donald – Doris.

Après un voyage qui aurait pu être bien pire mais avait été tout de même assez éprouvant – et interminable – il arriva à Dolphin Square et fut accueilli par Margot Mentmore. La jeune femme le fit entrer dans le bureau en le priant d'attendre Forbes-James, qui s'était rendu au commissariat de Tottenham pour y interroger Johnny. À sa demande, elle le mit en communication avec Jones, à Great Marlborough Street.

– Wallace est encore là ?

– Tu parles qu'il est là ! On l'a revu hier – mise en liberté provisoire refusée. Il était censé aller à Pentonville, mais ils n'ont pas pu passer – bombe à l'hydrogène ou que sais-je… Alors, il a échoué à Brixton, qui nous l'a renvoyé ce matin. Quelle pagaille !

Me demande pas pourquoi. Je leur ai parlé, mais personne n'a l'air de savoir ce qui se passe.

– Tu peux le garder ?

– Je suppose, répondit Jones, d'un ton las. Vingt-quatre heures de plus, en tout cas. Matchin va être en rogne – mais un peu plus, un peu moins…

– Qu'est-ce qui le défrise ?

– Toi, principalement.

– Mais je ne suis pas directement responsable !

– Ce n'est pas la question. C'est le fait qu'on est dans la merde jusqu'au cou et que tu as filé rejoindre les aristos – voilà ce qui le défrise. Tu t'amuses bien ?

– Pas vraiment. À dire vrai, je préférerais revenir au commissariat.

– Très touchant. C'est tout ?

– Pas tout à fait. Ballard est dans le coin ?

– Non. Attends, il y a un message quelque part… Ah, voilà : il a parlé au Dr Byrne – le veinard – et est allé le voir au sujet de certaines dents. La belle Mlle Gaines travaille sur la liste des passagers. Pour moi, c'est du chinois, mais Ballard a dit que tu comprendrais.

– Hé oui ! Ça prend tournure, on dirait…

– Bon, tant mieux pour toi. Et maintenant, si c'est tout, je dois aller voir Matchin. Je te jure, Stratton, ça me fera plaisir de revoir ta sale gueule.

– C'est réciproque. Tu dis à Ballard de m'appeler dès son retour ?

– Certainement, Votre Majesté. Je me fourrerai un balai dans le derrière pour pouvoir balayer le plancher en même temps, voulez-vous ?

– Pourquoi pas ? Ça pourrait t'empêcher de parler à tort et à travers. Au fait, on n'a pas dû lui donner un bain, à Wallace, à Brixton, hein ?

– Non, hélas ! Et j'ai reçu des plaintes d'en bas, c'est pour te dire ! Enfin, je ne suis pas responsable de son hygiène corporelle… Apporte ton masque à gaz.

Comme Stratton raccrochait, Diana, qui semblait avoir pleuré, apporta du café et battit en retraite en direction de la cuisine avant qu'il ait pu lui dire plus qu'un « merci ». Il se demanda si c'était à cause de ce fumier de Ventriss, ou si elle avait reçu de mauvaises nouvelles au sujet de son mari, ou les deux, mais son comportement suggérait que ni des questions ni des marques de sympathie ne seraient les bienvenues, et il décida donc d'en rester là.

Ôtant des papiers du divan, il s'y installa. D'une façon ou d'une autre, les fanfaronnades de Johnny feraient long feu. La police, c'était une chose, mais Forbes-James, l'homme du ministère de la Guerre, avec sa mise distinguée et sa façon de parler, c'en était une autre : la figure de l'autorité, la manifestation de toute la majesté écrasante de la loi. Stratton voyait la scène : pour sa première nuit en cellule, Johnny avait dû faire le fier, mais on pouvait parier qu'il avait fini par adopter une attitude d'abjecte soumission. Il avait presque pitié de ce gamin. Lui-même, déjà, devant un homme comme Forbes-James, n'en menait pas large, alors Johnny, qui avait la tête truffée de gangsters en celluloïd et aucune expérience de la vie… Il était cuit d'avance.

À un moment donné – impossible de dire quand – il avait dû s'assoupir, car soudain une voix douce dit : « Edward » et quand il rouvrit les yeux, le beau visage troublé de Diana était tout près du sien. Sur le moment, ayant oublié où il se trouvait, il crut être en train de rêver – et c'était bien agréable – quand elle le secoua par le bras.

– Réveillez-vous, Edward ! Forbes-James est là…

– Ah… bon. Excusez-moi.

Il se redressa, cilla, et se sentit tout bête.

– Ça ne fait rien.

Diana lui adressa un sourire triste.

– On s'est dit que vous deviez être bien fatigué pour vous endormir comme cela, alors on vous a laissé…

– Quelle heure est-il ?

– Onze heures moins le quart. Je vais faire du café.

– Attendez…

Stratton tendit la main pour la retenir.

– Êtes-vous… Enfin, vous aviez l'air… avant…

Le sourire de la jeune femme se figea et il s'interrompit, gêné.

– C'est gentil de demander, dit-elle sèchement, mais tout va bien. Il ne faut pas s'inquiéter pour moi.

« Non, songea Stratton en contemplant ses cheville fines alors qu'elle quittait la pièce, je ne dois pas m'inquiéter pour elle. »

Forbes-James arriva quelques minutes plus tard, son visage rond tout blême de fatigue. Stratton se demanda combien de temps il avait passé au commissariat, mais avant qu'il n'ait eu le temps de demander, le colonel tira une feuille de papier dactylographiée de sa serviette, la lui tendit et dit :

– Voilà ! La déposition de votre neveu.

Sur ce, il disparut, et Stratton l'entendit demander à Diana de lui trouver une chemise propre.

Il se mit à lire ce que Johnny, ou plutôt le policier ayant présidé la séance d'interrogatoire, car c'était plein de mots et de phrases châtiés – avait à dire. C'était une longue déposition, la valeur de quatre ou cinq heures de travail. *L'inspecteur principal Naughton m'a prévenu que tout ce que je dirai pourra être retenu contre moi et que je ne suis pas obligé de parler...* Puis un long préambule expliquait que Johnny avait perdu son job au garage et qu'il cherchait un emploi quand il avait rencontré George Wallace dans un café du West End. Ledit Wallace l'avait emmené voir Abie Marks à la salle de billard, pour qu'il lui procure un boulot. *Le 13 juin, j'ai accompagné M. Wallace dans une maison dans Conway Street pour voir une femme dont je sais à présent que c'était Mlle Mabel Morgan. Il était entre 4 et 5 heures de l'après-midi. Mlle Morgan nous a fait entrer. Nous étions envoyés par M. A. Marks. Mlle Morgan avait contracté une dette envers lui et il souhaitait se faire payer. Elle lui avait dit posséder des objets dont la valeur suffirait à couvrir les intérêts de cet emprunt et M. Wallace et moi étions venus chercher ces biens.*

C'était peut-être ce que Johnny avait dit, songea Stratton, mais c'était des foutaises. Pourquoi Abie Marks aurait-il prêté de l'argent à cette femme sans prendre des garanties ? Et si elle avait été prévenue de leur visite, elle aurait mis son dentier... ou alors c'était tombé de sa bouche quand Wallace l'avait frappée. Byrne n'avait pas mentionné des traces de coups au visage, mais il n'en avait pas cherché et avec ses cicatrices et l'épais maquillage, ce n'était pas forcément très apparent. Il reprit sa lecture :

M. Wallace a demandé à Mlle Morgan si elle avait ces objets et elle a répondu par la négative. Elle a dit : « Vous êtes complètement fou. Je ne sais pas de quoi vous parlez. » Elle a alors pris à partie M. Wallace et tenté de le gifler, si bien qu'il l'a repoussée. Comme elle tournait le dos à la fenêtre à ce moment-là, elle est tombée à la renverse. Nous l'avons vue tomber de la fenêtre. Je ne l'ai ni touchée ni poussée, et M. Wallace ne l'a poussée qu'une seule fois. Nous avons quitté rapidement la maison ensuite. Nous avons pu la voir sur la grille et j'ai dit à M. Wallace qu'elle semblait mal en point.

– Non, sans blague…, marmonna Stratton.

J'ai demandé s'il ne fallait pas faire quelque chose, mais Wallace a dit : « Non, laisse » et on est retournés à la salle de billard pour voir M. Marks. Il est allé avec M. Wallace dans une pièce au fond pour lui parler. Je n'étais pas présent mais j'ai entendu crier puis M. Marks dire : « C'est quoi, ces conneries ? » Puis : « Ça va pas ! » Quand ils sont ressortis, M. Wallace a dit qu'il était désolé. M. Marks nous a dit que cette affaire se conclurait d'une autre façon et qu'il parlerait plus tard à M. Wallace. Ensuite, je suis rentré chez moi.

M. Wallace et moi sommes revenus dans cette maison de Conway Street le 17 juin pour parler à M. Vincent de ces objets, comme M. Marks nous avait dit. Un homme nous a fait entrer dans la maison. (Rogers, songea Stratton.) *Il était plus de 10 heures du soir, mais M. Vincent n'étant pas là, nous avons attendu son retour, aux alentours de 11 heures du soir. M. Wallace a demandé à M. Vincent s'il avait des choses pour nous. M. Vincent a dit : « Vous faites erreur. » Il a dit qu'il n'avait rien pour nous et que nous devions partir. Il était en colère et a poussé M. Wallace. M. Wallace lui a dit quelques mots que je n'ai pas pu entendre et nous avons quitté cette maison. Depuis, je n'ai plus revu M. Wallace. J'ai vu M. A Marks. Il m'a donné 10 livres. J'ai lu cette déposition et tout ce que j'ai dit est la vérité.*

« Me fais pas rigoler… », songea Stratton. Joe avait eu son œil au beurre noir par l'opération du Saint-Esprit, peut-être ? Johnny prétendait que Wallace n'avait pas usé de violence, il ne parlait pas de menaces, du saccage de l'appartement et la déposition suggérait qu'il n'était lui-même qu'un simple spectateur. Ce pouvait être la vérité. Johnny, séduit par le prestige du milieu et l'argent facile, était devenu, très temporairement, un gangster à la petite semaine. Il espérait sincèrement que le passage – assez vague – sur la « chute » de Mlle Morgan, était exact, du moins en ce qui concernait le garçon. On ne saurait sans doute jamais la vérité sur cette mort, mais à en juger par le récit de Johnny sur l'échange entre Wallace et Marks à la salle de billard, cela ne faisait pas partie du plan original. Mabel avait peut-être... quoi ? Stratton relut la déposition : *Elle a alors pris à partie M. Wallace et tenté de le gifler...* Beryl Vincent, à leur première rencontre, avait décrit Mabel comme une femme intrépide. La pauvre. Il espérait qu'elle s'était bien défendue, mais elle devait avoir été terrifiée, surtout dans les dernières secondes, quand elle avait réalisé qu'elle tombait, et puis l'impact... quelle idée effrayante. Heureusement que Johnny n'était pas là, ou il lui aurait donné une raclée mémorable...

Une fois de plus, il relut la déposition et, de nouveau, il ferma les yeux puis les écarquilla et se frotta le visage énergiquement, pour se forcer à se concentrer. Si seulement il n'avait pas été aussi fatigué...

– Fini ?

Le colonel se tenait dans l'embrasure de la porte et Diana, qui apportait du café sur un plateau, était derrière lui.

– Oui, colonel.

– Il veut vous voir.

Stratton imaginait sans peine comment la conversation avait tourné : dis-moi ce que je veux savoir et l'oncle Ted viendra te voir. Sinon, n'y compte pas.

Cela, en plus du fait d'être réveillé au milieu de la nuit – enfin, s'il avait réussi à dormir un peu – pour être questionné pendant des heures, puis le soulagement quand c'était fini et qu'on vous fichait la paix… Il avait orchestré cela assez souvent pour savoir comment ça fonctionnait.

– On va d'abord aller voir Wallace, ajouta le colonel. Cette fois, c'est vous qui parlerez. Vous avez d'autres informations ?

– Je sais seulement que Wallace est à Great Marlborough Street.

Forbes-James fronça les sourcils.

– Pas à Pentonville ?

– C'est le bordel… Pardon, madame Calthrop, dit-il à Diana, qui était penchée au-dessus des tasses de café. Une bombe à l'hydrogène ou je ne sais quoi. J'ai demandé à un brigadier de consulter des listes de passagers, pour Duke. Il cherche également à faire analyser la dentition du cadavre retrouvé dans l'église.

Tout en parlant, Stratton se dit que, si Forbes-James croyait que Wallace était à Pentonville, alors c'était lui qui avait dû arranger ce refus de mise en liberté provisoire. Ces gens-là avaient vraiment le bras long. File doux, mon vieux, ou t'es foutu…

– Bien, dit Forbes-James, si ça ne vous ennuie pas de finir votre café dans le couloir, je dois parler à quelqu'un avant de partir…

En gagnant la porte, Stratton entendit un : « Demandez à Margot de contacter ce numéro, voulez-vous ? » et le soupir de Diana. Ce fut si ténu qu'il aurait pu l'imaginer, mais quand il la revit, elle était blanche comme un linge et sa voix tremblait légèrement quand elle parla à Mlle Mentmore qui la dévisagea, consternée, mais sans faire de commentaires.

Stratton avala en vitesse son café et la suivit dans la cuisine.

– C'était le numéro de Ventriss ? demanda-t-il.

Elle opina sans le regarder, puis se saisit d'un verre à vin déjà sec pour l'astiquer vigoureusement avec un torchon. Ils restaient là, muets et tendus, côte à côte, à prêter l'oreille. Si elle le lui avait demandé, Stratton aurait feint le désintérêt et elle en aurait sans aucun doute fait autant, mais Forbes-James devait parler à voix basse, car il ne parvint pas à distinguer les mots – et elle était dans le même cas que lui, à en juger par son air crispé.

Quand le colonel l'appela, elle quitta la cuisine sans le regarder et, quelques instants plus tard, il l'entendit sortir de l'appartement. Il prit le verre qu'elle avait déposé sur la paillasse. En le portant à la lumière, il vit qu'il était fêlé.

À Great Marlborough Street, Matchin, sans doute alerté par le chef de poste, déboula dans le bureau de Stratton et Jones pour y accueillir le colonel avec une obséquiosité qui, aux yeux de Stratton, n'avait d'égale que son aversion. Il assura au visiteur que les ressources du commissariat étaient à sa disposition, sur un ton laissant entendre qu'il n'avait qu'à siffler pour faire apparaître champagne et danseuses nues. À l'heure où il se retira, Jones – qui faisait l'homme très occupé – était secoué d'un rire intérieur et Stratton se sentait près d'éclater.

Matchin fut bientôt remplacé par Arliss, qui annonça : « Wallace vous attend en bas, Excellence », avant de leur faire signe d'avancer avec force salamalecs étranges qui faillirent le faire tomber sur le cul, dans le couloir. Stratton, qui se trouvait derrière Forbes-James, se retourna sur le seuil de la porte et chuchota : « C'est beau, le respect ! » à Jones qui, à ce moment-là, se tordait de rire en silence.

66

La gaieté de Stratton fut subitement douchée par la vue et l'odeur de George Wallace. Pas étonnant si Jones avait reçu des plaintes – ce type empestait de plus belle. Comme Arliss leur faisait passer la porte, il entendit un « Bonté divine » étranglé de la bouche de Forbes-James.

– Désolé, colonel, j'aurais dû vous prévenir, marmonna-t-il. Ce type ne connaît pas l'usage du savon.

Wallace leur jeta un regard noir quand Forbes-James se présenta et ils s'installèrent à la petite table. Stratton alluma une cigarette, dans l'espoir de masquer l'odeur, et Forbes-James en fit autant.

– Bonne nouvelle, mon vieux, dit Stratton sur un ton enjoué. On oublie ces clopes. À condition, bien sûr, que tu sois disposé à collaborer.

D'abord maussade, Wallace devint soupçonneux.

– La dernière fois qu'on s'est parlé, tu m'as dit que Marks t'avait chargé, avec Johnny Booth, d'aller chercher un coffre appartenant à Mlle Morgan pour rendre service à un ami, mais que tu ne connaissais pas le nom de cet ami.

– Oui, c'est vrai.

– Et que tu avais parlé à M. Vincent – en le chahutant un peu – mais que tu n'avais pas trouvé ce coffre.

– C'est ce que j'ai dit.

– Toutefois, selon Booth, vous étiez déjà venus dans cet appartement, et cette fois-là, tu avais fait tomber Mlle Morgan de la fenêtre.

Le regard de Wallace contempla alternativement les deux hommes.

– Il ment.

– Pourquoi mentirait-il ?

– Parce que vous lui avez fait peur. Vous l'avez menacé, frappé…

– George…

Stratton prit un air chagrin.

– Ça me désole que tu aies une si mauvaise opinion de nous. En fait, il nous a dit cela de son plein gré. Mlle Morgan t'ayant agressé, tu t'es tout simplement défendu.

– Mon cul !

– Nous avons des témoins.

– Lesquels ?

– On vous a vus quitter la maison.

– Vous l'avez déjà dit.

– Pour l'autre fois, tu veux dire ?

– Oui.

– Donc, tu y es bien allé deux fois.

– J'ai jamais dit ça.

– Bon…

Stratton écrasa sa cigarette et recula sa chaise.

– On va hélas devoir t'inculper. Dommage… (Il se leva.) Tu sais, le colonel Forbes-James est un vrai magicien. D'un coup de baguette, il pourrait faire disparaître tout ça – à condition, s'entend, qu'il soit content de ce que tu pourrais lui dire. Mais puisque tu n'as rien à nous dire… Hélas pour toi, on est en train de changer la loi, George. Le pillage va devenir un crime passible de la peine capitale et quand ton affaire sera jugée, les juges voudront faire un exemple. En plus, avec ton casier judiciaire…

Stratton secoua la tête, tristement.

– C'est mal barré…

Forbes-James se leva.

– Bon, allons-y ! Si vous n'avez rien de plus à nous dire, monsieur Wallace…

– À quoi bon ? fit Wallace, amer. Vous dites qu'on m'inculpera pas si je dis que j'ai buté cette bonne femme ? Vous rigolez ou quoi ?

Stratton fronça les sourcils.

– Pourquoi ferait-on cela ?

– Parce que, un meurtre, c'est aussi la peine maximum, au cas où vous auriez oublié…

– Qui a parlé de meurtre ? (Forbes-James paraissait réellement intrigué.) Vous, inspecteur ?

– Dieu du ciel, non !

Stratton secoua la tête avec vigueur.

– Un accident, George. Voilà ce que c'était. L'erreur est humaine.

Wallace les dévisagea.

– Je pige pas…

– Allons, monsieur Wallace, dit Forbes-James, doucement. Tout ce qu'on demande, c'est quelques renseignements. Ce n'est pas trop demander, n'est-ce pas, étant donné les circonstances ?

– Minute… Vous voulez dire que, si je vous dis ce que vous voulez savoir, vous laisserez tomber pour les cigarettes et je serai accusé de rien ?

– Absolument !

Le colonel eut un geste chaleureux.

« Ça alors ! » songea Stratton.

– Il y a tout de même le fait d'être entré par effraction dans l'appartement de M. Vincent…, protesta-t-il.

– Je suis sûr qu'on pourra oublier tout cela, fit Forbes-James, suave.

« Matchin, lui, n'oubliera pas, se dit Stratton. Quand il saura, il voudra avoir ma tête sur un plateau. Sans parler du savon qu'il passera à tous les gars du commissariat de Tottenham à cause de Johnny... » Quand tout serait fini, son nom sentirait encore plus le soufre que Wallace ne sentait la... Certes, du point de vue personnel, la libération de Johnny serait une bonne chose – un séjour en prison ne ferait, selon toute vraisemblance, qu'aggraver son cas – mais, tout de même, le flic en lui ne pouvait approuver cette façon de bafouer la loi.

– Nous ne vous demandons pas d'aveux, monsieur Wallace, poursuivit Forbes-James. Je vous le répète, nous souhaitons tout simplement des renseignements. Et si vos réponses nous agréent, vous serez libre de vous en aller.

Wallace le dévisagea, incrédule.

– Comme ça ?

– Comme ça. Une fois qu'on aura vérifié que c'est la vérité, évidemment...

– Minute ! Comment je peux savoir si vous dites la vérité, vous ? Lui... (Wallace désigna Stratton d'un coup de tête) il m'a déjà servi tout ça... Il m'a dit qu'il m'aiderait, et voilà où j'en suis...

– Les circonstances changent, monsieur Wallace. Vous avez de la chance. Vous avez attiré l'attention des autorités supérieures.

– Vous voulez dire que je cause à l'organiste, pas à son singe ?

– Je ne l'aurais pas dit si grossièrement moi-même, mais...

Forbes-James haussa les épaules.

« Charmant, songea Stratton. Flanquez-moi un coup de pied dans les couilles, pendant que vous y êtes… »

– Bien. À présent qu'on s'est bien compris… et si on discutait ?

– J'ai pas voulu ça, dit Wallace. Juré ! Elle est tombée. Comme j'y ai dit…

Son regard se tourna brièvement vers Stratton.

– Et je sais pas pour qui Abie voulait ces trucs.

– Saviez-vous ce qu'il y avait dans le coffre ?

– Non… Enfin, je savais que c'était en rapport avec elle, mais…

– Elle ?

– Mabel Morgan. Ses films. Elle croyait qu'on venait lui acheter ses trucs…

– Quels trucs ?

– Ses films. Elle croyait qu'on était envoyés par un richard qui aimait les vieux films. Pour un cinéma privé, ou tout ça. J'ai dit à Abie qu'elle marcherait pas, mais Abie a dit qu'elle tomberait dans le panneau et c'était vrai…

– Donc, elle vous attendait.

– Oui.

– Qui avait organisé ça ?

– Abie. Il avait envoyé quelqu'un au Wheatsheaf, le pub… bien sapé et tout.

– Si elle s'attendait à de la visite, intervint Stratton, pourquoi n'avait-elle mis pas son dentier ?

– Je sais pas. Peut-être qu'il tenait plus…

– Si elle s'était maquillée, elle aurait dû porter son dentier.

– Ben…

Wallace chercha un appui du côté de Forbes-James.

– Répondez à la question, je vous prie.

– C'est tombé de sa bouche…

– Quoi, sur le tapis, comme ça ? Change de disque, on le connaît, cet air-là…

– Ben, elle s'est énervée. Au début, tout sourire, puis quand j'ai dit qu'on lui donnerait pas de fric, elle a dit qu'on pouvait se brosser, alors…

Wallace haussa les épaules.

– J'ai dû…

– La frapper ?

– J'ai pu lui donner une petite baffe. C'est là que le dentier est tombé.

– Les deux parties ? Il a fallu plus qu'une petite baffe !

– J'dis pas que ça m'a plu, protesta Wallace, sur la défensive. Mais les affaires…

– Les affaires de qui ? demanda Forbes-James.

– Je sais pas. C'est juré !

– Vous ne savez pas grand-chose, monsieur Wallace. Ou pas assez, en tout cas. Peut-être devrais-je vous laisser seul avec l'inspecteur Stratton, le temps qu'il vous rafraîchisse la mémoire ?

– Ça servira à rien.

– Ah ? Bon, on va vous poser encore quelques questions et voir ce que vous en dites. Inspecteur ?

– Les frères McIntyre, dit Stratton, cachant l'irritation que lui causait le fait d'être rabaissé au rôle de « gros bras ». Une entreprise de construction. Dans Cleveland Street. Tu connais ?

Wallace contemplait un point au mur, au-dessus de leurs têtes, apparemment plongé dans ses réflexions.

– En particulier un dénommé…

Stratton feuilleta son calepin, à la recherche du nom de l'ouvrier louche.

– Curran. Thomas Curran.

– C'est possible.

– Possible ?

– Il a bossé avec Abie. Matériaux de construction. Un peu de redistribution…

– Récemment ?

Wallace fit non de la tête.

– Je crois pas. Ça remonte à…

Sous l'effet de la réflexion, son visage se crispa.

– Février, mars… Je gardais la boutique.

– La salle de billard ?

– Oui. J'étais là-bas. Abie m'a dit qu'il avait quelqu'un à voir pour un boulot et après il est rentré – tard, après la fermeture…

– Seul ?

– Oui.

– Que s'est-il passé ?

– Abie m'a dit de rentrer la voiture au garage – en passant par-derrière – et de nettoyer l'intérieur.

– Pourquoi ?

– Il y avait un peu de terre à l'arrière et sur le siège, des traces de godasses, et aussi dans le coffre. Quand je suis revenu, Abie s'était nettoyé.

– Comment ça ?

– Il avait de la boue sur les pompes en rentrant. De la terre. De la chaux. Il m'a demandé de laver le sol.

– Rien d'autre ?

– Quoi, par exemple ?

– Du sang…

– Non, juste un peu de terre.

– Comment sais-tu qu'il était allé voir Curran ?

– C'est lui qui me l'a dit. Il était allé chercher des trucs chez lui – du bois, je crois – qu'il avait trimballé dans sa caisse. Il s'était sali…

– Allons, George ! Abie ne se dérangerait pour si peu…

– C'est ce qu'il m'a dit.

– A-t-il dit autre chose ?

– Non. Il m'a demandé si j'avais bien nettoyé sa caisse, et puis il m'a dit de rentrer chez moi.

– Bon.

Forbes-James, qui avait eu les yeux fermés pendant la plus grande partie de cet échange, se redressa soudain et recula sa chaise.

– Ce sera tout – pour le moment, en tout cas.

Wallace fit mine de se lever, mais un geste de Stratton l'en dissuada.

– Qu'est-ce que je vais devenir ? dit-il.

– Vous, vous restez là, répondit Forbes-James. On n'en a pas encore fini avec vous.

67

Stratton remonta l'escalier avec le colonel et ils allèrent fumer dans la rue. Un peu plus loin, Arliss faisait les cent pas avec l'un des réservistes. Il se dégageait, de son maintien et de son pas mesuré, un air de dignité, mais Stratton voyait bien à quel point il s'emmerdait. En dépit de son irritation, il se surprit à sourire.

– Ça fait du bien, un peu d'air frais, commenta Forbes-James.

– Oui, colonel.

– Connaissez-vous ce Curran ?

– Je l'ai interrogé, après la découverte du cadavre…

– Eh bien, vous feriez mieux d'aller le revoir. Histoire de voir s'il corrobore la version de Wallace. Vous croyez, ajouta-t-il en haussant les sourcils, que son employeur est au courant de ses activités parallèles… ?

– Ça m'étonnerait. Toute la question est de savoir si Curran est prêt à donner Marks en échange d'un peu d'indulgence à son égard, mais je n'ai pas trop d'espoir. Abie Marks n'est pas le genre de type qu'on a intérêt à doubler.

Pourquoi tout était-il si compliqué ? se demanda Stratton pour la centième fois en rentrant dans le commissariat à contrecœur. D'habitude, il avait affaire à des témoins qui avaient peur de parler, mais au moins il savait quel était son propre but : pincer les criminels et les mettre à l'ombre. C'était simple. Forbes-James, assurément, avait d'autres idées, et s'il fallait libérer des coupables, il n'hésiterait pas. La déposition de Johnny allait sans doute mystérieusement disparaître, et dès sa libération il pourrait aller raconter à ses copains que les flics l'avaient menotté et traîné en prison pour le cuisiner, mais qu'il n'avait pas craqué… Cela le grandirait à leurs yeux, ferait de lui un caïd, et le peu d'autorité que l'oncle Ted avait pu posséder en serait volatilisé, ce qui le mettrait au niveau du pauvre Reg. Deux minables, de simples rouages dans la mécanique universelle, des mouches dans la toile de l'araignée, tandis que lui, Johnny, serait un homme, un vrai… Il poussa un soupir.

– Ça va ?

Jones avait détaché les yeux de ses monceaux de papiers quand il était entré dans le bureau.

– T'as vraiment une sale gueule.

– Merci. Tu n'es pas toi-même particulièrement frais.

– Trop de boulot… et je n'avance pas. Ce matin, deux troufions sont venus avouer qu'ils avaient cambriolé un hôtel en 38, et que maintenant qu'ils avaient tâté de l'armée, ils préféraient encore la prison. Comme l'armée n'en voudra plus, on les a sur les bras… C'est la deuxième fois, ce mois-ci. On a encore un bijoutier dévalisé, plus un fourreur, un vol dans Hanway Street et une autre prostituée qui s'est fait buter, et vu mes résultats, je pourrais tout aussi bien me torcher avec tout ça…

Il souleva une brassée de papiers et les laissa tomber par terre.

– La moitié te concerne, d'ailleurs…

– J'aimerais bien t'aider, dit Stratton, sincère. Tu ne connaîtrais pas un certain Thomas Curran ? Il bosse pour une entreprise du bâtiment : les Frères McIntyre.

– Jamais entendu parler.

– Peu importe. (Stratton décrocha le téléphone.) C'eût été trop beau…

Apprenant par la secrétaire de l'entreprise que Curran travaillait sur un chantier dans Covent Garden, Stratton se rendit là-bas et le trouva assis sur une caisse, à fumer et lire le journal avec quelques collègues, que Stratton n'avait jamais vus.

– Tu me remets, mon vieux ? Inspecteur Stratton, police judiciaire…

Curran pâlit, mais ne dit rien. Stratton s'adressa à ses camarades :

– Je suis ici pour parler à M. Curran, et on aimerait pouvoir causer tranquillement, si ça ne vous fait rien…

Avec une nonchalance calculée, les hommes allèrent s'installer un peu plus loin, faisant mine de parler entre eux.

– Je suis sûr que vous avez du boulot, leur lança Stratton. Alors, oust ! À moins, ajouta-t-il à l'adresse de Curran, qui semblait très inquiet, que tu préfères m'accompagner au commissariat ?

Curran secoua la tête.

– Je peux pas, inspecteur. Ça me mettrait dans le pétrin.

– T'y es déjà, dit Stratton. Mais… (il lança un sourire à son interlocuteur qui, prostré sur sa caisse, malaxait sa casquette entre ses grosses mains parsemées de taches de rousseur) c'est ton jour de chance, car je vais te donner la possibilité de t'en sortir. J'ai entendu parler de toi et de tes extras. Il paraît que tu grattes quelques sous, à revendre des matériaux de construction en douce ?

– Non !

La figure de Curran montrait des signes d'une vertueuse indignation.

– Je le jure sur la tête de ma mère !

– C'est pas ce qu'on m'a dit. On m'a dit que tu étais en cheville avec de gros truands. Un, en particulier : M. Marks. Abie, pour les intimes.

– Pas moi ! Je l'ai jamais vu, ce type-là !

– Je crois que si. Tu lui as revendu des trucs que tu avais barbotés. Et en février ou mars, tu lui as filé un petit coup de main, non ?

– Mais non, inspecteur ! Je vous le répète, je l'ai jamais vu.

– Allons donc ! Je comprends ton hésitation à me parler, Thomas, mais je peux t'assurer que ça vaudra mieux pour toi, en définitive.

Curran ne releva pas les yeux, se contentant de secouer la tête. Se sentant dans la peau du mauvais flic, Stratton dit :

– D'où viens-tu, Thomas ?

– J'habite à Camberwell.

– Non, je voulais dire : ta famille… de quel coin d'Irlande ?

– County Clare, mais mon père a participé à la guerre de 14. Dans le bataillon des Irlandais.

– Chapeau… !

– Il a combattu à la bataille de Loos.

– Pas possible ?

Stratton fixa Curran, qui cilla et baissa les yeux.

– Les gens peuvent changer d'avis, Thomas. En cherchant bien, on pourrait découvrir que t'es pote avec l'IRA, en plus de l'être avec M. Marks.

Curran redressa la tête, affolé.

– Vous pouvez pas faire ça !

– Oh, que si ! Les règles changent, Thomas. Il faut défendre le royaume. C'est pour ça qu'on a inventé l'Ordonnance 18B. Pas la peine de t'inculper, on n'a qu'à demander à des amis haut placés de signer un bout de papier et on peut t'enfermer aussi longtemps que ça nous chante. Et ne me dis pas qu'en prison tu seras à l'abri. Là-bas aussi, Marks a des amis, et tu seras cuit… Je préfère pas penser à comment tu marcheras, quand ils en auront fini avec toi. Enfin, si tu peux encore marcher…

Curran le dévisagea. Sa figure avait pris une nuance verdâtre.

– Vous allez pas faire ça !

– Tu paries ?

– Fumier ! Espèce de sale fumier…

Stratton prit l'air choqué.

– T'embrasses ta mère avec cette bouche-là ?

– Elle est morte.

– De honte, sûrement.

Il inclina la tête sur le côté et considéra Curran. Au bout d'un moment, il s'accroupit auprès de lui et sortit son calepin.

– Et maintenant, tu vas repenser à ce qui s'est passé en février dernier, avec M. Marks.

Curran le fusilla du regard et, l'espace d'un instant, Stratton crut qu'il allait se faire démolir le portrait.

– L'église… Eastcastle Street. Le cadavre.

– Écoutez, fit Curran d'un ton suppliant. J'étais bien forcé de l'aider, non ? M. Marks était venu me chercher lui-même… je pouvais pas dire non.

– Où ça ?

– Holloway Road. Vers vingt et une heures. J'allais au pub, il faisait noir comme dans un four, et j'aurais jamais repéré sa bagnole s'il était pas venu me demander de l'accompagner…

– Il t'a menacé ?

– C'était pas la peine !

Curran prit l'air résigné.

– Avec M. Marks, on discute pas…

– Tu te souviens du jour ?

– Un vendredi soir, mais la date exacte… On bossait dans cette église depuis une semaine – ça avait commencé le lundi, donc on devait être… début mars. C'est tout ce que je peux dire.

– Que s'est-il passé ?

– On est montés dans la voiture. Je lui ai demandé où on allait, et il a dit que je verrais bien, ou quelque chose comme ça, alors j'ai pensé qu'il valait mieux la fermer…

– Y avait-il quelqu'un d'autre ?

– Non, juste lui. On est allés dans le West End, et j'ai cru qu'on allait à l'entrepôt de mon patron. J'ai dit que j'avais pas la clé ni rien, mais il a dit : aucune importance. Ensuite, on est allés dans le quartier de Soho, et il s'est arrêté dans Romilly Street. J'ai demandé ce qui se passait, mais il m'a dit de descendre et m'a amené dans cet appartement…

– Quel numéro ?

– J'en sais rien. Il faisait nuit. Le milieu de la rue… Premier étage. Petit appart. Pas terrible.

Curran passa ses mains sur son visage.

– Jamais j'oublierai, marmonna-t-il en contemplant le sol. C'était horrible. Jamais j'avais vu un truc pareil.

– C'est-à-dire ?

– Horrible…

Lentement, il secoua sa tête, toujours baissée.

– On est montés là-haut dans le noir. L'escalier était pas éclairé. On est entrés, les rideaux étaient tirés, et quand M. Marks a allumé, j'ai vu ce type… Il y avait une table, et il était comme calé sur l'une des chaises, tassé contre le mur. On voyait qu'il était mort. J'ai dû dire quelque chose, car M. Marks a répondu : « Tu vas m'aider. » Quand j'ai vu son crâne, tout gluant comme du foie cru… j'ai eu envie de vomir… C'était horrible.

– Il avait été frappé à la tête ?

– Je suppose. Avec un gros truc.

– Tu n'as pas vu l'arme ?

– Non, mais ça devait être une barre à mine ou une bêche… Le sang avait giclé sur le papier peint, autour de sa tête.

– Il y avait des traces de lutte ? D'autres taches de sang ?

– Pas énormément. J'ai vu du sang sur la plinthe, et par terre, mais sinon…

– On avait déplacé des meubles ?

– C'était plutôt vide. À part un fauteuil, qui avait pas dû bouger. J'ai demandé à M. Marks ce qu'on faisait là. Il a dit qu'il voulait mettre le corps dans la voiture. Moi, je grelottais, je savais pas quoi faire – j'étais témoin, maintenant ! Si j'obéissais pas, j'aurais le crâne défoncé, moi aussi. Je pouvais pas…

Curran déglutit et s'essuya la bouche du revers de la main.

– Là-dessus, M. Marks est allé à côté, dans la chambre, je pense, et il est revenu avec des couvertures.

– Quel genre ?

– Brunes. Beiges. Le genre couvertures de l'armée. J'ai pensé… je sais pas. M. Marks lui en a jeté une sur la tête, l'a entortillée. À cause du sang…

– C'était encore frais ?

– Non, pas complètement. Plutôt caillé. Ça dégoulinait plus.

– Le corps sentait mauvais ?

– J'ai pas remarqué.

– De quoi avait-il l'air ?

– D'un mec ordinaire. En complet. J'essayais de pas regarder. Son chapeau était par terre – c'était du plancher, pas du lino – M. Marks l'a ramassé et posé sur la table. À l'envers.

– Et ensuite ?

De nouveau, Curran déglutit.

– Seigneur… M. Marks m'a dit de le mettre sur ses pieds. Je l'ai ceinturé et mis debout.

– Comment était le corps, à ce moment-là ?

– … lourd et flasque. Comme un sac de patates. Il m'est tombé dessus. M. Marks a mis la couverture tout autour de lui. J'ai dit : « Et ses pieds ? » parce qu'ils dépassaient. Il a dit que ça irait, je le prendrais par les chevilles. Il m'a donné de la corde pour les ligoter, et il a pris l'autre côté… On a traversé la pièce et descendu l'escalier. Ensuite, M. Marks a voulu le laisser à la porte pour vérifier que la voie était libre. Comme la voiture était garée juste devant, il est allé ouvrir le coffre et on l'a mis là-dedans.

– Personne ne vous a vus ?

– Personne. Et même…

Curran ne se donna pas la peine de finir sa phrase : même si un riverain avait vu la scène, il n'aurait rien osé dire…

– M. Marks m'a dit d'attendre dans la voiture pendant qu'il remontait, ce que j'ai fait. À son retour, il a rouvert le coffre pour y balancer le chapeau, puis il s'est remis au volant et on est repartis. Il ne parlait plus. On a traversé Oxford Street, et quand il s'est arrêté j'ai vu que l'église était celle où on bossait, donc… Il y avait une brèche dans le mur, qu'on condamnait le soir avec des planches, pour pouvoir circuler…

– Donc, Marks savait que vous travailliez dans la crypte ?

Curran opina.

– Il était venu la semaine précédente, alors que j'apportais les outils. J'étais tout seul, Dieu merci. J'avais cru qu'il voulait quelque chose, mais il s'était contenté de regarder un peu partout, en me demandant ce que je faisais… Il a mis du fric dans le tronc, ce qui m'a paru drôle, pour un Juif. J'ai pensé que c'était pour se porter chance, mais vu la suite, je crois que c'était plutôt l'idée qu'il se faisait d'un paiement.

– Et après ?

– Il m'a dit de déplacer les planches, on a sorti le bonhomme du coffre – ça s'est pas fait tout seul. Puis on a trimballé le corps dans la crypte. Il y avait eu une porte, là, mais on l'avait démontée pour pouvoir travailler et elle était calée contre le mur. Là, M. Marks a dit de mettre le…

Curran désigna un cadavre invisible à ses pieds.

– … par terre et d'aller chercher les pelles. Il m'a donné une torche, puis m'a montré les dalles qu'il voulait me faire retirer.

– Dans le noir ?

– Au début, il tenait la torche, mais quand il a vu que j'avais besoin d'aide, il l'a posée par terre. C'était de grosses dalles, très lourdes, et ça a duré un moment. Je sais pas comment j'ai fait – je tremblais, et voir cette… chose, par terre… Bon, on y est arrivés. Comme c'était de la terre dessous, j'ai creusé une fosse, et M. Marks a dit qu'il voulait couler de la chaux. J'ai dit que ça ne marcherait pas.

– Comment cela ?

– Son but était de détruire le corps… J'ai eu beau lui dire que c'était pas la bonne, il m'a dit de la boucler et de bosser, ce que j'ai fait. Ensuite, on a ôté les couvertures. J'y voyais pas très clair, heureusement, parce que rien que le fait de le toucher… On l'a recouvert de terre, on a remis les dalles, mais c'était comme si je le voyais encore. J'ai cru que je ne pourrais plus jamais trouver le sommeil…

– Que sont devenues les couvertures ?

– M. Marks m'a dit de les remettre dans le coffre, il allait les brûler. Avec le chapeau. Il a dit…

Curran dévisagea Stratton, les yeux caves.

– Il a dit qu'il me brûlerait aussi, chuchota-t-il, si jamais j'en parlais à quelqu'un…

– Il ne le fera pas. A-t-il dit autre chose ?

– Non. Il est parti en voiture. Je suis rentré chez moi en bus.

Curran se prit la tête dans les mains.

– Et maintenant, qu'est-ce que je vais faire ?

– Tu as de la famille ?

– Deux garçons. En bas âge.

– Des frères, des sœurs ?

– Deux sœurs. Une ici, l'autre à Liverpool.

– Dans ce cas, je te suggère d'aller habiter chez elle.

– Et ma femme, mes gosses ?

– Emmène-les.

– M. Marks nous retrouvera.

– Non, tu as ma parole.

Curran hocha la tête.

– Tu ne me crois pas ?

– Vous ? (Curran semblait incrédule.) Vous rigolez ?

– Non.

Avec le sentiment encore plus net de n'être qu'une crapule, Stratton ajouta :

– Tu n'es pas forcé de me croire, mais je suis désolé… Nécessité fait loi, hélas. Tu vas aller te mettre au vert pendant quelques mois, et je te garantis qu'il ne t'arrivera rien.

– Vous ne pouvez rien me garantir…

– Sur ce point, si.

Stratton espéra être aussi convaincant pour autrui qu'il souhaitait l'être à lui-même.

– Mais tu ferais mieux de filer en vitesse. Et à ton retour, tu ne faucheras plus rien, ou tu auras affaire à moi.

– J'ai le choix ?

Curran semblait amer.

– Et mon boulot ?

– Demande un congé… Il y aura du travail à Liverpool, si jamais tu décides de rester. De toute façon, tu feras sûrement partie de la prochaine fournée d'appelés, non ?

Il s'en alla, dégoûté par lui-même. Certes, il n'était pas un saint, il avait déjà menacé des gens, passé des marchés – c'était chose répandue si on voulait obtenir un résultat – mais *ça* ? Merde alors. Il n'avait pas d'illusions sur le métier de flic, mais cette Ordonnance 18B lui restait sur l'estomac. Le colonel n'aurait pas tiqué, mais lui… Nécessité fait loi, avait-il dit à Curran. La fin justifie les moyens. Mais était-ce vrai ? Il n'en savait foutre rien…

N'ayant pas le courage de retourner à Dolphin Square sans avoir passé un moment seul avec lui-même, il entra dans un café et commanda une tasse de thé. Curran avait dit que le cadavre lui était « tombé dessus », donc le décès était très récent. Abie avait dû l'attirer dans cet appartement sous prétexte de lui remettre l'argent de sir Neville et le matraquer à mort. Wallace n'avait parlé ni de couvertures ni du chapeau, mais peut-être Abie les avait-il fait disparaître avant de lui confier la voiture. Pas besoin de les brûler – il n'avait qu'à les balancer dans un terrain vague, et ni vu ni connu… D'après Wallace, la banquette était sale, mais il n'y avait pas de sang. Il restait forcément des traces et, sauf si Abie avait fait nettoyer l'endroit, il devait y avoir aussi du sang là-bas. Enfin, il ne fallait pas compter sur un mandat de perquisition. Et s'il s'en passait ? « Non, se dit-il. Je me suis mis dans ce pétrin parce que j'ai voulu faire preuve d'initiative – pas question de recommencer. » Il songea qu'il pouvait, en toute légitimité, aller à Great Marlborough Street pour voir où en était Ballard avec ces dentistes dans le Sussex. Au moins, cela retarderait d'une heure son retour à Dolphin Square – et c'était mieux que rien.

68

Jones interrompit sa conversation avec le chef de poste en le voyant arriver au commissariat.

– Alors, tu as passé du bon temps avec Wallace ?

Stratton eut une moue dédaigneuse.

– Je ne m'étais pas autant marré depuis le jour où ma tante Annie s'était coincé les nichons dans l'essoreuse.

– Ben, t'as pas fini de rigoler. Ballard est venu te demander. Si tu fais vite, tu vas le rattraper…

– Merci.

Courant dans le couloir, Stratton entendit des rires provenant de son bureau et, ouvrant la porte, il faillit entrer en collision avec le postérieur de Ballard, qui dépassait car il était penché au-dessus de Gaines. Cette dernière, assise dans le fauteuil, le tenait par le cou. Ils s'écartèrent d'un bond, rectifièrent leur tenue, rouges d'embarras.

– Au moins, il y en a qui s'amusent ! lança Stratton.

– Excusez-nous, inspecteur, bredouilla Ballard. On ne faisait que…

Stratton haussa un sourcil curieux.

– Quoi ?

Ballard fixa le sol et Gaines toussota.

– En fait, inspecteur, on fêtait ça…

– Quoi, vos fiançailles ?

– Non, inspecteur. Ballard a fait une découverte.

– De toute évidence, fit Stratton avec une pointe d'ironie. Mais je préférerais qu'il n'examine pas ses « découvertes » dans mon bureau.

– Non, inspecteur, dit Gaines, qui était devenue, si c'était possible, encore plus rouge. C'est au sujet du dentiste...

– Une sacrée surprise, inspecteur, dit Ballard, après que Gaines eut été envoyée chercher une tasse de thé et que Stratton, promettant d'être discret, eut délivré un bref sermon sur la nécessité de ne pas exposer leur idylle au grand jour, sinon lui – ou, plus probablement elle – risquait le renvoi. J'ai contacté les dentistes de la région et l'un d'eux – Joseph Dwyer – a eu Cecil Duke comme patient. Il a reconnu les photos. C'est formidable, comme ils sont capables de reconnaître leur propre boulot... ! Tout concorde avec les notes, donc on a trouvé notre homme.

– Parfait. Bravo ! Et les listes de passagers... ?

– Rien encore. Mlle Gaines...

Les joues de Ballard, qui avaient retrouvé leur teinte habituelle, virèrent légèrement au rose, à nouveau.

– ... s'en occupe. On a retrouvé la trace de l'homme chez le coiffeur. M. Rogers. Il habite une pension dans le quartier de Bloomsbury.

« Pour ce que ça servira », songea Stratton.

– Splendide ! dit-il à voix haute. Continuez comme ça. Et rappelez-vous : plus de câlins !

– Oui, inspecteur.

– Alors, ça va. Et maintenant, oust !

Ballard sourit et s'en alla, le laissant seul avec ses pensées. Donc, Cecil Duke avait été assassiné par Abie Marks, agissant sur l'ordre de sir Neville.

Et Marks avait envoyé Wallace chercher les films chez Mabel Morgan pour sir Neville. Afin de limiter les dégâts. Mais cela n'avait servi à rien, car ils avaient échoué, et de toute façon Bobby Chadwick était allé voir Montague pour se venger. Livré à lui-même, Stratton serait allé travailler au corps sir Neville – disant que Marks avait avoué et l'avait mis en cause, après quoi il aurait regardé les dominos tomber, un à un, mais on pouvait parier que Forbes-James ne le laisserait pas faire. Sous le coup de la frustration, il abattit son poing sur la table, puis se leva d'un bond et flanqua un coup de pied au bureau.

– À quoi bon ? dit-il entre ses dents. À quoi bon, merde !

– Inspecteur ?

Gaines était sur le seuil, une tasse à la main, l'air ahuri.

– Excusez-moi, je ne voulais pas vous déranger…

– Ça ne fait rien.

Stratton prit sa main endolorie.

– Je… J'évacue la pression, c'est tout.

– Je vous ai apporté votre thé.

Elle lui tendit la tasse avec affectation, comme on offre un sucre à un chien lunatique. Stratton lui demanda de refermer la porte derrière elle et il répéta le sermon qu'il avait délivré à Ballard, en usant de termes un peu différents et avec bien plus d'embarras. Il avait opté pour ce qu'il espérait être une bienveillance paternelle au lieu d'être direct, comme avec Ballard, mais la jeune femme refusa néanmoins de croiser son regard et parut au bord des larmes à la fin.

– Ne soyez pas aussi émotive, lui dit-il. Ce n'est pas une réprimande officielle. Il faut être prudente, c'est tout. Ballard est un bon gars, ajouta-t-il, puis, réalisant que s'il n'y prenait garde, il finirait par être témoin à leur mariage (j'espère que vous serez très heureux) il déclara : Ce n'est pas la fin du monde.

Gaines, qui visiblement pensait le contraire, étouffa un sanglot et fila. Stratton s'affala dans son fauteuil avec le sentiment d'avoir été une brute, malgré la douceur de son ton et la justesse de ses observations. C'était tellement plus facile d'avoir affaire à des hommes, songea-t-il… à part le colonel et ses pareils, naturellement.

Il s'interrogeait encore sur cet homme qui avait péri dans l'incendie et qu'on avait identifié à tort comme Duke. On pouvait toujours demander à la police du Sussex la liste des personnes disparues pour l'année 1935, mais on ne découvrirait sans doute jamais son identité. Cela resterait un mystère, comme la véritable cause de la mort de Mabel… Merde. Et il ne pouvait même pas aller voir Marks sans demander d'abord la permission au colonel… Enfin, il ne pouvait plus retarder davantage le moment de retourner à Dolphin Square. Comme il finissait son thé, le téléphone sonna.

– J'espérais vous attraper, dit Forbes-James. Alors… ?

– Curran a corroboré la version de Wallace. Marks lui avait demandé de l'aider à transporter un cadavre depuis un appartement dans Romilly Street jusqu'à sa voiture, puis de l'enterrer dans la crypte… À propos, c'était bien Duke. Le dossier dentaire le confirme.

– En ce cas, j'aimerais parler à Marks dès ce soir. Il faut boucler cette affaire sans tarder. Savez-vous où il se trouve ?

– Il a une salle de billard dans Soho. C'est aussi son « bureau ». Je vous l'amène ?

– Non. Attendez-moi. Deux ou trois choses à voir, et je viens… On pourra arrêter notre plan d'action dans la voiture.

69

Abie Marks était toujours aussi pimpant et gominé quand il les reçut dans son bureau, au fond de la salle de billard. Délaissant bien vite son léger air d'appréhension au profit d'une amabilité outrée, il envoya chercher des sièges convenables, offrit à boire et déclara quel grand plaisir c'était de recevoir leur visite. Il ne cessait d'appeler Forbes-James « mon général » et l'aurait sans doute promu maréchal si Stratton ne lui avait dit de la mettre en veilleuse. Forbes-James, lui, gardait le silence, tout en s'arrangeant pour montrer par son expression qu'il trouvait cela assez amusant, quoique pas assez pour justifier une quelconque réaction. Attitude digne de sir Neville et Stratton se demanda, une fois de plus, comment s'acquérait une telle assurance. Cela s'apprenait peut-être dans les écoles privées, ou s'héritait de ses parents tout comme de vulgaires taches de rousseur chez le commun des mortels ou des yeux bleus…

Tout en attendant son siège, il regarda autour de lui et nota, surpris, que la grande poupée blonde aux yeux vitreux qu'il avait remarquée en juin dernier était toujours juchée sur le meuble-classeur, derrière les bouteilles.

– On s'attache, hein ? dit-il à Marks, en la désignant du menton.

– Quoi ?

– Boucle d'Or… Je croyais que l'anniversaire de votre fille, c'était l'été dernier…

– Mais oui. Celle-ci, c'en est une autre. Pour Noël.

– Elle les collectionne ?

– Elle adore les poupées. Elle joue à l'infirmière… (Abie se frotta les mains.) C'est que je la gâte, ma petite…

– Je vois.

– Vous avez des enfants, inspecteur ?

Stratton fut dispensé de répondre par la venue d'un jeune à l'air maussade apportant deux chaises tarabiscotées. Abie fit beaucoup d'embarras pour bien les disposer et épousseta les galettes avec un grand mouchoir de soie avant de les prier de s'asseoir. Histoire de le contrarier, Stratton fit virevolter la sienne d'un moulinet du poignet et l'enfourcha à la manière des flics de films américains, en s'accoudant au dossier. Bougrement inconfortable, mais ça en valait la peine.

– Et maintenant, messieurs, dit Abie en se carrant dans son propre fauteuil : qu'y a-t-il pour votre service ?

Forbes-James accentua son air vaguement amusé en haussant un sourcil.

– En fait, dit-il en s'interrompant pour prendre une cigarette et en marteler pensivement l'étui en argent avant de la glisser entre ses lèvres, au point où vous en êtes, la question est plutôt : comment allez-vous vous en sortir ?

– Ah ?

L'espace d'un instant, Abie parut interdit, puis, regardant autour de lui, il dit :

– C'est peut-être pas un palace, mais je m'en sors.

– Oui, répondit Forbes-James, songeur, mais pour combien de temps encore ?

– Qui sait… ?

Abie eut un geste ample, puis levant les yeux au ciel, il ajouta :

– Quand une bombe doit vous tomber dessus, alors… (Il haussa les épaules.) Les temps sont difficiles, messieurs…

– À qui le dites-vous ? rétorqua Forbes-James. Cependant, je voulais parler de questions qui vous touchent plus directement que la Luftwaffe.

Abie gloussa.

– Une bombe dans ma chambre à coucher, c'est assez direct à mon goût, mon général, sans vouloir vous contrarier.

– Je faisais allusion à sir Neville Apse. Il n'est, j'en ai peur, plus en mesure de vous protéger…

Stratton, qui avait su d'avance ce que son compagnon allait dire, fut néanmoins impressionné par la fermeté avec laquelle cela avait été proféré.

Abie le dévisagea.

– Je ne vois pas de quoi vous parlez.

– Je parle de trahison, monsieur Marks…

– Quoi ?

Le pseudo-air stupéfait sur le visage de Marks fit place à un authentique.

– J'ai pu faire certaines choses par le passé, mais jamais…

– Aider une organisation, le Right Club…

– Hé, minute !

Forbes-James leva la main pour lui intimer le silence.

– … notoirement d'extrême droite et dont les membres sont connus pour avoir commis des actes préjudicables à la sécurité des personnes et à la défense du royaume en encourageant et aidant l'ennemi…

– Écoutez, j'ai rien à voir avec ces ordures ! J'ai fait le coup de poing contre eux quand ils sont venus dans l'East End, en 36. Nous, on avait compris qui c'était, avant vous autres ! J'ai été en taule pour ça, en plus – pour avoir fait ce que tout le pays fait en ce moment, combattre le fascisme. C'est nous qui les avons virés, nous et les communistes. Le « champion des Juifs », c'est le surnom qu'on m'avait donné…

Il se frappa la poitrine.

Il y eut un silence, puis Forbes-James déclara, presque pour lui-même :

– Et quel sera bientôt votre surnom, quand on saura…

– Quand on saura quoi ? J'ai rien à cacher. Je déteste ces fumiers.

Il tendit les mains avec émotion.

– Allons, monsieur Stratton, vous savez que c'est vrai !

Stratton, qui en effet savait, croisa les bras, secoua la tête, et lui rendit son regard.

– Enfin quoi, vous saviez forcément, mentit-il, que sir Neville était affilié au Right Club ?

Abie secoua la tête, avec éloquence.

– Bien sûr que non. Pourquoi il me l'aurait dit ? Si j'avais su, j'aurais jamais…

– Vous n'auriez jamais… ?

– J'aurais jamais copiné avec lui, hein ?

– Et à quoi vous a mené ce « copinage », monsieur Marks ? demanda Forbes-James.

– Rien de spécial, on était potes, c'est tout.

– Potes ?

Vraiment, pensa Stratton, Forbes-James n'aurait pu prononcer ce mot avec plus d'incrédulité si Abie avait prétendu être l'ami du pape.

– Simples relations. Relations d'affaires.

– Je vois. Et la nature de ces affaires… ?

– J'ai rien à voir avec ces fumiers. Vous pouvez demander…

– Nous avons demandé à sir Neville. Il a fait des aveux complets.

Stratton cilla. Heureusement, Abie avait été trop polarisé sur Forbes-James pour remarquer sa stupéfaction. Merde, alors ! Lui-même avait déformé assez souvent la vérité pour obtenir des aveux, mais jamais il n'avait sorti un bobard pareil au sujet d'un suspect avec autant de relations. Enfin, c'était peut-être la vérité – auquel cas, il eût aimé en être informé.

– C'est un mensonge, dit Abie.

– Comment pouvez-vous le savoir, puisque je ne vous ai pas dit ce qu'il nous a raconté ?

– S'il a dit que je fricotais avec ces fascistes, alors c'est un menteur. C'est un fasciste, je suis juif. C'est forcément un mensonge…

Forbes-James pencha la tête sur son épaule, comme s'il réfléchissait.

– C'est un argument, bien sûr. Quoi qu'il en soit, votre meilleure chance – en fait, la seule – d'éviter l'inculpation de trahison, c'est de nous dire la vérité sur vos liens avec sir Neville. Vous ne pourrez pas le sauver – bien que, si ce que vous dites est vrai, je ne vois pas pourquoi vous voudriez le faire – mais vous pouvez sauver votre peau.

Abie prit un air soupçonneux.

– Qu'est-ce qui me prouve que vous dites vrai ?

– Rien. Mais je vous conseille de nous faire confiance, car pour le moment, monsieur Marks, vous n'avez pas d'autres amis que nous.

– Mes couilles !

– L'inspecteur Stratton ici présent a tout pouvoir pour vous arrêter ici et maintenant, sans avoir besoin de vous inculper de quoi que ce soit, dans le cadre de l'Ordonnance 18B, et pour vous détenir aussi longtemps que bon nous semble. Et si nous décidons de vous inculper de trahison, eh bien… Je n'ai pas besoin, j'imagine, de vous dire quelle est la sentence. De plus, si jamais nous ébruitons la nouvelle de votre arrestation – et la raison de cette arrestation – alors vos affaires risquent à tout le moins d'en pâtir. L'inspecteur Stratton a eu la bonté de m'informer de la nature de vos… activités professionnelles, et il me semble que vos confrères – ou devrais-je dire, ex-confrères ? – souhaiteront, quoi de plus naturel, forger de nouvelles alliances. Quant à vos concurrents… Je suppose que, en hommes d'affaires avisés, ils profiteront de cette opportunité pour accroître leurs empires…

– Vous pouvez pas faire ça ! protesta Abie d'une voix rauque.

– Cher ami, dit Forbes-James, tout miel, je vous assure que si.

Abie jeta un regard implorant à Stratton, qui hocha la tête.

– Demandez-vous, reprit Forbes-James, si le jeu en vaut la chandelle. Si tout ce que je vous ai dit est faux, alors vous n'avez rien à craindre. Mais si cela s'avérait, eh bien…

Le colonel haussa les épaules.

– À vous de décider.

– C'est détourner la loi. Pervertir le cours de la justice.

– Nous sommes en guerre, monsieur Marks. Le cours de la justice est altéré. C'est une décision grave et nous serons heureux d'attendre que vous ayez bien réfléchi. Toutefois, ajouta-t-il en le voyant se lever, nous préférons que vous restiez assis.

Contemplant Abie, qui avait repris sa place et se tenait la tête, Stratton ressentit presque de la pitié. Il jeta un coup d'œil à Forbes-James, qui regardait droit devant lui, impassible, et, sentant qu'il ne pouvait pas rester ainsi – de toute façon, cette position à califourchon lui donnait mal aux fesses –, il se leva pour aller s'adosser à un mur. Comme il cherchait ses cigarettes dans sa poche, ses doigts se refermèrent sur la petite écharpe que Monica avait tricotée pour sa poupée. « L'écharpe et la petite culotte assortie », songea-t-il en lorgnant la poupée trônant sur le meuble-classeur et se revoyant dans la chambre de sa fille. Enfin, celle-ci devait avoir une culotte en soie… Comme la précédente, elle avait des cheveux blonds et les yeux bleus – comme toutes les poupées, peut-être, mais son teint semblait moins éclatant. Question de matériau ? En se rapprochant, il constata qu'elle était toute couverte de poussière. Cette poussière s'était logée dans les plis de sa robe et collait, formant un film gris, à son visage et à ses membres potelés. Notant du coin de l'œil qu'Abie avait redressé la tête et le surveillait, il leva la main et, très délibérément, passa le doigt sur la surface du meuble en bois avant de le mettre sous son nez, pour examen : propre. Puis, tendant les bras, il souleva la poupée et, passant la main sur sa jupe confectionnée dans un tissu raide, pour en chasser la poussière, il en retroussa la valeur d'un centimètre pour voir le jupon et la petite culotte – effectivement en soie. Pas mal, comme cachette.

Lentement, la poupée dans les bras, il se retourna pour faire face à Abie.

– En effet, vous la gâtez, votre fille. Sauf qu'elle n'est pas très propre, cette poupée. Elle doit être là depuis un bout de temps…

Par la suite, il devait se dire que jamais, au grand jamais, il n'aurait été capable de décrire l'expression du truand à ce moment-là, mais cela le fit se mettre sur ses gardes. Il sentit, par ailleurs, que Forbes-James, qui l'avait dévisagé avec incrédulité, ne bougeait plus un cil.

– Quelle jolie poupée, murmura-t-il. Oui, bien jolie… Quel honte de l'avoir laissée se salir, Abie, ajouta-t-il en parlant plus fort. Vous devriez offrir un plumeau à vos minets.

– Touchez pas à ça !

Abie se leva de son fauteuil et resta debout, raide et violacé de rage, les yeux exorbités.

– Elle est à ma petite fille. Vous n'avez pas le droit !

– Oh, dit Stratton en retournant la poupée à l'envers, en sorte que la jupe se déploya, découvrant le nombril, et que les jambes se retrouvèrent en l'air, je crois que si. C'était peut-être un cadeau au départ, mais à présent – sauf erreur de ma part – c'est une pièce à conviction.

– Salopard !

Contournant le bureau comme une furie, Abie était sur le point de lui arracher la poupée quand Forbes-James se leva et dit, très calme : « Assis. » Stratton vit alors qu'il avait une arme au poing. Stupéfait, il reporta son regard sur le visage dur du colonel. Il s'était préparé à maîtriser Abie et, si nécessaire, à le molester un peu, mais ignorait que son nouveau chef avait sur lui une arme à feu, et qu'il était prêt à s'en servir.

Ce dernier fit signe à Abie de retourner à sa place, ce qu'il fit, en reculant. Son visage avait perdu ses couleurs au point d'avoir la nuance et la texture du lait caillé.

– Vous allez me descendre ? dit-il.

– Non, répondit Forbes-James sur un ton détaché, sauf absolue nécessité.

Le truand ayant repris sa place – Forbes-James était resté debout –, Stratton passa la main sous le jupon et tira sur la petite culotte. Dessous, il trouva plusieurs documents sur papier cartonné marron : des cartes d'identité et un livret de rationnement.

– Tiens, tiens ! fit-il en les brandissant. Bingo ! Eunice Holroyd, Gordon Marchant et… Arthur Symmonds. Plus un livret de rationnement à lui.

Il jeta un coup d'œil à Forbes-James, qui lui fit signe de continuer d'un infime signe de tête.

– Dernièrement, j'ai beaucoup entendu parler de M. Symmonds, Abie. Tu ne vas pas prétendre que ceci est allé se fourrer sous ses jupes tout seul pendant que tu avais le dos tourné ?

La respiration entrecoupée d'Abie était audible, à présent.

– Alors ? insista Stratton. Explique-toi.

– Je suis pas au courant… (Abie toussa.) Le mec que je connais vend des cartes d'identité.

Stratton reposa la poupée sur le meuble.

– Arrête ton char, Abie. C'était une grosse bêtise de conserver les papiers de Symmonds. Il fallait les brûler avec le chapeau et les couvertures, mais tu es devenu gourmand, hein ? Tu as pensé te faire un peu d'argent de poche en les revendant…

– Je pige pas ce que vous dites. Un type avait ça à vendre, je lui ai rendu service. Pareil pour les autres.

– Les autres ne m'intéressent pas, Abie… quoique, ajouta Stratton en empochant les cartes, je les garderai tout de même. Parle-moi de M. Symmonds.

En l'observant, Stratton songea à cette poule décapitée qu'il avait vue, enfant, continuer à courir dans la basse-cour. Même sous la menace d'une arme, ce type ne pouvait s'empêcher de mentir et de louvoyer : la force de l'habitude.

– Nous savons, déclara Forbes-James, que vous avez assassiné Cecil Duke, connu aussi sous le nom d'Arthur Symmonds, en mars, et que vous l'avez enterré sous des dalles, dans la crypte d'une église dans Eastcastle Street. Le mouchoir de sir Neville a été retrouvé sur le cadavre. Il nous a tout dit. Par conséquent, monsieur Marks…

Forbes-James jeta un coup d'œil à son arme.

– Je ne reposerai pas ma question : qu'avez-vous à nous dire sur sir Neville ?

La figure d'Abie, qui n'était plus couleur de lait caillé, mais couleur de fromage pas frais, transpirait, mais son ton conservait son insouciance.

– Il m'a demandé de l'aide. Un ami dans le pétrin… qu'auriez-vous fait à ma place ?

– Où avez-vous fait connaissance ?

– À mon club…

Forbes-James toussota.

– Mon night-club, rectifia Abie.

– Le Blue Lagoon ? demanda Stratton.

Abie hocha la tête.

– Exact. On a parlé.

Forbes-James parut peiné.

– Que faisait-il là-bas ?

– Qu'est-ce qu'on fait dans un night-club ? On s'amuse…

– De quoi avez-vous parlé ?

– De nos intérêts communs.

– Quoi, par exemple… ? Je ne vois pas ce que vous pouvez avoir en commun.

– Oh… (Abie haussa les épaules.) De ceci et cela. Vous savez ce que c'est, messieurs.

« Même acculé, songea Stratton, il se défend. Il ne doute vraiment de rien. »

– Biens et services ? suggéra-t-il.

– Je crois que oui…

– Les garçons ?

– Voyons, monsieur Stratton !

Abie était le visage même de la vertu outragée.

– Vous savez bien que je n'ai jamais trempé là-dedans.

– Dans… quoi ?

– Les gamins.

– Les jeunes gens, alors. Tarifés.

Abie secoua la tête, d'un air affligé.

– Assez déconné, Abie. As-tu, oui ou non, fourni des garçons à sir Neville Apse ?

– J'ai jamais…

– La vérité, je vous prie, dit Forbes-James. Comme vous le savez, nous avons déjà les aveux complets de sir Neville et vous conviendrez, j'en suis sûr, que sa parole a plus de poids que la vôtre. Donc…

D'un geste, il l'invita à parler.

– Nous avions des… relations communes, oui.

– Relations communes… en plus d'intérêts communs ? demanda Stratton. Pratique, ça…

Décidé à faire monter la pression, il s'approcha du bureau et frappa du poing sur la table.

– On n'est pas au Rotary Club !

Se penchant vers Abie, il l'empoigna par sa cravate et tira. Le visage de l'autre n'était plus qu'à un centimètre du sien.

– Allez, accouche !

Relâché, Abie retomba dans son fauteuil et toussa.

– Lui as-tu, oui ou non, fourni des garçons ?

Bredouillant, Abie opina.

– C'est oui ou c'est non ?

– Oui.

– Vous aviez un accord ? demanda Forbes-James.

– Oui, mon général.

– Et avez-vous envoyé George Wallace et John Booth récupérer un coffre chez Mlle Morgan sur ordre de sir Neville ?

– Oui.

– Et, aussi sur son ordre, avez-vous assassiné Arthur Symmonds – dont les papiers se trouvent ici – avant de vous débarrasser de son cadavre… ?

– Sur ma vie, je ju…

– Votre vie, monsieur Marks, n'aura plus aucune valeur si vous ne nous dites pas la vérité. Après tout… (la voix du colonel s'adoucit) c'est sir Neville qui nous intéresse, pas vous. Comme vous l'avez dit vous-même, vous ne vous mettriez jamais en rapport avec une organisation comme le Right Club. En fait, vous avez dit être considéré par vos coreligionnaires comme un… « champion ».

Forbes-James observa un silence pour être sûr d'avoir été bien compris.

– Je suis certain que tous souhaiteraient que vous nous aidiez à combattre les nazis, et en l'absence de sir Neville, je suis sûr que vous apprécierez d'avoir d'autres amis aussi bien placés… ?

Le colonel agita sa main dans les airs, comme invitant d'imaginaires rangs de dignitaires à déposer honneurs et privilèges aux pieds d'Abie. Très malin, songea Stratton. D'abord, le gros bâton, ensuite la carotte.

– Je le répète, ajouta Forbes-James, nous sommes vos amis.

– Mes amis, répéta Abie avec aigreur. Vous n'êtes pas mes amis.

– Je comprends votre méfiance, monsieur Marks, déclara Forbes-James doucement. Vous nous avez dit que sir Neville était le vôtre – du moins le pensiez-vous – or, il s'est avéré que ce n'était pas le cas. Nous, d'un autre côté, partageons le même but. Nous agissons dans l'intérêt de la nation contre un même ennemi très dangereux. Votre aide en ce domaine ne serait pas oubliée…

Sur le moment, Stratton crut que cette offre ne serait pas acceptée – après tout, un crime demeure un crime, même si on lui trouve des justifications, et Abie n'était pas stupide… Tout en le contemplant, il s'imagina presque l'entendre réfléchir ; foutu pour foutu, Abie s'efforçait de passer outre à ses instincts pour calculer ce qui était la moins mauvaise option pour lui.

– Je ne sais pas pour vous, dit-il enfin, mais moi j'aurais bien besoin d'un verre.

Voyant en cela une capitulation, Forbes-James déclara :

– Naturellement. Monsieur Stratton, voudriez-vous… ?

– Scotch, dit Abie.

– Un double, dit Forbes-James, généreux. Et pour moi, la même chose…

En s'approchant du meuble-classeur pour remplir deux verres, plus un troisième pour lui (merci pour la proposition), Stratton songea que c'était une bien étrange façon de procéder.

– Excellent !

Forbes-James renifla son whisky en connaisseur.

Stratton fit glisser à la surface du bureau le verre destiné à Abie, qui fut réceptionné et avalé, et sirota le sien. Ce whisky était, curieusement, aussi bon que celui de Forbes-James. Stratton se demanda, fugitivement, s'ils provenaient d'une même origine, bien qu'ayant suivi sans doute deux circuits différents. Forbes-James sortit son étui et offrit une cigarette d'abord à Abie, puis à lui.

– Et maintenant, dit-il, si tout le monde est bien à son aise, je crois que nous devrions continuer. Vous parliez de M. Symmonds…

– Sir Neville m'a demandé un service. En février, Symmonds était allé le voir. Ils avaient été amis. Intimes, si vous voyez ce que je veux dire… Sir Neville m'a dit que Symmonds avait été dans le cinéma, et qu'il était allé chercher du travail en Amérique, vu que ça marchait plus ici, mais qu'il avait pas eu de chance là-bas non plus, et donc il était rentré. Il avait pleuré sur son épaule, soi-disant qu'il était fauché et tout et tout… Vous pigez ?

C'était à ce moment-là, songea Stratton, que sir Neville lui avait donné son mouchoir. Il imaginait ce type contemplant son ancien amant au bout du rouleau, du haut de sa suffisance, et lui tendant ce carré de linge fin du bout des doigts.

– Bon, poursuivit Abie, comme sir Neville pigeait pas, lui, Symmonds est devenu méchant. Il a dit qu'il avait des lettres et un vieux film – des preuves de ce passé – et qu'il allait lui pourrir la vie s'il crachait pas au bassinet. Sir Neville l'a envoyé balader, mais après il s'est fait de la bile et voilà pourquoi il est venu me voir pour que je règle ça…

Abie s'interrompit pour lamper son whisky, et Forbes-James demanda :

– Comment voulait-il que vous régliez cela ?

– C'était à moi de voir…

– Vous a-t-il payé ?

Abie acquiesça.

– Combien ?

– Trois mille. Je l'ai trouvé facilement – cet imbécile lui avait dit où il créchait, croyant qu'il allait l'aider – sir Neville l'avait fait marcher, au début… Donc, j'ai découvert où il picolait, je l'ai rencontré « par hasard » et je lui ai dit que sir Neville avait changé d'avis et que j'avais ce qu'il voulait. Il m'a accompagné, ce con ! On est allés dans mon appart de Romilly Street – j'avais dit aux filles que je voulais pas les voir là-bas, cette nuit-là, et on a causé affaires…

– Affaires ?

– Je lui ai montré l'argent, et ensuite je lui ai demandé – gentiment – où étaient le film et les lettres, on a plaisanté un peu, puis il s'est mis en rogne, disant qu'il me les filerait pas, vu que c'était pas assez cher payé. Là, je me suis mis en rogne aussi, et alors…

Abie montra la paume de ses mains.

– Vous connaissez la suite.

– Il vous a dit où étaient ces documents ?

– Il avait pas trop le choix.

– Vous l'avez torturé ?

– Je l'ai persuadé.

– Je vois, dit Forbes-James. Et que vous a-t-il dit ?

– Il m'a parlé de cette femme – Morgan. Donc, j'ai fait le nécessaire et…

– Vous voulez dire que vous vous êtes débarrassé du corps.

– Et après, je suis allé voir sir Neville. J'ai dit qu'il fallait régler ça, mais il a dit que cette femme n'était pas au courant, pour lui et Symmonds…

– C'est ainsi que sir Neville l'appelait : Symmonds ?

– Oui, pourquoi ?

Forbes-James hocha la tête.

– Aucune importance. Continuez. Vous dites que sir Neville n'était pas inquiet de savoir que Mlle Morgan détenait ces documents.

– Pas encore. C'est seulement après…

– Quand ?

– En mai. Il a dit qu'un autre type lui en voulait, et qu'il fallait que je les récupère chez Mlle Morgan. Donc j'ai envoyé Wallace et le gamin.

– Et Mlle Morgan en est morte…

– C'était pas voulu. Pas voulu du tout.

– Passons, dit Forbes-James. Cet « autre type »… Sir Neville a-t-il cité des noms ?

Abie fit non de la tête.

– Rien ! J'ai cru que c'était un copain de Symmonds, et je lui ai demandé pourquoi on pouvait pas l'enquiquiner, mais il a dit que ça se reproduirait avec un autre, donc il voulait ces documents pour pouvoir les détruire.

– Et il vous a payé ?

Abie opina.

– Il a pas dû être content, quand tu lui as dit n'avoir rien trouvé, dit Stratton.

– Non, mais c'est comme ça.

– Tu lui as rendu son fric ?

– Qu'est-ce que vous croyez ?

– Je crois que tu l'as gardé, en le menaçant de révéler ce que tu savais.

– Inspecteur ! Je vous l'ai dit, on était potes…

Abie vida son verre, et il était sur le point de le reposer sur la table quand une pensée parut le traverser.

– Attendez une seconde ! C'était pas un pote à Symmonds, hein ? C'était cette bande de nazis. C'est eux qui ont fait ça.

– Et maintenant, monsieur Marks…

Pendant un moment, Forbes-James parut presque espiègle.

– Ce n'est pas un sujet dont nous pouvons discuter avec vous. Question de sûreté nationale…

Il se tourna vers Stratton.

– Si vous avez fini votre verre, inspecteur, je crois que nous pouvons laisser M. Marks en paix.

70

En revenant à pied chez elle, Diana remarqua à peine les ruines encore fumantes. Elle monta en vitesse l'escalier – pas de courrier, Dieu merci – et se tint dans sa kitchenette, à fumer cigarette sur cigarette de ses mains tremblantes. Forbes-James lui avait ordonné de rentrer chez elle à cinq heures de l'après-midi, de se reposer quelques heures, puis de retourner à Dolphin Square vers les dix heures du soir. Il avait chargé Rosemary d'aller la chercher en voiture. Et – encore plus perturbant – il avait de nouveau téléphoné à Claude. L'avait-il entendue dans l'appartement, ce matin ? Elle s'était posé cette question un millier de fois au cours de la journée. Il lui semblait avoir filé discrètement, mais impossible de bien se rappeler. Elle n'avait pensé qu'à s'enfuir. Si Forbes-James avait regardé par la fenêtre au bon moment, il avait dû la voir traverser en courant Dolphin Square et pas besoin d'être un génie pour en déduire que…

Ou bien, si Claude avait regardé par la fenêtre… Elle désirait désespérément croire que, s'il l'avait vue courir dans le jardin, il n'en aurait rien dit à Forbes-James, mais elle n'y arrivait pas. D'ailleurs, ça n'avait pas à être forcément Claude ; quelqu'un d'autre – le Dr Pyke, par exemple – pouvait l'avoir vue et dénoncée. Elle avait mis presque une heure à trouver le courage de retourner là-bas, et Margot avait été sur place quand elle était arrivée. Elle s'était excusée pour son retard avec une histoire de vitres soufflées chez elle par les bombardements, que Forbes-James avait crue, apparemment. Dès que l'occasion s'était présentée, elle avait demandé à Margot, sur le ton le plus anodin, s'il y avait eu des visites. Margot avait répondu par la négative, mais cela signifiait seulement que Claude devait être parti avant son arrivée.

Cela ne prouvait rien. Si le Dr Pyke l'avait vue, il pouvait l'avoir dit à Forbes-James avant la venue de Margot. Pourquoi le colonel souhaitait-il son retour à une heure aussi tardive ? Il avait dit aller à Soho avec l'inspecteur Stratton pour voir Abie Marks, le gangster, après quoi il reviendrait. S'il savait qu'elle l'avait espionné, cela ne pouvait signifier qu'une seule chose… à ceci près qu'il avait demandé à Rosemary de passer la chercher, n'est-ce pas ? Donc, si le pire se produisait et qu'elle disparaissait dans la nature (elle s'était tellement efforcée d'imaginer comment ils pourraient s'y prendre, pratiquement, que son buste en était tout raide), Rosemary serait une espèce de témoin. Ou du moins, la dernière à l'avoir vue…

Toute la journée, elle avait cherché à éviter le colonel. Il n'avait rien dit, fait aucune allusion – mais c'était logique, non ? Il ne voulait pas l'affoler. Elle était acculée. Elle avait passé et repassé dans son esprit toutes les possibilités d'évasion, mais la triste vérité était qu'elle n'avait nulle part où aller. Elle ne pouvait pas parler à Lally, car cela la mettrait en danger, et de toute façon, Lally n'aurait rien pu faire pour elle. Quant à Claude… Et si elle prenait la poudre d'escampette pour sauter dans un train et aller se jeter aux pieds de sa belle-mère ? Tirant sa trousse de toilette et sa valise de dessous le lit, elle commença à y jeter ceci et cela, puis se rappela les accusations de Claude : « Tu t'es arrangé pour que Evie Calthrop soit au courant... » Le colonel n'avait pas nié. Même s'il ne connaissait pas Evie personnellement, il connaissait des relations à elle et avait le bras long. Se précipiter dans le Hampshire ne ferait que retarder l'inévitable et, de plus, quelle raison plausible donner à ce soudain retour ? Elle lâcha la pile de linge sur le fauteuil et retourna dans la cuisine pour y retrouver ses cigarettes et sa tasse de thé.

Elle réalisa, tout en patientant devant la bouilloire, que le seul à qui elle n'avait pas menti était l'inspecteur Stratton. Edward. Comme il semblait paisible, endormi sur le canapé de Forbes-James, les traits détendus... On devait pouvoir se fier à lui, n'est-ce pas ? Mais à quoi bon – elle le connaissait à peine et, d'ailleurs, en dépit de son grade et de son expérience, il était aussi impuissant contre Forbes-James et Claude qu'elle-même. La croirait-il, d'ailleurs ?

Enfin, le contraire serait normal. Toute cette histoire avait un côté fantastique. Elle marcha de long en large, et soudain coupa le gaz. Le thé ne ferait pas l'affaire – il lui fallait plus corsé. Se servant un whisky, elle en prit une bonne rasade et retrouva un certain calme.

Peut-être s'alarmait-elle pour rien ? Peut-être le colonel et Claude ne s'étaient-ils pas rendu compte qu'elle écoutait à la porte ? Mais alors pourquoi, se demanda-t-elle pour la énième fois, Forbes-James désirait-il la voir à cette heure tardive ? Peut-être cela avait-il un rapport avec Apse. Elle se rappelait l'avoir entendu demander à Claude, ce matin-là, pourquoi Apse avait agi ainsi. Prendre un tel risque... Mais peut-être était-ce justement le goût du risque. Elle tourna le verre entre ses paumes, songeuse.

Le mugissement de la sirène interrompit sa rêverie. Le caractère désespéré de sa situation – accentué par cet ululement – la mit en rage et, levant les yeux au ciel, elle lança :

– Vous pourriez me faire cesser d'aimer Claude, au moins ! Ce serait un minimum !

Elle vida son verre. Absurde d'accuser Dieu – s'Il existait – alors qu'elle était la seule fautive.

– Pour l'amour du ciel…, bougonna-t-elle.

Se déplaçant avec détermination, elle ramassa ses affaires, endossa son manteau de fourrure et descendit vivement à la cave, où elle s'installa sur un transat et, pour éviter les regards, ouvrit un livre et tourna les pages de temps en temps.

Retournant dans son appartement à neuf heures et demie – c'était une nuit sans lune, très calme, et faire semblant de lire tout en étant incapable de se concentrer lui donnait la migraine – elle retoucha son maquillage et, assise sur le lit, attendit la voiture. À l'heure où elle entendit klaxonner, à dix heures moins le quart, la peur avait fait place à un état de stupéfaction. Avec au ventre le poids mort de la résignation, elle quitta son domicile et s'installa dans la Bentley, au côté de Rosemary Legge-Brock, qui produisit une flasque.

– Un petit remontant ?

– Merci. Forbes-James a été très gentil de vous envoyer.

– Parlez pour vous !

La jeune femme redémarra.

– J'avais rendez-vous avec mon petit ami. Après vous avoir déposée là-bas, je vais devoir retourner à Soho pour aller chercher Forbes-James et l'inspecteur. Vous avez écouté la radio ? M. Chamberlain est très malade. Quel dommage. Mais papa m'a toujours dit qu'il était trop distingué pour traiter avec une bande de brutes et de gangsters.

– Je suppose qu'il a fait de son mieux, dit Diana. Le pauvre…

Prenant une autre gorgée, elle ajouta :

– Munich… On a l'impression que c'était il y a une éternité, n'est-ce pas… ? Un autre monde…

Stoppant devant Dolphin Square, Rosemary déclara :

– Forbes-James vous prie de monter chez Apse et…

– Chez Apse ?

Diana sentit son ventre se contracter. *Si vous avez de la chance, ils vous donneront un avertissement.*

– Oui. Pour prendre des documents qu'il a laissés sur son bureau. Forbes-James a dit que vous ne pourrez pas vous tromper. J'ai proposé d'y aller moi-même, mais il paraît que ça n'aurait pas été prêt…

– Où est Apse ? demanda Diana.

Elle croyait avoir réussi à éliminer toute trace de peur de sa voix, mais Rosemary répondit :

– Il est allé passer quelques jours chez lui. Pourquoi, qu'y a-t-il ?

– Rien. Mais comment vais-je entrer ? Je n'ai plus de clé.

– Moi si !

Rosemary sortit ses doubles de son sac à main.

– C'est le colonel qui me les a données. Oh, et il m'a chargée de vous dire qu'il en est tout à fait certain, cette fois. J'ignore ce qu'il faut entendre par là, mais il a dit que vous comprendriez.

– C'est bien ce qu'il a dit ? Qu'il est tout à fait sûr ?

– Oui. Que se passe-t-il, Diana ?

– A-t-il ajouté autre chose ?

– Non. Vous savez, je peux monter avec vous, si vous voulez…

– Non, pas la peine.

Diana ouvrit la portière.

– Vraiment ?

– Vraiment. D'ailleurs, Forbes-James vous attend, non ?

Elle marchait lentement, tremblante, guidée par le faisceau de sa torche à travers les allées du jardin. Elle espérait que Forbes-James avait eu raison de dire qu'Apse ne serait pas là. Le souvenir de leur dernière rencontre devant le portail la faisait frissonner. Arrivée devant l'entrée de l'immeuble, elle inspira à fond et tâcha de se ressaisir avec un succès tout relatif. Une fois dans le hall, elle monta l'escalier, s'arrêtant à chaque étage car son cœur battait comme un tam-tam et son palais était déshydraté. S'adossant au mur pour tenter de se calmer, elle songea que Forbes-James pouvait avoir demandé à Claude de suivre Apse, d'où la conversation téléphonique. C'eût été logique. Après tout, Apse devait savoir que les mailles du filet se resserraient autour de lui, donc… Oui, sûrement ! Claude l'avait à l'œil. Voilà comment le colonel pouvait être sûr qu'Apse n'était pas chez lui. « Relax, se dit-elle. Tu te conduis comme une petite sotte. Tout ce qu'on te demande, c'est de monter cet escalier, marche après marche, et arrivée en haut, d'ouvrir la porte et de prendre le dossier. »

Si vous avez de la chance, on vous donnera un avertissement… Étaient-ce les aveux d'Apse qu'on l'envoyait chercher ? Que ferait-il ensuite ? Est-ce qu'il…

– Stop, Diana, marmonna-t-elle. C'est une tâche toute simple. N'en fais pas un mélodrame.

Tête basse, elle entama la dernière volée de marches. Une fois sur le palier, elle prit le couloir de droite, tourna encore à droite, et se retrouva devant la porte. Baignée de sueur, elle redressa les épaules, prit une profonde inspiration et batailla, les mains moites, avec la clé, pour parvenir à l'insérer dans la serrure.

71

– Oxford Circus, s'il vous plaît, mademoiselle, puis Dolphin Square…

Forbes-James s'installa à l'arrière de la Bentley et sortit son étui à cigarettes, tandis que Stratton prenait place à son côté.

– Bravo pour la poupée. Très bien vu de votre part… et ça tombait à pic ! Je crois qu'on a bien joué, non ?

– Oui, inspecteur…, répondit Stratton, se rappelant sa dernière vision d'Abie – celle, pleine d'amertume, d'un homme sachant qu'il a été refait.

Il était écœuré.

– On devrait peut-être se lancer dans le théâtre, dit-il avec aigreur. J'imagine qu'on ne va l'inculper de rien ?

– Je sais que ce n'est pas très orthodoxe…

– Il a avoué un meurtre, colonel. Mon boulot est d'arrêter les coupables, pas de les protéger.

– Je sais bien. Mais il y a des priorités. La sûreté nationale et le moral des populations passent avant tout le reste.

– Et le respect de la loi ?

– Cela compte aussi. Mais ce n'est pas la première fois que M. Marks se dérobera à la justice, n'est-ce pas ?

– Avec tout le respect que je vous dois, colonel, ce n'est pas la question.

– Le fait est, déclara Forbes-James, avec tristesse, qu'on ne peut plus se permettre un scandale. Et cette affaire autour d'Apse est assez sordide – gigolos, gangsters… On ne peut pas prendre ce risque.

– Sir Neville est vraiment passé aux aveux, colonel ?

D'un geste, Forbes-James éluda la question.

– Revenons à nos moutons. Qu'avons-nous ?

« Merde, se dit Stratton. S'il veut que je me comporte comme le brigadier de base – d'accord. »

– Eh bien, dit-il, Marks a reconnu avoir présenté des garçons à sir Neville. Il a aussi reconnu avoir agi sur son ordre en envoyant Wallace chercher les films compromettants chez Mlle Morgan, et en tuant Cecil Duke, alias Arthur Symmonds. À propos, colonel, je crois qu'il a dit la vérité, quand il a affirmé ne pas connaître la véritable identité de Symmonds, car pourquoi sir Neville lui aurait-il fait des confidences – à moins, ajouta-t-il sur un ton éloquent, que sir Neville vous ait dit explicitement le contraire… ?

Forbes-James fit non de la tête. Comprenant qu'il en resterait là, Stratton ajouta :

– Wallace ne peut pas avoir dit la vérité quand il a affirmé n'avoir pas vu de traces de sang dans la voiture, mais comme le cadavre était enveloppé dans des couvertures, ces traces pouvaient être négligeables. Marks a dit avoir tué Duke dans son appartement de Romilly Street. Nous savons par Curran que le corps a été transporté dans le coffre, donc il devait rester des traces dans le véhicule, couvertures ou pas. C'est un miracle que personne n'ait vu ces deux types, mais de toute façon, personne ne se serait présenté… Les commerçants savent bien qu'il vaut mieux ne pas se frotter à Abie Marks. En temps ordinaire, on ferait examiner le véhicule et rechercher des traces de sang dans l'appartement, mais j'imagine que…

– Mieux vaut laisser tomber. Nous avons ce qu'il nous faut. Je sais que ça ne vous plaît guère, Stratton, mais c'est ainsi.

– Et sir Neville, colonel ? Je suppose, dit Stratton, sarcastique, que l'intérêt national n'est pas de le laisser au poste qu'il occupe actuellement.

– On s'en occupera.

Stratton était trop en colère pour écouter la petite voix qui lui disait de la boucler.

– Puis-je demander comment ?

– Non, dit Forbes-James, d'une voix posée.

La voiture ralentit et s'arrêta.

– Ah, je crois qu'on est à Oxford Circus…

Comme Stratton se penchait pour ouvrir sa portière, il ajouta :

– Vous pouvez être assuré que nous accorderons à cette question toute notre attention.

Quittant la voiture, Stratton l'entendit dire :

– Dolphin Square, mademoiselle, et vite ! Ne faisons pas attendre Mme Calthrop.

Stratton se demanda ce que Diana pouvait bien faire à Dolphin Square à une heure aussi tardive. Ce ne fut qu'après avoir acheté son billet, alors qu'il se tenait sur le quai tout en essayant de ne pas marcher sur les couvertures crasseuses des réfugiés, dont certains dormaient déjà, qu'il commença à se demander ce que pouvait bien vouloir dire ce « toute notre attention ». Le numéro de la poupée dans le bureau d'Abie Marks lui avait plu, de même que les louanges du colonel, mais des deux, c'était Abie, le criminel, qui lui semblait le plus humain. Effrayé, il se demanda ce que pourraient bien être les nouvelles à Dolphin Square, le lendemain matin. Il monta dans la rame et, oscillant parmi une foule de travailleurs entassés, exténués, il se concentra sur ce qui l'attendait à la maison – et ce n'était pas un sujet plus riant.

Il avait commencé à pleuvoir quand l'inspecteur Stratton sortit du métro pour aller attraper son bus, et alors qu'il en descendait pour continuer à pied jusqu'à chez lui, la pluie tourna au déluge. À cause de l'obscurité il était presque impossible d'éviter les flaques, et à l'heure où il arriva chez lui, ses pieds étaient trempés. L'espace d'un instant, il s'attarda sur le trottoir glissant, près de la haie dégoulinante, redoutant – malgré son désir de se mettre au chaud et au sec – d'entrer. Vu l'heure tardive, il fallait bien rentrer chez soi, les pubs étant fermés.

Jenny devait avoir entendu grincer le portillon, car elle ouvrit la porte alors qu'il était au milieu du passage. Elle s'avança sur le perron, et, apercevant son visage éclairé par la lumière du vestibule, il y vit la peur.

– Où était-tu passé ? lui dit-elle à mi-voix, refermant à demi la porte derrière elle. C'est Reg. Il est dans la cuisine. Il est venu après son défilé et s'est assis sur une chaise. Depuis, il est resté là, à regarder dans le vide. J'ai tenté de lui parler, mais il n'a pas dit un mot, et quand je lui ai tendu une tasse de thé, j'ai eu l'impression qu'il ne la voyait pas. Il n'est plus lui-même, Ted. Il a cet air terrible, comme un détraqué. J'ai peur. Que faire ? Je n'ai pas voulu le laisser seul – il a ce grand sabre avec lui, et j'ai cru…

– Il n'a pas essayé.…

– Moins fort ! Non, il ne m'a pas menacée ni rien, mais je suis si inquiète. Je suis sûre qu'il…

– Où est Lilian ?

– J'en sais rien. Je serais bien allée là-bas, seulement…

Elle grimaça et désigna la cuisine d'un signe de tête.

– Bon, tu as bien fait de rester ici. Maintenant, écoute, on va aller dans la cuisine – fais comme si de rien n'était –, ensuite tu iras chercher Donald. Dis à Doris d'aller voir Lilian…

– Ils doivent dormir, Ted. Il est très tard.

– Aucune importance. Dis à Donald que Reg est là, et qu'il est mal luné. Et recommande à Doris de ne pas trop en dire à Lilian. Elle est bien assez inquiète comme cela.

– Entendu…

Jenny ouvrit de nouveau la porte et se lança dans un assez bon, quoique tremblant, numéro d'épouse dévouée, se récriant sur les vêtements trempés de Stratton, l'aidant à ôter son imper, allant lui chercher pantoufles et chaussettes sèches. Pendant ce temps, Stratton jetait des coups d'œil à l'intérieur de la cuisine. Prostré sur sa chaise, tête basse, Reg semblait indifférent à tout.

– Tu as ta torche ? lui demanda-t-il, comme elle enfilait son manteau.

– Oui. Je ferai vite…

Extirpant son parapluie du présentoir, elle ajouta :

– Sois prudent.

– T'en fais pas…

Stratton la poussa hors de portée du regard de Reg, lui planta un baiser sur la joue et la propulsa au-dehors.

– On va régler ça, promis. File !

Reg ne releva pas la tête quand son beau-frère entra dans la cuisine.

– Salut ! lança-t-il de la voix enjouée du type content de rentrer chez lui. Il pleut des hallebardes. T'as de la veine d'y avoir échappé. Le thé est encore chaud ? (Soulevant le couvercle de la théière, il regarda dedans.) Un peu trop infusé, mais ça ira. Pas de gaspillage…

Il constata, avec un léger choc, que Jenny avait laissé sa propre tasse, vide, sur la table, et ce fut ce détail, plus encore que l'absence de serviette ou voir la bouteille de lait encore sur la table, qui lui apprit à quel point elle avait dû avoir peur. C'était compréhensible : l'évier était du côté de Reg et elle n'avait visiblement pas voulu s'approcher trop de lui. Il s'assit, prit la tasse vide, y versa le reste de thé, ajouta du lait et une demi-cuillerée de sucre, touilla et but.

– Ah, ça va mieux. Cigarette ?

Là encore, aucune réaction. C'était encore plus inquiétant. Jamais, en toutes ces années, Stratton ne l'avait vu refuser une clope. Il alluma la sienne et mit le paquet sur la table, à la portée de son beau-frère.

– Et ce défilé, alors ? Vous avez progressé ?

Il ne savait pas ce qui clochait, mais pour commencer, il fallait l'encourager à parler d'un sujet anodin, puis se débarrasser de ce sabre. On pourrait y arriver sans trop de difficulté, quitte à recourir de façon raisonnable à la force – après tout, Reg était plus vieux que lui, plus petit, et bien plus mou. Mais où était ce sabre ? Il mit ses coudes sur la table et, continuant à parler de la milice, bougea délibérément le bras droit de manière à faire tomber une boîte d'allumettes par terre. Tout en parlant, il se pencha pour la ramasser, et nota par la même occasion que l'arme était calée contre la chaise de Reg.

– Heureusement qu'ils ont des gars comme vous – des hommes d'expérience…

Reg ne leva pas les yeux, mais fronça légèrement les sourcils et fit la moue. Stratton commençait à se demander si Jenny n'avait pas vu juste en disant qu'il était comme « détraqué ». Les ennuis de son fils pouvaient-ils l'avoir stressé au point de provoquer une sorte de dépression nerveuse ? Stratton aurait aimé pouvoir lui assurer que Johnny allait être relaxé ; mais primo, il ne fallait pas éclairer Reg sur son rôle exact dans cette affaire, vu son état d'esprit ; et secundo, tant qu'il n'aurait pas parlé au commissaire Matchin (il s'en réjouissait à l'avance) et tant que le commissaire Matchin n'aurait pas prévenu le commissariat de quartier, ce n'était pas vraiment d'actualité. À sa connaissance, les flics du coin profitaient de la présence de Johnny pour poursuivre leurs propres enquêtes. Johnny devait avoir côtoyé des délinquants locaux et tout renseignement serait le bienvenu. On pouvait juste espérer qu'ils n'allaient pas trouver un autre motif d'inculpation.

Il songeait à ce qu'il pourrait dire ensuite, quelque chose sur le potager, peut-être – médiocre jardinier lui-même, Reg ne pouvait cependant résister au plaisir de donner des conseils –, quand il remarqua que son beau-frère opérait une rotation de la tête évoquant le mouvement d'un tire-bouchon et la maintenait selon un axe qui devait être désagréable, sinon franchement pénible, le nez touchant presque son épaule.

Du coin de l'œil, il le regarda méchamment.

– Ordure ! dit-il sur un ton donnant l'impression que les mots étaient sortis sous l'effet d'une forte pression, un peu comme un jet d'eau s'échappant d'un tuyau d'arrosage perforé.

– Quoi ? fit Stratton, d'une voix se voulant neutre, quoique légèrement déconcertée.

– Salaud !

La tête de Reg pivota vivement, puis, dans un second mouvement distinct, revint à sa position précédente. Ses yeux s'écarquillèrent et il s'humecta les lèvres.

– Saligaud !

Il se releva avec raideur, serrant le sabre contre sa jambe comme un soldat au garde-à-vous. La main qui le tenait tremblait. Stratton décida qu'il valait mieux, pour le moment, rester assis. Il ne désirait pas aggraver la situation et ce sabre était si encombrant qu'il pourrait facilement parer le coup si Reg se mettait à le brandir contre lui.

– Je sais que tu es contrarié, Reg, dit-il, prudent. Je le serais aussi s'il s'agissait de Pete, mais je ne vois pas comment…

– T'es qu'un salaud !

Ce dernier mot jaillit avec des postillons, dont certains l'atteignirent à la joue.

– De quoi te mêles-tu ? Tu te crois supérieur, parce que tu es dans la police. Tu crois pouvoir venir chercher mon fils comme si c'était un criminel et l'enfermer, et me faire honte…

C'était logique : le fils de Reginald Booth ne pouvant être un délinquant, Stratton – incarnation de toutes les forces de police – avait dû agir par pure méchanceté. Une méchanceté dirigée non contre Johnny, bien sûr, mais contre Reg lui-même.

– Je ne l'ai pas emmené, dit-il. Il est au commissariat du quartier. Je ne suis rien, là-bas…

– Tu lui as parlé ! Tu es venu chez moi, sans qu'on te le demande et…

– Lilian me l'avait demandé, répondit Stratton, pour le raisonner.

– Moi, pas ! C'est moi son père, pas toi ! Je suis capable de m'occuper de ma propre famille !

– Désolé, Reg. Je croyais pouvoir vous aider, mais maintenant je m'aperçois que ce n'était pas une bonne idée. Je ne voulais pas me mêler…

– Tu débarques chez moi sans ma permission et… et…

Retroussant ses lèvres à la façon d'un bulldog, il émit un brusque grincement, comme une vieille pièce de mécanique se mettant en marche, et, soulevant son sabre, le balança devant lui tel un club de golf.

– Et toi, ça te plaît qu'on débarque chez toi… ?

Stratton, qui avait bondi de sa chaise et la tenait comme un bouclier, pieds en l'air, recula jusqu'à la porte. Le reste de la phrase se perdit dans le fracas de vaisselle cassée, la lame du sabre ayant touché le haut de la théière.

– Voyons si ça te plaît ! hurla Reg, brandissant son arme avec effort. Allez, amène-toi !

Stratton n'avait pas eu le temps de l'atteindre que Reg se servait de ses deux mains pour soulever l'arme au-dessus de sa tête. Elle heurta le plafonnier quand il l'abattit sur la table comme pour la fendre en deux. Sous la puissance de l'impact, la lame s'enfonça de deux bons centimètres dans le bois. Reg, incapable de la dégager, s'agrippait au manche, rouge et ahanant, comme pris dans quelque étrange cérémonie sacrificielle. Stratton se rapprocha et, doucement, lui fit lâcher prise. Puis il lui entoura la taille et le fit s'asseoir, docile et voûté, sur le siège le plus proche, où il éclata en gros sanglots enfantins.

72

Jenny retint un cri à la vue de la théière fracassée et du sabre fiché dans la table, mais son époux, debout auprès de Reg qui se mouchait dans une serviette, posa un doigt sur ses lèvres et désigna la bouilloire sur le feu. Mettant la main devant sa bouche, Jenny opina, ôta son manteau et mit son tablier. Donald, se contentant de hausser les sourcils à une hauteur vertigineuse, entreprit d'extraire la lame du plateau en bois. Stratton, gêné, resta auprès de Reg, la main sur son épaule, tandis que ce dernier continuait de sangloter à chaudes larmes. Il ne releva la tête que cinq minutes plus tard quand, une fois le sabre emporté au jardin, les débris de la théière balayés, les brins de thé essuyés et un linge répandu sur le reste des dégâts, Jenny servit le thé avec la théière cabossée en fer-blanc réservée aux pique-niques.

– Allons, Reg, dit Stratton, bois ! Ça te fera du bien.

Il mit trois cuillerées de sucre dans la tasse et remua. Jenny tiqua un peu en voyant ce gaspillage, mais ne dit rien.

– Merci, répondit Reg.

Il n'avait toujours pas retrouvé sa voix habituelle, mais le pire était passé, visiblement. Donald, qui s'était assis sans faire de bruit, l'examina avec attention tout en buvant son propre thé, et dit, doucement :

– Ça va mieux, hein ?

– Je suis allé le voir, déclara Reg, tout à trac. Au commissariat. Il m'a envoyé balader. Il a dit… (De nouveau, ses yeux se mouillèrent.) Il a dit qu'il me détestait.

– Mais non ! protesta Jenny. Il était contrarié, voilà tout. On dit souvent des choses qui dépassent notre pensée quand on est contrarié.

Reg la regarda, puis il regarda les deux hommes, qui approuvèrent d'un signe de tête.

– La vérité, poursuivit Jenny, c'est que Johnny a des ennuis et qu'on doit s'unir pour l'aider. Ramer ensemble – comme dit M. Churchill.

Invoquer le Premier ministre était une bonne idée, car Reg se redressa légèrement.

– C'est l'âge ingrat, renchérit Donald. Quand j'y repense…

Il secoua la tête, plein de remords.

– Je sais que mon paternel désespérait de moi.

Stratton, certain que ce n'était pas vrai, ou du moins pas tout à fait, opina néanmoins et se laissa aller à émettre ce qu'il espérait être un gloussement triste.

– Sous ta conduite, et celle de Lilian, il s'en tirera, poursuivit Donald.

Cela, songea Stratton, frisait le mensonge pur et simple, mais Reg parut le gober sans broncher.

– Ces choses-là arrivent dans toutes les familles, dit Jenny avec une sagesse suggérant des années d'expérience. Y compris les meilleures.

Reg lui adressa un regard reconnaissant.

– Donc, vous ne pensez pas…

– Bien sûr que non ! s'exclama Stratton avec chaleur.

Il était sur le point d'ajouter qu'il voyait cela tous les jours au boulot, mais se ravisa. Inutile de rappeler à Reg que son fils n'était qu'un vulgaire délinquant comme tous les petits voyous à qui il avait affaire au quotidien.

– Pas la peine de t'inquiéter, dit-il à la place. Et maintenant, si tu rentrais chez toi ? J'ai l'impression qu'il ne pleut plus et Lilian doit se demander où tu es passé.

Donald finit son thé et se leva.

– Je te raccompagne. L'air frais me fera du bien…

Reg, mou et épuisé, se laissa reconduire à la porte. Il ne demanda pas ce qu'on avait fait du sabre touareg, et personne ne proposa d'aller le chercher. Stratton prit Donald à part.

– À ta place, je n'en dirais pas trop à Lilian.

Son beau-frère hocha la tête.

– Heureusement que c'est calme, cette nuit…

– Espérons que ça va continuer. On n'a vraiment pas besoin de bombes, en plus !

Ayant acquiescé d'un petit coup de menton, Donald sortit sa lampe torche de son manteau et escorta Reg au-dehors.

– Dieu soit loué…

Stratton retourna à la cuisine pour trouver Jenny en train de prendre avec des pincettes la serviette dans laquelle Reg s'était mouché. La jetant dans la lessiveuse, elle dit, sur le ton du reproche :

– Tu aurais pu lui donner un mouchoir…

Stratton, sentant que ce n'était pas une vraie réprimande, s'excusa.

– Pardon, ma chérie. Tout est allé si vite.

– J'imagine…, admit-elle.

Son époux la prit dans ses bras.

– Quelle idée de génie de parler de Churchill ! C'était bien trouvé…

– J'étais si soulagée de te voir en un seul morceau. Oh, Ted…

– Ne sois pas bouleversée, ma chérie. Tout va bien.

Jenny caressa le revers de son veston pendant un moment, puis s'écarta et se mit à débarrasser la table.

– Laisse donc… Tu n'as qu'à monter. Je vais ranger.

– C'est vrai ? Bien comme il faut ?

– Oui, bien comme il faut.

– Je n'ai pas encore préparé les bouillottes.

– Je m'en occupe. Va…

Jenny ôta son tablier et tapota ses cheveux mouillés.

– Je dois être belle à voir ! Je vais devoir mettre mes bigoudis. Et ne traîne pas – il faut ôter ce costume trempé avant d'attraper la mort !

– OK, brigadier !

Une fois seul, il prit une chaise, alluma une cigarette et passa un temps considérable à fixer le vide, comme en transe. Il avait réussi à se remettre debout et finissait d'essuyer la vaisselle quand on frappa doucement à la porte. Donald se tenait sur le perron. Stratton ouvrit en grand pour le laisser entrer, mais l'autre resta où il était.

– J'ai pensé que tu ne serais pas encore couché…

– J'allais le faire. Jenny est déjà montée. Et Reg ?

– Pas trop mal. On est parvenu à le mettre au lit. Je lui ai donné ce que Lilian prend pour se calmer les nerfs pendant les bombardements. Doris va passer la nuit là-bas.

– Et Lilian ?

– Oh, tu la connais…

– Oui…

– Pauvre bougre. Chialer comme ça. Je sais qu'on… tu sais bien… je sais ce qu'on pense de lui, mais tout de même. Ça m'a rappelé l'école. Le seul gamin que j'aie jamais frappé – il avait dit un truc et je lui ai flanqué un coup de poing. C'était le genre mauviette, on se moquait de lui. Après, il est resté assis par terre et s'est mis à pleurer. Ça m'a foutu la honte. Encore maintenant, quand j'y repense…

– Ouais…

Stratton évita son regard, sentant que l'autre en faisait autant. Une idée le traversa, et il ajouta, très vite :

– Je ne l'ai pas frappé.

– Je sais, Ted ! Ce n'est pas ce que je voulais dire.

– Ah, d'accord… Je vois…

– Ce que je voulais dire, c'est que… Je sais que tu ne peux pas me dire ce qu'on reproche à Johnny, mais… Bon, j'y vais. Je voulais juste te dire… ça, en fait.

– Bon…

Donald parut soulagé.

– Mieux vaut ne pas passer toute la nuit ici, ou la défense passive va se radiner ! Bonne nuit.

– Bonne nuit.

Stratton se dévêtit au premier et enfila son pyjama et sa robe de chambre. Puis il fit bouillir de l'eau pour les bouillottes, les enveloppa dans des torchons et les amena à l'abri Anderson. Il n'aurait su dire d'après sa respiration si Jenny était vraiment endormie, ou si elle faisait semblant. Elle poussa un petit grognement quand il glissa une bouillotte dans son lit et, après l'avoir contemplée un moment, il s'agenouilla par terre et lui pressa l'épaule.

– Jenny ? murmura-t-il.

Au bout d'un instant, elle fit, d'une voix pâteuse :

– Oui, chéri ?

– Ça va ?

– Mmm… Fatiguée.

– Je peux avoir un baiser ?

Elle tourna son visage, encadré par ses bigoudis, vers lui, et l'embrassa sur la joue d'un air endormi.

– Tu piques…

– Pardon…

Jenny cilla, puis se redressa, l'air horrifié.

– Ted ! Ne reste pas assis sur ce sol humide… tu vas avoir des hémorroïdes.

– Je ne suis pas assis…

– Eh bien, alors, des rhumatismes…

– Entendu, je me relève. Du moment que tu es OK.

– Attends une minute…

Jenny se pencha pour l'embrasser.

– Je suis OK. Tu t'es si bien débrouillé, cette nuit, mon amour… Je suis fière de toi.

– Moi aussi, je suis fier de toi.

Il l'embrassa de nouveau, sur le nez, et se releva non sans peine. Puis il se hissa sur sa couchette et s'installa de son mieux.

– Bonne nuit, Jenny.

– Bonne nuit, mon amour. Dors bien.

73

La porte de l'appartement d'Apse grinça légèrement en s'ouvrant, et elle s'interrompit, retenant son souffle. Le silence régnait et tout était dans le noir, à l'exception du triangle de lumière émanant du couloir. L'atmosphère était lourde. Espérant qu'Apse avait mis les rideaux opaques avant de partir, elle alluma sa lampe torche, entra dans le bureau sur la pointe des pieds et éclaira. Rien.

Surtout, ne pas paniquer. D'après Rosemary, les documents seraient sur le bureau, mais Apse pouvait avoir oublié… Elle éclaira alors la table basse – rien non plus – puis, se déplaçant lentement, fit le tour pour observer la bibliothèque et le dessus de la cheminée. Ensuite, elle s'immobilisa et compta jusqu'à dix. Bizarre… Tout était trop rangé. Où était toute la paperasse ? Apse était presque aussi désordonné que Forbes-James, et cependant le bureau, la table basse, le canapé et les fauteuils étaient vierges de dossiers ou documents. Sauf s'il avait rangé lui-même, et cela semblait improbable, quelqu'un était déjà venu pour tout emporter. Le plus silencieusement possible, elle se mit à ouvrir les tiroirs et à inspecter leur contenu. Papier à lettres, stylos plume… rien d'important.

Elle ferma le dernier et se retira dans le vestibule où elle resta, tremblante, adossée à la porte. Elle avait beau écouter, elle n'entendait que ses battements de cœur et un vague bourdonnement – aux oreilles –, amplifié par cet épais silence.

Forbes-James savait-il qu'on était déjà venu ici ? Si oui, qu'était-elle censée trouver sur place ? Si c'était des aveux – personnels – ce devait être dans la chambre. Était-ce un genre de test ? Dans ce cas, c'était sa seule chance de prouver sa loyauté. Il ne fallait pas échouer, sinon… La peur des conséquences d'un échec la poussa en avant, une fois de plus. Elle irait regarder dans la chambre – peut-être celui qui l'avait précédée n'avait-il fouillé que le bureau. Il n'y avait qu'un mince espoir, mais il fallait agir…

Depuis l'extrémité du couloir, elle pointa sa torche vers le sol, s'encourageant à aller plus loin. « Il s'agit d'un document », se dit-elle. Rosemary l'avait bien dit, non ? Un bout de papier, rien de plus. La jeune femme fit quelques pas circonspects, puis s'arrêta tout net. Un courant d'air froid arrivait de sa droite. En éclairant la cuisine, elle vit, étouffant un cri, que la porte de l'issue de secours était entrouverte. Elle resta figée, laissant le faisceau balayer les placards, l'évier et le four avant de s'avancer, très lentement, dans la petite pièce. Là, elle poussa très légèrement la porte déjà ouverte et éclaira l'issue de secours, la torche orientée vers le bas afin de ne pas attirer l'attention des responsables de la défense passive. Elle examina la rambarde et était sur le point de rentrer quand, à l'extrême bord du cercle de lumière, elle aperçut une forme en longueur, suspendue dans les airs, tout près d'elle.

Diana fit un bond et la torche lui échappa pour se fracasser par terre, roulant sur les lattes en métal, projetant sa faible lueur dans la ruelle obscure, en contrebas. Comme elle se penchait pour la récupérer, son visage entra en collision avec quelque chose de dur, qui sa balança en arrière puis en avant, la cognant à la tempe. Empoignant sa torche, elle recula à genoux jusqu'à sentir le bord du chambranle de la porte. Alors, elle braqua sa lampe sur cette chose. Dans le mince faisceau légèrement tremblotant, elle aperçut une paire de chaussures. Des chaussures d'homme avec des pieds dedans, qui pivotaient doucement, de gauche à droite et de droite à gauche. Plaquant sa main sur sa bouche pour s'empêcher de hurler, elle orienta sa torche vers le haut. Apse était pendu par le cou à la rampe de l'escalier de secours avec ce qui semblait être une paire de bretelles. Sa grande carcasse se balançait tel un sac à patates, le visage presque méconnaissable avec ses yeux exorbités, ses joues marbrées de bleu, et sa langue enflée qui sortait de sa bouche comme un boudin.

– Oh, mon Dieu !

De nouveau, elle lâcha sa torche et recula dans la cuisine en rampant.

– Non, mon Dieu, non…

Elle tenta de se relever, mais ses jambes refusaient de lui obéir et elle dut attraper la poignée d'un tiroir pour y parvenir. Titubante, elle retourna dans le vestibule, sortit de l'appartement et traversa le couloir de l'immeuble en se cognant aux murs, puis elle dégringola l'escalier et s'enfuit dans le jardin, tremblante, les yeux écarquillés.

Il faisait noir comme dans un four. Elle trébucha au bord du chemin, sentit la terre meuble sous ses pieds et quelque chose lui griffa les jambes quand elle vacilla et tomba dans l'herbe, haletante. Une soudaine lumière l'éclaira par le haut, l'aveuglant, et quelqu'un la gifla violemment, la projetant en arrière.

– Taisez-vous !

Une voix d'homme, forte, dure.

Diana leva les mains pour se défendre.

– Par pitié…

– La ferme !

C'était le Dr Pyke. Elle ferma les yeux, incapable de supporter cette lumière, tandis qu'il la saisissait par les avant-bras et la relevait de force, puis il la secoua si fort que ses dents s'entrechoquèrent.

– Venez avec moi…

Aussi molle qu'une poupée de son, elle fut bien forcée de lui obéir quand, lui écrasant les épaules de son bras, il l'entraîna à travers Dolphin Square en direction de l'appartement de Forbes-James.

Le colonel ouvrit la porte, la cravate desserrée, un verre de cognac à la main, les sourcils froncés.

– Par ici…

Le Dr Pyke la poussa devant lui, et Forbes-James la prit par le coude pour la projeter dans un fauteuil. Après l'obscurité du dehors, la pièce semblait lumineuse et trop colorée.

– Cognac ?

La voix du colonel était calme, presque paternelle.

Le Dr Pyke tendit un verre à la jeune femme.

– Pour vous ressaisir…

Tous deux se tenaient au-dessus d'elle. Diana les contempla alternativement. Le Dr Pyke était congestionné, mais le colonel semblait tout à fait calme.

– Allez, buvez…

D'un signe de tête, il l'encourageait. Diana essaya d'obéir, mais le verre heurta ses dents et elle ne put avaler. Elle toussa, prise d'étouffements.

– Penchez-vous en avant.

Le Dr Pyke lui donna une bonne tape dans le dos, elle cracha un peu d'alcool sur son manteau, nota à travers ses larmes que ses bas étaient filés et ses souliers crottés.

– Ça devrait aller. Vous avez un mouchoir ?

Regardant de nouveau par terre, Diana constata qu'elle n'avait plus son sac à main.

– J'ai laissé mon sac, dit-elle, quand j'ai…

Elle s'interrompit brusquement, comprenant qu'on ne lui avait pas demandé pourquoi elle était dans cet état-là.

– C'est Apse. Je l'ai trouvé. Il est…

– Tenez !

Forbes-James lui offrait un carré de lin blanc soigneusement plié en quatre.

Elle se tamponna la bouche.

– Apse…

– Pas maintenant, dit Forbes-James. Finissez votre verre.

Les deux hommes se retirèrent dans le vestibule, et Diana resta dans son fauteuil, cramponnée à son verre, à tâcher d'entendre ce qui se disait. Elle entendit les mots : « Dans le jardin, à hurler à pleins poumons. »

Avait-elle hurlé ? Impossible de se souvenir. C'était possible. Le Dr Pyke lui avait dit de la fermer… C'était la seconde fois qu'il venait – ou semblait venir – à sa rescousse. Peut-être l'avait-il entendue et était-il sorti pour voir ce qui se passait. Mais personne d'autre n'était venu, et si elle avait fait tant de tapage… Qu'avait dit Claude de lui ? *Je crois que Forbes-James le trouve très utile, en certaines occasions.* Était-ce ce genre d'occasions ? La guettait-il à sa sortie de l'appartement ?

Le cognac… Il y avait quelque chose là-dedans. Ça n'avait pas un goût bizarre, mais ils avaient beaucoup insisté pour qu'elle boive. Elle entendait encore les voix dans le hall, mais pas de façon distincte. Ôtant ses souliers maculés, elle marcha jusqu'à un pot de fleurs sur la pointe des pieds, y vida le reste de cognac et retourna s'asseoir.

Quelques minutes plus tard, Forbes-James revenait, seul, et prenait place à son bureau.

– Apse, dit-il. Racontez-moi…

– Il est mort, dit-elle en frémissant au souvenir de la face violacée. Pendu à l'escalier de secours. Il n'y avait pas de documents.

– Je vois.

« Tu savais, songea Diana, en le dévisageant. Tu étais déjà au courant. »

– J'aurais dû le prévoir, je suppose, ajouta-t-il sur un ton dénué de pathos. Je regrette que ce soit vous qui l'ayez trouvé. Avez-vous pu fouiller l'appartement avant… ?

– Seulement le bureau. J'allais dans la chambre quand j'ai remarqué que la porte de l'issue de secours était ouverte, et là…

D'un geste, Forbes-James la fit taire.

– C'est bon. Inutile d'en dire plus. On réglera tout ça.

Voilà pourquoi le Dr Pyke s'était absenté, songea-t-elle. Il était allé faire son boulot d'escamoteur. Elle commençait à se sentir vaseuse.

– La police…, dit-elle, puis elle s'interrompit, s'appliquant pour former une phrase.

Les mots semblaient refuser de s'ordonner.

– On voudra savoir ce qui s'est passé, mais mon sac à main…

Elle s'arrêta. À en juger par l'expression du colonel, ça ne sortait pas de la façon voulue.

– Essayez encore, dit Forbes-James.

Elle chercha les mots justes.

– Police, dit-elle enfin. Sac à main.

– On s'en occupera. Et…

Sa voix semblait s'estomper. Ses mot ne l'atteignaient pas tous et ceux qui le faisaient semblaient passer à la mauvaise vitesse. Julia… Julia-Quelque chose… les mots semblaient la toucher physiquement comme si on lui enfonçait un doigt dans les côtes, mais elle ne voyait pas ce qu'ils signifiaient. Elle sentait le moelleux des coussins du fauteuil, la dureté du verre dans ses mains, qui lui glissait des doigts… Il y eut un choc sourd du côté de ses pieds, puis Forbes-James se pencha sur elle, les traits brouillés, et ensuite… plus rien.

74

Stratton s'arrêta à l'angle d'Aylesford Street et se moucha. Espérant qu'il n'avait rien attrapé, il remonta son col pour se protéger du vent. De l'autre côté de Grosvenor Road, la Tamise avait pris une teinte beige et ce ciel de novembre sans soleil donnait aux bâtiments un air abandonné et minable. Fatigué. On est tous fatigués, même les briques. Au petit déjeuner, Jenny lui avait rappelé – c'était surtout pour parler de quelque chose sans rapport avec Reg ou Johnny – que dimanche, c'était le jour de l'armistice. La dernière guerre n'avait servi à rien… et celle-ci ? Notre Glorieux Mort – son frère Tom – tout ça pour rien. Il fallait espérer que celle-ci en vaudrait la peine.

Dans l'escalier menant à l'appartement du colonel, la chose à laquelle il s'était efforcé de ne pas penser pendant toute la matinée – ce que Donald avait dit – lui revint. C'était bien le problème avec les gens comme Reg : la pitié qu'on ressentait pour eux ne faisait qu'augmenter le mépris qu'ils vous inspiraient, et, par conséquent, le sentiment de culpabilité. Subitement submergé par une vague de dégoût, il s'immobilisa et resta là un moment, avant de chasser cette idée d'un haussement d'épaules et de poursuivre son ascension. Au moins, les événements de la veille l'avaient-ils empêché de trop se tracasser à propos de ce qui pourrait bien arriver ce matin.

À la minute où Mlle Mentmore lui ouvrit, il comprit qu'il y avait quelque chose. L'attitude de la téléphoniste, bien que toujours aussi agréable et amicale, avait un côté contraint, et les coups qu'elle frappa à la porte, normalement vifs, avaient cette fois un air timide.

Forbes-James était comme d'habitude à son bureau, mais il ne commença pas, comme à son habitude, par fouiller vainement parmi ses papiers à la recherche de son briquet, et il ne pesta pas non plus contre son harem féminin coupable de déplacer ses affaires.

– Ah, vous voilà ! dit-il. Bien. Prenez place… Mauvaises nouvelles, j'en ai peur. Sir Neville Apse s'est suicidé.

Tout en se laissant le temps d'enregistrer cette information, Stratton réalisa qu'il n'était pas vraiment surpris et il se demanda s'il ne s'était pas attendu, de façon inconsciente, à quelque chose de ce genre. Incapable de formuler cela, il se contenta de dire :

– Ah bon…

– Cette nuit. Dans son appartement. J'ai pris les dispositions nécessaires. Le corps va être rapatrié chez lui, et j'irai voir sa femme cet après-midi.

– Qui vous dit que c'est bien un suicide ? Une autopsie…

– Il s'est pendu. Mon voisin, le Dr Pyke, l'a examiné. Étant donné les circonstances, nous souhaitons naturellement épargner à Dame Violet tout chagrin supplémentaire.

– Je vois. Qui l'a trouvé ?

– Mme Calthrop, hélas. Elle est bouleversée.

Pas étonnant, songea Stratton.

– C’est ma faute. Je croyais qu’il était allé passer quelques jours chez lui, et je l’avais envoyée chercher quelques papiers. Il n’y avait aucune raison de croire… Sinon, j’y serais allé moi-même. Dès que j’ai vu son visage, j’ai compris…

– À quelle heure l’a-t-elle trouvé, colonel ?

Ils n’avaient quitté Soho qu’aux alentours de vingt et une heures et les derniers mots de Forbes-James suggéraient qu’elle était venue le voir juste après avoir fait cette découverte.

– Vingt-deux heures, environ. Elle avait travaillé tard.

– Où est-elle, à présent ?

– Ici. Elle dort, j’espère. Le Dr Pyke lui a administré un somnifère. Heureusement qu’il était là.

Oui, songea Stratton. Quelle coïncidence…

– Sir Neville a-t-il laissé un mot d’explication ?

– Si c’est le cas, on ne l’a pas encore trouvé. Il a pu envoyer une lettre à sa femme par la poste, mais j’en doute.

– Qu’allez-vous lui dire ?

– Je m’abstiendrai d’entrer dans les détails. Le stress. Les nerfs. Ce genre de choses. Cela peut arriver à n’importe qui… (Il secoua la tête.) Dommage…

Pas forcément, songea Stratton. Tout dépendait de la façon de voir.

– Bien entendu, poursuivit le colonel, cela signifie que nous allons pouvoir conclure notre enquête. Je vais, évidemment, rédiger un rapport complet, et votre concours sera signalé.

– Merci, colonel.

– Quant à votre neveu, dont j’ai appris qu’il sera relaxé ce matin, la police de Tottenham ne sera pas mise au courant de votre lien de parenté – sauf si le garçon en a lui-même parlé – pas plus que votre hiérarchie à Great Marlborough Street. Je suis certain que c'est votre désir, et je ne vois pas pourquoi il en irait autrement.

Le colonel le regarda avec intensité avant d'ajouter :

– Toutes choses étant égales…

– Je comprends, colonel.

– Bien. Je n'ai pas besoin de vous rappeler que vous êtes un fonctionnaire et que votre discrétion est essentielle, surtout en ce moment. Au risque de me répéter, votre concours sera signalé et je donnerai un compte rendu favorable sur votre travail à vos supérieurs. Toutefois, qu'il soit clair qu'en cas de… contestation, disons, concernant les éléments de cette affaire, ma parole serait davantage entendue…

Il eut un geste fataliste.

– Je suis sûr que vous comprenez…

– Oui, colonel.

– Comme vous devez comprendre qu'il n'est pas question d'accuser M. Marks, M. Wallace ou M. Curran de quoi que ce soit en rapport avec nos récentes activités. Nous ne pouvons risquer d'alerter l'opinion publique sur quelque aspect de cette affaire. Le cadavre de M. Duke devra, par nécessité, rester non identifié. Après tout (là, les commissures des lèvres du colonel se retroussèrent légèrement dans ce qui pouvait, ou non, être un sourire) une cérémonie funèbre a déjà été célébrée à son intention, même si le corps n'était pas le bon…

– Et Mme Symmonds ?

– Sa soi-disant épouse ? Il faudra lui dire que l'identification – qui de toute façon n'avait pas encore été faite quand vous lui avez parlé – s'est révélée incorrecte. Je ne pense pas qu'elle nous fera des ennuis.

Non, songea Stratton, qui se rappela la chambre pitoyable, le manteau déchiré et l'emplâtre pour les cors aux pieds. Cette malheureuse continuerait simplement à espérer qu'un jour son homme reviendrait l'épouser.

– Le décès de Mlle Morgan ayant été officiellement déclaré, il n'y a pas de problème de ce côté-là. Si Marks ou Wallace voulaient se plaindre des traitements subis, ce dont je doute, vous pourrez vous en référer à moi, mais sinon je crois que nous pouvons déclarer cette affaire bouclée.

– Oui, colonel.

– Des questions ?

« Aucune ayant de possibles réponses, songea Stratton, vous avez tout fait pour ça. » Forbes-James, assurément, protégerait impitoyablement tant sa réputation que celle de sir Neville et, au moindre faux pas, lui-même verrait la sienne partir en fumée – et avec, sa carrière ! Mais un désir de sauver le peu qui restait de sa fierté – pour montrer qu'ils pouvaient être deux à jouer à ce jeu-là – le fit le regarder droit dans les yeux et dire :

– Non, colonel. Soyez sans crainte, je saurai rester discret.

Puis il détourna la tête pour contempler le tableau représentant le jeune garçon nu, et ajouta :

– Je comprends très bien ce que la situation a de délicat...

Les yeux de Forbes-James s'écarquillèrent très légèrement, mais ce fut tout.

– Splendide ! dit-il avec jovialité, et il se leva pour lui serrer la main.

75

Dans l'ensemble, Stratton était content de retourner à Great Marlborough Street. C'était sympa – son entrevue de la semaine dernière avec cette pauvre Mme Symmonds mise à part – de retrouver le train-train quotidien. Il avait eu une conversation avec Johnny, qui semblait, pour le moment du moins, dégrisé par son expérience, et Reg paraissait avoir oublié son coup de folie. Jenny, qui avait été réconfortée par les lettres amusantes qu'elle avait reçues des enfants, pensait qu'il ferait comme si de rien n'était, et jusqu'à présent elle avait raison. Quand Stratton lui avait, non sans appréhension, rendu le sabre touareg, son beau-frère l'avait repris comme s'il s'agissait tout simplement d'un oubli.

Ensuite, il s'était inquiété des possibles conséquences de sa téméraire repartie sur le rapport de ce Forbes-James, mais visiblement, cet homme se croyait au-dessus des menaces, ou plutôt des suggestions de menace, de la part d'un être aussi insignifiant que lui. Et à en juger par les éloges faits à contrecœur par le commissaire Lamb à la réunion de Scotland Yard, la veille, ce rapport devait être sacrément bon à son égard.

Pendant les dix jours qui s'étaient écoulés depuis sa dernière entrevue avec le colonel, ses pensées n'avaient cessé de graviter autour de la mort de sir Neville, croisant et recroisant les mêmes points, sans jamais parvenir à une seule conclusion. Le problème n'était pas tant de savoir ce qui était arrivé, mais de savoir ce qu'il voulait croire. Il était douloureusement conscient que ces deux choses pouvaient être contradictoires, même s'il ne savait pas s'il aurait été capable de dire – lui eût-on pointé le canon d'une arme sur la tempe – exactement à quelle version il voulait croire.

On ne pouvait rien prouver au sujet de ce suicide, et il se pouvait que c'en fût un – étant donné la situation dans laquelle était cet homme. L'absence de mot d'explication n'était pas forcément significative ; ils n'en laissaient pas tous. Sir Neville savait que l'étau se refermait sur lui et aussi tout ce qu'il avait à perdre. Non le déshonneur – les gens de son milieu ne laissaient pas pareille chose advenir à leurs semblables, s'ils pouvaient l'empêcher – mais la perte de son poste, les rumeurs et une « placardisation » graduelle mais impitoyable, auraient été presque aussi insupportables. Donc, peut-être avait-il choisi, dans l'intérêt de sa famille, d'assurer lui-même sa sortie…

Mais il y avait des choses bizarres – l'attitude de Forbes-James, pour commencer. Même si, comme il l'avait souvent pensé au cours des deux derniers mois, cela pouvait s'expliquer par le fait qu'il travaillait dans un milieu où la culture du secret était si forte que les gens ne disaient pas volontiers les choses, même quand c'était nécessaire. Bien sûr, il ne s'était pas attendu à le voir fondre en larmes, mais tout de même… Et puis il y avait la présence de ce médecin, autre bon copain d'école, sans doute. Et ce coup de téléphone à Ventriss, avant d'aller voir Wallace à Great Marlborough Street, et les « deux ou trois choses » dont Forbes-James avait dit devoir s'occuper avant de parler à Abie Marks et le fait qu'il avait dit à Abie a) que sir Neville ne l'aiderait pas, et b) qu'il était passé aux aveux. Plus le fait qu'il n'avait pas répondu, quand Stratton lui avait demandé ensuite si c'était vrai.

Forbes-James avait dit que Diana avait trouvé le corps « aux alentours de vingt-deux heures » – après son retour de Soho. Mais à supposer qu'elle l'ait trouvé plus tôt, et qu'il ne l'ait pas dit ? À Abie, d'accord – mais à lui ? Ou bien… Forbes-James savait-il ce qui allait se passer ? Avait-il parlé à sir Neville, ou Ventriss s'était-il vu confier la tâche de s'assurer que sir Neville se supprimerait bien ? En l'aidant, au besoin ? Ce n'était pas impossible.

Mais alors, pourquoi s'arranger pour que Diana trouve le corps ? Pourquoi ne pas le « découvrir » lui-même ? S'il l'avait envoyée exprès là-bas, sous le prétexte de reprendre des documents… Il paraissait apprécier la jeune femme. Aurait-il été capable de cette cruauté-là ?

Il n'en savait rien. Il aurait bien aimé pouvoir parler à Diana, mais il n'avait pas pu lui demander ce qu'elle en pensait. La dernière fois qu'il l'avait vue, c'était à travers une porte entrebâillée, en se rendant à la salle de bains. Elle était couchée dans la chambre d'amis de l'appartement du colonel, en petite tenue, le visage pâle, les cheveux répandus sur l'oreiller. Pauvre Diana. Qu'allait-elle devenir ?

– Bonnes nouvelles du côté de West End Central !

Jones lâcha un tas de papiers sur la moitié du bureau de Stratton, interrompant ses rêveries.

– Tu auras réintégré ton propre petit bureau à Noël.

– Juste au moment où on s'entendait si bien, toi et moi…

Stratton désigna ces nouvelles paperasses.

– C'est quoi ?

– D'autres dépositions de témoins au sujet de la fusillade de la semaine dernière. Le soldat en permission qui a trouvé en rentrant chez lui sa bourgeoise au lit avec le proprio. Nos petites conversations me manqueront… À propos, comment ça s'est passé à Scotland Yard, hier ?

– Ça n'a pas été très cosy. Roper m'a servi un nouveau sermon sur l'intérêt national et le moral des populations – en d'autres termes : boucle-la, si tu sais où est ton intérêt.

– Donc, c'est fini.

Stratton opina.

– Le plus drôle, c'est que le commissaire Lamb, qui rentrait de convalescence, a dû me féliciter à cause du rapport du colonel. J'ai cru qu'il allait en avoir une crise cardiaque, mais c'est sorti quand même…

– C'est un emmerdeur ?

– Si tu savais ! J'espérais que ce coup sur le crâne l'aurait ramolli, mais non. À côté, Matchin est un rayon de soleil…

– M'en parle pas. Au fait, as-tu remarqué qu'il y a de l'amour dans l'air ? Ballard et Gaines…

– Je leur avais recommandé d'être discrets…

– Oh, ne t'en fais pas. Je ne dirai rien. Mais vous êtes culottés, vous autres, de venir nous chiper nos filles !

– T'avais des vues sur elle ?

– Certainement pas ! Je suis un homme marié. Cela dit, j'aimerais mieux dormir avec elle toute nue qu'avec toi dans ton plus beau costume… C'est la seule jolie célibataire qu'il nous reste.

– Apparemment, tu n'as jamais vu Arliss imiter Carmen Miranda.

– Non, Dieu merci !

– C'était pour un spectacle donné au profit des veuves et des orphelins. J'y songe encore avec émotion. Ensuite, il a fait la gueule parce qu'il avait laissé son couvre-chef et qu'on avait piqué ses bananes.

– Tu crois qu'on va cesser d'en importer ?

– Des chapeaux ?

– Des bananes. Apparemment, ça prend trop de place dans les cargos.

Le téléphone sonna, et Jones se tut pour décrocher. Stratton, qui était sur le point de ranger son bureau, leva la tête en l'entendant dire, d'un ton sec :

– Quand… ? Oui. Tout de suite.

Il raccrocha brutalement et le regarda sans mot dire pendant un moment.

– Mauvais, ça…

– Quoi ?

– Abie Marks. Tué cette nuit. Wallace aussi. Assassinés.

Stratton eut l'impression d'avoir reçu un coup de poing au plexus solaire. Il se rappela Forbes-James, disant la semaine précédente que les deux hommes ne se plaindraient sans doute pas de mauvais traitement, et il se dit : « J'aurais dû m'y attendre. »

– Comment ?

– Une balle dans la tête, tous les deux. Ils avaient les yeux bandés, les mains liées dans le dos. On dirait une exécution, non ?

Stratton, incapable de le regarder en face, se contenta d'acquiescer.

– On les a trouvés dans la salle de billard, donc c'est ton secteur, pas le mien. Et..., ajouta Jones sur un ton lourd de sous-entendus, je te laisse volontiers le champ libre.

– Ah, merde...

Stratton passa les mains sur sa figure.

– Bon...

Jones attrapa son manteau.

– Écoute, je ne sais pas ce qu'il se passe, et je ne veux pas le savoir. Mais c'est des méthodes de gangsters, non ?

Voyant Stratton hésiter, il ajouta :

– Je ne suis pas né de la dernière pluie. Je ne sais pas ce qu'il se passe, mais je ne crois pas aux coïncidences.

Il haussa les épaules.

– Je te laisse ça.

– Merci..., répondit Stratton, maussade.

Sur le seuil de la porte, Jones se retourna.

– Ils vont tous essayer de prendre le contrôle de son territoire. Comme si on n'avait pas assez de problèmes comme ça...

Resté seul, Stratton se tassa sur sa chaise, abattu. Et maintenant, en pauvre idiot qu'il était, il allait mettre en branle la machine policière... Merde ! Furieux, il passa la main sur son bureau, renversant le téléphone et une liasse de papiers par terre. « Dieu sait, songea-t-il, que je n'avais que peu d'illusions sur ce boulot, mais c'est le bouquet ! » Il se leva brusquement, dégagea le passage à coups de pied et, saisissant manteau et chapeau, quitta le commissariat.

76

Trois jours plus tard, Stratton était sur le point de quitter son bureau pour une nouvelle série d'interrogatoires tout à fait inutiles au sujet des décès de Marks et de Wallace, quand le téléphone sonna.

– Mme Calthrop vous demande, inspecteur, fit la voix de Cudlipp.

– Merci.

Stratton retomba brutalement sur sa chaise, ému.

– Allô ? Vous êtes là ?

– Edward…

Diana parla si vite qu'il en manqua la première partie.

– … et je sais que je n'aurais pas dû, mais j'ai… voulu… On peut se voir quelque part, à votre avis ?

– Se voir ? Je ne sais pas si…

– C'est que…

Elle hésita, puis la suite de sa phrase se déversa en un torrent de paroles désespérées.

– Vous êtes le seul à qui je peux en parler. Je sais qu'on ne devrait pas, mais j'aimerais vraiment… Edward, s'il vous plaît. Après tout, personne ne nous l'a interdit, n'est-ce pas ?

– Pas explicitement, non, mais je suis certain qu'ils l'auraient fait, s'ils y avaient pensé.

– Mais ils ne l'ont pas fait… Je sais que je n'aurais

pas dû vous téléphoner. J'ai essayé de trouver le courage pendant des jours, mais à quoi bon ? (Elle semblait au bord des larmes.) Je savais que vous seriez trop...

– Diana, attendez ! Où êtes-vous ?

– Dans une cabine publique, à Piccadilly.

– Vous êtes attendue quelque part ?

– Je dois être rentrée à Dolphin Square à quatre heures, mais...

Stratton consulta sa montre : deux heures un quart.

– Il y a un café dans Denman Street, la première à gauche en débouchant de Shaftesbury Avenue. C'est le seul dans la rue. Rendez-vous là-bas...

Stratton se hâta dans Regent Street. N'avait-il pas souhaité la revoir ? Il s'était inquiété pour elle. C'était sûrement une mauvaise idée, mais tant pis... Son allégresse à l'idée de la retrouver était tempérée par un sentiment de culpabilité, car il n'aurait pas dû être aussi content. Et elle avait quelque chose à lui dire. Sur Apse, ou Marks ? De toute façon, il ne pourrait rien faire, donc ce serait une entrevue inutile, mais...

Quand il l'aperçut à travers le scotch tapissant la vitre de la porte du petit café, il la trouva bien peu à sa place, assise à cette table cabossée en contreplaqué, dans cette salle malpropre envahie par la fumée des cigarettes, la vapeur, les odeurs de harengs frits et de vieilles saucisses. Au moins, songea-t-il en accrochant son chapeau et son manteau à la patère, aucune de ses relations distinguées ne risquait de venir y prendre une tasse de thé.

Même dans le bref moment qu'il mit à aller jusqu'à cette table, il ressentit une intense émotion. Pour ne pas la dévorer des yeux, il fixa une affichette au mur, derrière elle : *Il n'y a PAS de dépression dans cette maison, et nous n'envisageons pas la possibilité d'une défaite. CELA N'EXISTE PAS.* « Merde, pensa-t-il, comme si être constamment exhorté à : Creuser Pour la Victoire, se Faire Recenser, Économiser, Dépenser, Être Joyeux, s'Enrôler, se Porter Volontaire, et se Méfier des Oreilles Ennemies – n'était pas assez, à présent on nous dit quoi *penser.* »

Cette émotion – elle était, si possible, encore plus belle et élégante que dans son souvenir – redoubla quand il s'installa en face d'elle.

– Désolé pour l'endroit. C'est le seul auquel j'aie pensé dans ce quartier.

– Ça va bien. Le thé n'est pas franchement recommandable, mais ça n'a aucune importance, je vous remercie…

Elle baissa la tête et poursuivit d'une voix si basse qu'il dut se pencher pour saisir ses paroles.

– Abominable… Forbes-James a tenu à m'expédier chez ma belle-mère pour la semaine, mais c'était tellement insupportable que je suis revenue…

– Vous avez repris le collier ?

– Oui, depuis lundi. Tout le monde fait comme si de rien n'était. Lally – une autre des protégées de Forbes-James – est très gentille. Il a dû la charger de veiller sur moi. Elle prétend qu'il vaut mieux essayer de tout oublier le plus tôt possible. Elle a raison, mais…

– Mais quoi… ?

Stratton, conscient de la brutalité de son ton, essaya de l'adoucir avec ce qui était censé être un sourire encourageant.

– Vous aussi ? dit-elle tristement. J'espérais que vous, au moins…

Elle laissa sa phrase en suspens et contempla sa tasse d'un air malheureux.

– Je me sens comme en prison…

– Vous ne voulez pas me dire ce qui s'est passé ? Si vous croyez que je peux vous aider, évidemment…

– Oui. Vous savez, je suis allée chez Apse, et je l'ai trouvé – enfin, vous êtes au courant – puis je me suis enfuie dans le jardin… Le Dr Pyke était là. J'ignore si vous le savez, mais c'est un voisin du colonel et je crois qu'il travaille pour nous, même si on ne me l'a jamais annoncé officiellement. Il m'a emmenée chez le colonel et là ils m'ont donné un somnifère. Ils savaient déjà, Edward ! Ils savaient qu'il était mort. Ensuite, je me suis réveillée là-bas, dans un lit (là, elle rougit un peu) en sous-vêtements, donc le Dr Pyke avait dû… Forbes-James est venu me voir, et quand j'ai demandé ce qui s'était passé – au sujet d'Apse – il a répondu qu'on s'en occupait. J'ai dû faire une déposition. Un policier est venu me parler – j'aurais voulu me lever, mais Forbes-James ne l'a pas permis, et il est resté là pendant tout ce temps. Il disait sans arrêt : « Ça devrait suffire » et que j'avais besoin de repos, ce qui était absurde car je me sentais très bien, et quand le policier a tenté de me poser une question, il s'est interposé.

À ce moment-là, elle fut interrompue par la serveuse venue prendre la commande de Stratton. Une fois celle-ci partie, elle ajouta :

– Après, j'ai essayé d'interroger Forbes-James, mais il s'est contenté de me tapoter la main en disant que tout était sans doute pour le mieux.

– Pour lui, oui ! fit Stratton avec une ironie désabusée.

– Il y a autre chose. Au sujet de Claude. Ce matin-là, j'étais venue tôt au bureau et j'avais surpris une conversation entre lui et le colonel.

– Entre le colonel et Ventriss ?

– Oui.

Diana se pencha en avant et chuchota :

– Je crois que Forbes-James est amoureux de lui, Edward.

– Quoi ?

– Ils parlaient d'Apse – de ce qu'il avait fait. J'en avais parlé à Claude, à tort, mais aujourd'hui je crois qu'il savait déjà. En partie, du moins. Il taquinait le colonel, disant que lui et ses amis croyaient qu'ils pourraient toujours s'en tirer, au sujet de… leurs mœurs. Normalement, Forbes-James aurait dû se mettre en colère, mais non… Il n'a pas bronché. Et, ajouta-t-elle avec précipitation, le Dr Pyke doit en être aussi, car un jour je suis venue chez le colonel alors qu'il ne m'attendait pas et sa chemise était déboutonnée. Il a prétendu qu'il s'agissait d'une consultation, mais ensuite, quand j'ai désigné les boutons, il a baissé les yeux sur son pantalon, comme si… quand on vous prend la tension, ce n'est pas utile… non ? C'était avant que je sache, pour Apse, et je n'y ai repensé que bien plus tard…

– Vous vous rappelez cet après-midi dans le bureau du colonel, quand vous m'avez désigné ce tableau qui représente un jeune garçon nu ? Je me suis demandé si vous tentiez alors de me dire quelque chose.

– Je ne sais pas vraiment ce qui m'a pris. C'était sûrement pour voir si vous trouveriez cela étrange. Je sais qu'on voit plein de nus dans les musées, mais il s'agit de modèles plus âgés, non ? Quand j'ai interrogé le colonel et qu'il m'a répondu que c'était un cadeau d'Apse, je me suis dit… enfin, j'ignore ce que j'ai pensé au juste, mais ce serait idiot d'avoir un tableau pareil chez soi si ce n'est pas votre penchant…

– J'ai trouvé cela surprenant, en tout cas.

– Je ne pouvais pas y croire, je ne *voulais* pas y croire quand… jusqu'au jour où je l'ai entendu parler à Claude. Là…

– Là, vous n'avez plus douté. Donc, sa… tendresse pour Ventriss n'est pas payée de retour ?

Diana fit non de la tête.

– Claude en joue. Mais il est loyal envers Forbes-James. Il a fait… certaines choses pour lui.

– Sir Neville ?

– Je n'en sais rien. Mais il a sûrement fait d'autres choses. Et Forbes-James lui avait téléphoné cet après-midi-là, n'est-ce pas ? Nous l'avons entendu. Et pourquoi le Dr Pyke se trouvait-il dans le jardin ? Ce soir-là, quand je suis retournée à Dolphin Square, il faisait nuit et…

– Minute ! Vous dites être retournée là-bas ?

– Oui. Dans l'après-midi. Forbes-James m'avait dit de rentrer chez moi, mais de me tenir prête à vingt-deux heures car Rosemary viendrait me chercher en voiture.

– Il m'a dit que vous étiez restée tard là-bas…

Elle secoua la tête.

– Je suis rentrée chez moi avant de revenir. Rosemary avait un message de lui, me demandant d'aller d'abord chercher des documents chez Apse. D'après Rosemary, elle s'était proposée de le faire, mais il avait répondu que ce ne serait pas prêt… En fait, il n'y avait pas de documents, Edward, seulement… lui.

– Le colonel a-t-il dit pourquoi il voulait que vous reveniez à Dolphin Square ? À part pour aller prendre ces documents… ?

– C'était sûrement par rapport à votre entrevue avec M. Marks. Il m'a fait dire par Rosemary qu'Apse ne serait pas là, cette fois. Je crois, ajouta-t-elle, qu'il m'a fait trouver son cadavre exprès, en guise de…

– D'avertissement ?

– Oui. J'ignore s'il sait que je suis au courant pour lui, mais…

– Il sait que je le suis, moi, dit Stratton.

Diana écarquilla les yeux.

– Quoi ?

– Je le lui ai dit.

La jeune femme faillit s'en étrangler.

– Edward !

– Pas explicitement, mais il sait que je suis au courant. Cela dit, je ne pourrais rien prouver. Vous non plus. Voilà pourquoi nous allons continuer à nous taire. Abie Marks est mort, Diana. Son cadavre a été retrouvé il y a trois jours, avec celui de son homme de main. Abattus. Je suis censé enquêter, mais on ne trouvera rien.

Diana blêmit.

– Claude, dit-elle.

– Je ne sais pas. C'est possible. On dira que c'était un règlement de comptes entre bandes rivales.

– Je n'oserai pas lui demander…

– Demander à *Ventriss* ?

Aussitôt, Stratton ressentit un écœurant accès de jalousie et, avant d'avoir eu le temps de se reprendre, il demanda, sur le ton du mari soupçonneux :

– Vous l'avez revu ?

Diana cilla, puis baissa la tête.

– Et votre époux ?

– Au front. Je ne veux pas penser à lui.

– Êtes-vous folle ?

– Sans doute, chuchota-t-elle. C'est affreux. Je ne sais pas quoi faire. Il veut continuer comme avant. Pour lui, c'est un jeu, et maintenant que je connais les sentiments de Forbes-James à son égard… Je n'ai pas parlé à Claude de cela, bien sûr, ajouta-t-elle très vite. Je n'ai pas complètement perdu la tête.

– Mais vous êtes toujours amoureuse de lui, n'est-ce pas ?

– Oui. Je n'y peux rien.

Cela avait été dit avec une certitude implacable, presque farouche, qui le fit enrager.

– Enfin, bon sang ! éclata-t-il. Vous avez intérêt à y pouvoir quelque chose, sinon il va vous anéantir, Diana ! Entre ces deux-là, lui et Forbes-James, vous n'avez aucune chance. Pour eux, vous ne comptez pas plus que moi. Vous ne réalisez pas ?

Diana, les yeux brillants de larmes, opina.

– Excusez-moi, dit-il plus doucement. Je sais que ça ne me regarde pas…

Sans réfléchir, il tendit le bras par-dessus la table et lui prit la main. Elle ne réagit pas, mais ne fit rien non plus pour se dégager.

– C'est que je m'inquiète pour vous…

La jeune femme battit des paupières, puis reprit sa main.

– Ne soyez pas trop gentil avec moi, ou je vais pleurer…

– Bon !

Stratton esquissa un sourire rassurant.

– Je vais essayer. Mais, ajouta-t-il, incapable de se retenir : je n'y peux rien.

– Il faut pouvoir !

À son tour, elle esquissa un sourire.

– Je n'en vaux pas la peine… Comme vous le voyez… (elle haussa les épaules, résignée) je suis un cas désespéré.

– Ventriss est dangereux. Vous êtes bien placée pour le savoir. Il joue avec le feu, et vous aussi, tant que vous continuerez à le voir. Je vous en prie, Diana, ajouta-t-il, effrayé de constater que ses traits se figeaient, pardon si je passe les bornes, mais vous avez voulu me parler et je n'ai que des conseils à vous donner.

Diana continua à le toiser pendant un moment, puis son masque se fendilla et sa bouche se remit à trembler.

– Oui, chuchota-t-elle en tripotant son sac à main pour prendre un mouchoir. Je sais. Et vous avez raison. Pardon, Edward. Mais il y a tellement d'occasions où l'on ne dit pas ce qu'il faudrait – parce que c'est quelque chose qu'on ne peut mentionner, ou qui n'est pas avouable, convenable, ou (elle désigna l'affichette au mur) comme cette affiche, qui prétend qu'une certaine chose n'existe pas alors qu'au contraire… parce que c'est mauvais pour le moral. Il y a toujours des raisons pour taire ce qu'on pense vraiment. Surtout maintenant.

Cela avait été dit très vite, comme pour devancer les larmes s'accumulant au bord de ses cils.

– Mon Dieu, dit-elle en portant son mouchoir à son visage. Ça y est, les vannes sont ouvertes…

– On dit que la vérité est la première victime de la guerre, dit Stratton, découragé. Mais vous pouvez faire quelque chose pour vous. Au sujet de Ventriss. Prudence, Diana. Réfléchissez à ce que je vous ai dit.

– Oui.

De nouveau, elle se tamponna les yeux et, sortant son poudrier de son sac, elle se repoudra le nez. Stratton, qui avait espéré l'entendre au moins promettre qu'elle ne reverrait plus ce sale type, ressentit de la déception, tout en sachant qu'il n'en avait pas le droit. Il n'était pas en mesure d'offrir une alternative et, d'ailleurs, ils étaient l'un et l'autre mariés, bon sang ! Le poudrier se referma avec un claquement et elle lui adressa un sourire pâle.

– Alors, comment suis-je ?

– Très belle.

– Bon, je vais y aller.

– Je vous conseille de partir la première. On ne sait jamais.

– Entendu. Voilà…

Elle sortit son porte-monnaie.

Stratton l'en empêcha d'un geste.

– Le thé était peut-être imbuvable, mais je vous l'offre…

– Merci.

Elle se leva.

– Et merci pour vos conseils.

Stratton se leva lui aussi, et ils se serrèrent la main pendant un temps qui parut fort long mais ne devait pas l'avoir été.

– Au revoir, Diana. Et bonne chance.

Diana se pencha, et – sous l'œil intéressé de deux femmes de ménage d'un certain âge, à une table voisine – l'embrassa sur la joue.

– Je ne vous oublierai jamais, vous savez. Au revoir, Edward.

Il la regarda marcher entre les tables en direction de la porte, mais elle ne se retourna pas. Il ignorait si elle voudrait, ou pourrait, suivre son conseil, mais il l'espérait, tout comme il espérait la revoir un jour. C'était tout ce qu'on pouvait faire, en définitive, à propos de n'importe quoi.

Poussant un soupir, il se retourna et souleva sa tasse. Notant au bord de vieilles traces de rouge à lèvres, et espérant, comme il la tournait entre ses mains, que Diana n'avait rien vu, il finit son thé.

TRÈS BRÈVE NOTE
SUR LE CONTEXTE HISTORIQUE

Si une partie de l'intrigue repose sur des faits réels, j'ai pris quelques libertés avec la chronologie.

Le personnage du colonel Forbes-James s'inspire, notamment, du célèbre espion Charles Maxwell Knight (1900-1968). Knight fut recruté par le contre-espionnage en 1925 et nommé à la tête du Département B5 (b) avec mission de lutter contre la subversion sur le sol britannique. Les nécessités du roman m'ont amenée à élargir le cadre de ses attributions afin d'en faire le responsable de Claude Ventriss, agent dont le travail le conduit à l'étranger. Cependant, il est parfaitement exact qu'en ce qui concerne sa localisation B5 (b) était basé à Dolphin Square (mais pas dans Nelson House).

Knight fit incarcérer Oswald Mosley, le chef du Parti fasciste britannique, en mai 1940, et déjoua un complot pour empêcher l'Amérique d'entrer en guerre. Auteur de plusieurs romans policiers, il serait l'un des modèles de Ian Fleming pour « M », le patron de James Bond.

Parmi les agents sous ses ordres figuraient Tom Driberg, Olga Gray et Joan Miller (qui me fournit un « tremplin » pour le personnage de Diana). Miller (1918-1984), séduisante jeune fille de la bonne société, réussit à infiltrer une organisation antisémite, le Right Club, au début de l'année 1940. Le Right Club – il exista de nombreuses autres organisations similaires, dont la plupart furent démantelées ou rognées au début de la guerre – avait été créé en mai 1939 par le capitaine Archibald Maule Ramsay (1894-1955) un député qui m'a inspiré dans ses grandes lignes le personnage de Peverell Montague.

L'objectif du Right Club était de débarrasser les milieux financier et politique britanniques de l'influence juive et d'exploiter l'antipathie nationale envers les Juifs et les communistes. Quand la Grande-Bretagne déclara la guerre à l'Allemagne, le 3 septembre 1939, le but déclaré de Ramsay fut d'entretenir une « atmosphère dans laquelle "la drôle de guerre" pourrait être convertie en une paix honorable et négociée ». Ses membres diffusaient leur propagande sous forme d'étiquettes adhésives et de tracts avec des slogans comme « C'est aux Juifs que profite la guerre » ou « Cette guerre a été ourdie par les Juifs à des fins de vengeance et pour leur assurer la domination mondiale ».

En mai 1940, le travail d'infiltration de Joan Miller permit de démasquer Tyler Kent (1911-1988), employé au chiffre à l'ambassade américaine de Londres. Kent, comme Walter Wymark dans ce roman, remettait des doubles des communications secrètes entre Roosevelt et Churchill à des membres du Right Club dans l'espoir de nuire aux chances de réélection du président Roosevelt. Kent fut accusé d'avoir obtenu des documents « pouvant être directement ou indirectement utiles à l'ennemi » et jugé en octobre 1940 par la cour criminelle centrale. Il fut reconnu coupable et condamné à sept ans de prison. À la fin de la guerre, il fut relâché et expulsé aux États-Unis.

Joan Miller participa aussi à l'arrestation et la détention de Ramsay dans le cadre de l'Ordonnance 18B. Ramsay fut relâché en septembre 1944 et reprit aussitôt son siège de député. Aux élections de 1945, il ne se représenta pas.

Au cours de mes recherches, j'ai consulté des dizaines d'ouvrages. Parmi les plus utiles, se trouve *One Girl's War* de Joan Miller (Brandon, 1986), *The Man Who Was M: The Life of Maxwell Knight* d'Anthony Masters (Grafton, 1986), et *Debs at War* d'Anne de Courcy (Weidenfeld & Nicholson, 2005). Les archives de l'université du Sussex se sont révélées, comme toujours, une mine d'informations, tout comme la bibliothèque de l'Imperial War Museum.

L'église dans Eastcastle Street est en réalité galloise. Elle n'est pas en briques polychromes victoriennes comme dans le livre (à la différence de sa voisine, dans Margaret Street). J'ai également pris quelques libertés avec l'architecture des immeubles de Dolphin Square.

REMERCIEMENTS

Toute ma gratitude va au professeur Sue Black, à Mark Campbell, Tim Donnelly, Emma Dunford, Claire Foster, Freeway (chien basset), Jane Gregory, Jane Havell, Maya Jacobs, Helen Llyod du National Trust, Fenella et Huon Mallallieu, Jemma McDonagh, Dr John Manlove, Claire Morris, Michael O'Byrne, Sara O'Keeffe, Christine et David Ratsey, David Roberts, Sebastian Sandys, Margaret Willes, ainsi que June et William Wilson pour leur enthousiasme, leurs conseils et leur soutien.

Laura Wilson
dans Le Livre de Poche

Les Reclus n° 37126

1890. Dans un jardin, des enfants jouent à cache-cache. L'un d'eux est retrouvé, mortellement blessé à la tête... Londres, 1955. Dans une demeure bourgeoise de South Kensington, trois personnes âgées sont assassinées. Deux événements que rien ne semble lier. Et pourtant.

Un millier de mensonges n° 31417

Leslie Shand a battu sa femme pendant trente ans, violé sa fille aînée Sheila, rendu folle sa cadette Mo et assassiné son fils sous les yeux de sa femme. Leslie est un jour abattu d'une balle de carabine en pleine poitrine. Vingt ans plus tard, une journaliste enquête.

Du même auteur
aux Éditions Albin Michel :

MON MEILLEUR AMI, 2002.

UNE VOIX DISPARUE, 2002.

LES RECLUS, 2004.

L'AMANT ANGLAIS, 2005.

UN MILLIER DE MENSONGES, 2007.